GETÚLIO

LIRA NETO

Getúlio

Da volta pela consagração popular ao suicídio (1945-1954)

5ª reimpressão

Copyright © 2014 by Lira Neto

Grafia atualizada segundo o Acordo Ortográfico da Língua Portuguesa de 1990, que entrou em vigor no Brasil em 2009.

Capa
João Baptista da Costa Aguiar

Foto de capa e foto da lombada
Leonard McCombe/ GettyImages

Caderno de fotos
Rita da Costa Aguiar

Preparação
Leny Cordeiro

Índice remissivo
Luciano Marchiori

Revisão
Adriana Bairrada
Ana Maria Barbosa
Angela das Neves

Dados Internacionais de Catalogação na Publicação (CIP)
(Câmara Brasileira do Livro, SP, Brasil)

Neto, Lira
 Getúlio: Da volta pela consagração popular ao suicídio (1945-1954) / Lira Neto. – 1ª ed – São Paulo : Companhia das Letras, 2014.

 ISBN 978-85-359-2470-1

 1. Brasil – Política e governo – 1945-1954 2. Brasil – Presidentes – Biografia 3. Vargas, Getúlio, 1883-1954 I. Título.

13-05907   CDD-923.181

Índice para catálogo sistemático:
1. Brasil : Presidentes : Biografia 923.181

Todos os direitos desta edição reservados à
EDITORA SCHWARCZ S.A.
Rua Bandeira Paulista, 702, cj. 32
04532-002 — São Paulo — SP
Telefone: (11) 3707-3500
www.companhiadasletras.com.br
www.blogdacompanhia.com.br
facebook.com/companhiadasletras
instagram.com/companhiadasletras
twitter.com/cialetras

Nada mais vos posso dar, a não ser o meu sangue.

Getúlio Vargas

Para Adriana

Sumário

1. "Talvez só com meu sacrifício eu consiga libertar-me das mesquinharias", escreveu Getúlio em São Borja (1945) 11

2. "Se for jornalista, mando enforcar", dizia Getúlio, a propósito dos aviões que desciam em Santos Reis (1945) 16

3. Getúlio detona uma "bomba atômica". Candidatura do brigadeiro vive seus dias de Hiroshima (1945) 36

4. "Estarei vivo ou morto para a vida pública do meu país?", indagava-se Getúlio (1946) 57

5. Provocado, o senador Getúlio Vargas rompe o silêncio — e desafia os adversários para uma briga de rua (1946) 78

6. Um místico envia a Alzira supostas mensagens do Além: "Getúlio será arrasado e só depois levado de volta ao poder" (1946-7) 101

7. Ministro da Guerra denuncia complô de sargentos para depor Dutra e recolocar Getúlio no Catete (1947) 118

8. Getúlio e Prestes sobem juntos no mesmo palanque.
Comício termina com bombas e pancadaria (1947-8) 134

9. O repórter Samuel Wainer entrevista Getúlio:
"Não sou oportunista; sou homem de oportunidades" (1949) 158

10. Candidatura de Getúlio é lançada por Ademar de Barros.
"Não gostei e não estou entendendo coisa alguma", diz Alzira (1950) 177

11. O novo governo se depara com o primeiro desafio: convencer
os Estados Unidos de que o ovo nasceu antes da galinha (1951) 200

12. Surge um jornal para defender Getúlio.
Mas a economia patina — e a oposição corteja os quartéis (1951-2) 220

13. O presidente leva um tombo no palácio.
De perna e braço quebrados, cai em depressão (1953) 239

14. "Por acaso eu sou um leproso?", indagou Perón,
após Getúlio recusar os convites para encontrá-lo (1953) 256

15. Coronéis lançam um manifesto contra o governo
e deputados votam o impeachment de Getúlio (1954) 271

16. "Estes tiros me atingiram pelas costas", diz Getúlio,
ao saber do atentado a Carlos Lacerda (1954) 295

17. As Forças Armadas exigem a renúncia do presidente.
"Só morto sairei do Catete", responde Getúlio (1954) 313

18. "Se algum sangue for derramado, será de um homem
cansado e enojado de tudo isso" (24 de agosto de 1954) 335

Epílogo
"Saio da vida para entrar na história" 345

Este livro 352
Fontes 357
Notas 366
Crédito das imagens 413
Índice remissivo 415

1. "Talvez só com meu sacrifício eu consiga libertar-me das mesquinharias", escreveu Getúlio em São Borja (1945)

De acordo com os anúncios publicados nos jornais e revistas da época, o remédio disponível em vidrinhos de cor marrom e rótulo esverdeado prometia "dias calmos" e "noites mais relaxantes".[1] Recomendado como tranquilizante, antiespasmódico e analgésico, o Nembutal — nome comercial do pentobarbital sódico — possuía indicações paralelas, de amplo conhecimento público. Barbitúrico poderoso, comercializado na forma de drágeas e elixir em todo o mundo desde 1930, a droga sempre fora empregada também para fins veterinários, ministrada por via endovenosa, nos casos de necessidade de anestesia cirúrgica ou mesmo, em altas dosagens, para o sacrifício de animais. O noticiário daquele tempo estava cheio de casos de enamorados de coração partido, empresários arruinados e melancólicos em geral que recorriam ao mesmo artifício para abreviar a existência de forma rápida, certeira e praticamente indolor. Bastava uma dose muito além da prescrita para fazer do Nembutal uma porção mortífera.

Naquele final de 1945, após quinze anos ininterruptos no exercício do poder máximo da República, um humilhado Getúlio Vargas retornara a São Borja, na qualidade de cidadão comum, recebido como "hóspede" na velha propriedade da família, a estância Santos Reis, da qual era sócio minoritário. De lá, em carta à filha Alzira — que ficara no Rio de Janeiro, ao lado do marido, Ernani do Amaral

Peixoto —, solicitou a remessa de dois frascos de Nembutal para abastecer as gavetas da mesinha de cabeceira, já entulhadas de medicamentos.[2]

À primeira vista, não havia nada de estranho no pedido. O ex-presidente, aos 63 anos, utilizava uma quantidade considerável de remédios para combater insônias, enxaquecas, indisposições estomacais, dores ósseas, incômodos renais e aflições musculares recursivas. Ampolas de Sterogyl, fonte de vitamina D, entravam como coadjuvantes nesse coquetel diário, remetido a Santos Reis em lotes periódicos, que chegavam pelas mãos de portadores de confiança — os mesmos que lhe levavam as cartas, os jornais do Rio e os exemplares da revista de variedades *Fon-Fon!*, a preferida do destinatário. Ao longo dos anos seguintes, amigos, parentes e políticos que passaram a visitá-lo em São Borja fariam as vezes de solícitos pombos-correios.[3]

Getúlio utilizava o Nembutal como analgésico e sonífero, dadas as queixas mencionadas insistentemente em sua correspondência familiar. Entretanto, é improvável que desconhecesse os efeitos letais da droga, capaz de induzir o coma e provocar paradas respiratórias e cardíacas de modo instantâneo, tendo sido por isso mesmo utilizada em alguns países para casos de eutanásia e suicídio assistido.

Em se tratando de Getúlio, há um histórico de bilhetes, anotações e cartas que não pode ser desprezado. Quando confrontado com situações-limite, já dera sinais de que a hipótese da autoimolação seria, no seu entender, a única forma de responder com alguma decência aos agressores. Por mais de uma ocasião deixara evidente que jamais aceitaria conviver com o estigma da infâmia e da traição. Não se tratava da ideia fixa de um homem depressivo. Para Getúlio, a possibilidade do sacrifício pessoal era relacionada a uma questão de brio, de preservação da honra, de um sentido heroico de posteridade.[4]

Basta recuar um pouco no tempo para que não restem dúvidas a respeito disso. Ainda em 1930, no dia 3 de outubro, data da eclosão do movimento civil--militar que o levou ao poder, Getúlio plantara no diário um primeiro registro de teor abertamente fatalista: "Quatro e meia. Aproxima-se a hora. [...] E se perdermos? Serei depois apontado como o responsável, por despeito, por ambição, quem sabe. Sinto que só o sacrifício da vida poderá resgatar o erro de um fracasso". Três dias depois, já a bordo do comboio revolucionário, reforçou: "Começo a fazer meus preparativos a fim de seguir para o teatro de operações, no Paraná. Desejo fazê-lo, porque esse é o meu dever, decidido a não regressar vivo ao Rio Grande, se não for vencedor".[5]

Getúlio venceu e se tornou presidente. Porém, cerca de dois anos mais tarde, em 10 de julho de 1932, no dia seguinte ao estopim da chamada Revolução Constitucionalista de São Paulo, sentindo-se acuado e traído pelos chefes militares, rabiscou uma inconfundível carta de despedida: "Reservava para mim o direito de morrer como soldado, combatendo pela causa que abraçara. A ignomínia duma revolução branca não m'o permitiu. Escolho a única solução digna para não cair em desonra, nem sair pelo ridículo".[6] Mais uma vez, ao contrário de uma resignação acabrunhada, a mensagem apontava para um gesto de resistência ativa, na qual a apresentação do próprio cadáver funcionaria como a melhor insígnia de altivez e coragem.

Os paulistas foram derrotados e Getúlio continuou governando nos anos seguintes, com poderes cada vez mais dilatados. Entretanto, em 19 de janeiro de 1942, ao receber no Palácio Guanabara o então subsecretário de Estado norte-americano, Sumner Welles, registrou em seu diário uma nova advertência de que não se permitiria passar à história como um líder vencido — ou como alguém que arrastara seu país a uma catástrofe irreparável. Welles lhe fizera ver que a posição geográfica do território brasileiro seria crucial para os Estados Unidos, uma vez que ainda se cogitava a possível invasão nazista ao continente pela América Latina. "Respondi-lhe que ele poderia contar com o Brasil, mas que nessa decisão eu jogava a minha vida, porque não sobreviveria a um desastre para a minha pátria"[7].

A decisão de Getúlio se mostrou a mais acertada. O país entrou na guerra como parceiro dos Aliados e o Eixo nazifascista foi batido. Mas em abril de 1945, tão logo percebeu os indícios de que a cúpula do Exército brasileiro tramava sua deposição, Getúlio voltou à carga ainda mais enfático. "Resistir à violência para me depor do governo é um dever. Primeiro, porque não resistir seria um ato de fraqueza, incompatível com a dignidade do cargo e a felonia dos agressores. Segundo, porque constituiria um mau exemplo para o futuro." Categórico, completou: "Lúcido e consciente, estou resolvido ao sacrifício para que ele fique como um protesto, marcando a consciência dos traidores. [...] Sinto que o povo brasileiro, a quem nunca faltei, no amor que por ele tenho e na defesa de seus direitos e legítimos interesses, está comigo. Ele me fará justiça!".[8]

Era sempre a mesma convicção de que a história o absolveria, de que o gesto extremo neutralizaria a crise e desnudaria a sanha dos inimigos. O detalhe de nunca ter executado, até então, o plano tantas vezes arquitetado se devia ao fato de em todas as ocasiões anteriores o cenário ter revertido rapidamente a seu favor. No dia 29 de outubro de 1945, contudo, aceitara a humilhante queda sem esboçar reação. Pedira apenas 48 horas para encaixotar objetos pessoais e abandonar o palácio. Talvez no íntimo já planejasse o próprio retorno, como sugeria o depoimento do sobrinho Serafim Dornelles, que o acompanhou no voo do Rio de Janeiro a São Borja.

"Deves ter ouvido dizer que a política se assemelha a um jogo de xadrez. Indiscutivelmente, em alguns pontos se assemelham", teria dito Getúlio a Serafim. "Por exemplo, eu sou uma pedra que foi movida da posição que ocupava. E eles pensam que vou permanecer onde me colocaram. É o grande erro deles. Não sabem que vamos começar um novo jogo — e com todas as pedras de volta ao tabuleiro."[9]

Apesar do prognóstico, o ambiente era de indefinições e incertezas. Por isso, pouco depois de chegar a São Borja, Getúlio decidiu redigir um testamento político, cujos rascunhos a lápis ficaram preservados em seus papéis pessoais. Em quatro páginas de papel pautado, após fazer a retrospectiva do início da campanha eleitoral, do movimento queremista e de sua derrubada do poder, lamentou a perseguição que antigos aliados estariam sofrendo por parte do governo interino — entregue meio a contragosto pelos militares ao presidente do Supremo Tribunal Federal, ministro José Linhares. Especulava-se nos meios políticos que o destino imediato de Getúlio ainda estaria por ser traçado pelo novo regime. Trabalhava-se com a hipótese de ele vir a ser preso ou, no mínimo, como muitos acreditavam, expatriado.

Getúlio rematou os rascunhos escritos em São Borja com uma nova ameaça de tirar a vida com as próprias mãos. Como sempre, alegou preferir ser lembrado como um mártir que sucumbira em defesa do povo, da pátria e das causas que defendia a ter que passar à memória coletiva como um poltrão que recolhera as armas e baixara a cabeça aos adversários.

A carta, pouco conhecida, afirmava:

A situação dramática da minha vida no desenrolar dos últimos acontecimentos políticos pode ser resumida em poucas linhas.

Um grupo de políticos, sob o pretexto de democratizar o Brasil, lançou mão de um militar [brigadeiro Eduardo Gomes] como candidato à presidência da República, para com ele fazer a desordem. Eram os golpistas.

Lançaram sobre mim, através de uma imprensa sem categoria moral, a conhecida campanha de ódios e difamações.

Para manter a ordem, levantei a candidatura doutro militar [general Eurico Gaspar Dutra], declarando reiteradas vezes que não era candidato a qualquer cargo público.

Atendi a tudo que reclamavam no terreno das franquias liberais: liberdade de opinião, de reunião, de propaganda, anistia ampla, lei eleitoral, designação da data para as eleições, formação de partidos etc.

A campanha sistemática contra mim continuara, mas veio afinal a reação do povo em meu favor, revoltado pela injustiça. E foi tão intensa essa reação e de tal forma cercou-me o calor da solidariedade popular que alarmou os que pretendiam aniquilar-me.

Certo dia, um grupo de generais, sob pretexto fútil e abusando dos cargos de confiança de que eu os investia, lançou contra mim um Exército aparelhado de tanques, canhões e metralhadoras, depondo-me do governo.

Retirei-me para uma fazenda no meu estado natal. Vivo só, no meio de gente simples que não sabe trair.

O novo governo que se instituiu para democratizar o país suprimiu todas as liberdades. Em nome da democracia, dera um golpe de força. Para consolidar essa singular democracia, estabeleceu a censura, proibiu as atividades partidárias e começou a praticar uma série de mesquinharias contra mim, contra minha família, contra meus amigos.

Não satisfeitos com isso, querem arrancar-me ao solo da pátria ou sequestrar-me a liberdade. Talvez só com o meu sacrifício eu consiga remir os inocentes que estão sendo perseguidos e libertar-me das mesquinharias do governo de um títere togado influenciado por colaboradores odientos ou covardes, muito inferiores à missão que se arrogaram.

Na perspectiva de violências que se aproximam, deixo estas declarações para conhecimento do povo brasileiro.[10]

[...]

Em tais circunstâncias, os pequenos frascos de Nembutal, solicitados na carta a Alzira, ganhavam inescapável sentido. A simples existência deles em uma gaveta do criado-mudo — quando somada àquela carta à posteridade — já sugeria a possibilidade concreta de um trágico e premeditado desfecho.

2. "Se for jornalista, mando enforcar", dizia Getúlio, a propósito dos aviões que desciam em Santos Reis (1945)

Ao meio-dia, sentado no banco de cimento à sombra de uma árvore — um secular cinamomo —, Getúlio ouviu o ronco do bimotor Junkers que se lançou em voo rasante sobre o dorso de uma coxilha e, em meio à nuvem de poeira vermelha, aterrissou na improvisada pista de pouso da estância Santos Reis, a cerca de vinte quilômetros do centro de São Borja. O ex-presidente, com botas pretas de cano alto, largas bombachas e camisa branca de mangas arregaçadas, levantou-se para recepcionar os passageiros, recém-chegados de Porto Alegre.[1]

Era 1º de novembro de 1945, dia de Todos os Santos, quinta-feira. Na véspera, no mesmo local, o próprio Getúlio fizera idêntico desembarque — mas do Lockheed Lodestar presidencial da Força Aérea Brasileira (FAB), proveniente do Rio de Janeiro, após esgotado o prazo de 48 horas concedido pelos militares para que abandonasse o Palácio Guanabara.[2]

"Entrei para o governo por uma revolução, saí por uma quartelada", queixava-se.[3]

O irmão Protásio — um dos três homens que acabavam de descer do pequeno Junkers — era quem administrava o local e respondia pela saúde financeira da fazenda, dedicada à compra e venda de gado de leite e de corte. A casa propriamente dita era simples, térrea, pintada de amarelo. Na área central, após a sala, ficava o quarto de Getúlio, mobiliado apenas com a cama rústica, uma mesa redonda, a cadeira de balanço e dois criados-mudos adornados com vasos de flores naturais. Em vez de armários, caixas e malas desafiveladas, espalhadas pelo chão. Sobre uma das mesinhas de cabeceira ficava a pasta escura de couro, trazida do Catete, com o brasão nacional, dourado, em alto-relevo. Na outra repousavam o estojo de óculos, o relógio de algibeira e um bloco de papéis de carta com o timbre do gabinete da presidência da República. Nas gavetas, frascos de remédios e bisnagas com artigos de perfumaria. Como fazia questão de estar sempre bem barbeado, o estojo amarelo com as lâminas Schick e o aparelho dourado Injector Razor ficava logo à mão. Esquecido em um canto, jazia o saco de tacos de golfe — inúteis, já que não havia, na estância, lugar apropriado à prática do esporte favorito. O gramado rústico era prerrogativa das ovelhas que pastavam logo ali em frente.[4]

Apesar do estilo espartano, o visitante que vislumbrasse o jardim e o pomar bem cuidados, o cata-vento gerador de força e o laranjal em flor teria uma boa impressão de Santos Reis. Se não havia luxo, sobrava esmero. Mas o observador não devia se deixar enganar pela placidez e bucolismo da paisagem. O clã se encontrava em estado intestino de guerra. A política, mais uma vez, se colocara no centro de cizânias familiares.

Um dos filhos de Getúlio, Manuel Antônio — o Maneco Vargas —, entrara em rota de colisão com o tio Protásio. Maneco vinha trabalhando dia e noite pela instalação, em São Borja, do diretório do Partido Trabalhista Brasileiro (PTB). Protásio, com semelhante afinco, pelo fortalecimento do Partido Social Democrático (PSD) no município. Em vez de dividirem o eleitorado de modo equânime, como era desejo de Getúlio, tio e sobrinho vinham disputando graus e áreas comuns de influência, trocando descortesias, numa autofagia que ameaçava extrapolar a esfera íntima para produzir efeitos colaterais mais amplos.[5]

A propósito, naquela tarde, Protásio trazia consigo à estância, como companheiro de voo, o correligionário Valter Jobim, ex-promotor público em Passo Fundo, ex-secretário estadual de Obras Públicas e candidato declarado do partido ao governo do Rio Grande do Sul.[6] Os dois vinham discutir o quadro eleitoral com Getúlio.[7] Uma das primeiras medidas do governo de transição foi revogar o decreto 8063, aquele que, assinado por Getúlio em outubro, antecipara as eleições para governadores fazendo-as coincidir com o pleito presidencial.[8] De acordo com o decidido pelo presidente interino José Linhares, dali a um mês, 2 de dezembro, além dos deputados e senadores que comporiam o futuro Parlamento, os brasileiros iriam às urnas para escolher "apenas" o novo presidente da República (as eleições para governador e para as assembleias legislativas só se realizariam em 1947).[9]

O brigadeiro Eduardo Gomes, concorrendo pela União Democrática Nacional (UDN) — frente ampla que se convertera no baluarte de todos os antivarguistas, reunindo desde os mais aguerridos liberais à chamada esquerda democrática —, era apontado pela imprensa como franco favorito. O outro candidato, general Eurico Gaspar Dutra, enfrentava dificuldades para obter até mesmo a adesão de certos quadros do próprio partido, o PSD, constrangidos em sufragar o nome de um dos maiores responsáveis pela derrubada de Getúlio.

"Todos sabemos, os teus amigos, que votar no Dutra é tomar um purgante de óleo de rícino. É necessário fazê-lo, ainda que repugnante", ponderava o pragmático Protásio Vargas, tentando convencer o irmão a também tapar o nariz e engolir o nome do general como único remédio para impedir a chegada dos udenistas ao poder.[10]

Getúlio, reticente quanto à questão, recebeu Jobim e Protásio com sorrisos e abraços. Poucos passos atrás da dupla, divisou um terceiro indivíduo, a quem não reconheceu. O estranho se aproximou e fez questão de se apresentar. Era jornalista. Viera de carona no avião, como representante dos jornais *Folha da Tarde* e *Correio do Povo*, do mesmo grupo de comunicação, a Companhia Jornalística Caldas Júnior, da capital gaúcha. Desejava uma entrevista exclusiva com Getúlio, a respeito da conjuntura política. Seria, nesse caso, um furo de reportagem. A primeira fala do ex-chefe de Estado após colocar os pés na pequenina São Borja — cidade então com menos de 35 mil habitantes, ruas sem calçamento, casas sem água encanada, eterna porta de entrada para o contrabando a partir do rio Uruguai, marco geográfico da fronteira do Brasil com a Argentina.[11]

Com um gesto polido, Getúlio estendeu a mão ao repórter. Pediu-lhe desculpas, mas não iria dar entrevistas a ninguém. Tudo o que tinha a dizer já dissera no dia anterior, por escrito, numa nota concisa aos gaúchos, remetida exatamente ao *Correio*, pelo rádio, ainda a bordo do avião da FAB que o trouxera a Santos Reis: "Ao sobrevoar o solo do Rio Grande, dirijo-lhes esta mensagem de saudação, declarando que já não sou mais prisioneiro senão do afeto do povo".[12] Era tudo. Nada mais tinha a declarar.

Ato contínuo, Getúlio dirigiu-se com Protásio e Jobim para o interior da casa, deixando o jornalista sozinho, ao pé da porteira que dava acesso ao jardim. A reunião que se seguiu, a portas fechadas, estendeu-se por cerca de uma hora e meia, sendo interrompida apenas para o almoço, servido à base do tradicional churrasco de ovelha. Durante o cafezinho, o repórter ousou se aproximar da mesa para tentar de novo entabular a almejada entrevista.[13]

Getúlio fez de conta que não entendeu a intenção dele e lançou uma pergunta ao jornalista, invertendo os papéis de entrevistado e entrevistador: o decreto que assinara pouco antes de ser apeado do poder, instituindo o salário mínimo para os profissionais de imprensa, satisfizera as aspirações da categoria?

Sem dar tempo para o homem abrir a boca, emendou:

"Um dos motivos pelos quais os donos de jornais se voltaram contra mim foi justamente esse decreto...", sorriu.[14]

Protásio aproveitou a deixa e convidou o enviado especial da *Folha* e do *Correio* a se retirar, pois a reunião reservada iria prosseguir tarde adentro.

"Esta conversa entre os senhores é para deliberar o rumo político a seguir?", insistiu o jornalista, dirigindo-se a Getúlio. "Depois de tudo o que aconteceu, o senhor aceitará que o PSD continue a dar apoio à campanha do general Dutra, candidato oficial do partido à presidência da República?"

Getúlio, presidente de honra da legenda, limitou-se a um comentário lacônico:

"O PSD do Rio Grande saberá honrar os compromissos assumidos", disse.

"E, do ponto de vista estritamente pessoal, o que o senhor acha? O que pretende fazer agora, após ter assinado o termo de renúncia?"

"Mas eu não assinei nenhum termo de renúncia...", contrapôs Getúlio. "Do ponto de vista pessoal, estou aguardando os desdobramentos dos fatos", disse, encerrando o assunto.[15]

Não era exatamente uma entrevista. Mas eram declarações relevantes. O jornalista pediu licença a um funcionário de Protásio para utilizar o telefone da fazenda, a fim de enviar um primeiro comunicado à redação. Com alguma sorte, a informação chegaria a tempo de sair estampada na edição vespertina.

De fato, quando a dita reunião foi dada por encerrada, perto do fim da tarde, os leitores da capital gaúcha já tinham em mãos, nas esquinas de Porto Alegre, os primeiros exemplares da *Folha*, ainda cheirando a tinta fresca, com a estrondosa manchete:

DECLARA O SR. GETÚLIO VARGAS

QUE NÃO ASSINOU

NENHUM DOCUMENTO DE RENÚNCIA[16]

Retransmitida pelo telégrafo ao Rio de Janeiro, a notícia foi interpretada, na cúpula dos quartéis, como uma ameaça de que Getúlio não se submeteria à deposição. O general José Pessoa Cavalcanti de Albuquerque, presidente do Clube Militar, decidiu expressar a inquietação dos colegas de farda e providenciar uma nota à imprensa da capital federal, na qual afirmava, peremptório: "Como participante dos acontecimentos que culminaram com a substituição do governo da República, julgo do meu dever esclarecer a opinião pública sobre a verdade dos fatos". O título do texto não deixava brechas para ilações, dubiedades ou possíveis reviravoltas: "O sr. Getúlio Vargas não renunciou, foi deposto".[17]

Ao final da conversa com Protásio e Jobim — e sem ainda ter conhecimento da repercussão de suas palavras ao jornalista gaúcho —, Getúlio decidiu cumprimentar o grupo de são-borjenses que se aglomerava no terreno em frente à casa. O repórter, seguindo-o pelos calcanhares, descreveu a cena, numa segunda mensagem enviada por telefone à redação.

"O sr. Getúlio Vargas recebe afavelmente inúmeros amigos e admiradores. Parece-nos um homem que não dá a mínima impressão de haver vivido estes intensos quatro dias que modificaram completamente o ambiente político brasileiro", escreveu o jornalista, que infelizmente não teve seu texto creditado pelo periódico gaúcho — a reportagem foi publicada sem assinatura, como era comum à época. "O ex-presidente conserva seu bom humor e sua jovialidade, que já se tornaram proverbiais. Quando uma oportunidade se apresenta, não perde a ocasião e lança um dito espirituoso, que festeja ruidosamente com os circunstantes."[18]

Ao entardecer, quando as visitas já haviam partido e as gargalhadas cessado, o repórter teve a oportunidade de flagrar o verdadeiro estado de espírito de Getúlio. Sempre acompanhado de um gato angorá branco que lhe seguia os passos, ele caminhava em seu estilo característico, as mãos postas para trás, o olhar perdido. Fumava então o quinto charuto do dia.[19] Longe da curiosidade pública, trocou o característico sorriso por um semblante mais grave: "Ia pensativo, algo melancólico, olhando para um ponto qualquer que nós não enxergávamos, ou fitando o sol que se escondia, no horizonte plano de São Borja".[20]

Ao se perceber vigiado, Getúlio lançou um aceno gentil ao repórter: "Vamos caminhar?".[21]

Agora íamos caminhando, lentamente, em direção a um açude, distante uns oitocentos metros da casa da fazenda. E como de costume — talvez para não dar tempo a que se fizessem perguntas embaraçosas — o sr. Getúlio Vargas começou de novo a entrevistar-nos. Ele seria um bom jornalista...

Já não tinha aquela preocupação de mostrar-se jovial e alegre. Deixou que algumas rugas se instalassem, indiscretamente, na testa. E podemos jurar que mal ouvia as respostas banais que dávamos às suas perguntas também banais. O sr. Getúlio Vargas, afinal, sempre foi um bom jogador.[22]

A certa altura, Getúlio intensificou o bombardeio de perguntas. O que se dizia em Porto Alegre a respeito de sua queda? O que pensava o povo? E os trabalhadores gaúchos? Houve manifestações de rua? Discursos a favor e contra? O repórter, percebendo a oportunidade de granjear a simpatia e a confiança do interlocutor, tentou resumir-lhe a situação em poucas pinceladas.

O interventor gaúcho, tenente-coronel Ernesto Dornelles (primo de Getúlio), assim como todos os governantes regionais nomeados pelo Estado Novo, fora afastado do cargo e substituído por um representante do Judiciário — no caso do Rio Grande, assumira o desembargador Samuel Figueiredo Silva. O secretariado de Dornelles, em bloco, aguardava demissionário a efetivação dos respectivos substitutos. Servidores em funções de confiança, idem. Os prefeitos também estavam em compasso de espera, tendo posto os cargos à disposição, por ordem do novo governo. O general Salvador César Obino, comandante da 3ª Região Militar, sediada em Porto Alegre, apoiara o golpe, mas advertira a tropa de que se mantivesse alheia a possíveis provocações e se abstivesse de comentários políticos. As ruas estavam calmas. O povo, em cautelosa expectativa.[23]

Getúlio ouviu a síntese sem dizer palavra. Ao final, o repórter tentou provocá-lo a sair do mutismo. Sondou-o a respeito da conversa que mantivera ao longo da tarde com Protásio e Jobim. O que tinham decidido, afinal de contas? Os dois pessedistas haviam conseguido convencê-lo a declarar apoio à candidatura do general Dutra?

Mais uma vez, preferiu manter-se em reserva. Apenas voltou a sorrir. O jornalista, imperturbável, resolveu abordá-lo por outro flanco. Comentou que dois meses antes, em 2 de setembro, data na qual se esgotara o prazo de desincompatibilização para os aspirantes ao pleito, muitos getulistas haviam se decepcionado pelo fato de o então ditador não ter se licenciado do Catete para registrar-se candidato, construindo as condições legais para permanecer no poder.

"Mas eu não desejava mesmo continuar...", desdenhou Getúlio.

Os vinte passos seguintes foram dados em novo silêncio. Getúlio Vargas levou o charuto aos lábios. E a mancha de uma baforada pensativa ficou por alguns instantes flutuando entre nós.

"Eu já estava cansado", disse ele. "Governar mais seis anos... Num período difícil..."

Chegáramos à beira do açude. E o charuto do presidente, jogado com displicência, foi agitar as águas mansas.

[...]

Depois disso, veio o silêncio definitivo. Também o sol desaparecera. E na meia-luz melancólica daquela tarde moribunda, o ex-presidente Vargas perdeu, mais uma vez, o olhar na planície imensa.[24]

A foto que ilustrou a matéria mostrou um Getúlio de sobrancelhas arqueadas, o olhar circunspecto, a comissura dos lábios voltada para baixo. "Aí está o homem que governou o país durante quinze anos", dizia a legenda. "A fisionomia parece sublinhar uma preocupação."[25]

Na manhã seguinte, sexta-feira, 2 de novembro, Getúlio cumpriu o ritual que repetiria dali por diante todos os dias, após o alvorecer, em Santos Reis. Pulou da cama às seis horas, deixando para trás o travesseiro baixo e mole, em cuja fronha se lia o monograma bordado com as iniciais "GV".[26] Provou o primeiro gole de chimarrão ainda no quarto, de pijama. Fez a barba, tomou um banho frio, vestiu as bombachas e seguiu para a mesa do café. Depois, mandou selar um cavalo e saiu a campear pela estância.[27]

Não foi sozinho. Entre os companheiros de montaria, três petebistas gaúchos serviram-lhe de escolta. O primeiro era o filho Maneco. O segundo, o primo Dinarte Dornelles, diretor da Caixa Econômica Federal no Rio Grande do Sul. O terceiro, um jovem advogado e fazendeiro de São Borja, amigo da família. Seu nome: João Belchior Marques Goulart — mais conhecido, desde a infância, como "Jango".[28]

A ligação dos Goulart com os Vargas era antiga. O pai de Jango, Vicente Goulart, estudara com Getúlio nos tempos da escola primária do professor Fabriciano Júlio Braga em São Borja. Mais tarde adquirira, em sociedade com Protásio, um frigorífico na cidade vizinha de Itaqui. O empreendimento, todavia, não prosperou. Quando Vicente morreu em 1943, de câncer, quase falido, o filho assumiu os negócios familiares e, por meio de sucessivos empréstimos bancários, passou a comprar gado e arrendar terras ao redor da propriedade original. O método de o rapaz fazer dinheiro era tão simples quanto infalível: deixava as vacas no pasto para a engorda — nas chamadas "invernadas" — e depois as revendia para abate, com dilatada margem de lucro. Ao oferecer os próprios animais como garantia, levantava novos créditos e assim, sucessivamente, multiplicava o capital a cada operação. A esse tempo, com 26 anos, calculava-se que Jango já fosse dono de cerca de 15 mil cabeças de gado bovino e outras 5 mil de ovinos, avaliadas então em torno de 10 milhões de cruzeiros (cerca de 16 milhões de reais, em valores atualizados).[29]

Bon vivant, dono do próprio avião Cessna e de um automóvel Ford — um dos únicos dez carros de toda São Borja —, Jango vivia rodeado de belas mulheres. Dado a festas e outros prazeres, contraíra sífilis, doença sexualmente transmissível, o que lhe deixou como sequela uma lesão no joelho esquerdo. Daí o fato de ter manquitolado de uma perna o resto da vida, embora a família preferisse difundir a versão de que o problema fosse oriundo de uma queda de cavalo ou, em outra variante mais prosaica, de um coice de burro. Bem-apessoado, dono de uma conversa fácil, não demorou para que João Goulart fosse cortejado não apenas pelas moças casadoiras do lugar, como também pelos caciques políticos de São Borja. Protásio tentou arrastá-lo para as hostes do diretório municipal do PSD, mas a amizade com Maneco Vargas influenciou sua decisão de cerrar fileiras no PTB.[30]

A cavalgada daquela manhã serviu para Getúlio debater com Jango, Dinarte e Maneco a atitude do partido em face das eleições presidenciais que se aproximavam. O trio compartilhava de uma mesma opinião. À falta de candidato próprio, o PTB deveria se abster de apoiar qualquer uma das duas candidaturas militares já lançadas. Mas, no âmbito federal, os petebistas estavam rachados. Parte do diretório nacional também defendia a tese da abstenção, posição defendida por dois dirigentes do alto escalão partidário, Paulo Baeta Neves e José de Segadas Viana, respectivamente presidente e secretário-geral da comissão executiva. Havia uma parcela considerável de militantes que preferia, ao contrário, apostar numa aliança estratégica com o PSD, para tentar preservar inalteradas — em um possível governo Dutra — as conquistas da legislação trabalhista.[31]

Sempre que instado a se pronunciar sobre o assunto, Getúlio desconversava:

"Meu desejo é permanecer calado até as eleições, para não aumentar a confusão já existente."[32]

Na volta da campeada, perto da hora do almoço, o grupo foi surpreendido com a presença de outro repórter no galpão da fazenda. Em meio à roda de peões de bombachas e facas na cintura, destacava-se um indivíduo de paletó e gravata, o bloquinho de anotações em punho. Em princípio, Getúlio não atinou para a identidade daquele homem miúdo, de cabeçorra quadrada e máquina fotográfica a tiracolo.

"Bom dia, dr. Getúlio, permite bater uma chapa?", perguntou o homenzinho, apontando-lhe a objetiva.[33]

Houve um instante de tensão. Maneco olhou para o pai, em estado de alerta. Jango e Dinarte se mostraram igualmente apreensivos.

"Pode bater...", sorriu Getúlio, desanuviando o ambiente. "Quem é mesmo o senhor?", perguntou, ao descer do cavalo.[34]

O jornalista apresentou as credenciais. Era Edmar Morel, repórter dos Diários Associados, o grupo de jornais de Assis Chateaubriand, o Chatô. Getúlio não o conhecia pessoalmente. Mas é evidente que já ouvira falar do sujeito. Morel, a esse tempo, era uma lenda viva da imprensa nacional. Suas reportagens lhe haviam rendido notoriedade e prestígio, mas também poderosos desafetos. Entre estes, os censores do Departamento de Imprensa e Propaganda, o DIP. No extenso currículo de proezas jornalísticas, Morel entrevistara o tristemente célebre Manso de Paiva, o assassino do senador gaúcho Pinheiro Machado, morto com uma punhalada nas costas em 1915, no Hotel dos Estrangeiros, no Rio de Janeiro. A entrevista, porém, fora censurada pelo Estado Novo, sob a justificativa de que o mau exemplo do criminoso poderia enfiar caraminholas na cabeça de algum outro "lunático" e, dessa forma, pôr em risco a integridade física do então ditador, Getúlio Vargas.[35]

Morel também tivera problemas com os censores do DIP ao denunciar as precárias condições de vida a que foram submetidos os chamados "soldados da borracha", os nordestinos despachados à Amazônia para garantir o abastecimento de látex ao exército norte-americano durante a Segunda Guerra Mundial. Outra matéria de sua autoria, ilustrada pela foto de um menino disputando com um vira-lata os restos de comida de uma base militar dos Estados Unidos em Pernambuco, também provocara incômodos aos burocratas da censura. Entre tantas reportagens de impacto, o feito então mais recente de Morel fora a cobertura do último dia do Estado Novo, realizada de dentro de um dos tanques de guerra que, em 29 de outubro, cercaram os jardins do Palácio Guanabara.[36]

Getúlio, é claro, entendeu a situação. Chateaubriand mandara um dos melhores repórteres dos Diários Associados a São Borja para retratar o drama de um inimigo caído em desgraça. No dia seguinte à derrocada do regime, em artigo intitulado "O triste fim de Policarpo Vargas", Chatô tripudiara: "As circunstâncias que cercam o ocaso do sr. Getúlio Vargas oferecem a sensação do fenômeno da decrepitude de um homem". Em tom de deliciada vingança, o texto zombara do fato de Getúlio ter supostamente alimentado a ilusão de que as massas tomariam as ruas em protesto contra sua destituição. "Entretanto, não apareceu nenhum 'trabalhador do Brasil', ou mesmo um simples malandro dos morros cariocas, para se despedir dele no Aeroporto Santos Dumont", aguilhoara Chatô.[37]

Nitidamente aborrecido, Getúlio fechou o cenho para Morel. O jornalista, sem perder a desenvoltura — e para forjar uma intimidade inexistente —, informou que o estava aguardando ali desde o início da manhã, após enfrentar uma maratona iniciada dois dias antes, no Rio de Janeiro. Na quarta-feira, desembarcara em Porto Alegre e, durante 48 horas, viajara de trem, sacolejando por mais de quinhentos quilômetros, até alcançar a estação de São Borja. De lá, chegara à estância a bordo de um automóvel alugado. Estava exausto, comentou Morel.

"O senhor não cansa quando faz um passeio demorado desses pelo campo?", perguntou.

"Não! Para descansar o espírito, nada como cansar o corpo", cortou Getúlio.

"Os jornais estão publicando que o senhor não assinou nenhum documento pedindo renúncia...", prosseguiu o repórter.

Getúlio apanhou a cuia de chimarrão das mãos de um peão da fazenda, chupou a bomba de prata e, após alguns segundos de estudado suspense, resmungou a resposta entre os dentes:

"Isso não tem importância..."[38]

Para não aborrecer de vez o entrevistado, Morel mudou de estratégia. Pediu licença para ficar em Santos Reis alguns dias, a fim de acompanhar a rotina do mais novo e ilustre morador da fazenda. Pretendia realizar uma série de "reportagens apolíticas" — conforme definiu —, para oferecer aos leitores da capital federal um relato completo da nova vida daquele que fora, até há bem pouco tempo, o homem mais poderoso do Brasil.

"Em qual rede de jornais o senhor disse mesmo que trabalha?", perguntou Getúlio, com entonação irônica, dando-lhe as costas e deixando escapar um muxoxo.[39]

Morel, em ato reflexo, levantou a câmera e o fotografou no momento exato em que caminhava jardim adentro, cruzando o portão em direção à casa. A imagem de Getúlio de costas, pisando duro, estamparia a capa do carioca *Diário da Noite*, acompanhada da seguinte manchete:

ZANGOU-SE COM O REPÓRTER[40]

Maneco Vargas, ao perceber que o pai estava sendo fotografado em situação desfavorável, pegou Morel pelo braço e o convidou a se retirar.

"Faça o favor!", rugiu Maneco, apontando a saída.[41]

A imprensa do Rio de Janeiro fez um escarcéu. Os principais jornais do país — alinhados à UDN e à candidatura do brigadeiro Eduardo Gomes — afirmaram que as longas conversas de Getúlio com representantes regionais do PSD e PTB em São Borja faziam parte de uma insidiosa manobra política. Havia rumores de que pessedistas e petebistas gaúchos disputavam entre si o direito de lançar a candidatura do ex-presidente ao Congresso, informação que gerou uma maré de editoriais, manchetes e artigos indignados.

"Mal apeado do poder, com uma semana apenas entre o Guanabara e São Borja, já está o ditador numa inquietação reprovável", condenou o *Diário da Noite*, que lamentava o fato de os militares não terem deportado Getúlio e lhe cassado os direitos políticos logo após tê-lo afastado do Catete, da mesma forma que ele próprio fizera, em 1930, com o ex-presidente Washington Luís.[42]

"O sr. Getúlio Vargas está sendo imprudentíssimo", avaliou o *Diário*. "Enquanto suas futricas em Santos Reis não oferecerem possibilidades de ameaça à marcha normal da redemocratização, poderá beber em paz doméstica sua cuia de chimarrão. Mas, desde que se transforme ou pretenda ser elemento de perturbação política, não lhe restará outro caminho senão, ainda uma vez, correr novos riscos"[43].

O recado era explícito. Os jornais de Chatô garantiam que uma "fonte digna de crédito", situada na alta cúpula do novo governo, trabalhava com a hipótese de ordenar a deportação de Getúlio a qualquer instante.[44]

Quanto à possível candidatura do ex-presidente a um cargo eletivo, o udenista mineiro Virgílio de Melo Franco, interrogado pelos jornalistas, disse pôr tal hipótese na conta de uma insolente piada.

"Uma gargalhada sacudirá o país", previu Melo Franco, caso o ex-ditador esboçasse uma volta ao cenário político.[45]

Ao batalhão de repórteres que depois disso continuaria a lhe bater à porta em Santos Reis, Getúlio repetiu a mesma ladainha: não era candidato a nada. E não estaria disposto sequer a montar uma banca de advocacia em Porto Alegre. Os políticos e advogados podiam dormir sossegados. Ele não lhes faria mais nenhuma concorrência.

"Na verdade, vou fazer concorrência é aos pecuaristas de São Borja", disse a outro jornalista do *Correio do Povo*, prometendo dedicar-se unicamente às atividades do campo durante o tempo que ainda lhe restasse de vida.[46] "Não aceitarei, em hipótese alguma, a designação de meu nome, seja para o que for."[47] Chegara a hora de se preocupar apenas com bois e vacas, garantiu.

O jornalista Geraldo Romualdo, enviado de *O Globo* a Santos Reis, ainda conseguiu lhe arrancar uma declaração por escrito, datilografada e assinada, que foi reproduzida na primeira página do jornal de Roberto Marinho: "Simples cidadão, não sendo candidato a nenhuma função pública e tendo como única arma meu título de eleitor, envio ao povo brasileiro minha comovida saudação, dizendo-lhe que agora, mais do que nunca, estou do seu lado".[48]

Nem todo mundo levou a sério a formalização do compromisso. Em editorial, o *Diário da Noite* voltou a fustigar:

> A experiência desses últimos quinze anos, longa experiência que desvendou muitos dos mistérios da personalidade do ex-chefe de governo. [...] Agora, em São Borja, após seus longos passeios e horas de meditação, o grande alquimista do despistamento, técnica em que certamente jamais será superado, reafirma seu desinteresse pela política e, consequentemente, pelo poder. [...] Volta o sr. Getúlio Vargas à velha técnica: nada desejar, nada querer, desejando e querendo tudo.[49]

A partir daquele momento, qualquer estranho que chegasse a Santos Reis seria barrado à entrada da estância. Para ultrapassar os limites da porteira, teria que apresentar a carteira de identidade. O documento era então confiscado, para que Maneco Vargas o levasse até o pai, a quem cabia pessoalmente filtrar o acesso de eventuais bisbilhoteiros.[50]

"Se for jornalista que vem aí, mando enforcar", passou a ironizar Getúlio, sempre que outro avião descia na estância.[51]

Na tarde de 7 de novembro, uma semana após a chegada de Getúlio a São Borja, vieram novos visitantes. A filha Alzira, acompanhada do marido Ernani do Amaral Peixoto, trazia a Santos Reis a netinha do ex-presidente, Celina, de apenas um ano de idade.[52] Além das demandas de ordem afetiva, o reencontro foi marcado por graves confabulações políticas.

Ernani do Amaral Peixoto, virtual candidato do PSD ao governo do estado do Rio de Janeiro, pôs Getúlio a par dos acontecimentos na capital federal. A campanha de Dutra claudicava. Péssimo orador — circunstância agravada pelo problema de dicção e a língua meio presa que o fazia trocar o "s" e o "c" pelo "x" —, o general só conseguia arrancar bocejos ou, no máximo, sorrisos maliciosos da assistência quando posto à frente de um microfone. Entre facções pessedistas, ganhava força a ideia de que o melhor a fazer era mudar de candidato, ainda que faltassem menos de quatro semanas para as eleições.[53]

Um dos nomes apontados como possível substituto para o lugar de Dutra na cabeça de chapa do PSD era o de João Neves da Fontoura, que acabara de pedir exoneração do cargo de embaixador brasileiro em Portugal, em solidariedade a Getúlio. Mas nem mesmo o próprio João Neves se mostrava convencido de haver condições objetivas para tão brusca mudança de planos.

"Não só o tempo fugiu de nós, como, em verdade, o abandono do nome do general Dutra não nos colocaria moral e politicamente bem", considerava Neves. "Do ponto de vista de força, então, o fracasso seria absoluto. É a última segurança que nos resta contra a maior parte das classes armadas, solidárias com o brigadeiro."[54]

Em contraste com a sensaboria de Dutra, o porte garboso do candidato da UDN eletrizava o eleitorado, sobretudo o feminino, que pela primeira vez iria às urnas para votar numa eleição presidencial. "Vote no brigadeiro, que é bonito e solteiro", dizia um dos slogans udenistas.[55] Moças e senhoras arrecadavam fundos de campanha vendendo de porta em porta os docinhos esféricos de chocolate com granulado, que por analogia passariam a ser conhecidos em todo o país como "brigadeiros".[56] As más línguas, contudo, fariam outra espécie de associação a respeito: como Gomes saíra ferido no episódio histórico dos Dezoito do Forte — supostamente atingido nos testículos — o apelido da iguaria constituía, segundo a tradição oral, uma alusão ao fato de ela ser preparada sem a necessidade de se acrescentar ovos à receita. Numa outra versão, também recorrente, o nome era devido ao fato de o doce ter uma "bolinha só, assim como o brigadeiro".[57]

Trocadilhos chulos à parte, em todas as bolsas de apostas Eduardo Gomes já era considerado potencialmente eleito. Em editorial, o *Correio da Manhã* sugeria que os brasileiros, na data da eleição, vestissem as melhores roupas para celebrar a volta da democracia ao país. "O que houver de mais fino deve ser exibido, porque o dia do pleito será um grande dia, um dia azul, depois de imenso período de bruma, de treva, de céus fechados e densos."[58]

Entrevistado pela imprensa, um famoso astrólogo da época, Demetrio de Toledo, autor do livro *Eis a astrologia*, afirmara que a configuração dos planetas no firmamento do Brasil em 2 de dezembro estaria em plena sintonia cósmica com o mapa astral do brigadeiro Eduardo Gomes. "Haverá no alto do céu um verdadeiro e formidável conjunto de estrelas que lhe assegurarão um triunfo espetacular", assegurou Toledo.[59]

Mas ninguém precisava ser vidente profissional para preconizar o que todos davam como certo. Ante o prenunciado fracasso de Dutra, *O Globo* chegou a noticiar, na manchete da edição matutina de 4 de novembro, a desistência da candidatura do general e a dissolução do PSD.[60] Na tarde do mesmo dia, a comissão executiva do partido se apressou em desmentir as duas notícias. Entretanto, durante toda a campanha, o candidato pessedista precisaria justificar o fato de ter sido um dos mentores e, ao longo de oito anos, um dos fiadores militares do Estado Novo, na condição de ministro da Guerra de Getúlio. "Lembrai-vos de 37", aliás, era outro dos slogans do brigadeiro Eduardo Gomes, associando o adversário à ditadura estado-novista.[61]

"Não desejo fugir, de modo nenhum, à responsabilidade que me toca de haver dado o meu apoio à implantação do regime de 10 de novembro de 1937", foi obrigado a reconhecer Dutra, em comício em Belo Horizonte.[62]

Para o general, porém, o governo de exceção se justificara à época pelo "acirramento ideológico" e pela alegada ameaça do "germe comunista". O velho oficial germanófilo garantia a sua mais sincera conversão ao credo democrático — o que poderia ser atestado por seu protagonismo na queda de Getúlio e no consequente desmantelamento do Estado Novo.[63]

De todo modo, verificada a desidratação progressiva da campanha de Dutra, Ernani se arvorava no papel de um dos mais ardorosos defensores do plano alternativo: lançar a candidatura de Getúlio Vargas ao Senado, pelo PSD, a fim de puxar votos para a legenda e, posteriormente, articular a condução do ex-chefe de Estado à presidência do Congresso.[64] Assim, qualquer que fosse o resultado da eleição majoritária, estaria pavimentado o caminho para se obter uma razoável bancada pessedista no Parlamento. Votos em profusão, por certo, não faltariam ao estadista que havia assinado a Consolidação das Leis do Trabalho (CLT). A popularidade de Getúlio, até onde se podia arriscar algum palpite, não fora arranhada junto às classes populares. Ao contrário, parecia mais sólida do que nunca.

"Podes estar certo que o teu prestígio na massa não diminuiu um milímetro", garantiu João Neves, em carta a Getúlio.[65]

Havia alguns indícios a fundamentar tal certeza. As salas de cinema do Rio de Janeiro estavam exibindo, antes da projeção dos principais filmes em cartaz, um documentário de curta-metragem intitulado *A espetacular deposição do presidente Vargas: As doze horas que abalaram o Brasil*. Quando Getúlio aparecia na tela, sua imagem era aplaudidíssima pela plateia. Em compensação, bastava a figura de Dutra entrar em cena para que as vaias irrompessem, ruidosas, no meio do público.[66]

Existiam muitos outros exemplos comezinhos, mas igualmente sintomáticos. No dia do golpe, as empregadas do brigadeiro Ivo Borges, presidente do Clube da Aeronáutica e amigo de Eduardo Gomes, haviam pedido demissão em sinal de protesto, abandonando a casa e deixando o patrão sem almoço.[67]

"O sr. ajudou a derrubar nosso amigo Getúlio, não lhe serviremos mais!", teriam dito as domésticas, antes de atirar os respectivos aventais ao chão e desaparecer porta afora.[68]

A Galeria Cruzeiro, no centro da cidade, se tornara palco de comícios diários, durante os quais os inconformados "queremistas" — aqueles que pouco tempo antes haviam desfraldado a bandeira "Queremos Getúlio!" — voltavam a subir em caixotes de sabão para bradar palavras de ordem, dessa feita exigindo a volta imediata do grande líder. Bonecos de pano com o rosto de Dutra eram malhados e queimados nas sedes de sindicatos, como Judas em Sábado de Aleluia. Quanto mais se apresentava como um dos articuladores da queda de Getúlio Vargas, mais o general atraía contra si a antipatia dos já saudosos getulistas.

No entender de Ernani, diante de tal quadro, o dilema estava posto. Configurada a derrota de Dutra, o brigadeiro Eduardo Gomes seria o novo presidente da República. Com os udenistas no poder, muito provavelmente todo o arcabouço institucional do varguismo seria demolido da noite para o dia. As perseguições políticas se fariam inevitáveis. Previa-se, nesse caso, uma radical caça às bruxas, com a imaginável humilhação pública dos aliados do velho regime.

Um ensaio desse drama já parecia em pleno curso. Uma das primeiras medidas do presidente interino José Linhares à frente do cargo foi revogar a lei antitruste baixada por Getúlio em agosto, a famosa "Lei Malaia". Além disso, nomeara uma equipe de governo marcadamente udenista ou, no mínimo, anti-Vargas. A pasta da Guerra fora entregue ao general Góes Monteiro, artífice da derrubada de Getúlio. A Aeronáutica ficara com o major-brigadeiro Armando Trompowsky de Almeida, indicação pessoal do colega Eduardo Gomes. A Marinha passara ao comando do vice-almirante Jorge Dodsworth Martins, nome também imposto pela cúpula militar. Na área civil, não foi diferente. O Ministério do Trabalho, um dos esteios da política do Estado Novo, passou às mãos de um oficial dissidente do antigo regime, o major Roberto Carlos Vasco Carneiro de Mendonça. O cobiçado quinhão da Viação e Obras Públicas coube ao engenheiro — e futuro deputado pela UDN — Maurício Joppert da Silva.

Desde as primeiras horas de governo, José Linhares pouco fazia senão assinar portarias e decretos destituindo funcionários nomeados pelo antecessor, numa pororoca de demissões e extinções de cargos de confiança.[69] Muitos getulistas, antes comodamente instalados na hierarquia da burocracia federal, foram exonerados. Em quatro dias, as destituições já atingiam a casa de algumas centenas. Em contrapartida, Linhares não tinha pudores em nomear vários parentes para cargos no governo. O nepotismo desbragado teria inclusive dado origem a um dito popular da época: "Os Linhares? Ah! São milhares…".[70]

Apesar da escassez de tempo em relação às eleições, ainda havia como barrar a fúria dos oponentes, argumentavam os mais otimistas partidários de Dutra. Bastava Getúlio romper o silêncio e recomendar o voto em seu antigo ministro da Guerra. Só assim o jogo eleitoral teria alguma chance de reviravolta.

"Não devemos hesitar em seguir para diante com o nome de Dutra. É o que me parece mais sábio no momento", reforçou João Neves, em carta ao correligionário pessedista Protásio Vargas.[71] Em mensagem direta a Getúlio, o ex-diretor da Central do Brasil, tenente-coronel Napoleão de Alencastro Guimarães, filiado ao PTB, endossou a proposição. "Do que o senhor decidir quanto à candidatura presidencial depende o resultado. O senhor neutro ou contra o general Dutra, ganha o brigadeiro, não há a menor dúvida, e além disso dificilmente faremos maioria ou grupo ponderável no Parlamento", previu.[72]

Getúlio, apesar dos sucessivos apelos, mantinha-se impassível:

"Não desejo ser um motivo de perturbação ou de inquietação. Vou ficar quieto, observando os acontecimentos, já não como ator, mas como simples espectador"[73].

Dois dias depois da chegada de Ernani e Alzira a São Borja, um Douglas DC-3 da Cruzeiro do Sul — a antiga Condor —, pesando quase dez toneladas e medindo 19,7 metros de comprimento, pôs à prova a solidez da acanhada pista de pouso de Santos Reis.[74] De dentro dele saltou uma barulhenta comitiva de petebistas, liderados por um dos maiores financiadores do movimento queremista, o empresário paulista Hugo Borghi. Com seu bigodinho fino à moda de Clark Gable, Borghi desembarcava com a missão expressa de convencer Getúlio a declarar apoio a Dutra. Para tanto, trazia na bagagem um argumento adicional: com a disputa polarizada entre o general e o brigadeiro, a estratégia de isolamento do PTB em relação ao quadro sucessório tenderia a inviabilizar eleitoralmente a legenda.

O partido já tivera sérias dificuldades para encaminhar o pedido de registro definitivo ao TSE. Sob o pretexto de apreender material subversivo, a polícia dera uma batida na sede da agremiação e de lá retirara caixas e mais caixas de documentos, incluindo as listas de assinaturas necessárias ao reconhecimento oficial da legenda. Fora preciso lançar mão de um artifício extralegal para requerer o devido registro. Com a cumplicidade de um secretário do Supremo Tribunal Federal — o futuro deputado Edmundo Barreto Pinto —, as cerca de 10 mil assinaturas exigidas pela Justiça Eleitoral foram simplesmente surrupiadas do processo encaminhado pelo PSD e, sem maiores cerimônias, anexadas à papelada do PTB. Como no ocaso do Estado Novo os interventores pessedistas haviam colhido mais de 300 mil assinaturas, ninguém dera pela falta daquelas que foram recambiadas de um partido para outro.[75]

No entender dos petebistas que rumaram a São Borja, era a própria sobrevivência da mística trabalhista que estaria em xeque. Sem o fortalecimento de um partido que articulasse o operariado, a questão social e as reivindicações dos trabalhadores voltariam a ser, como na Primeira República, um "caso de polícia". E sem representação sólida no futuro governo, os petebistas teriam dificuldades em manter as conquistas históricas, instituídas por Getúlio para o setor. Presumia-se que o salário mínimo, as férias remuneradas e a previdência social, entre outras matérias inseridas na CLT, ficariam sob risco em um governo de Eduardo Gomes. Além disso, os simpatizantes do PTB estavam entre as principais vítimas da onda de expurgos nas repartições públicas federais, insufladas pelos udenistas.

"Insinuam eles a necessidade de exílio, de prisões, demissões em massa, estranham a permanência nos cargos de certos funcionários; aconselham devassas, sugerem inquéritos no sentido de punir, condenar, aniquilar", denunciava o jornal oficial do partido, O Radical.[76]

"Não poderemos, de forma alguma, concorrer para a vitória de nosso maior inimigo", alertava o petebista mineiro Jarbas de Lery Santos, numa carta levada por Borghi a Getúlio. "O Partido Trabalhista não poderá cruzar os braços. Tem de lutar pela sobrevivência e não poderá ir para as urnas em 2 de dezembro sem um objetivo definido."[77]

Em simultâneo, setores do PTB que discordavam do apoio a Dutra tentavam advertir Getúlio a respeito das presumidas segundas intenções de Borghi. Depois de fazer fortuna com a compra e venda de algodão durante o Estado Novo — lastreado em polêmicos financiamentos obtidos junto ao Banco do Brasil —, o empresário estaria tentando garantir a continuidade de seus negócios e, mais ainda, cuidando para que os empréstimos tomados à instituição financeira ficassem a salvo de uma devassa por parte de um governo udenista.

Os jornais começaram a tratar o assunto com tintas fortes, especulando que uma auditoria interna estaria prestes a desmascarar o tráfico de influência mantido entre Borghi e a antiga diretoria do BB. As denúncias eram de que a campanha queremista fora financiada com dinheiro público, numa triangulação de interesses que encobriria "um dos maiores escândalos político-administrativos de todos os tempos", conforme já vinha rotulando o Diário Carioca.[78]

"Vai aí o Hugo Borghi falar contigo sobre o apoio à candidatura Dutra. Deves ficar prevenido de que o referido cavalheiro negociou o seu apoio por estar falido e poder assim subir na garupa [do poder]", escreveu Benjamin Vargas, do Rio de Janeiro, ao irmão Getúlio.[79]

Quando vazou a notícia de que Hugo Borghi e uma leva de petebistas haviam fretado um avião para seguir em romaria ao Rio Grande do Sul, a celeuma foi intensa. "O conluio queremista será realizado em sigilo na cidade dos contrabandos. O chefão de botas e esporas ouvirá e falará. Sempre com aquele seu sorriso sibilino, que nunca lhe saiu dos lábios", reprovou o *Diário Carioca*.[80]

Em Santos Reis, na conversa com os queremistas, depois de ouvir as ponderações de Borghi, Getúlio expôs ao grupo a dificuldade pessoal em declarar apoio a Dutra. De que modo poderia recomendar aos trabalhadores brasileiros que confiassem o seu voto ao mesmo general que, menos de duas semanas antes, o enxotara do palácio? Mesmo para um catedrático em pragmatismo político — acostumado a converter amigos em inimigos e inimigos em amigos —, havia um limite a partir do qual a flexibilidade de convicções deixava de ser recomendável.[81]

"Teria pudor político em indicar aos eleitores a candidatura do general Eurico Dutra", argumentou Getúlio.[82]

Borghi lançou uma última cartada. Informou-lhe existir uma negociação em andamento entre os queremistas abrigados no PTB e o general candidato a presidente da República. Somente o prestígio de Dutra junto ao alto-comando dos quartéis poderia impedir Getúlio de ser banido do país, como vinham exigindo furiosamente os jornais.[83] Além disso, no caso de uma aliança e, é claro, de vitória, os trabalhistas teriam lugar garantido no futuro ministério, bem como em outras funções estratégicas do próximo governo. Essa representação deveria ser estabelecida de acordo com a votação obtida pelo partido nas eleições proporcionais. O Ministério do Trabalho, particularmente, entraria na barganha, devendo ficar reservado para um petebista.[84]

"Não estamos aconselhando uma transação de baixa politicagem: apelamos para uma transigência que trará para o PTB o tempo necessário à sua articulação e organização", argumentou o trabalhista Alencastro Guimarães. "O governo que vai começar será um governo que terá de buscar apoio no Parlamento e se constituirá dos grupos predominantes. Dos males, o menor", contabilizou. "O candidato Dutra precisa e precisará de nós, e podemos negociar num mesmo plano. E esta ligação nos garantirá do lado militar."[85]

Após a partida da comitiva queremista, Getúlio teve a oportunidade de discutir o caso, a sós, com Alzira. Ela, de imediato, ao contrário do marido Ernani, se dizia contra qualquer espécie de arranjo com Dutra. Melhor abandonar de vez a cena — e assistir ao brigadeiro e aos udenistas serem alçados ao palco principal — do que negociar com o general que lhes traíra a confiança.

"A poucos homens públicos é dada a oportunidade de sair da política coberto de razões", sentenciou a filha.[86]

"Acontece que eu estou me sentindo como um garoto que espia do lado de fora a preparação de um banquete", retrucou Getúlio. "Os pratos, os talheres, os copos, a comida, está tudo no lugar. Quando os convidados começam a se sentar, prontos para se servir, o garoto puxa a toalha da mesa — e, então, adeus banquete!"[87]

3. Getúlio detona uma "bomba atômica". Candidatura do brigadeiro vive seus dias de Hiroshima (1945)

Os jornalistas correram em direção àquele senhor rechonchudo e de óculos redondos tão logo ele despontou no saguão de desembarque do Aeroporto Santos Dumont na tarde de 13 de novembro, a menos de vinte dias das eleições. Depois de deixar a mulher e a filha na companhia de Getúlio em Santos Reis, o pessedista Ernani do Amaral Peixoto retornava ao Rio de Janeiro no mesmo avião da Cruzeiro do Sul que trazia de volta à cidade a comitiva queremista do PTB. Os repórteres queriam saber se era verdade que ele seria o porta-voz de certas declarações do ex-presidente, que, segundo se especulava na capital da República, desabariam sobre o cenário político nacional com a potência e o efeito de "bombas atômicas" — naquele ano de 1945, quando as cidades japonesas de Hiroshima e Nagasaki haviam acabado de ser varridas do mapa, a metáfora era bastante eloquente.[1]

"Fui apenas levar minha esposa e minha filhinha a São Borja, e também rever o meu sogro", despistou Ernani. "Minha viagem não teve nenhuma motivação eleitoral."

"Mas o ex-ditador vai se pronunciar oficialmente sobre o quadro sucessório?", quis saber um dos jornalistas que o emparedavam.

"O sr. Getúlio Vargas não deseja fazer, nem fará, qualquer declaração sobre a situação atual", garantiu. "Apenas tem aconselhado aos seus amigos do PSD do Rio Grande do Sul a manter os compromissos assumidos..."

"Só os amigos do PSD gaúcho?", questionou, com malícia, outro repórter.

"O PSD do Rio, do qual faço parte, também saberá manter os seus compromissos..."

"É verdade que o PSD do Rio Grande do Sul vai pleitear a candidatura do ex-ditador ao Parlamento?", inquiriu mais um jornalista.

"Isso é assunto da competência exclusiva do sr. Getúlio Vargas..."

"Mas o senhor pode nos garantir que o dr. Getúlio vai se conservar fora de qualquer atividade política?"

"Depende dos acontecimentos... O que sei é que, no presente momento, o dr. Getúlio não tenciona fazer declarações", disse Ernani, tentando desvencilhar-se do assédio. Todavia, estancou o passo e fez ar de surpresa quando alguém lhe lançou nova e inesperada interrogação:

"É verdade que o senhor trouxe do Sul um manifesto do sr. Getúlio Vargas aos trabalhadores?"

Ernani decidiu seguir o exemplo do sogro em momentos de tensão. Sorriu. E seguiu tergiversando:

"Eu apenas soube que os diretores do Partido Trabalhista que visitaram o dr. Getúlio em São Borja receberam dele, mais uma vez, a expressão da simpatia com que encara o referido partido..."

"E o manifesto?"

Ernani se esforçou para manter o sorriso. Os petebistas que haviam desembarcado com ele é que poderiam falar a respeito do assunto, esquivou-se.

"Quer dizer que não foi o sr. que trouxe o manifesto?"

"Eu? Absolutamente. Não trouxe coisa alguma..."

Os repórteres suspenderam o cerco e saíram à caça de algum membro do PTB que porventura ainda estivesse zanzando pelo saguão. Porém não conseguiram encontrar mais ninguém. Todos já haviam desaparecido, em um átimo, pela saída do aeroporto.[2]

Os murmúrios tinham fundamento. Ainda não se tratava de uma "bomba atômica", como se especulava, mas os queremistas haviam conseguido retornar de São Borja trazendo consigo um primeiro torpedo de razoável calibre. Ao narrarem a Getúlio as perseguições que os filiados do partido estariam sofrendo, convenceram-no a redigir um manifesto histórico ao operariado brasileiro. Era uma única página datilografada, em cujo rodapé se lia a inconfundível assinatura do ex-presidente. Apesar de sintético, o texto demonstrava a certeza de um líder que, mesmo afastado do poder, tinha total confiança na força mobilizadora de suas palavras.

"Trabalhadores do Brasil! Deste rincão longínquo da Pátria, dirijo minha saudação a todos vós, desejando que ela seja ouvida em todos os quadrantes do país. Condensai as vossas energias e moldai a vossa consciência coletiva, ingressando no Partido Trabalhista Brasileiro", dizia a mensagem. "O PTB é, por princípio, o herdeiro e continuador dos postulados da Revolução de 1930, que não pode ser interrompida, nem pelo arbítrio, nem pela violência", acrescentava Getúlio. "Deposito em vós a minha fé e a minha confiança, e espero que a vossa organização nas fileiras do Partido Trabalhista Brasileiro vos assegure, num sistema democrático, a representação a que tendes direito e possais dirigir os destinos do Brasil para um futuro de prosperidade, de glória, de fraternidade, de justiça."[3]

Nos dias seguintes, a carta aberta aos trabalhadores foi reproduzida em panfletos e cartazes, distribuídos de mão em mão nas ruas e sedes de sindicatos, além de colados nos muros e postes das principais cidades brasileiras. Nos impressos, a íntegra da mensagem aparecia encimada pela silhueta de Getúlio e um título imperativo, em letras maiúsculas:

ELE DISSE:

INGRESSAI NO PTB![4]

A reação dos adversários e da maior parte da imprensa foi de perplexidade e repulsa. "Diante de tudo isso, em que posição deplorável ficam os seus parentes mais próximos, aninhados em torno da pia, Peixoto, Protásio & Cia.? Permanecem no PSD, apoiando o general Dutra, repelindo o conselho do *pater familias*? Largam tudo decentemente ou se cobrem de lodo?", instigou o *Diário Carioca*. "Têm a coragem de ingressar no PTB, abandonando o PSD, ou repudiam publicamente o chefe a quem devem tudo — fortunas, cargos e honrarias?" Para o jornal, só havia uma conclusão a tirar do episódio: "Não lhe restando mais amigos a devorar, Saturno começa a devorar os próprios filhos".[5]

Em evidente represália, o jornalista e escritor Austregésilo de Athayde, por meio de artigos estampados na primeira página do *Diário da Noite*, passou a pedir a abertura de inquérito policial e administrativo para apurar os crimes e as alegadas malversações de dinheiro público no regime deposto. "Sou inclinado a acreditar que os homens da ditadura eram todos anjos, de asas imáculas, e passaram os três lustros infames tocando harpas nos coros do Senhor; mas um inquérito não ofende ninguém", ironizou Athayde. "É até o recurso mais à mão e eficiente para estabelecer a lisura dos administradores depostos."[6]

Em São Paulo, o estudante Rui Nazaré, presidente do Centro Acadêmico Onze de Agosto, da Faculdade de Direito, desencadeou uma campanha entre colegas e professores do largo de São Francisco para a elaboração de um abaixo-assinado exigindo a deportação urgente de Getúlio.[7] Com idêntico objetivo, o *Diário da Noite* decidiu fazer uma enquete para indagar aos leitores se o governo federal deveria ou não ordenar o exílio imediato de Vargas. Choveram cartas à redação. O periódico, obviamente, deu maior evidência àquelas que se declaravam a favor da expulsão do ex-chefe de Estado.

"Enquanto o homenzinho de São Borja permanecer no nosso país, mesmo que seja no seu retiro de Santos Reis, a sua quadrilha de apoiadores e câmbio-negristas continuará, na esperança de reaver o poder e voltar a gozar dos lucros fabulosos e abjetos de ontem, causando distúrbios políticos", dizia uma dessas cartas, assinada por uma certa Rita Fernandes Lee. "Sou de opinião que o sr. Getúlio Vargas deve ser mandado para o exílio imediatamente. Todos os seus comparsas devem responder a rigoroso processo, como criminosos de traição à pátria e dilapidadores do erário público. Viva a democracia!", bradava, por sua vez, a leitora Ivalda Chaves.[8]

A ação policial, como sempre, dispensou as filigranas de retórica e as consultas prévias à opinião pública. Uma nova batida na sede do PTB, ordenada pelo chefe de Polícia interino do Distrito Federal, desembargador Álvaro Ribeiro da Costa, apreendeu 140 mil exemplares de cartazes e panfletos do "Ele disse" sob a justificativa de se tratar de material subversivo.[9]

Enquanto isso, um grupo de jornalistas e políticos ligados à UDN propunha a mudança do nome da avenida Presidente Vargas, inaugurada durante a ditadura, para "avenida da Liberdade".[10]

No auge da polêmica, o *Correio da Manhã* também lançou seu protesto, na forma de editorial. "E ele continua, de São Borja, complicando o andamento moralizado das eleições. Continua em retratos e em cartazes queremistas. Continua nas praças e nas ruas de todo o país, por todos os recantos em que uma publicidade exagerada espalhou o nome de Getúlio Vargas", criticou o periódico. "Verdadeira praga nacional, como a formiga, o ditador reaparece, eternamente, onde não é desejado."[11]

Em 16 de novembro, data-limite para o registro de candidatos às eleições, os petebistas convocaram uma assembleia do diretório central para discutir os rumos a seguir. Foi uma sessão tensa, com entrada proibida a quem não apresentasse a carteirinha de delegado nacional da agremiação. A sede carioca do PTB — um pequeno sobrado localizado no número 54 da rua São José, no centro do Rio — serviu de cenário para o encontro que durou cerca de cinco horas e foi marcado por acaloradas discussões. A despeito das diferenças de opinião, todos os participantes exibiam, afixado na lapela por um alfinete de segurança, um broche com a foto de Getúlio.[12]

Para preservar o conteúdo dos debates de ouvidos estranhos, ergueu-se uma barricada de birôs e cadeiras diante da porta da sala de reunião, que também ficou guarnecida com militantes com ares de leões de chácara. Tais cuidados, porém, não surtiram o efeito desejado. Um jornalista do *Correio da Manhã* se escondeu no cômodo ao lado e, com a orelha colada em uma porta contígua, foi testemunha de toda a conversa.[13]

"Vocês não me convencerão a votar no homem que traiu o presidente Getúlio!", esbravejou o petebista Gilberto de Sá, quando posta em votação a proposta de apoio a Eurico Gaspar Dutra.[14]

Houve quem ainda insistisse em incluir na pauta de discussões a tese de candidatura própria, apostando numa terceira via, civil, como alternativa aos militares Dutra e Eduardo Gomes. A ideia, mais uma vez, não vingou. Consultado a respeito do lançamento de uma possível candidatura em seu nome, o advogado e petebista gaúcho Alberto Pasqualini declinou do convite. Ex-vereador em Porto Alegre e ex-secretário de Interior e Justiça do Rio Grande do Sul, Pasqualini nem sequer compareceu à assembleia, alegando doença.[15]

Em meio ao embate de posições, Hugo Borghi fez a defesa do apoio a Dutra, martelando o argumento de que era imprescindível compor uma base parlamentar sólida e evitar, a todo custo, a vitória de Eduardo Gomes. Quatro dias antes, o presidente interino José Linhares assinara a Lei Constitucional nº 13, determinando que o Congresso a ser eleito teria poderes constituintes — os futuros deputados e senadores iriam elaborar e votar uma nova Carta Magna, em substituição à famigerada "Polaca". Assim, para Borghi, crescia a importância da formação de uma bancada expressiva para a defesa da manutenção das conquistas trabalhistas no futuro texto constitucional.[16]

No meio da reunião do PTB, o ex-presidente do Instituto dos Comerciários do Rio de Janeiro e chefe do diretório paulista, Nelson Fernandes — mais conhecido pelos colegas sindicalistas como Nelson Botinada —, revelou os termos do acordo secreto que estava sendo costurado, nos bastidores, para estabelecer uma representação trabalhista no ministério de um eventual governo Dutra. Ao final dos debates, porém, prevaleceu a tese defendida pelos dirigentes Segadas Viana e Baeta Neves, autoproclamados defensores da abstenção, mas na verdade adeptos mal dissimulados de Eduardo Gomes. Para evitar maiores rachas, ficou oficialmente decidido: o PTB não teria candidato a presidente da República. Não apoiaria ninguém. Nem o general, nem o brigadeiro.[17]

Em pelo menos um ponto os integrantes do diretório nacional se mostraram unânimes. Para carrear uma quantidade significativa de votos à legenda, e conforme facultava a legislação eleitoral da época, o PTB lançaria o nome de Getúlio a deputado constituinte pelo maior número possível de estados, além de inscrevê-lo como candidato a senador por São Paulo — onde estava concentrada a grande massa do operariado brasileiro. Se fosse eleito por várias unidades da federação, como se previa, o ex-presidente teria que optar por um único mandato, abrindo, por consequência, vagas para suplentes da legenda em cada um dos estados nos quais saísse vitorioso.[18]

No mesmo dia à tarde, também em reunião do diretório nacional, o PSD oficializou a candidatura de Getúlio a senador pelo Rio Grande do Sul. O homem escorraçado do poder pelos militares havia menos de um mês iria se submeter ao escrutínio das urnas concorrendo por dois partidos diferentes, para dois cargos distintos — deputado e senador —, e por múltiplos colégios eleitorais.

"Já viram os leitores maior falta de respeito próprio do que esse escandaloso bifrontismo?", indignou-se o *Diário Carioca*. "Será possível que tenhamos tido durante oito anos como chefe do Estado brasileiro um homem desse jaez, que adere a dois partidos antagônicos ao mesmo tempo, aceitando pela manhã a sua candidatura por um deles e aconselhando à tarde seus amigos a que não votem no partido pelo qual se candidata?"[19]

Enquanto que os jornais rugiam, os varguistas festejavam. Em carta pessoal a Getúlio, o tenente-coronel petebista Napoleão de Alencastro Guimarães expressou o júbilo que tomara conta da militância.

"A sua votação mostrará com quem estava o povo brasileiro, em cujo nome falavam e ainda falam os 'abnegados patriotas'. Já podemos ver a indecisão e a incerteza nos atos dos adversários. Já viram que o tanque esmaga, mas não convence", escreveu Guimarães, acrescentando que os amigos de Getúlio, acima de todas as querelas que então os dividiam, alimentavam um único e declarado desejo: "Vê-lo de novo no seu lugar".[20]

A uma semana das eleições, Getúlio recebeu em São Borja uma avalanche de cartas, assinadas por vários remetentes. A maioria tratava do mesmo assunto: a necessidade de apoiar Dutra. Embora o diretório nacional do PTB houvesse deliberado a favor da abstenção, a ala do partido ligada a Hugo Borghi ainda não se dera por vencida. Do mesmo modo, os integrantes do PSD também pressionavam seu presidente de honra a sair da condição de mero candidato à Constituinte e fazer algum pronunciamento público sobre a sucessão presidencial.[21]

"Ainda é tempo", considerou João Neves, em carta datada de 24 de novembro. "Creio que a ausência no principal teatro dos acontecimentos explique facilmente as tuas hesitações quanto ao rumo mais útil ao Brasil e aos teus amigos, rumo que a nós, aqui, nos parece mais claro."[22]

Protásio Vargas, em nome dos correligionários do Rio Grande do Sul, também endereçou ao irmão um derradeiro apelo: "É indispensável para a nossa vitória no país e no estado que nos dê uma palavra decisiva aos trabalhadores e aos seus amigos, no sentido de que, sem prejuízo dos conselhos que lhes tem dado para que se organizem em partido próprio, apoiem neste momento a ação do PSD, uma vez que a vitória do PSD será a vitória dos seus amigos".[23]

Havia um dado novo a ser levado em conta por Getúlio. Justamente no último dia para a inscrição das chapas, 16 de novembro, o Partido Comunista do Brasil (PCB) registrara na Justiça Eleitoral uma terceira candidatura a presidente da República. Fora uma surpresa geral. A escolha recaíra sobre alguém, até então, sem nenhuma ligação com as esquerdas: o engenheiro Iedo Fiúza, ex-prefeito de Petrópolis, diretor-geral do Departamento Nacional de Estradas de Rodagem (DNER) e, como era do conhecimento público, velho amigo de Getúlio Vargas. Os que privaram da intimidade do Palácio Guanabara nos anos anteriores detinham uma informação adicional a respeito do repentino candidato: quando dos tempos do romance de Getúlio com a bela Aimée Simões Lopes, fora Iedo quem servira de chofer para, em tardes furtivas, conduzir o amante apaixonado ao chamado "ninho de amor".[24]

Não havia dúvida de que a candidatura de Iedo Fiúza ameaçava embaralhar o quadro eleitoral. O lançamento de seu nome obedecia a uma dupla tática, desenhada na prancheta do líder comunista Luís Carlos Prestes. Por um lado, Iedo ameaçava roubar sufrágios preciosos de Eduardo Gomes, pelo menos entre os eleitores situados mais à esquerda do espectro político e que até então estavam decididos a votar em qualquer um, desde que não fosse Dutra. Por outro lado, dada a estreita ligação do diretor do DNER com Getúlio — e diante do fato de o PTB não ter concorrente oficial ao cargo —, Prestes calculou que os trabalhadores encarariam o novo competidor com alguma simpatia. O próprio Prestes, se quisesse, poderia ter se lançado à presidência, mas, diante da incerteza de vitória, preferiu disputar uma vaga no Senado, objetivo imediato mais plausível.

Anos mais tarde, em entrevista, o Cavaleiro da Esperança admitiu o estratagema:

"Escolhemos Fiúza porque era homem próximo a Getúlio e poderia dar à nossa legenda os votos do PTB", revelou Prestes, que entretanto reconheceu uma falha capital na execução do plano. "Cometemos um erro em não procurar Getúlio e pedir para que ele apoiasse o Iedo Fiúza. Foi o lance de audácia que nos faltou. Não fomos procurá-lo porque ainda tínhamos o ranço de ter sido ele o homem do Estado Novo."[25]

Getúlio sentiu que, ao movimentar de forma audaciosa uma única peça no tabuleiro, Prestes o pusera em xeque. A possibilidade de assistir à migração em massa dos votos dos trabalhadores para o PCB sem dúvida contribuiu para que o anticomunista Getúlio Dornelles Vargas tomasse uma decisão mais ousada. Chegara a hora de puxar a toalha do banquete. Ou, para utilizar a antiga metáfora aprendida nos tempos de menino em São Borja, chegara o momento adequado para, enfim, descer do umbuzeiro.[26]

Cauteloso como sempre, Getúlio não quis, entretanto, passar a impressão de que iria agir em causa própria. A mudança pública de atitude teria que ser resultado de uma provocação externa, e não de uma iniciativa pessoal.

"Penso que um acordo do PSD com o PTB, no sentido de fortalecerem a ação para a vitória, é um ato acertado e louvável, mas não posso dar o que não me foi [oficialmente] solicitado", escreveu Getúlio ao irmão Protásio Vargas, passando óbvio recado às partes interessadas.[27]

Era a senha que faltava para os queremistas do PTB oficializarem uma consulta, em carta assinada pelo vice-presidente em exercício, Ícaro Sydow, diretor do Sindicato dos Empregados Vendedores e Viajantes do Comércio de São Paulo, e pelo secretário do diretório estadual paulista, José Correia Pedroso Júnior, presidente do Sindicato dos Ferroviários da Companhia Mogiana. Ambos subscreveram a mensagem que solicitava, sem maiores rodeios, a ingerência de Getúlio.

"Vimos pedir uma palavra de ordem para que os trabalhistas de todo o Brasil se arregimentem em torno de um candidato com compromissos claros, positivos, de respeitar a obra social do governo de vossa excelência." Para que não restassem dúvidas sobre os objetivos da consulta, acrescentaram: "Ainda recentemente de público declarava o general Eurico Gaspar Dutra comprometer-se à execução do programa dos trabalhistas, o que equivale dizer que respeitaria a obra de vossa excelência".[28]

A carta chegou às mãos de Getúlio na companhia de outro documento tão ou mais decisivo, no qual a coordenação da campanha de Dutra prometia atender a quatro reivindicações básicas dos petebistas em troca da declaração de apoio. Em primeiro lugar, a futura bancada do PSD endossaria todas as iniciativas do PTB na defesa da legislação trabalhista durante os debates da Constituinte. Como segundo ponto do acordo, os pessedistas arcariam com parte das despesas de campanha das chapas petebistas às eleições proporcionais. O terceiro ponto afirmava que o PSD se comprometia a despejar votos diretamente em seis candidatos do PTB, ajudando a garantir um assento mínimo dos trabalhistas na Assembleia. Por último — e não menos importante —, os petebistas teriam direito a receber a quantia de meio milhão de cruzeiros (cerca de 800 mil reais, em valores atualizados), repassados pelo caixa de campanha pessedista.[29]

Getúlio entendeu que o PTB havia chegado a um bom limite de exigências. Assim, considerou satisfatórios os termos do ajuste, principalmente no que dizia respeito ao Ministério do Trabalho. Em 27 de novembro, ao responder a uma mensagem do antigo secretário da presidência, Luiz Vergara — que também lhe cobrava uma definição em favor de Dutra —, adiantou-lhe a notícia, em sinal de confiança:

"Já dei a ajuda política que me solicitaram. Hoje, deve ser publicada", informou. "Quando esta carta chegar às tuas mãos, já se terão realizado as eleições. Aguardo depois tua vinda aqui, com um churrasco e um chimarrão."[30]

Faltavam apenas cinco dias para o Brasil escolher o novo presidente da República. Dessa vez, a metáfora podia ser empregada de maneira adequada. À última hora, Getúlio acabara de preparar a detonação de uma bomba atômica.

Nesse momento, o panorama eleitoral assumira um grau de radicalismo poucas vezes visto na história republicana. Após quinze anos impedidos de participar de eleições livres à presidência, os brasileiros testemunhavam uma disputa inflamada, na qual não faltavam golpes baixos, fabricação de boatos, produção de dossiês caluniosos.

Os grandes jornais, que seguiam sem ocultar a predileção por Eduardo Gomes, se encarregavam de estabelecer a hagiografia do candidato udenista, sublinhando a pretensa aura de bravura do sobrevivente dos Dezoito do Forte. Trechos do poema "O brigadeiro", escrito por Manuel Bandeira, eram republicados com destaque na imprensa, dando corpo a uma campanha de sagração cívica que beirava a beatificação:

> *Brigadeiro da esperança,*
> *Brigadeiro da lisura,*
> *Que há nele que tanto afiança*
> *A sua candidatura?*
> *— Alma pura!*
> *[...]*
> *O Brasil, barco tão grande*
> *Perdido em denso nevoeiro,*
> *Pede mão firme que o mande:*
> *Deus manda que timoneiro?*
> *— O Brigadeiro!*

O lançamento de uma biografia instantânea e autorizada — *O brigadeiro da libertação* —, escrita por um dos fundadores da UDN, Paulo Pinheiro Chagas, também contribuiu para a idealização da imagem de Eduardo Gomes, retratado no livro como um "católico fervoroso", "soldado da democracia", "indivíduo talhado para grandes destinos".

"O país, que já reverenciava o herói de alma pura, trava agora conhecimento com o estadista e o tribuno", incensou Pinheiro Chagas, despejando elogios aos discursos do candidato que ao longo da campanha percorreu um total de 34 cidades e onze estados — uma ousadia para a época —, levando a mensagem udenista às mais diversas regiões do país. "Para Eduardo, homem sem ambição, atingir a presidência da República não chega a ser um objetivo. Seu desígnio, claro como o seu dever, é o retorno do império da lei, o extermínio do vilipêndio fascista, o triunfo da democracia sobre o caudilhismo relapso", definia o biógrafo chapa-branca.[31]

Enquanto o brigadeiro era exaltado em prosa e verso, seus adversários se viram alvo de uma campanha também ostensiva, mas com sinal exatamente contrário. O *Correio da Manhã* escarafunchou arquivos fotográficos para republicar em primeira página uma imagem histórica do general Dutra, datada de 1940, na qual o então ministro da Guerra do Estado Novo recebia uma condecoração em forma de suástica das mãos do nazista Curt Prüfer, à época embaixador alemão no Brasil.

"Fascista inato, [...] candidato dos integralistas, rejubila-se com o apoio deles e é recebido em toda parte com 'anauês'", definiu o *Correio*, fazendo menção ao fato de Dutra ter recebido nos dias anteriores, sem demonstrar sinais de rubor, o apoio do nanico Partido de Representação Popular (PRP), agremiação fundada pelo antigo líder dos camisas-verdes, Plínio Salgado.[32]

Iedo Fiúza, por sua vez, era descrito pelo *Correio da Manhã* como um "lacaio íntimo do ex-ditador, o chaveiro de sua *garçonnière*".[33] Para completar o cerco ao candidato dos comunistas, o *Diário Carioca* iniciou uma campanha sistemática contra Fiúza, configurada em uma série de dez artigos escritos por um jornalista que já começava a se firmar, ao lado de Chatô, como uma das penas mais cáusticas da imprensa brasileira de todos os tempos: Carlos Lacerda.

Além das feições marcantes e da oratória ardente, pouca coisa naquele homem de rosto magro, nariz aquilino, olhos vivos e óculos de aros grossos lembrava o rapaz que, em 1935, na sede da Aliança Nacional Libertadora (ANL), lera o manifesto de Luís Carlos Prestes exortando o povo a tomar o poder. Rompido com os marxistas desde 1939, Lacerda iniciara uma guinada ideológica radical à direita. Seus libelos contra a candidatura de Iedo Fiúza iriam lhe consolidar o estilo e a fama de irredutível polemista.[34]

"Que diabo de doença tem o sr. Prestes, que lhe inspira a candidatura de um rato à presidência do país?", indagou Carlos Lacerda, cunhando o apelido pelo qual passaria a se referir à então vítima preferencial de seus artigos: "O Rato Fiúza". Nas edições do final de novembro, a primeira página do *Diário Carioca* foi ilustrada com a figura estilizada de um camundongo, acompanhada em dias sucessivos das fotografias de três casas de arquitetura moderna e de um prédio de apartamentos. Segundo Lacerda, todos os imóveis estavam em nome do candidato do PCB.

"Ser rico não é crime. Mas ser rico e dizer que é pobre, já é muita malícia", espingardeou o texto.[35]

Feitas as contas, o jornal chegou à conclusão de que os imóveis em questão — sem contar outras propriedades que viriam a ser alvo de denúncias nos dias subsequentes — estariam avaliados em torno de 3 milhões de cruzeiros (4,7 milhões de reais em valores de hoje). "As demais propriedades virão depois, com a indispensável documentação. Por enquanto, basta saber que com o seu ordenado [3 mil cruzeiros mensais, ou 4,7 mil reais, como diretor do DNER], ele teria de trabalhar cerca de oitenta anos, sem gastar um centavo, para adquirir esses bens", computou Lacerda.[36]

O jornalista acusava Iedo de ter enriquecido à custa de irregularidades à frente da prefeitura de Petrópolis e, em especial, da direção do DNER, onde cobraria propinas a fornecedores e empreiteiros em contratos sem licitação.

"O sr. Iedo Fiúza é conhecido pelo curioso apelido de Dez por Cento", apontou Lacerda.[37]

Como costuma ocorrer em tais casos, o discurso em nome da moralidade pública logo derivou para o campo do moralismo. "A exemplo das demais instituições atingidas pela rajada subversiva dos últimos tempos, a família se viu abalada em seus alicerces", argumentou o *Correio*, em editorial intitulado "Em defesa do lar". O jornal fazia coro a um discurso de Eduardo Gomes que criticara os comunistas e os demais partidários da implantação do divórcio no Brasil.[38]

"Falsamente apresentado como índice de civilização que deva ser invejado, o divórcio é um germe de enfraquecimento e de desordem social", argumentara o brigadeiro. "O testemunho dos fatos comprova, sem exceção, que o divórcio, introduzido nas legislações em momento de subversão social e de rebaixamento dos costumes, teve efeitos profundamente maléficos no enfraquecimento moral da sociedade, no decrescimento demográfico e na criminalidade infantil."[39]

Como consequente desdobramento da cruzada moralista, a religião não demorou a entrar também, ela própria, na agenda eleitoral. Ao buscar uma identificação direta com a população de maioria católica, Eduardo Gomes passou a ser acusado pelos adversários de intolerância religiosa. Espalhou-se o boato de que quando respondera pelo comando da Segunda Zona Aérea, no Recife, chegara a mandar prender soldados evangélicos que teriam se recusado a ir à missa.[40]

"Feliz Eduardo Gomes, a quem procuram apontar como religioso, a quem procuram marcar com o labéu de muito fervoroso no seu amor e na sua confiança em Deus", defendeu o *Correio*, jornal transformado em um dos principais cabos eleitorais do brigadeiro.[41]

Ao mesmo tempo, a candidatura do PCB era denunciada por udenistas e integralistas como uma conspiração quase satânica, destinada a banir a fé e a liberdade de culto do território nacional. Na intenção de provar o contrário e demonstrar que receberia de bom grado o voto dos praticantes dos mais diferentes credos, Iedo Fiúza divulgou nas páginas da esquerdista *Tribuna Popular* o apoio de grupos evangélicos e espíritas à sua candidatura.

"Sou um homem de formação católica, e é dever dos católicos reconhecer a cada brasileiro o direito de ter a religião de sua preferência", declarou Fiúza, tentando escapar do rótulo de "candidato dos ateus".[42]

Quando Eurico Gaspar Dutra veio a público para fazer o mesmo e se dizer um homem inclinado a respeitar os mais diferentes tipos de fé — e, em particular, o espiritismo cristão —, recebeu uma bordoada da imprensa udenista. "Num ponto o sr. Eurico Dutra anda muito certo: na sedução que vem fazendo aos espíritas do Brasil. Só almas do outro mundo votariam nesse candidato da inconsciência nacional."[43]

O nível do debate político despencou mais alguns degraus quando os partidários de Eduardo Gomes começaram a protestar contra o lançamento da candidatura de Getúlio à Constituinte. Os jornais do Rio de Janeiro chegaram a anunciar, em manchete, que o ex-presidente seria chamado a depor, como réu, no Tribunal de Nuremberg — o conselho internacional então recém-criado pelas potências aliadas para julgar os nazifascistas denunciados como criminosos de guerra. Quando o porta-voz da representação britânica contradisse a informação em Londres, o desmentido foi publicado em notinhas tímidas nas páginas internas. "Não foi denunciado o ex-presidente Vargas", corrigiu-se *A Manhã*, em notícia de apenas sete linhas.[44]

Para se contrapor à artilharia adversária, Hugo Borghi voltou à cena, dessa vez para criar um factoide que entraria para os anais do folclore político nacional. Em discurso realizado no elegante Teatro Municipal do Rio de Janeiro, falando para uma seleta plateia de encasacados, Eduardo Gomes afirmara que, para se eleger presidente da República, não precisaria contar com os votos "desta malta de desocupados que andam por aí", referindo-se aos getulistas de todos os matizes. Borghi consultou os verbetes do *Novo dicionário da língua portuguesa* do filólogo Cândido de Figueiredo e constatou que o termo "malta" era sinônimo de: "Reunião de gente de baixa condição. Súcia. Caterva. Reunião de trabalhadores, que se transportam juntamente, de um para outro lugar, em procura de trabalhos agrícolas". Borghi, que era dono de várias emissoras de rádio, passou a propagar nos seus microfones a versão de que o brigadeiro teria dito não precisar do voto dos "marmiteiros" — ou seja, dos operários e trabalhadores.[45]

"Mar-mi-tei-ros? Mas o que é isso?", estranhou Eduardo Gomes quando um jornalista lhe telefonou para saber se confirmava o teor da declaração.[46]

Ao ser informado do significado da palavra e, mais ainda, ao ficar ciente de que a notícia estava se espalhando em meio ao eleitorado, o candidato udenista desdenhou:

"Quem pode crer em semelhante tolice?"[47]

Carlos Lacerda, que sabia como ninguém o poder de uma potoca bem contada, procurou Eduardo Gomes para convencê-lo a tentar minar o boato ainda no nascedouro.

"Brigadeiro, o senhor tem que fazer um novo discurso, hoje, desmentindo essa história. Mas, veja bem, tem que ser hoje!", aconselhou Lacerda, que depois disso foi orientado pelo candidato a procurar um dos coordenadores da campanha, o jurista José Eduardo Prado Kelly.[48]

"Mas, Carlos, isso não tem nenhuma importância. O povo não vai acreditar nisso… Imagine!", minimizou Prado Kelly.[49]

"Kelly, você não sabe o que é o poder do rádio; o que é o poder da comunicação!", argumentou Lacerda, que, inconformado, foi procurar outro articulador da candidatura, o romancista e político José Américo de Almeida.[50]

"Realmente, isso é grave. Mas já está marcado outro comício no largo da

Carioca, daqui a alguns dias. Lá, eu respondo isso. Lá, eu acabo com isso de uma vez por todas", prometeu Américo.[51]

"Dr. José Américo, daqui a alguns dias o Brasil inteiro estará convencido de que essa história é verdadeira…", advertiu Lacerda.[52]

O jornalista sabia das coisas. Em poucas horas, o vocábulo "marmiteiro" virou bordão nacional. Os trabalhadores resolveram assumir o rótulo, que logo daria origem a um personagem de charges políticas — o Zé Marmiteiro, desenhado pelo caricaturista José Nelo Lorenzon — e a uma marchinha de carnaval, composta pelo carioca Murilo Caldas (irmão de Silvio Caldas), gravada em disco pelo cantor Valdomiro Lobo:

> *Marmiteiro, marmiteiro*
> *Todo mundo grita*
> *Porque lá na minha casa*
> *Só se papa de marmita*
>
> *Vamos entrar pro cordão dos marmiteiros*
> *E quem não tiver pandeiro*
> *Na marmita vai tocar*[53]

Os jornais alinhados com Eduardo Gomes fizeram de tudo para tentar neutralizar a contrapropaganda. Mas o "cordão dos marmiteiros" dali por diante só cresceria. Manifestações de rua contra o brigadeiro passaram a ser marcadas pela presença de operários e donas de casa batendo colheres em panelas e marmitas, transformadas em símbolos de protesto.

Era esta a paisagem política quando, em 27 de novembro, Getúlio comunicou a Luiz Vergara que estava tudo pronto para ser detonada a sua "bomba atômica". Os adversários logo constatariam, estarrecidos, o tamanho do estrago que ela seria capaz de produzir.

Os postes e muros do Rio de Janeiro amanheceram de novo cobertos de cartazes com a imagem e um texto escrito por Getúlio.

Dessa vez, acima da foto, lia-se um novo slogan, derivado do primeiro:

ELE DISSE:

VOTAI EM DUTRA!

Logo abaixo, vinha o recado do ex-presidente aos eleitores:

Brasileiros!

A abstenção é um erro. Não se vence sem luta, nem se participa da vitória ficando neutro. Fora do governo, meu espírito sofreu a decantação de quaisquer ressentimentos, por injustiças sofridas.

[...]

O momento não é de nomes, mas de programas e de princípios. Recentemente, em mensagem, aconselhei aos trabalhadores que cerrassem fileiras em torno do programa do Partido Trabalhista Brasileiro, representante e defensor de seus interesses. O general Eurico Gaspar Dutra, candidato do PSD, em repetidos discursos e, ainda agora, em suas últimas declarações, colocou-se dentro das ideias do programa trabalhista e assegurou, a esse partido, garantias de apoio, de acordo com suas forças eleitorais. Ele merece, portanto, os nossos sufrágios.

[...]

Agredido, injuriado, traumatizado pelo choque dos ódios e das paixões políticas, venho dizer-vos que esqueci tudo isso e encontrei, no amor pela minha pátria, forças para me renovar.[54]

O documento original fora datilografado por Alzira Vargas em Santos Reis, com base nas anotações feitas a lápis pelo pai em três tiras de papel. Antes de liberar o texto, Getúlio convocara uma reunião doméstica, em seu quarto, para anunciar a decisão. Nem todos receberam a novidade com alegria. Alzira torceu o nariz e disse que datilografaria o manuscrito a contragosto.[55] O primo Dinarte Dornelles, que até o fim defendera a tese da abstenção trabalhista, também evidenciou seu descontentamento, embora pouco depois tenha se curvado ao fato consumado.

"Interpretei manifesto como sendo resultado insistência alguns amigos vossos que entendem ser apoiando Dutra única maneira de se salvarem", telegrafou Dinarte, numa clara alusão às acusações que recaíam sobre Hugo Borghi. "Para remar contra maré, ainda que temporariamente, é necessário muita qualidade. Vosso gesto, que poderá até abalar vossa popularidade, foi de grande nobreza."[56]

Os dirigentes nacionais do PTB, Baeta Neves e Segadas Viana, não tiveram a mesma condescendência. Dizendo-se decepcionados com a deliberação de Getúlio, escreveram-lhe um telegrama pontuado por ressentimentos e desabafos:

Vossência talvez ignore que general Dutra, durante entendimento que mantivemos, recusou-se assumir compromisso lutar contra medida banimento e cassação direitos políticos vossência.

Vossência talvez não saiba que o general Dutra está ostensivamente apoiado integralismo.

Talvez vossência não saiba que general Dutra pronunciou discurso rádio assumindo responsabilidade golpe 29 de outubro.

Por tudo isso, como amigos leais vossência, ficamos coerentes atitudes anteriores, não obstante vermos muitos elementos caírem diante campanha suborno pelos elementos cercam general Dutra.

[...]

Vossência verificará um dia de que lado está lealdade, amor ao Brasil e interesse defesa proletariado.

Respeitosas saudações.[57]

Os comunistas também ficaram desolados. O manifesto de Getúlio abalava por inteiro os planos de Luís Carlos Prestes para atrair o voto dos trabalhistas.

"Os patrões afixaram a carta de Getúlio nas fábricas, e muitos operários foram nos procurar para dizer que votariam no Dutra", lamentou Prestes.[58]

Entretanto, como planejado, os partidários do brigadeiro foram os que receberam a notícia com maior dose de contrariedade e perturbação. Apanhados de surpresa às vésperas do pleito, os udenistas tentaram atribuir ao adversário um sentimento que, na verdade, passara a ser unicamente deles: "Getúlio adere a Dutra em desespero de causa", estampou em manchete o *Diário Carioca*. "Pânico em São Borja ante a vitória certa do brigadeiro", sugeriu o jornal.[59]

Mas, naquele final de novembro, não havia nenhum sinal de pânico em Santos Reis. Muito pelo contrário.

"Creio que o Dutra está eleito. A palavra marmiteiro, o Iedo e finalmente a 'bomba atômica' do seu manifesto liquidaram o assunto", comemorou Alencastro Guimarães, efusivo, em carta a Getúlio.[60]

* * *

No dia 2 de dezembro, domingo, o Brasil foi às urnas. Naquela época, o ritual do voto obedecia a um roteiro específico. Cada eleitor levava no bolso a cédula previamente distribuída pelos comitês partidários — e já preenchida com os nomes de seus candidatos de preferência. Depois de apresentar o título de eleitor e assinar o livro de registro, o votante recebia das mãos do presidente da mesa um envelope assinado no verso por todos os mesários, e então era autorizado a se dirigir à cabine de votação. Lá dentro, protegido por uma cortina, devia introduzir a cédula na sobrecarta que lhe fora fornecida. Ao deixar o "cubículo indevassável", exibia o envelope lacrado, para que os mesários constatassem que era o mesmo que lhe fora entregue pouco antes. Depositava então o voto na urna que ficava sobre a mesa, à vista de todos, para se evitar possíveis trocas de papéis.[61]

As apurações eram lentas. Levava tempo até que as juntas apuradoras contassem manualmente os votos, um a um, depois de abertas as centenas de milhares de urnas espalhadas pelo país. Os resultados eram divulgados em boletins diários, à proporção que a contagem se arrastava. Mas bastaram três dias para que os números parciais demonstrassem qual fora a mensagem clara das urnas.

Uma consulta às manchetes do *Correio da Manhã* daquela primeira semana de dezembro serviria como barômetro para constatar como os jornais, numa escala decrescente de entusiasmo, trocou o otimismo inicial por uma atitude de radical desconsolo. No dia da eleição, a manchete da edição domingueira trazia uma frase entre aspas, atribuída a Eduardo Gomes, acompanhada de uma foto do candidato udenista ocupando quase toda a primeira página:

NOSSA CAUSA É INVENCÍVEL[62]

Às segundas-feiras, o *Correio* não circulava. Mas na terça, dia 4, quando as primeiras urnas já haviam começado a ser abertas em todo o país, o jornal mantinha o tom de celebração:

O POVO ESCOLHEU LIVREMENTE OS SEUS MANDATÁRIOS.
"BRIGADEIRO! BRIGADEIRO! BRIGADEIRO!"
SUCESSIVAS MANIFESTAÇÕES DO POVO AO CANDIDATO NACIONAL[63]

Um dia depois, quarta-feira, 5 de dezembro, quando a marcha da apuração nacional já começava a indicar uma primeira vantagem de Dutra sobre Eduardo Gomes, o *Correio* procurou sustentar, como pôde, uma manchete favorável ao candidato da UDN. Em vez de destacar o resultado geral de todo o país, preferiu ressaltar somente os números do Rio de Janeiro:

RESULTADOS DO SEGUNDO DIA DE APURAÇÃO NO DISTRITO FEDERAL

EDUARDO GOMES: 9344.

DUTRA: 3889.[64]

A mesma tática se repetiu na manchete da edição do dia seguinte, quinta--feira, 6 de dezembro, quando a diferença entre os dois principais candidatos ainda se mantinha favorável ao brigadeiro — se computados apenas os votos do eleitorado da capital da República.

PROSSEGUEM COM MAIOR INTENSIDADE

OS TRABALHOS DE APURAÇÃO NO DISTRITO FEDERAL

EDUARDO GOMES: 21 013.

DUTRA: 10 397.[65]

O que o jornal não havia confessado ainda aos leitores era que, se levados em conta os totais da apuração nacional, Dutra já ultrapassara Eduardo Gomes em quase 180 mil votos. Até então, o general batera na casa dos 456 mil sufrágios. O brigadeiro patinava nos 276 mil.[66]

Na sexta-feira, dia 7, consolidada a vitória do general Dutra, o *Correio da Manhã* não conseguiu mais camuflar a verdade. Por isso, reservou a manchete do dia para um assunto do noticiário internacional — a proposta dos Estados Unidos para a criação da Organização Internacional do Comércio — e rebaixou de importância a marcha da apuração, mandando o resultado das urnas para as páginas internas.

O clima era de encabulado lamento: "O Brasil fica a dever a Eduardo Gomes sua libertação", dizia uma chamada menor de capa, reproduzindo palavras de um notório udenista, o baiano Otávio Mangabeira.[67]

Ouvido pelo *Correio*, o ex-presidente Artur Bernardes não disfarçou o sentimento de perplexidade:

"O resultado da apuração é chocante", definiu.[68]

★ ★ ★

Ao final, Eurico Gaspar Dutra obteve 3,2 milhões de votos contra cerca de 2 milhões conferidos a Eduardo Gomes. A diferença de mais de 1 milhão de sufrágios foi atribuída, historicamente, à interferência de Getúlio em favor do candidato pessedista às vésperas do pleito. No placar geral da apuração, Iedo Fiúza conseguiu 569 mil votos, número considerado bastante significativo para um candidato do Partido Comunista. Um quarto concorrente, Mário Rolim Teles, do pequeno Partido Agrário Nacional (PAN), mal chegou à casa dos 10 mil votos.[69]

Houve quem relativizasse o impacto do segundo "Ele disse" como fator preponderante para a vitória de Dutra. De acordo com alguns analistas, a máquina estatal construída durante a ditadura ainda não havia sido desmontada de todo por José Linhares, conservando-se assim a influência do getulismo em muitas instâncias da burocracia oficial, a exemplo do Banco do Brasil, dos institutos em defesa da produção, das repartições públicas e dos órgãos econômicos federais. Do mesmo modo, permaneceriam inalteradas as estruturas da política agrária e dos currais eleitorais do interior do país, sustentáculos por excelência do arcabouço partidário do PSD. Esses dois fatores estruturais, segundo tal interpretação, teriam exercido uma influência muito mais sensível no resultado final das eleições do que a simples divulgação de um manifesto de Getúlio Vargas a cinco dias do pleito.[70]

A avaliação fazia algum sentido, mas perdia força quando consultados os índices obtidos pelo próprio Getúlio Vargas nas urnas. Sem tirar os pés de São Borja, ele conseguiu ser eleito senador pelo PSD do Rio Grande do Sul (com 461 913 votos) e pelo PTB de São Paulo (onde obteve 414 943 sufrágios), além de se eleger deputado federal pelos trabalhistas por seis unidades da federação — Bahia (10 032 votos), Paraná (20 745 votos), Rio de Janeiro (20 745 votos), Minas Gerais (32 012 votos), São Paulo (119 055 votos) e Distrito Federal (116 712 votos) — e ainda pelo PSD em mais outra, o Rio Grande do Sul (11 291 votos). Além disso, foi o candidato mais votado em dois dos maiores colégios eleitorais do país (São Paulo e Distrito Federal) e o segundo colocado em outros dois (Rio de Janeiro e Minas Gerais). Somados todos os votos, Getúlio conquistou, sozinho, a preferência de quase 1,1 milhão de eleitores, particularmente nas áreas de maior concentração dos trabalhadores urbanos no país.[71]

Para *O Estado de S. Paulo*, jornal que sofrera intervenção federal durante a ditadura e acabara de voltar às mãos da família Mesquita, havia uma explicação:

não teria existido um intervalo de tempo razoável entre a queda do regime e a data das eleições presidenciais. O operariado paulista, que votara em massa em Getúlio e o elegera senador, ainda estaria submetido a lideranças sindicais fabricadas pelo Estado Novo. "Além disso, foi cometido o erro de se manterem intatos os direitos políticos do ex-ditador e de seus auxiliares de íntima confiança. Decaído do poder, ele continuou, escandalosamente, a dirigir partidos políticos e a traçar diretrizes para a luta eleitoral."[72]

Atordoada com os resultados, a UDN entrou com uma representação no Supremo Tribunal Federal para tentar impugnar, de forma retroativa, o registro da candidatura de Getúlio. Alegou que o PSD e o PTB não haviam requerido a inscrição em petição conjunta, ao contrário do que exigia a lei eleitoral para os casos em que um só candidato concorria por duas legendas diferentes. Se o STF decidisse a favor da representação udenista, os votos de Getúlio seriam declarados nulos.[73]

José Eduardo de Macedo Soares, diretor do *Diário Carioca*, era um dos que não se conformavam com o veredicto das urnas:

> O sr. Getúlio Vargas pode ser eleito pelos remanescentes da máquina da ditadura senador por São Paulo ou deputado até mesmo por vinte estados. Esses atos póstumos de um regime acabado não terão realidade política, porque não há insanidade de um homem capaz de perturbar impunemente a tranquilidade de um povo. O sr. Getúlio Vargas está morto e enterrado em política. E o seu fantasma não tem consistência para resistir à luz da polícia. Se assim não fosse, os mortos neste país seriam as classes armadas, o governo, a nação em peso.[74]

Para bom entendedor, a referência à polícia e às Forças Armadas bastava para configurar uma ameaça. Macedo Soares verbalizava o que parecia ser uma aspiração de todos os incomodados com o retorno tão precoce de Getúlio à arena política.

O ex-ditador fora, no fundo, o grande vitorioso das eleições.

Restava saber se iriam deixá-lo tomar posse.

4. "Estarei vivo ou morto para a vida pública do meu país?", indagava-se Getúlio (1946)

Os clientes do hotel-cassino Quitandinha — um colosso arquitetônico de estilo normando, com 50 mil metros quadrados e seis andares, inaugurado em 1944 em Petrópolis pelo empresário do ramo de jogos, lazer e espetáculos Joaquim Rolla, o "Rei da Roleta"[1] — estavam habituados a ver Benjamin Vargas, o Bejo, irromper no salão acompanhado do mesmo grupo de capangas. A maioria daqueles brutamontes integrara a guarda pessoal de Getúlio, organizada em 1938, depois do ataque integralista ao Palácio Guanabara.

Gregório Fortunato, que obedecia às ordens de Bejo desde o combate aos constitucionalistas de 1932, pontificava na chefia do bando. Climério Euribes de Almeida, outro ex-integrante do 14º Corpo Provisório de São Borja — o "Catorze-de-pé-no-chão", tropa que invadira em 1933 a cidade argentina de Santo Tomé —, também passara a servir de guarda-costas ao irmão caçula de Getúlio.[2]

No Quitandinha, escoltado pela equipe de seguranças, Benjamin gostava de colocar o revólver sobre a mesa de pano verde, ao lado do copo de uísque e das pilhas de fichas coloridas. Divertia-se com o semblante temeroso dos demais jogadores e com a expressão cúmplice dos funcionários da casa. Ao final da noitada, após ter bebido várias doses além do razoável e de perder fortunas em apostas, Bejo sorria satisfeito ao observar o crupiê passar o rodo sobre os quadriláteros numerados para depositar diante dele a montanha de fichas — fosse qual fosse a posição na qual a bolinha branca de marfim houvesse parado dentro da roda numérica vermelha e preta.[3]

"Eles já me conhecem aqui. Jogo todos os dias na mesa, mas não suporto perder mais de dez vezes seguidas. Assim, à décima vez, eles me pagam, com ou sem sorte", fanfarreava. "De toda forma, eles recuperam o dinheiro depois de eu distribuir todo o meu ganho pelo local. Preferem isso a me ver jogar com a minha própria roleta", dizia, exibindo e girando no ar o tambor do revólver, carregado de balas. "É uma espécie de roleta-russa, mas os seis buracos sempre ganham."[4]

Na noite de 11 de fevereiro de 1946, Benjamin Vargas contrariou o hábito de iniciar a noite pelo balcão de mármore do bar ou de seguir direto aos salões de jogos. Com expressão irritada e jeito de quem buscava por alguém, dirigiu-se ao restaurante do Quitandinha, famoso por sua cozinha de nível internacional. Passou chispando pelo maître e só deteve o passo para lançar um olhar perquiridor na direção das mesas superlotadas. Em uma delas, próximo aos janelões envidraçados que davam para o jardim, encontrou o que buscava: o jornalista Roberto Marinho jantava tranquilo, acompanhado de um seleto grupo de amigos, representantes da mais alta sociedade fluminense. Sem dizer uma única palavra, Bejo aproximou-se por trás da cadeira do redator-chefe de *O Globo* e, com a mão espalmada, plantou-lhe um bofetão no rosto.[5]

O restaurante inteiro parou para assistir à cena. Em um gesto automático de dor, Marinho levou a ponta dos dedos ao local da pancada e, atônito, ainda sentado, virou-se para identificar o agressor. Bejo recuou cerca de três passos e, afastando o paletó com uma das mãos, puxou com a outra o revólver da cintura, apontando-o contra o jornalista.

"Canalha!", gritou.

Roberto Marinho, desarmado, não esboçou nenhuma reação, ao contrário do que parecia esperar o oponente. Nisso, um grupo de funcionários do Quitandinha se aproximou e convenceu Benjamin a lhe entregar a arma. Era melhor ele ir embora, esfriar a cabeça, antes que fizesse uma besteira das grandes, sugeriram. Bejo concordou. Mas não sem antes desfechar uma coleção de impropérios contra o jornalista, que se manteve impassível.[6]

"Eu conhecia o Benjamin Vargas afável, inteligente, simpático", comentou Roberto Marinho, em entrevista ao *Diário da Noite*. "Agora conheci aquele de quem me contavam horrores. Para com este, sei, por experiência própria, como se deve proceder."[7]

Em São Borja, Getúlio ficou sabendo do incidente por intermédio de uma carta remetida por Alzira.[8] A filha lhe contou que, na antevéspera do episódio, um prédio de doze andares — e ainda em construção — desmoronara na rua Assis Brasil, em Copacabana, próximo à praça Cardeal Arcoverde. Cerca de vinte operários que trabalhavam na obra ficaram soterrados nos escombros. Os bombeiros vinham trabalhando dia e noite, com a ajuda de ferramentas e holofotes, na busca por sobreviventes. Entretanto, o número oficial de mortos já passava de uma dezena. Os corpos resgatados dos entulhos apresentavam mutilações e sinais graves de esmagamento. Era pouco provável que alguém ainda fosse encontrado com vida. Não se conheciam as causas exatas do desastre, mas as primeiras informações davam conta de que o material empregado nas vigas e fundações do prédio seria de qualidade duvidosa. Toda a imprensa carioca noticiara o fato em tom de justificada consternação. *O Globo*, ao tratar do assunto, incluíra uma informação adicional — e que mais tarde se revelaria sem fundamento: "Segundo dados obtidos no local pela nossa reportagem, o prédio era de propriedade do sr. Benjamin Vargas".[9]

"O Bejo, que já andava por conta de outras, telefonou-me dizendo que se encontrasse o Roberto Marinho aplicar-lhe-ia uma bofetada e se tocou para o Quitandinha à sua procura. Encontrou-o sentado no bar, deu uma gingada de corpo para tomar impulso e vibrou violenta e retumbante bofetada. Depois recuou e puxou o revólver, esperando reação", narrou Alzira ao pai, esmerando-se nos detalhes.[10]

Como deixara antever o comentário de Roberto Marinho logo após a agressão, a vida pregressa de Bejo passou a ser alvo de uma devassa nas páginas dos jornais cariocas. Veio à tona, entre outras ocorrências, os detalhes de um bafafá ocorrido no Carnaval de 1942, durante um baile no Cassino da Urca, quando Benjamin, embriagado, teria se aproximado da mesa onde estava um desafeto, William Monteiro de Barros, e exigido que ele deixasse o local, sob pena de se ver expulso dali aos pontapés. Para evitar confusão, o homem resolvera sair da festa e tomar o automóvel para casa. Bejo, não satisfeito com o desfecho pacífico do entrevero, decidira pegar o próprio carro para segui-lo. O efeito do álcool, contudo, o fez perder o controle do volante durante a perseguição e espatifar a frente do veículo contra um poste de iluminação pública. No afã de impedir a fuga do opositor, ainda chegara a trocar tiros com ele. Segundo o relato dos jornais da época, um leiteiro que havia começado a fazer as primeiras entregas do dia fora atingido e morto por uma das balas perdidas.[11]

A imprensa também explorou o fato de Bejo ter supostamente interferido, em 1944, por expedientes pouco ortodoxos, numa disputa judicial envolvendo a jornalista Niomar Moniz Sodré, então articulista do *Correio da Manhã*, e um primo dela, o também jornalista Hélio Moniz Sodré Pereira, com quem fora casada e tivera um filho. Niomar pusera fim ao casamento e passara a viver com o pro-prietário do jornal, Paulo Bittencourt, vinte anos mais velho. A separação envol-veu uma contenda familiar pela guarda da criança, e Benjamin Vargas, que à época tentava uma distensão política com o *Correio*, teria resolvido convencer Hélio Sodré a abrir mão do *pater poder*. Para tanto, não medira consequências: sequestrara o homem e o deixara durante várias horas sob a mira de quatro su-jeitos armados — um deles, o capanga Climério Euribes de Almeida —, que ten-taram forçá-lo a assinar um documento renunciando ao direito sobre o menino. Por não se dobrar à pressão, Hélio fora espancado, baleado no ombro e depois largado completamente nu, de olhos vendados, no hospital Santa Teresa.[12]

Os desatinos atribuídos a Bejo não paravam por aí. Pelo menos duas moças cariocas, Evangelina Brandão e Vera Guimarães Bastos, o acusavam de tê-las agre-dido verbal e fisicamente, após obrigá-las a dançar de rosto colado com ele, res-pectivamente, em um baile do Tênis Clube de Petrópolis e em uma boate da capital. Em ambas as ocasiões, segundo testemunhas, o irmão de Getúlio estaria alcoolizado. Em outro episódio de feroz bebedeira, no Réveillon do Cassino da Urca, um cambaleante Benjamin Vargas teria se debruçado em um balcão, aber-to a braguilha e urinado no meio do salão de danças. Um dos presentes, Carlos Lopes Guimarães, indignado com a falta de decoro, protestara em voz alta, aca-bando por ser empurrado junto com a esposa para fora do recinto, aos safanões, pelos guarda-costas de Bejo.[13]

Conhecido na noite do Rio de Janeiro como incorrigível mulherengo, Bejo a esse tempo já deixara a primeira esposa, Ondina Correia Vargas, e passara a viver maritalmente com Edyala Braga Brandão do Monte — uma bela mulher, que por sua vez já tinha sido esposa de um oficial do Exército e, anos mais tarde, casaria com o milionário colombiano Julio Mario Santo Domingo Pumarejo (avô de Tatiana Santo Domingo, a morena estonteante que em 2013 se casou com Andrea Albert Pierre Casiraghi, herdeiro da princesa Caroline de Mônaco).[14]

Outros integrantes do clã dos Vargas também estavam na alça de mira dos jornalistas. Apesar de cultivar um perfil público bem mais discreto do que o tio Benjamin, o filho mais velho de Getúlio, Lutero, atravessava um período particularmente turbulento devido ao processo de separação litigiosa movido contra a alemã Ingeborg ten Haeff, a ariana que conhecera em Berlim antes da guerra. Lutero tentava obter junto a fontes do governo dos Estados Unidos provas documentais de que Inge — como ela era tratada na intimidade — seria uma agente dupla que trabalhara a serviço dos nazistas e dos norte-americanos durante o conflito mundial. O primogênito de Getúlio pretendia ameaçar Inge com a divulgação da papelada, caso ela insistisse em exigir compensações financeiras para a separação ou ousasse disputar a guarda da filha, a pequena Cândida Darcy, de apenas cinco anos.[15]

"Minha situação continua a mesma. Ainda estou à espera dos documentos que devem chegar da América do Norte", comunicou Lutero em carta ao pai. "É verdade que poderia iniciar já o desquite para me ver livre daquela vaca, porém poderia ficar sem a Cândida Darcy, o que não quero arriscar, para não deixar minha filha com essa alma danada."[16]

Mas era mesmo Alzira quem mantinha o pai atualizado de todas as quizilas familiares e políticas. "Quanto ao assunto Inge, já deves estar melhor esclarecido por minhas cartas anteriores. Está no mesmo pé. As provas originais ainda não chegaram", informou. "Aconselhei Lutero a, de posse dessas, propor desquite amigável, para evitar escândalo. [...] Ela tem recusado qualquer entendimento em base amigável, na firme convicção de que ele não obterá as provas pedidas. Daí a desconfiança dela ter algum pistolão forte por lá", cogitava Alzira. "O negócio é brabo mesmo", definiu.[17]

Como se não bastasse o rol de problemas domésticos relacionados a Bejo e Lutero, o escarcéu envolvendo os negócios de Hugo Borghi com o Banco do Brasil durante o Estado Novo retornara às manchetes, ameaçando respingar lama em um dos genros de Getúlio, o aviador Rui da Costa Gama, marido de Jandira Vargas. Entre as últimas providências de seus noventa dias à frente do cargo, o presidente interino José Linhares ordenara a instauração de uma comissão especial de inquérito para investigar as denúncias.[18]

Uma comissão militar composta por oficiais superiores das três armas recebeu as chaves de uma sala reservada no sétimo andar do prédio do Ministério da Fazenda e ficou encarregada de passar o pente-fino nos documentos financeiros das empresas de Borghi. Em uma delas, o Banco Continental de São Paulo, o nome de Rui da Costa Gama constava como membro da diretoria.[19]

As suspeitas de tráfico de influências ganharam corpo quando veio a público um ofício assinado pelo esposo de Jandira, datado do primeiro semestre de 1944 e encaminhado ao Instituto de Aposentadorias e Pensões dos Comerciários (IAPC), no qual Rui solicitava a preferência no depósito dos fundos daquela instituição de previdência para o Continental. Uma consulta nos balancetes contábeis mostrou que o capital do banco passara de 41 milhões de cruzeiros (78,9 milhões de reais), em maio de 1944, para 114 milhões de cruzeiros (181,5 milhões de reais), em setembro de 1945, tendo, portanto, quase triplicado de volume no intervalo de menos de um ano e meio de atuação. Especulava-se que parte dessa maçaroca de dinheiro tivesse sido carreada para o caixa da campanha queremista.[20]

"Nunca tive conhecimento que o Rui pertencesse ao banco do Borghi", escreveu Getúlio, preocupado, a Alzira. "Quando ele entrou? Ainda pertence? Se saiu, quando e por quê? Enfim, o que há sobre isso?", indagou.[21] "Preciso uma explicação disso. Eu que tanto zelei pela probidade do meu governo na administração pública, ver meu nome pessoalmente envolvido e acusado de conivência por causa do meu genro..."[22]

Para Alzira, o ofício que sustentara as denúncias contra o cunhado seria, na verdade, a melhor prova de lisura do convênio estabelecido entre o Banco Continental e o IAPC. O documento fora redigido de forma objetiva, e em nenhuma de suas linhas sugeria a utilização de métodos ilegais para a assinatura do contrato entre a empresa bancária e o Instituto. "Podes ficar tranquilo que o Rui está limpo de qualquer culpa ou sujeira", tentou tranquilizar Alzira. "Ele saiu do banco em julho de 44, [...] portanto muito antes da campanha [queremista]. E havia entrado pouco antes, isto é, esteve no banco do Borghi por uns dois ou três meses, apenas", detalhou. "Nunca recebeu um vintém do banco, porque nunca o pagaram. [...] Saiu porque não era relógio para trabalhar de graça."[23]

Mas as investigações em curso também indicavam que a Companhia Nacional de Anilinas, presidida por Hugo Borghi e detentora de um capital inicial de 150 mil cruzeiros (cerca de 250,4 mil reais), conseguira levantar junto ao Banco do Brasil, em maio de 1945, no espaço de duas semanas, três empréstimos consecutivos de 10 milhões de cruzeiros (16,7 milhões de reais) cada um, a título de financiamento de compra e venda de algodão em pluma. No fim do mesmo mês, a empresa obtivera um incentivo de novos 20 milhões de cruzeiros (33,4 milhões de reais) e, em junho, de outros 15 milhões de cruzeiros (25 milhões de reais), totalizando 65 milhões de cruzeiros (107,2 milhões de reais) em menos de dois meses, valor muito acima do limite cadastral da empresa. Segundo a documentação colhida junto ao Ministério da Fazenda, até o final de outubro de 1945, no auge das manifestações queremistas, Borghi, o maior líder do movimento, fizera retiradas de até 250 milhões de cruzeiros (398,1 milhões de reais) nos guichês do Banco do Brasil.[24]

A comissão formada pelos três militares chegara à conclusão de que o montante de recursos públicos entregues nas mãos de Hugo Borghi fora fruto de uma gestão temerária do então ministro da Fazenda de Getúlio, Artur de Sousa Costa — que por sua vez autorizara tais operações verbalmente, por meio de ligações telefônicas ao diretor da Carteira de Crédito Agrícola do Banco do Brasil, Luis de Souza Mello, arrolado como corresponsável no inquérito. Em editorial intitulado "Escândalo dos escândalos", o *Correio da Manhã* trombeteou: "Queria-se um símbolo, uma imagem viva e concreta, para que o povo compreendesse e sentisse diretamente o que foi o Estado Novo? Aí está o símbolo, aí está a imagem: é o aventureiro Hugo Borghi".[25]

Em nova carta a São Borja, Alzira sugeriu ao pai que o momento talvez não fosse propício para o retorno dele ao Rio de Janeiro, embora o TSE houvesse negado acolhimento à representação da UDN, que questionava sua dupla inscrição partidária. No entender do Supremo, como Getúlio fora eleito senador pelo PTB em São Paulo e pelo PSD no Rio Grande do Sul — portanto, em unidades da federação diferentes —, não ficara caracterizada a duplicidade. Se desejasse ocupar a cadeira de senador, teria apenas que optar entre uma das duas representações. Caso preferisse, poderia em vez disso assumir o cargo de deputado por um dos sete estados pelos quais fora eleito, mesmo que em um deles, o Rio Grande, houvesse concorrido ao mesmo tempo à Câmara e ao Senado por partidos distintos. Como eram cargos também diversos, não haveria impedimento, sentenciaram os magistrados.[26]

A UDN prometia recorrer ao Supremo, mas ela própria não mais acreditava em ganho de causa, já que a maioria dos ministros do STF fora indicada pessoalmente por Getúlio, entre 1930 e 1945. Aliás, o então presidente interino da mais alta corte do país, o cearense Valdemar Falcão (substituto de José Linhares, que pedira licença do cargo logo após exercer a presidência da República), fora titular da pasta do Trabalho, Indústria e Comércio do Estado Novo. A posse, assim, não corria mais riscos. Os tribunais eleitorais estaduais já haviam começado a expedir os diplomas de Getúlio, restando-lhe apenas o trabalho de comunicar ao TSE qual dos mandatos iria efetivamente assumir.[27] Tal fato, em vez de esmorecer o ânimo dos udenistas, só vinha servindo para ouriçá-los ainda mais.

"Acho conveniente que te demores aí mais um pouco", ponderou Alzira. "Eles estão fazendo o impossível para nos irritar e tirar a paciência. Os nervos ficam às vezes mais sensíveis do que dentina exposta; mas conserve seu sorriso", recomendou a filha. "Cada vez que qualquer fato deixa crer que estás por chegar, o povo se assanha e se prepara para te receber — e a imprensa despeja bílis para ver se arrefece o entusiasmo."[28]

Assim, no dia 31 de janeiro, data em que Dutra tomou posse, e em 2 de fevereiro, quando os integrantes da Assembleia Nacional Constituinte se reuniram pela primeira vez em plenário, o grande ausente da festa da redemocratização foi o deputado e senador eleito Getúlio Dornelles Vargas.

"Não comparecemos a nenhuma das festas ou solenidades, [...] de modo que felizmente ainda não me encontrei com a macacada", informou Alzira ao pai, referindo-se aos chefes militares que o haviam deposto.[29]

"Não tenho motivos para acreditar no espiritismo, mas minha situação é um tanto semelhante àquela descrita pelos espíritas, da pessoa que morre e a alma não desencarna, continua vagando na terra, como se fosse viva", ele comparou, em mensagem à filha. "De um lado elegem-me para várias funções públicas, entre as quais tenho de optar por uma ou renunciar a todas. De outro lado, aconselham-me a não entrar no exercício dessas funções, considerando-me um homem perigoso ou prejudicial", detalhou. "Estarei vivo ou morto para a vida pública do meu país? Esta situação confusa de meio-termo, de claro-escuro, é que me perturba. Preciso decidir-me e tomar um rumo."[30]

Getúlio não precisava ter pressa. O prazo legal para assumir a cadeira no Parlamento expiraria apenas três meses após a discussão e a devida aprovação do regimento interno da Assembleia Nacional Constituinte — providência que veio a ocorrer apenas em meados de março, quando só então começaram a ser contados os noventa dias para a data-limite da posse e, se fosse o caso, para a declaração da consequente vacância. Desse modo, até o começo de junho ele poderia permanecer em São Borja e protelar a volta, para melhor observar o panorama político à distância, aguardando o instante exato para se reinserir na vida pública nacional.[31]

"A UDN e a imprensa ainda estão em lua de mel com o governo. Se vieres agora eles se unirão contra ti, com ou sem razão, com ou sem pretexto", advertiu mais uma vez Alzira, explicando que os udenistas haviam decidido oferecer uma trégua e um crédito prévio de confiança a Dutra. A manutenção dos ministros militares nomeados por José Linhares — general Góes Monteiro, na Guerra; almirante Dodsworth, na Marinha; e brigadeiro Trompowsky, na Aeronáutica — era a demonstração mais evidente da tentativa de convivência pacífica entre o presidente recém-empossado e os oposicionistas da UDN.

"Mais dia, menos dia, o rompimento se dará, quando começarem a levar na cabeça. O clima aí ficará mais ameno", previu Alzira.

Por consequência, só havia algo a fazer: esperar.[32]

Numa outra carta, Alzira tratou do mesmo tema, com argumentos ainda mais perspicazes:

Quanto à tua vinda, aqui a porca torce o rabo. Os teus amigos verdadeiros e que enxergam um palmo adiante do nariz [...] acham que deves postergar o mais possível e sob todos os pretextos tua vinda. Quanto mais tarde vieres, melhor.

[...]

Razões:

A imprensa não ataca governo nascente e precisa atacar alguém. Esse alguém será fatalmente Getúlio Vargas, porque foi ele quem derrotou Eduardo Gomes, e puxou a toalha da mesa e impediu que eles manobrassem o Dutra. Procurarão intrigar-te com o governo por todos os meios.

O povo, habituado a receber favores de Getúlio Vargas durante quinze anos, pensará que este poderá continuar a fazê-lo e será diariamente uma romaria à tua porta. Do governo não obterás nem 50% e o descontentamento virá. O contato diário irá desgastar tuas energias e dilapidar teu prestígio sem proveito para ninguém.

O trabalhador irá buscar teu apoio em todas as questiúnculas que surgirem e te lançará contra o governo e contra o Partido Comunista, também sem resultado prático.

Os generais, de consciência pesada, estão com o complexo de derrota e ainda fortes, duplo perigo. Dutra ainda está meio prisioneiro deles, daí o não ter podido mudar os detentores das pastas militares, como era seu desejo manifestado.

O governo, por sua vez, ficará muito contente se alguém apanhar por ele, porque ele irá apanhar, assim que decorrerem seus primeiros meses de governo. A situação geral é tão calamitosa, no mundo inteiro, e principalmente no Brasil, que ninguém a poderá remediar. Os prognósticos são terríveis: inflação sem lastro, greves monstros, carestia e aumento no custo de vida, questões operárias, Partido Comunista, tudo isto... e a Constituinte também.

Quando o negócio estiver bem feio, serás a única esperança de salvação, e não mais o culpado, o ditador.[33]

A filha também desaconselhava Getúlio a acolher a sugestão feita por João Neves da Fontoura, nomeado por Dutra ministro das Relações Exteriores. Neves avaliava que a melhor maneira de o ex-presidente recobrar sua autoridade política seria agendar uma viagem internacional — antes de assumir a cadeira na Constituinte —, integrando a delegação brasileira na Conferência de Paz em Paris, agendada para abril. Alzira era terminantemente contra.[34]

"Se passares por aqui e depois fores viajar, os trabalhadores se considerarão corneados, pois te elegeram e tu foste passear", contrapôs. "Mas se ficares aí, espiritualmente prisioneiro, nem o Rodolfo Valentino te ganha em prestígio."[35]

O jornalista José Soares Maciel Filho, ex-membro do Conselho Nacional de Imprensa — órgão ligado ao DIP e que reunira diretores de diferentes jornais alinhados ao Estado Novo — pensava de modo semelhante:

"O dr. Getúlio agora virou mocinho de cinema, envolto em mistério e distante, todos suspiram por ele. Para manter a aura de misticismo, ele não se poderá vulgarizar nunca mais."[36]

Em março, Getúlio enviou um telegrama ao Tribunal Superior Eleitoral para comunicar que abdicava de todos os sete mandatos de deputado federal, embora fizesse questão de salientar, no mesmo documento, que ainda deixava em aberto a questão sobre por qual estado iria exercer a senatoria. Ele julgava que os eleitores compreenderiam, sem maiores questionamentos, sua opção pelo Senado em detrimento da Câmara. Mas seria muito mais difícil justificar a preferência por São Paulo ou pelo Rio Grande do Sul. Ainda que a alternativa mais natural fosse representar o estado onde nascera e se lançara na vida pública, renunciar ao mandato concedido pelos paulistas poderia soar como uma deselegante desfeita. Afinal, a expressiva votação obtida em um estado historicamente antigetulista sugeria um significado político nada desprezível.[37]

O escritor paulista Cassiano Ricardo, rebelde constitucionalista de 1932 que depois se convertera ao ideário do Estado Novo, chegou a escrever a Getúlio implorando que optasse pelo cargo de senador por São Paulo.

"Sinto-me comovido diante do significado de justiça — e de fidelidade ao seu pensamento político — que se contém no mandato conferido pelo povo bandeirante ao grande chefe da democracia social brasileira", saudou o autor do poema modernista *Martim Cererê*. "A necessidade [...] de responder aos detratores do regime de 37 aconselha, a meu ver, a sua opção pela senatoria paulista."[38]

Ante o dilema, o escorregadio Getúlio preferiu não desagradar a ninguém. Em vez de deliberar por conta própria, optou por deixar que o TSE resolvesse por ele. Pelas regras instituídas no regimento interno da Constituinte, caso não tomasse nenhuma decisão até dois meses após o início dos trabalhos da Assembleia, automaticamente seria declarado senador pelo estado no qual houvesse recebido maior votação — no caso, o Rio Grande do Sul. Em sessão plenária, o TSE deliberou no mesmo sentido: prevaleceria o estado no qual o pedido de registro da candidatura houvesse sido feito em primeiro lugar. Nesse caso, também, o Rio Grande do Sul. Ciente disso, Getúlio preparou uma carta aberta aos trabalhadores de São Paulo, agradecendo-lhes os cerca de 400 mil votos obtidos no estado e explicando-lhes os motivos de ter sido "impelido" a compor a bancada rio-grandense.[39]

"Eleito por vários estados, inclusive em minha terra natal, a atitude mais lógica e compatível seria renunciar a todas as prerrogativas de opção, para que os poderes competentes determinassem, pelos processos regulares, minha posição futura como senador eleito", eximiu-se.[40]

A médio prazo, faltava apenas estabelecer a data da viagem de volta ao Rio. "Embora não esteja ainda marcado o dia do meu regresso, preciso ir tratando da minha instalação aí. Necessito, primeiramente, dum automóvel e dum motorista. Quanto ao primeiro, o Bejo ofereceu-me o dele. Ignoro se o acompanha o chofer", mandou dizer em mensagem a Alzira. "A maioria das cartas que recebo são de pedidos de emprego ou de dinheiro. Calculo que isso aumentará muito com a minha chegada aí. Pensam que sou rico ou então que tenho alguma fonte especial de suprimento", considerou. "Para dar emprego, não sou governo; e para dar dinheiro, não sou banco. Se eu for receber em casa toda essa clientela e mais as outras visitas de natureza política, não terei repouso", anteviu. "Seria melhor recebê-los fora de casa e em horas marcadas. Precisarei de gente que me auxilie nessa tarefa. Terei também de ir ao dentista e consultar médicos especialistas para apurar os sentidos e retocar a carcaça. Assim, é preciso ir pensando nisso tudo."[41]

Contudo, além da conveniência de se manter distante da onda de escândalos envolvendo pessoas da família, Getúlio foi obrigado a permanecer no interior do Rio Grande mais algumas semanas, por fatores alheios à sua vontade. Em um dos corriqueiros passeios matinais, caiu do cavalo e teve o tornozelo pisoteado pelo animal, conforme o filho Maneco apressou-se em comunicar a Alzira.

"O Getúlio andou fazendo arte, felizmente sem consequências graves", avisou Maneco. "Mas está voltando a caminhar. Podes acreditar em mim, que não sou homem de assumir responsabilidades sozinho. Se fosse coisa grave, tinha gritado. Está engordando e bem-disposto, meio caceteado com a cama e aborrecido por não receber notícias daí."[42]

Alzira, que nas cartas ao pai continuava a tratá-lo pelo apelido carinhoso de "Gê" — e sendo tratada por ele, nas respectivas respostas, de "Rapariguinha" —, pediu desculpas por ter passado cerca de duas semanas sem enviar-lhe um único bilhete, obrigada a isso pela ausência momentânea de portador confiável. "Não gostei nada das notícias de tuas travessuras por aí. Tenha a bondade de criar juízo e portar-se como um rapazinho de boas maneiras, não estou mais em idade de ter abalos fortes", ralhou Alzira, em tom de brincadeira, na primeira oportunidade em que encontrou emissário disponível. "Se não, qualquer dia eu chego à conclusão de que a Celina tem mais juízo do que tu e deixo-a aqui para ir te cuidar."[43]

> Tenho sido abordada na rua, em lojas e no hotel por marmiteiros de todas as espécies, que perguntam com ansiedade quando vens e como estás de saúde.
>
> Uma garota, após indagar de tua pessoa e da data aproximada de tua chegada, disse-me: "Que bom se ele chegasse no dia de meu aniversário, era meu melhor presente". Perguntei-lhe quando era e prometi que te mandaria dizer. Saiu radiante.[44]

Luiz Vergara, o ex-secretário da presidência, foi um dos tantos emissários que o visitaram nessa época. Quando Vergara indagou-lhe a respeito de seu estado de espírito, forçado a uma vida de exilado em seu próprio país, ouviu a seguinte resposta:

"Nos primeiros dias não me senti deprimido. Só depois de uma semana da minha arribada à querência experimentei uma sensação de cansaço, uma espécie de enjoamento."[45]

Getúlio fez então uma de suas pausas características e depois prosseguiu, sorrindo:

"Mas essa crise passou. Estou tranquilo."[46]

Após quase cinco anos funcionando como sede do DIP, o Palácio Tiradentes precisou passar por uma reforma de emergência para voltar a abrigar o Poder Legislativo. As tábuas do piso do gabinete da presidência tiveram que ser trocadas. Estavam apodrecidas devido à umidade provocada por uma goteira — embora os maledicentes atribuíssem o desgaste do assoalho ao péssimo hábito que os inquilinos anteriores, os censores do Estado Novo, teriam de cuspir e escarrar no chão. Depois de uma desratização prévia, uma ninhada de gatos — historicamente atraídos pela profusão de roedores que haviam passado a viver no local — foi desalojada do prédio, assim como se fez necessário algum esforço para enxotar o bando de pombos que tinham fixado morada no alto do palácio e, ao longo do tempo, emporcalhado os vitrais azuis da cúpula que reproduz o céu noturno de 15 de novembro de 1889.[47]

Providenciada a faxina, era o momento de o país voltar a conviver com os ritos da democracia representativa. De acordo com o decidido nas urnas, o PSD fizera a maior bancada na Constituinte, com 185 integrantes (159 deputados e 26 senadores). Em segundo lugar ficara a UDN, com um total de 89 representantes (78 deputados e onze senadores). O PTB se impusera como terceira força, ocupando 25 cadeiras (23 deputados e dois senadores). O PCB, que pela primeira vez em sua história participara de uma eleição como partido legal, elegera dezesseis constituintes (quinze deputados e um senador). Outras agremiações menores — Partido Republicano (PR), Partido Social Progressista (PSP), Partido Democrata Cristão (PDC), Esquerda Democrática (ED) e Partido Libertador (PL) — fizeram, juntos, 23 deputados e dois senadores.[48]

A composição das bancadas era bastante heterogênea, o que provocou embates ruidosos desde as primeiras sessões. Velhas lideranças liberais que remontavam à Primeira República — como era o caso do ex-presidente Artur Bernardes, eleito pelo PR de Minas Gerais — passaram a disputar espaço com forças emergentes da política nacional, muitas delas abrigadas no PSD e herdeiras diretas do regime de exceção. Era o caso dos ex-ministros Gustavo Capanema (MG), Artur de Sousa Costa (RS) e Agamenon Magalhães (PE), assim como dos ex-interventores Pedro Ludovico (GO), Ernesto Dornelles (RS), Etelvino Lins (PE) e Benedito Valadares (MG), além do próprio genro de Getúlio, Ernani do Amaral Peixoto (RJ). Entre as caras novas da linha de frente pessedista, destacava-se um ex-prefeito de Belo Horizonte, Juscelino Kubitschek (MG).

O PTB também elegera um ex-ministro do Estado Novo, Marcondes Filho (SP), e trouxera para o Parlamento nacional destacados líderes trabalhistas como Baeta Neves (DF), Segadas Viana (DF) e o polêmico empresário Hugo Borghi (SP). A UDN alçara à Constituinte nomes bastante conhecidos do grande público, a exemplo dos ex-presos políticos Otávio Mangabeira (BA), Paulo Nogueira (SP), Toledo Piza (SP) e o coronel Euclides Figueiredo (DF), todos ferrenhos antigetulistas. Entre os udenistas de primeira legislatura destacavam-se ainda o escritor e sociólogo Gilberto Freyre (PE), autor do clássico *Casa-grande & senzala*, e alguns dos signatários do célebre "Manifesto dos mineiros" de 1943, como era o caso de Magalhães Pinto (MG).

Mas a grande novidade na composição da Assembleia ficava mesmo por conta da bancada do PCB, em que se destacavam o senador Luís Carlos Prestes (DF), e os deputados João Amazonas (DF), Carlos Marighella (BA), Gregório Bezerra (PE), Trifino Correia (RS) e Jorge Amado (SP). A propósito, em sua primeira intervenção na tribuna, Prestes procurou justificar o apoio que o partido dera a Getúlio Vargas nos estertores da ditadura. Ainda estava bem nítido, na memória de todos, o dia em que o líder esquerdista discursara para 10 mil pessoas, no Estádio São Januário, para congratular-se com Getúlio pela decretação da anistia e do estabelecimento de relações diplomáticas entre Brasil e União Soviética. Na estreia como senador da República, Prestes tentou explicar como se dispusera a apoiar o mesmo regime que deportara sua companheira, a judia Olga Benário, para os campos de concentração da Alemanha nazista.

"Senhores, o Partido Comunista, cujos membros podiam ter os maiores ressentimentos contra os governantes de então, soube esmagar esses ressentimentos para apoiar o sr. Getúlio Vargas nos seus atos verdadeiramente democráticos", declarou.[49] "Os comunistas colocam o interesse do povo, o interesse da democracia, o progresso e o bem-estar da pátria muito acima de seus sofrimentos pessoais, de suas paixões ou de seus próprios interesses."[50]

A presença inusitada de uma bancada comunista na Constituinte daria lugar a contendas históricas. Em uma delas, Prestes foi cobrado por uma declaração publicada pela *Tribuna Popular*, jornal ligado ao PCB, após ser interrogado em um evento público a respeito de em qual lado ficaria caso o governo do Brasil viesse a apoiar uma "nação imperialista" que, por acaso, declarasse guerra à União Soviética.

"Combateríamos uma guerra imperialista contra a URSS e empunharíamos armas para fazer a resistência aqui em nossa pátria, contra um governo desses, retrógrado, que quisesse a volta do fascismo", respondera Prestes.[51]

Com base na declaração, o deputado petebista Edmundo Barreto Pinto — suplente que obtivera míseros 537 votos no Distrito Federal, mas que assumira a cadeira na Constituinte graças à opção de Getúlio pelo Senado — passou a exigir do TSE a cassação do registro do PCB, sob o pretexto de que Prestes pregava a guerra civil em nome dos "interesses escusos de Moscou".

A essa altura, é bem verdade, ninguém levava o histriônico Barreto Pinto muito a sério. Autor de espetáculos de teatro de revista, dono de um cartório no Rio de Janeiro, ele se tornara uma espécie de caricatura de si mesmo. Já posara para a revista *Diretrizes* debaixo de um chuveiro, de peito nu, para garantir aos jornalistas que seria getulista "até debaixo d'água".[52] Baixinho, careca, queixo sempre avermelhado devido às crises recorrentes de urticária, Barreto Pinto sofria de um tique nervoso que o fazia franzir os lábios ao falar, como se estivesse sugando a dentadura para evitar que ela lhe escapasse da boca.[53] O comportamento extravagante, que o fazia apartear colegas com o dedo em riste para incitar manifestações das galerias, já lhe rendera inclusive o apelido de "Palhaço da Constituinte".[54]

"Chamam-me de palhaço, de bobo do rei, mas enquanto isso vou vivendo com fartura e riqueza", debochava ele, dono de uma mansão na avenida Atlântica.[55]

A capacidade de provocar controvérsias e o desejo de obter promoção pessoal a qualquer preço faziam dele um alvo fácil para a imprensa. Muitos jornalistas viam por trás de sua conduta excêntrica uma estratégia deliberada de desmoralizar a Constituinte, o que obedeceria a uma hipotética orquestração do ex-ditador Getúlio Vargas, considerado inimigo mortal do sistema parlamentar. O deputado, contudo, negava:

"Não, não quero fechar o Parlamento. Não quero desempregar o senador Getúlio", dizia, em tom de troça.[56]

Barreto Pinto municiou um representante do Ministério Público, Honorato Himalaia Virgulino (ex-integrante do Tribunal de Segurança Nacional), que por sua vez moveu uma representação contra o PCB e deu início a uma sindicância para apurar as atividades dos comunistas em todo o país. O partido era acusado, em particular, de fomentar a série de greves que então vinham pipocando no Distrito Federal e nas principais cidades brasileiras.[57]

"Barreto Pinto, cada vez mais escandaloso e cafajeste, denominado agora o 'Palhaço da Constituinte', juntamente com Himalaia Virgulino, entrou com um recurso, pedindo a cassação do registro do PCB, fundado nas desastrosas declarações do Prestes", comunicou Alzira, em carta ao pai.[58] "Ernani acha melhor aguardares alguns acontecimentos que virão, inevitavelmente, após as declarações desastradas do Prestes. Passada essa crise, poderás pensar em vir."[59]

A ameaça de cassação do registro do PCB seguiu adiante, mas Barreto Pinto terminaria vítima do próprio veneno. O jornalista David Nasser e o fotógrafo Jean Manzon, de *O Cruzeiro* — publicação pertencente aos Diários Associados, de Assis Chateaubriand —, o convenceram a posar para uma reportagem ilustrada nas páginas da maior revista do país. Com o título de "Barreto Pinto sem máscara", a matéria de onze páginas o definiu como "O amigo de Getúlio" e como "A flor da ditadura", para então retratá-lo em situações constrangedoras: de calção de banho, na praia, com uma boia no pescoço (sobre a legenda "O atleta de barriga mole"); imerso numa banheira, falando ao telefone ("cuidando das urticárias, atende às ligações, ora de um correligionário político, ora de uma bailarina que anda mal da vida"); deitado na cama, embrulhado em um edredom de seda ("no leito da marquesa de Santos, dorme Barreto Pinto"); e abraçado a gente do povo ("finge-se amigo dos marmiteiros, mas inimigo é o que ele é").[60]

Em duas dessas páginas, vinha uma sequência de quatro fotos, nas quais Barreto Pinto aparecia tomando champanhe envergando uma vistosa casaca, mas surpreendentemente sem calças, exibindo as canelas finas e a cueca samba-canção. "Barreto Pinto veste a casaca das grandes cerimônias e se dirige à garrafa de champanhe. Beberá à saúde de si mesmo, beberá à vitória de seus princípios, que é, justamente, a falta de princípios", dizia o texto. "Não beberá por Getúlio, um que passou."[61]

Nasser e Manzon, segundo Barreto Pinto, haviam prometido recortar as imagens na diagramação final e mostrá-lo apenas da cintura para cima nas páginas da revista. Mas, de caso pensado, não teriam cumprido o combinado. Os jornalistas negaram a armação — "Se quiséssemos, ele se deixaria fotografar nu"[62] —, mas, de todo modo, o episódio custaria caro ao deputado do PTB. Por causa dele, Barreto Pinto seria o primeiro político brasileiro a ser processado e a perder o mandato por falta de decoro parlamentar.[63]

"O Barreto Pinto é por fora o que o Getúlio é por dentro", sentenciou à época o udenista Aureliano Leite, deputado constituinte por São Paulo.[64]

Carlos Lacerda, em sua coluna "Na Tribuna da Imprensa", publicada no *Correio da Manhã*, aproveitou o mote para dizer que, em última análise, Barreto Pinto era apenas a representação externa do "mafuá de ridículo" que seria, no íntimo, Getúlio Vargas. "Não é justo, pois, que se castigue no sr. Barreto Pinto a culpa principal do seu amo. Mas é necessário varrer da vida nacional o lixo que ficou da ditadura", sentenciou Lacerda. "Não há, pois, como apoiar um e condenar o outro."[65]

As referências explícitas ao ex-ditador não deixavam dúvidas de que o alvo prioritário de *O Cruzeiro* não fora o deputado petebista. O "Palhaço da Constituinte" acabou execrado naquele instante, mas o verdadeiro objetivo da revista era atingir, indiretamente, o supremo chefe dos trabalhistas, Getúlio Vargas.

"Os jornais e rádios do Chatô iniciaram uma guerra de nervos para cima de nós e do povo", relatou Alzira, ao informar o pai a respeito dos últimos acontecimentos. "Anunciam ora a tua chegada, para que o povo canse de ser enganado e acabe não acreditando quando for verdade, ora anunciam que estás doente ou coisa pior, para ver se nós nos assustamos ou se tu perdes a calma e vens agora, que é o que interessa a eles."[66]

Ao contrário dos anos anteriores, o 1º de maio de 1946 não foi marcado por grandes manifestações oficiais pelo Dia do Trabalho. Nada de desfiles patrióticos, espetáculos de canto orfeônico regidos por Villa-Lobos ou discursos presidenciais para arquibancadas superlotadas. Ao contrário do que sempre fizera Getúlio, o presidente Eurico Gaspar Dutra limitou-se a assinar dois decretos alusivos à data. Um deles instituía a Fundação da Casa Popular — destinada à construção de habitações financiadas pelo governo —, outro autorizava a ampliação do Hospital dos Marítimos, no Andaraí, Rio de Janeiro. Dutra nem mesmo se deu ao trabalho de gastar saliva durante a morna solenidade de assinatura dos dois decretos, realizada em um salão fechado ao público no Palácio do Catete. A fala oficial do dia coube ao ministro do Trabalho, Otacílio Negrão de Lima.[67]

"No Brasil, o progresso social não resultou do choque sangrento de interesses de classes, mas da evolução pacífica do direito do trabalhador, através do reconhecimento antecipado dos legítimos anseios da coletividade obreira", teorizou o ministro.[68]

Otacílio Negrão de Lima, prefeito de Belo Horizonte entre 1935 e 1938 (retornaria ao cargo em um segundo mandato, entre 1947 e 1951), não era exatamente o filiado que o PTB quisera ver no comando da pasta do Trabalho. Um dos nomes sugeridos originalmente pelo partido fora o do líder sindical Nelson Fernandes, o Nelson Botinada, rejeitado pelos dois interlocutores indicados por Dutra para negociar a questão: o empresário Euvaldo Lodi, primeiro presidente da Confederação Nacional das Indústrias (CNI), e João Daudt d'Oliveira, presidente da Associação Comercial do Rio de Janeiro.[69]

"Otacílio não é dos piores. Apenas não é muito inteligente e meio doido", relativizava Alzira, em rebate às severas restrições apresentadas por Getúlio ao desempenho do ministro.[70]

"Todo o mundo faz nomeação lá [no Ministério] — a UDN, o PSD e outros. Só não fazem os trabalhistas. Parece que esse ministro é mesmo uma m*", exasperava-se Getúlio, recorrendo ao asterisco para não escrever o palavrão por extenso na correspondência à filha.[71]

Com a devida conivência de Otacílio Negrão de Lima, Dutra proibiu qualquer tipo de manifestação popular, em praça pública, no Primeiro de Maio. Uma semana antes, mandara invadir e fechar por "incitamento à subversão" a sede do Movimento Unificador dos Trabalhadores, o MUT, que defendia a livre associação e o fim do atrelamento oficial dos sindicatos ao Ministério do Trabalho.[72] Para garantir que as determinações do presidente da República fossem cumpridas, o novo chefe de polícia do Distrito Federal, José Pereira Lira, solicitou o apoio das Forças Armadas e o envio de tropas para o largo da Carioca e a praça Mauá, tradicionais pontos de concentrações operárias.[73] O comando das operações foi confiado ao general Álcio Souto — novo chefe do Gabinete Militar da Presidência —, o mesmo oficial que havia comandado as forças blindadas que, por determinação de Góes Monteiro, cercaram o palácio Guanabara no dia da deposição de Getúlio.

"O Primeiro de Maio aqui assinalou-se pela volta ao velho sistema. O Guanabara e o Catete cercados por tanques, que para lá foram durante a noite, por obra e graça do Álcio", narrou Alzira ao pai.[74]

Para reprimir as manifestações populares, Dutra adotara o poderoso aparato policial e militar herdado do Estado Novo. Como consequência imediata, atraiu contra si o movimento operário, que já andava indisposto com o governo por causa da crise geral de abastecimento no país. Como efeito do pós-guerra, faltavam pão, carne, farinha, legumes, grãos e outros produtos de primeira necessidade nas prateleiras das mercearias, mercados e armazéns brasileiros. Nessa conjuntura de escassez e repressão policial, as greves se tornaram endêmicas. Funcionários dos Correios, empregados da Light, bancários, estivadores e ferroviários, entre outras categorias que atuavam em serviços essenciais, cruzaram os braços exigindo melhores salários e em protesto pela alta da inflação.

"Todas essas greves estão sendo organizadas por elementos do Partido Comunista, a fim de fazer o que eles chamam de 'tomada de contato para exame de forças'. Daí a uma greve geral, talvez pouco falte", avisou Segadas Viana em carta a Getúlio.[75]

Pressionado, Dutra cogitou pedir a ajuda do próprio Getúlio Vargas para apagar os sucessivos focos de incêndio. Por meio de interlocutores, acenou com a possibilidade de recebê-lo no Rio de Janeiro de braços abertos, consciente de sua enorme influência junto à classe trabalhadora. Um dos mensageiros da proposta foi Hugo Borghi. A ideia era que Getúlio voltasse ao Rio, assumisse de fato a presidência do PTB e servisse como um anteparo entre o operariado e o movimento comunista, que mais do que qualquer outra força política vinha instrumentalizando a indignação coletiva.[76]

"O Dutra sente que está em perigo e que somente tua autoridade o poderá salvar", analisou Alzira. "A atitude de Dutra em relação a ti é de gratidão e simpatia medrosa. Deseja tua colaboração, mas a teme", escreveu ao pai. Segundo Alzira, envolvido no centro de um escândalo financeiro, Borghi, por sua vez, se valia do fato de ter sido um dos grandes responsáveis pelo apoio eleitoral de Getúlio a Dutra para tentar elaborar um pacto que, a rigor, representaria sua salvação pessoal.

"Ele precisa do Dutra para recuperar os 16 mil contos que gastou na eleição presidencial", interpretava a filha de Getúlio.

O Borghi precisa de ti para assustar o Dutra e obter o que deseja dele. O Dutra precisa de ti para assustar a oposição, enfraquecer o comunismo e se firmar. E tu não precisas de nenhum dos dois. Resta o povo que também precisa de ti, livre e desimpedido.[77]

Naquela escalada de tensões, Eurico Gaspar Dutra mandou reprimir um grande comício no largo da Carioca, convocado pelo PCB para celebrar o primeiro aniversário da volta do partido à legalidade, no dia 23 de maio. Na véspera da comemoração, o diretor da Divisão de Polícia Política e Social (DPS), tenente-coronel Augusto Imbassahy, alegara "razões de segurança pública" e transferira compulsoriamente o evento para o então longínquo bairro de Ipanema. Uma mudança de planos que, para os participantes, significaria a necessidade de um deslocamento de bonde de pelo menos cinquenta minutos a partir do centro da cidade.[78]

Os organizadores do comício resolveram desafiar a determinação da polícia e confirmaram a manifestação para o lugar original. Por volta das dezoito horas, com o largo da Carioca apinhado de gente, a cavalaria se precipitou contra os manifestantes, que de início reagiram cantando o Hino Nacional. Foi dada então a ordem para que a aglomeração se dissolvesse a golpes de cassetete, tiros de fuzil e rajadas de metralhadora para o alto e para o chão.

"A multidão procura fugir em louca debandada. Uns caem e outros sobre eles tropeçam. O pânico e o desespero passam a imperar. Grande número de pessoas estavam estiradas no chão, fugindo às balas. Homens, mulheres de todas as idades estenderam-se no asfalto, rentes às sarjetas", descreveu *A Manhã*.[79] "Seguiram-se então as cenas de selvageria digna dos piores facínoras nazistas que, sob a ordem de Imbassahy e Lira, reproduzem na capital da República os métodos de chacina que aprenderam de Himmler e Heydrich", acusou a esquerdista *Tribuna Popular*, equiparando o chefe de polícia do Distrito Federal e o diretor da DPS a dois dos principais ex-colaboradores de Adolf Hitler. O saldo oficial do confronto foi de cerca de cinquenta feridos e pelo menos dois mortos.[80]

"Apesar de me conservar afastado dos políticos, tenho a impressão de que a maioria está em expectativa, não diz nada na Assembleia Constituinte e, quando interpelados por pessoas mais íntimas, o que dizem é que aguardam tua vinda para tomar rumo", escreveu Benjamin Vargas ao irmão, acrescentando que conversara a respeito com alguns velhos amigos de Getúlio dos tempos da Revolução de 30.

O Dutra tem conversado com várias pessoas [...] e não perde ocasião de dizer que deseja tua colaboração, que é necessário que tu venhas etc. e tal. [...] A verdade é que o "homem", apesar de dizer que vai tudo bem, anda tontinho da silva. Tem-se a impressão que ele ainda não assumiu o controle do governo e já está patinando.[81]

Alzira, por seu turno, considerou que era mesmo chegada a hora de o pai voltar à cena.

"A política do governo, feita de avanços e recuos, de omissões graves e de ações sem repercussão, está desagradando a todas as classes", expôs. "O grupo de 1930 anda feito a esposa que traiu o marido sem proveito e, arrependida, não sabe se poderá voltar ao lar e ser bem recebida. Começa a fazer elogios ao esposo e a mandar recadinhos amorosos para preparar o terreno", ela ironizou.[82] "O descontentamento popular é grande, anseiam por tua vinda como última esperança de salvar o quadro sombrio que se apresenta para eles: ditadura militar ou revolução comunista?"[83]

5. Provocado, o senador Getúlio Vargas rompe o silêncio — e desafia os adversários para uma briga de rua (1946)

O Douglas DC-3 com fuzelagem em metal polido da Varig, proveniente de Porto Alegre, sobrevoou em círculos as imediações do Aeroporto Santos Dumont, por cerca de trinta minutos, até receber a devida autorização para aterrissar. Pelo rádio, a torre de controle informou ao piloto, comandante Carlos Ruhl, que a multidão rompera os cordões de isolamento e invadira a pista, ignorando os avisos dos alto-falantes para que se mantivesse afastada da área de pousos e decolagens. Policiais entraram em ação para tentar evacuar o local, o que provocou maiores correrias e atropelos. Somente o anúncio de que a aterrissagem teria de ser transferida para a Base Aérea de Santa Cruz, na zona oeste carioca, foi capaz de convencer a aglomeração a recuar para um limite aceitável de segurança e permitir, enfim, a descida da aeronave.[1]

A notícia de que o senador Getúlio Vargas iria desembarcar no Rio de Janeiro na tarde de 1º de junho de 1946 provocara aquela comoção popular. Embora os jornais tenham dado pouco destaque prévio ao fato, a informação sobre a chegada do ex-presidente se espalhou de boca em boca e arrastou milhares de pessoas ao aeroporto. Como era sábado, funcionários públicos e empregados do comércio tiveram o turno livre para prestigiar o evento. Quando o DC-3 tocou as rodas no chão, irromperam aplausos e gritos de entusiasmo. Tão logo as duas hélices pararam de girar e Getúlio despontou à portinhola do avião, tornou-se impossível controlar a turba, que se lançou de volta à pista.

Ao alcançar o último degrau da escadinha de metal, o ex-presidente foi tragado pela multidão. Só a muito custo conseguiu vencer a vaga humana e embarcar no jipe da Aeronáutica que o aguardava, com Alzira e Ernani já a bordo. No tumulto, Getúlio quase teve o ombro direito deslocado, de tanto lhe puxarem e apertarem o braço. Enquanto isso, mocinhas se atiravam sobre ele, enroscando-se em seu pescoço, deixando-lhe marcas vermelhas de batom nas bochechas rechonchudas e na lapela do paletó de linho branco. A última vez que se vira algo parecido no Brasil fora cerca de oito anos antes, quando do desembarque do ator norte-americano Tyrone Power no Rio de Janeiro. À época, o desembarque do galã de Hollywood provocara um alvoroço tão grande que a polícia precisara usar de força física para conter a legião de fãs do astro de *Alexander's Ragtime Band* (então em cartaz na cidade, no Cine Palácio, com o título em português de *Epopeia do jazz*).[2]

Getúlio não tinha o maxilar quadrado com covinha de Tyrone Power — e aqueles que conseguiram se aproximar puderam perceber que voltara bem mais gordo do que partira, no fim do ano anterior. Também parecia mais envelhecido, embora apenas sete meses separassem uma data da outra. O retiro no campo lhe rendera uma barriga ainda mais proeminente e uma cabeça de muito menos cabelos, todos brancos. Outro detalhe não escapou aos que puderam chegar perto: Getúlio estava com a pele crestada pelo sol da estância. Mas o sorriso, a eterna marca registrada, irradiava a mesma simpatia.

O deputado Barreto Pinto, que vinha enfrentando as graves repercussões políticas decorrentes das fotos publicadas por *O Cruzeiro*, foi um dos que conseguiram aproximar-se às cotoveladas e subir no estribo do jipe, que abriu caminho em marcha lenta até uma saída lateral. Ali, Getúlio saltou do veículo militar para outro carro, uma limusine, especialmente reservada para conduzi-lo ao local onde passaria a morar no Rio de Janeiro — o apartamento 1001, no décimo andar do Edifício Uruguai, na avenida Rui Barbosa, 430, no Flamengo.

Quando chegou ao prédio, outra multidão o aguardava. Mal teve tempo de cumprimentar os parentes e amigos, pois os manifestantes continuavam gritando seu nome lá embaixo. Exigiam que aparecesse à janela para lhes oferecer uma palavra ou, pelo menos, um aceno.

Como ninguém conseguiria ouvi-lo caso falasse do décimo andar, foi necessário pedir emprestada por alguns minutos a janela do apartamento de um vizinho, morador do segundo piso. Dali, com uma das mãos segurando o calhamaço de papel e a outra apoiada no peitoril, Getúlio pronunciou o discurso que preparara para ler no aeroporto, mas que as circunstâncias tumultuadas do desembarque não permitiram fazê-lo.

"A felicidade não é apenas um presente do céu, mas também uma conquista de cada hora. É preciso não perder a fé, nem desesperar do esforço", disse à multidão, que fez reverente silêncio para escutá-lo, interrompendo-o apenas aqui e ali, para pontuar de palmas a leitura. "Sem essas duas alavancas — esperança e fé — não se ergue o edifício da própria felicidade, nem se constrói a grandeza da pátria."[3]

Uma fila serpenteou pelo hall do edifício, diante do elevador social, estendendo-se até a calçada. Os que desfrutavam de alguma intimidade com a família Vargas foram autorizados a subir para cumprimentar Getúlio. Alguns jornalistas conseguiram se infiltrar entre os convidados para tentar arrancar-lhe algumas palavras mais contundentes sobre a situação nacional. O discurso fora considerado muito "poético", sem frases de impacto que rendessem uma boa manchete.

Contudo, Getúlio se recusou a falar. Alegou não estar informado do que tinha se passado no Rio de Janeiro durante sua ausência. Afirmou não ter sequer lido ainda o anteprojeto apresentado pela Comissão Constitucional, na semana anterior, à Mesa da Assembleia. Mas aproveitou para usar a costumeira tática de trocar de lugar com os repórteres e lhes interrogar sobre o cenário que iria encontrar no Palácio Tiradentes.

"Veja como são as coisas", brincou, "agora sou eu quem procura pedir novidades políticas aos jornalistas."[4]

Um repórter de *O Globo*, percebendo que Getúlio até então dirigira apenas meia dúzia de palavras protocolares à esposa, sem demonstrar maiores entusiasmos pelo reencontro, adicionou duas linhas maliciosas — mas aparentemente neutras — ao final da matéria que o periódico publicaria no dia seguinte: "Na sala em que fomos recebidos, notamos, também, a presença da exma. sra. Darcy Vargas".[5]

Era uma forma sutil de indicar aos leitores que o ex-presidente e a ex-primeira-dama não exibiam mais nenhum vestígio de intimidade conjugal. De fato, em São Borja, Getúlio já se queixara por mais de uma vez à filha, Alzira, que Darcy não costumava responder às cartas que ele lhe endereçava.[6]

* * *

Getúlio retornara na companhia dos filhos Lutero, que viajara a São Borja para buscá-lo, e Maneco, que resolvera tirar férias das obrigações da fazenda para passar uns dias no Rio, junto ao pai. Também o escoltaram no avião dois representantes do PTB gaúcho: o primo Dinarte Dornelles e João Goulart. A escolha dos companheiros de voo obedecera a uma estratégia de Alzira, que dissuadira Hugo Borghi da ideia de organizar uma comitiva aérea abarrotada de queremistas, conforme anteriormente combinado.

"Borghi é um homem muito visado, e tua chegada aqui com ele seria péssima sob vários aspectos", escrevera ao pai.[7]

A cautela se mostrou premonitória. No mesmo dia do desembarque apoteótico de Getúlio, a comissão militar de inquérito entregou ao presidente Dutra o resultado das investigações das denúncias contra o empresário paulista. A bancada da UDN exigia que o Catete enviasse os papéis ao Ministério da Justiça, para que este, por sua vez, os remetesse à polícia, a fim de que fossem tomadas as devidas providências.[8]

O relatório concluíra pela culpabilidade de Borghi; do ex-ministro da Fazenda, Sousa Costa; e do ex-chefe da carteira agrícola do Banco do Brasil, Sousa Melo. Como Borghi e Costa tinham sido eleitos deputados em dezembro, os udenistas pretendiam entrar com um duplo pedido de licença compulsória junto à Mesa da Assembleia Constituinte, para que ambos pudessem ser processados. A intenção da UDN era arrolar também Getúlio Vargas como cúmplice, sob o argumento de ter sido ele o beneficiário final do alegado desvio de recursos públicos para o financiamento do queremismo.[9]

Dutra, que se tornara grato a Hugo Borghi por causa do apoio prestado pelo empresário à sua candidatura a presidente da República, terminou por engavetar o relatório. A despeito da grita udenista, a investigação não seguiu adiante. Em sua defesa, Borghi chegou a encaminhar à nova diretoria do Banco do Brasil um alentado questionário, no qual pedia esclarecimentos sobre os calotes que porventura houvesse praticado contra a instituição.

"Solicito que esse banco se pronuncie, porque não o assaltei, não tirei dinheiro à força. Recebi no guichê, através de cheque. Quero saber se a minha posição está regular, se devo alguma coisa, se tenho dívidas para com ele."[10]

Como não obteve nenhuma resposta ao requerimento, Borghi decidiu comprar uma página inteira de publicidade no *Globo* e mandou publicar nela apenas uma frase, destacada no centro do grande espaço em branco:

"O Banco do Brasil não respondeu a uma simples carta que por mim lhe foi dirigida. Hugo Borghi."[11]

O chamado "Escândalo Borghi" não era, porém, o único cavalo de batalha dos udenistas, que pretendiam receber Getúlio com um coral bem orquestrado de críticas, com o intuito de instaurar o que se apelidou à época de "autópsia da ditadura".[12] No *Correio da Manhã*, em artigo intitulado "Saudação a Getúlio", Carlos Lacerda providenciou uma pequena amostra da ferocidade desse comitê de recepção:

> Getúlio Vargas, por que traíste a tua pátria? Por quê? Que ambição te conduziu? Que engano, que morte te guiou os passos? Hoje, quando falas, os teus dentes rilham a dor dos que não têm pão e não obstante entoam vivas, porque são simples, porque são rudes. A tua boca cheira a defunto, Getúlio Vargas. A defunto fresco, malandro. A defunto irremediável. Os teus braços são imundos, Getúlio Vargas, porque sujaste o teu sangue nas manobras servis de uma inteligência degenerada. Pobre Getúlio Vargas, a maldição te segue. Que importa a gritaria? Não te salva a impunidade. No fundo do teu sossego, os gritos da história te acordam. E alta noite, como nas lendas, como nas fábulas, Getúlio Vargas, o povo marcha sobre o teu corpo e te esmaga, o povo cresce sobre a tua memória e abomina teu nome.[13]

A rigor, todos ansiavam pela estreia de Getúlio como senador constituinte. Os adversários, para confrontá-lo em plenário; os getulistas, apostando que ele iria partir em legítima defesa e contestar, uma por uma, as incriminações lançadas contra si e contra amigos, parentes e ex-auxiliares.

No entanto, em Porto Alegre, onde fizera a conexão do voo entre São Borja e o Rio de Janeiro, Getúlio já deixara claro não estar disposto a aceitar provocações e a tomar parte em polêmicas. Até mesmo quando indagado se levaria consigo algum projeto para apresentar à Constituinte, reconheceu que chegava à Assembleia de mãos abanando.

"Não levo nenhum projeto em especial", disse. "Se julgar que minha colaboração pode ser útil em algum ponto, naturalmente tentarei participar dos debates. Mas se julgar que não há essa necessidade, ficarei calado, o que sempre é a melhor atitude."[14]

* * *

Foi um massacre verbal. Na tarde do dia 4 de junho, quando o presidente da Mesa — o mineiro Fernando de Melo Viana — comunicou que Getúlio Vargas se encontrava na antessala, esperando apenas o convite oficial para adentrar ao recinto, houve um primeiro alvoroço entre os constituintes reunidos em sessão plenária no Palácio Tiradentes. As hostilidades começaram tão logo Getúlio entrou e foi convocado a prestar o compromisso regimental, para em seguida assinar o termo de posse.[15]

"Prometo guardar a Constituição que for adotada, desempenhar fiel e lealmente o mandato que me foi confiado e sustentar a união, a integridade e a independência do Brasil", leu Getúlio, cumprindo o rito parlamentar.[16]

Em meio às galerias superlotadas, alguém gritou:

"Que esse juramento não seja igual ao de 34!"[17]

Era uma referência ao fato de Getúlio ter rasgado a Constituição de 1934, fruto de uma Assembleia Constituinte igual àquela, e imposto então ao país o autoritarismo da Polaca, escrita como se sabia por um único homem, o ex-ministro Francisco Campos, o Chico Ciência.

Feito o juramento, assinado o livro, Getúlio desceu da tribuna para tomar assento entre os parlamentares. Não era uma experiência exatamente nova para ele. Contudo, desde que concluíra seu mandato de deputado federal, em 1926 — portanto, duas décadas antes —, não mais estava habituado a sentar entre iguais, em paridade de condições. Escolheu uma poltrona vazia ao lado de Sousa Costa, o ex-ministro da Fazenda envolvido no "Escândalo Borghi". No trajeto, foi cumprimentado por correligionários do PSD e, em especial, pelos integrantes do PTB. A bancada da UDN, em peso, deu-lhe as costas. Ele sorriu, como sempre, embora visivelmente constrangido.[18]

Passou-se à ordem do dia e, de imediato, o udenista Otávio Mangabeira se apressou em pedir a palavra, concedida por Melo Viana. Mangabeira subiu à tribuna e disse que era portador de dois documentos, que passaria a ler em seguida. O primeiro era uma declaração coletiva; o segundo, uma moção de aplauso — ambas referendadas pela assinatura prévia de 102 constituintes. A declaração lembrava a todos os presentes que, em 10 de setembro de 1937, Getúlio Vargas, então presidente constitucional da República, dissolvera o Poder Legislativo por meio de um golpe de Estado.

83

"Esta mesma Casa, onde ora nos reunimos, especialmente construída sob a invocação de Tiradentes para servir de sede à Câmara dos Deputados, foi cercada, naquele dia, logo às primeiras horas da manhã, por um contingente de cavalaria da Polícia Militar do Distrito Federal", rememorou Mangabeira. "O Palácio Monroe, sede do Senado da República, foi igualmente cercado e ocupado pela força."[19]

O estilo de Mangabeira era teatral. Lia um trecho do documento e em seguida tirava os óculos e os atirava sobre a tribuna, continuando a falar, como se houvesse decorado a íntegra do que estava no papel. A exposição do documento foi interrompida por uma série de apartes. A bancada da UDN lançou brados de solidariedade a Mangabeira — "Muito bem! Muito bem!" —, enquanto os deputados e senadores getulistas partiram em defesa de seu líder, com gritos veementes de "Protesto!".[20]

O orador prosseguiu, pondo e tirando os óculos, e disse que, ao longo dos oito anos de Estado Novo, não tinham sido poucas as vezes nas quais "o ditador reproduziu os seus ataques, sem possibilidade de réplica, não somente à política ou aos políticos, mas ao sistema representativo, aos regimes que se fundam no sufrágio universal e, particularmente, aos parlamentos".[21]

Sob o alarido do plenário e o tumulto nas galerias, Mangabeira concluiu:

"Hoje, o sr. Getúlio Vargas, deposto que foi do governo pelas Forças Armadas do Brasil, toma assento nessa Assembleia de parlamentares, de políticos, de representantes da nação, oriundos do voto popular. [...] As ditaduras passam, os ditadores declinam", festejou o senador baiano. "A tirania, sendo o pior dos flagelos, é, como os flagelos, transitória. Só a liberdade é eterna e só a democracia é o reino da liberdade!"[22]

Getúlio permaneceu em silêncio, com o semblante fechado, junto a Sousa Costa. Melo Viana comunicou ao orador que seu tempo estava esgotado, mas Mangabeira solicitou alguns minutos adicionais para ler o segundo documento, bem mais breve: a aludida moção de aplauso.[23]

O alvo, mais uma vez, era Getúlio:

A Assembleia Constituinte manifesta o seu aplauso e o seu agradecimento às Forças Armadas da República — terrestres, navais e aéreas — pelo modo como unidas, a 29 de outubro de 1945, num movimento pacífico em torno dos seus chefes, e sem outra ambição, provadamente, que a de servir ao país, cumpriram dignamente o seu dever de fidelidade à pátria.[24]

Getúlio continuou calado, sem tomar parte na avalanche de apartes que se seguiu. Só levantou quando o coronel Euclides Figueiredo também pediu a palavra e, apontando diretamente para ele, vociferou:

"Eu pergunto, senhor presidente, se a presença desse homem no nosso meio não representará, de agora em diante, perigo semelhante ao de um novo Cavalo de Troia."[25]

Getúlio conteve o ímpeto de responder ao oponente e voltou a sentar, engolindo em seco.[26]

O senador Nereu Ramos, interventor de Santa Catarina durante o Estado Novo, decidiu partir em seu auxílio. Propôs um substitutivo, ampliando a homenagem às Forças Armadas não só pelo protagonismo no outubro de 1945, mas também por "todos os movimentos republicanos" dos quais os quartéis haviam feito parte, incluindo o movimento civil-militar de 1930, que levara Getúlio ao poder. A proposta gerou trocas de ofensas entre os parlamentares, o que levou Melo Viana a soar a campainha:

"Senhores! O debate não pode continuar dessa maneira!"[27]

Outro baiano, o comunista Carlos Marighella, aproximou-se do pedestal do microfone:

"Para nós, golpes como o de 10 de novembro [de 1937] e o de 29 de outubro [de 1945] estão nas mesmas condições. O que se visa, neste momento, é seduzir as Forças Armadas para levá-las a novos golpes, novas aventuras…"[28]

"E o golpe de 1935?", cobrou o udenista João Mendes.[29]

O pandemônio tomou conta de vez do ambiente. Melo Viana voltou a soar a campainha, exigindo silêncio. No meio da balbúrdia, o presidente da Mesa disse que iria pôr a moção de aplauso em votação nominal, conforme pedido do autor da matéria.[30]

Ao final da tumultuada sessão, 131 constituintes votaram contra o documento apresentado por Mangabeira, inclusive a bancada comunista. Outros 135, entre eles integrantes do PSD, votaram a favor.

"Está aprovada!", proclamou Melo Viana.[31]

O resultado, apesar de apertado, representava uma primeira dura derrota para Getúlio — e sinalizava para a opinião pública a possibilidade de uma nova correlação de forças no Legislativo.

"O general Dutra ficou tendo a prova de que pode mandar às urtigas os queremistas e os comunistas, todos juntos, embrulhados na mesma trouxa, e mais, de contrapeso, os pessedistas ligados ao ex-ditador", avaliou o *Correio da Manhã*. "Getúlio Vargas, para cúmulo de sua pouca sorte, assistiu a tudo com os próprios olhos. Melhor seria dito: de corpo presente, porque aquilo valeu como uma sentença de morte."[32]

Ao obter o apoio dos partidos menores e de parcela do próprio PSD, os udenistas teriam garantido ao governo, segundo o jornal, "a maioria necessária para liquidar os restos do getulismo, bem como o totalitarismo comuno-prestista, sempre firme no sustentáculo da ditadura getuliana". Ainda de acordo com a análise que o *Correio* publicaria na manhã do dia seguinte, "a inopinada maioria de ontem redimiu o Brasil de uma nódoa de sua história; ela condenou o sr. Getúlio Vargas pelo crime de ter sido ditador".[33]

Como de hábito, coube a Carlos Lacerda publicar o comentário mais corrosivo sobre o tema:

"Do fundo de sua comodidade, habituada à valentia de terceiros por sua conta, o sr. Getúlio Vargas deve ter sentido que o seu lugar já não é mais no Brasil e muito menos no Congresso renovado", escreveu Lacerda. "Ele pertence ao passado, é um salvado do incêndio, um destroço do naufrágio de um navio maldito."[34]

Getúlio persistiu no mais absoluto silêncio ao longo das sessões seguintes, embora continuasse a ser atacado, diuturnamente, pelos udenistas. O deputado Rui Santos, eleito pela Bahia, enviou um pedido oficial de documentos ao Departamento Nacional de Informação (DNI, sucedâneo do DIP) a respeito do número exato de publicações que teriam sido censuradas no país durante o Estado Novo. Ao receber os dados, Santos os repassou aos colegas, em discurso na tribuna: o DNI informara que nada menos de 420 jornais e 346 revistas tiveram seus registros cancelados ou negados por recomendação dos censores do antigo regime. No mesmo período, outros 61 periódicos sofreram o corte da subvenção oficial sobre a compra de papel, uma das táticas então utilizadas para silenciar a imprensa que ousasse discordar da ditadura.[35]

Para reforçar o ambiente desfavorável a Getúlio, o jornalista David Nasser anunciou que estava preparando para *O Cruzeiro* uma série de reportagens especiais — que depois seriam reunidas em livro sob o título de *Falta alguém em Nuremberg* — sobre as denúncias de tortura na gestão de Filinto Müller à frente da polícia estado-novista. No prefácio da primeira edição, Nasser denunciaria: "Os

86

policiais brasileiros enfiavam arames na uretra dos presos e, com um maçarico, aqueciam esses arames até ficarem em brasa".[36]

Getúlio calado estava, calado permaneceu. Jamais subiu à tribuna da Constituinte para revidar os ataques. Também não respondeu pela autoria de nenhuma das 4092 emendas apresentadas ao anteprojeto da nova Carta. Durante o tempo em que compareceu à Assembleia, limitou-se a participar de forma discreta das votações dos artigos e capítulos postos em discussão. Parecia tão distante do desenrolar dos trabalhos que, em 19 de agosto, durante o exame da emenda que suprimia a nomeação dos prefeitos das capitais — abrindo espaço para a eleição direta nessas cidades —, permaneceu sentado quando o presidente da Mesa pediu que se levantassem os favoráveis à medida, e também quando foi solicitado que ficassem de pé os que estivessem contra.[37]

"Um senhor representante permaneceu sentado em ambas as votações e, por esse motivo, senhor presidente, indago de vossa excelência se isso é possível", delatou o deputado Hermes Lima, da UDN do Distrito Federal.[38]

"A abstenção representa manifestação de desprezo pela representação nacional", secundou o também udenista Soares Filho, do Rio de Janeiro.[39]

Foi a primeira vez que Getúlio se sentiu provocado a pedir de fato a palavra, cerca de um mês e meio após ter tomado posse do cargo.

"Senhor presidente, não fujo à responsabilidade dos meus atos. Votei pela emenda", garantiu.[40]

Foi só. Depois disso, não disse mais nada. Ficou sem pronunciar uma única frase durante todo o resto daquela sessão — e das sessões subsequentes. As tentativas da bancada udenista de atraí-lo para o confronto direto pareciam não surtir efeito.

Em 31 de agosto, porém, Getúlio não aguentou ouvir calado as provocações do deputado Aliomar Baleeiro, da UDN da Bahia. Na véspera, uma manifestação estudantil contra a inflação — e em favor da meia-entrada nas casas de espetáculos e da meia-passagem nos transportes coletivos — derivara para um quebra-quebra nas ruas do Rio. O fato de um rapaz ter morrido poucos dias antes, após comer um doce envenenado, forneceu mais combustível ao movimento, que passou a cobrar também das autoridades maior rigor na inspeção dos estabelecimentos comerciais que vendiam alimentos ao público. Cinemas, teatros, cafés, padarias e docerias foram o alvo preferencial do protesto, que terminou com um saldo incalculável de fachadas, vitrines e letreiros luminosos destruídos. A polícia reagira com igual violência, distribuindo coronhadas de fuzil, golpes de cassetetes e bombas de gás lacrimogêneo em direção aos manifestantes.[41]

"O verdadeiro causador, o responsável por tudo isso é aquele senador que passa por aqui e senta ali, ao lado do nobre deputado sr. Sousa Costa", apontou Baleeiro. "[Ele] não é meu amigo, nem meu inimigo. Pessoalmente, dele não tenho qualquer queixa. Como cidadão e homem público, porém, estou aqui para acusá-lo", disse. "Sua excelência tem uma cadeira nessa casa, e, por conseguinte, o direito de usar a tribuna, quando lhe aprouver. Se até agora não exerceu tal direito, a culpa é unicamente sua."[42]

Como Getúlio não se mexesse do lugar, Baleeiro resolveu cavoucar mais fundo:

"O responsável pelos fatos ocorridos ontem, hoje e, talvez, amanhã, é o sr. Getúlio Vargas", nomeou. "Minha acusação é de que ele é o causador, pela sua inópia administrativa, do mal-estar em que se acha o país hoje. A minha acusação é de que não viu claro seu dever, não fez o que deveria ter feito, não teve a intuição dos males que se aproximavam e não soube tomar, em tempo oportuno, as medidas adequadas."[43]

Baleeiro, tentando por todos os meios arrancar Getúlio do silêncio, passou a condená-lo pelos lucros estratosféricos obtidos pelas empresas de transporte coletivo no país — de 32,8 milhões de cruzeiros em 1941, o setor teria passado a lucrar, em 1945, mais de 1 bilhão de cruzeiros (1,167 bilhão de reais).[44]

"O sr. Getúlio Vargas, depois das partidas de golfe no clube onde se divertia com os que recolhiam tais lucros polpudos, não os tributou; pelo contrário, tributou a pobreza, através de impostos indiretos e, então, permitiu que essa minoria de açambarcadores e aproveitadores se locupletasse com lucros fabulosos de muitos milhões de cruzeiros, justamente o que faltava para equilibrar o orçamento federal", acusou o udenista. "Foi desse erro econômico, financeiro, administrativo, que decorreu o déficit dos orçamentos sucessivos até 1945. Daí a inflação, e da inflação essa parada de misérias, cujo quadro sangrento e lutuoso estamos vendo todos os dias."[45]

Após a costumeira chuva de apartes, Getúlio finalmente pediu acesso ao microfone. Nesse momento, todos os olhos se voltaram em sua direção.[46] Com exceção daquelas duas frases pronunciadas doze dias antes em resposta à provocação de Hermes Lima, foi a única vez em que se ouviu a voz do ex-ditador na Constituinte.

88

"Senhor presidente, quando aceitei o mandato que me foi confiado pelo povo brasileiro, vim exercê-lo com o firme propósito de não contribuir para desviar a atenção desta ilustre Assembleia com assuntos estranhos à sua função específica, que é discutir e votar uma Constituição," argumentou. "Quando for votada a Carta, falarei ao povo para definir minha posição perante a história de minha pátria. Mas, para que não suponham que haja nesta atitude qualquer vislumbre de receio, venho declarar que, se alguém tiver contra mim motivos de ordem pessoal ou se julgar com direitos a desagravo, fora do recinto dessa Assembleia estarei à disposição."[47]

Em português claro, Getúlio Vargas desafiava os oponentes a resolver as diferenças com ele no braço, lá fora.

Enquanto Melo Viana fazia soar mais uma vez a campainha, tentando inutilmente reinstaurar a ordem nos trabalhos do dia, Getúlio deixou o salão, como se sinalizasse que aguardaria os presumíveis contendores na calçada do Palácio Tiradentes.[48]

O coronel Euclides Figueiredo deu a entender que era homem o suficiente para não deixar um desafio daqueles sem a devida resposta. Tão logo conseguiu se desvencilhar dos colegas que tentavam demovê-lo da ideia de ir trocar socos com um ex-presidente da República no meio da rua, saiu no encalço de Getúlio. Ao chegar à escadaria do palácio, porém, Figueiredo não encontrou mais ninguém a sua espera. O desafiante já havia embarcado em um carro, na companhia do genro, Ernani.[49]

A Constituinte foi poupada de uma cena de pugilato. Na sessão seguinte, Getúlio não compareceu ao Tiradentes. Nos dias posteriores, idem. Os jornalistas que o procuraram no apartamento do Flamengo também não o encontraram por lá. Em vez disso, receberam a informação de que ele não estava mais no Rio de Janeiro. Dois dias após o incidente, partira de avião para São Borja — de onde não pretendia retornar tão cedo.

Desse modo, em 18 de setembro, quando foi promulgada a nova Constituição do país — e quando a Constituinte se converteu em Congresso Nacional —, a ausência mais notada foi justamente a do senador gaúcho Getúlio Vargas. Por consequência, o documento que restituiu a democracia ao Brasil não recebeu a sua assinatura.

"Foi um show udenista", definiu Alzira a solenidade, em carta ao pai. "Por ocasião da chamada, foram vaiados todos os líderes queremistas, pelas viúvas do Eduardo [Gomes]."[50]

Um acordo de cavalheiros entre o ministro João Neves da Fontoura e o primeiro secretário da Mesa, Georgino Avelino (PSD-RN), evitou que o nome do senador gaúcho fosse incluído na chamada, uma vez que sua ausência era patente. Desse modo, Getúlio Vargas escapou de receber uma vaia histórica, ainda que já estivesse longe, a mais de 1,5 mil quilômetros de distância.[51]

Assim como já ocorrera em relação ao 1º de maio, o 3 de outubro passou oficialmente em branco. Ninguém na cúpula do governo fez questão de comemorar o aniversário do movimento que a historiografia brasileira consagrou com o nome de Revolução de 30. Nesse dia, em São Borja, Getúlio escreveu uma carta à filha, ainda sob o impacto dos fatos ocorridos no Palácio Tiradentes.

Alzira;

Aqui estou, no silêncio e no isolamento, comemorando meu melancólico 3 de outubro, iniciado há dezesseis anos, num período ruidoso de lutas e de esperanças. Admito que tenha praticado erros. Mas suponho que entre esses não está incluído o propósito de fazer, pacificamente, uma revolução social. Procurei amparar os humildes, os pobres, os desprotegidos. Por isso reuniram-se contra mim os poderosos, os interesses criados, a necessidade de voltar a um regime de privilégios, de negociatas e de monopólios particularistas, sob o pretexto de restabelecer a democracia. A democracia era isso mesmo.

Eu saí do governo e estou ainda numa encruzilhada, onde se apresentam três rumos diferentes. Um é o de abandonar qualquer espécie de atividade política, recolhendo-me ao silêncio, não ser motivo de alarmes, receios e perturbações. Este seria para mim o mais cômodo, o que me permitiria viver em paz, ficando longe dos ruídos do mundo.

Outro seria adaptar-me ao ambiente, conciliar-me com os interesses criados, não criticar, não fazer reparos, achar tudo bom. Para quê? Para esperar por melhores dias? Valeria a pena o sacrifício, ante um futuro incerto?

Outro, finalmente, seria enfrentar a luta com disposição, com energia, contra todos os interesses, a felonia, o poder, a violência, o dinheiro! Seria uma luta dura.

Para quê? Pela satisfação do dever cumprido? Terei mesmo esse dever? Serei eu compreendido? Não atribuirão tal atitude a motivos menos nobres?

Eis, minha filha, o que fui pensando e transmitindo ao papel nesta melancólica tarde de 3 de outubro.

Que pensas?[52]

Dez dias depois, em resposta a tal carta, Alzira informou ao pai que o novo interventor federal do estado do Rio de Janeiro, coronel Hugo Silva, mandara demitir todos os funcionários públicos nomeados anteriormente por indicação dela, quando Ernani respondera pela interventoria. Os projetos que implantara como primeira-dama fluminense, à frente da Legião Brasileira de Assistência (LBA), tinham sido interrompidos. Os retratos de Alzira e do marido, até então mantidos nas paredes das repartições estaduais pelo interventor interino (o capitão de fragata Lúcio Meira), estavam sendo recolhidos ao porão ou, pior que isso, jogados ao lixo.[53]

"Sinto agora, em mim mesma, o que deves estar sentindo há um ano", observou Alzira. "Não é ambição de mando, nem o desejo de vingança, é o remorso de ter feito amigos fiéis que sofrem pelo crime de serem amigos", lamentou. "É a angústia de não poder dizer-lhes: 'sejam ingratos, mas não deixem destruir o que está feito', é assistir com lágrimas no coração a um punhado de sádicos desmancharem com os pés aquilo que levamos quinze anos de insônias, de lutas, de preocupações e de desgaste pessoal para construir."[54]

A filha dizia fazer a si própria, todos os dias, as mesmíssimas perguntas que o pai andava se fazendo em São Borja.

"É este o dilema: cruzar os braços e assistir covardemente à derrubada ou começar tudo outra vez, abandonar a boa vida e lutar, lutar até vencer ou perder tudo? Cabe-te a escolha do caminho", ela sugeriu.

Mas Alzira ousava indicar a Getúlio o rumo que julgava mais conveniente — e justo — à situação:

"Há milhões dispostos a te seguir e centenas dispostos a resistir; os milhões são fracos, as centenas estão ainda fortes, mas não são invencíveis."[55]

A batida em retirada seria apenas um recuo tático. De volta a São Borja, Getúlio decidiu delegar a Alzira uma série de novas tarefas estratégicas. Até então, ele a encarregara de ser apenas a sua "fiscal" no Rio de Janeiro — "a fim de que meus pedidos e encomendas sejam satisfeitos". Por meio da filha, desde os primeiros dias de retiro no interior do Rio Grande do Sul, Getúlio mandara e recebera recados, transmitira orientações aos aliados, mantivera-se informado dos acontecimentos políticos. Era ela também que organizava as caixas e os pacotes com charutos, jornais, revistas, chapéus, remédios e cortes de tecido para a confecção de bombachas, despachados com regularidade para Santos Reis. Entretanto, caberia a Alzira, a partir daquele segundo semestre de 1946, um papel de maior relevância que o de simples observadora e mensageira. O pai pretendia fazer dela a principal operadora política do getulismo na capital da República.

"Tenho pena sempre que sou forçado a sobrecarregar-te com novas incumbências, além das muitas que já tens", desculpou-se Getúlio. "É difícil, porém, encontrar uma pessoa em que eu possa confiar tão completamente como em ti."[56]

A filha, é verdade, andava afobada com o seu rol particular de problemas. A mãe, Darcy, precisava ser auxiliada no cotidiano do apartamento do Flamengo, onde ficara morando sozinha. Ela mesma, Alzira, estava em meio a uma mudança de endereço, encaixotando e desencaixotando móveis, enquanto os pedreiros ainda terminavam as obras na casa nova. O marido, Ernani, andava imerso nas próprias questões políticas, articulando o lançamento de sua candidatura ao governo do estado do Rio pelo PSD (no final, não se lançou candidato, pois o partido se decidiria pelo nome de Edmundo de Macedo Soares).

"Estou te escrevendo do pseudogabinete de uma casa que, se ainda não é de louco, falta pouco para ser: a nossa", ela relatou ao pai. "Na sala de jantar, um marceneiro e um lustrador se digladiam para ver quem faz mais barulho e mais poeira. Na sala, um homem esburaca a parede para pregar um espelho. No quarto, um outro conserta as fechaduras e o bombeiro desentope os aquecedores."[57]

Mesmo assoberbada, Alzira jamais recusaria um pedido paterno. Entre os novos encargos, ela passaria a responder pelas articulações junto às lideranças do PTB, que continuavam a se engalfinhar em lutas internas. No estado de São Paulo, onde a divisão se mostrava mais aguda, a disputa pelo controle da legenda entre Borghi e os membros da executiva nacional ameaçava levar o partido à desintegração.

"O grupo trabalhista está desorientado, cavando sua própria ruína. [...] Em vão procuro dar-lhes a mamadeira na hora certa e trazê-los de fralda seca", brincou Alzira, após assumir a autoproclamada função de "babá do PTB".[58]

Apesar da pilhéria, não se tratava de uma tarefa subalterna. Naquele momento, para Getúlio, tudo levava a crer que o fortalecimento do PTB seria fator indispensável para sua reentrada no cenário político nacional. Solidificar um "partido de massas" crescia de importância à medida que a UDN ensaiava uma aproximação pragmática com o PSD, visando ao estabelecimento de uma aliança entre as forças ditas liberais-democráticas do país. Os pessedistas, que tinham sido fiéis escudeiros do varguismo enquanto Getúlio se mantivera à frente do poder, se mostravam bem pouco propensos a manter a mesma lealdade com ele distante do Catete.[59] Como alternativa, restaria ao ex-ditador construir uma estrutura partidária mais identificada com sua liderança pessoal e, ao mesmo tempo, respaldada por uma atitude doutrinária bem definida a favor dos trabalhadores urbanos — a fração do eleitorado que mais crescia no país e era, sem dúvida, o grande capital político de Getúlio.[60]

"Quando eu estava no governo, era o guarda vigilante, o defensor dos trabalhadores. Hoje que se diz estarmos instituindo um regime democrático, as forças organizadas para a defesa dos trabalhadores têm que vir de um partido político", reconheceu Getúlio, em uma rara fala de improviso, durante visita à sede do PTB em Porto Alegre. "A democracia política e econômica a que estamos assistindo no momento, porém, são ainda os vestígios do velho liberalismo burguês fora de época", teorizou, criticando a decisão de Dutra de abandonar a intervenção estatal na economia, dogma do regime anterior. "Devemos nos empenhar em trabalhar para a organização de uma democracia planificada, a fim de que se constitua a defesa efetiva dos trabalhadores", contrapôs. [61]

Desde os tempos de deputado, Getúlio Vargas — defensor convicto do intervencionismo do Estado na economia — sempre criticara a democracia liberal. No passado, alguns de seus debates mais acalorados na Assembleia dos Representantes, no Rio Grande do Sul, haviam sido travados com o então colega Gaspar Saldanha — acusado por ele de ser aferrado "à velha teoria econômica do *laissez-faire*". Nos quinze anos à frente do Catete, Getúlio continuou a fazer a crítica sistemática à "obsolescência do liberalismo burguês". Todos recordavam que, ao propor o corporativismo como solução para os impasses sociais do capitalismo, se aproximara perigosamente do fascismo de Benito Mussolini.

Os tempos, contudo, eram outros. Na nova configuração mundial do pós--guerra — quando as divergências entre Estados Unidos e União Soviética davam origem à chamada Guerra Fria —, a oratória getulista a favor da regulamentação estatal da economia e em defesa "dos humildes, dos pobres e dos desprotegidos" o recolocava, no plano do discurso, em uma posição à esquerda do espectro político, particularmente quando sua fala era confrontada com a retórica dos udenistas.[62]

"Não é mais possível governar sem um amplo sentido social", proclamava Getúlio.[63] "Por conseguinte, mais do que nunca é indispensável que a massa trabalhadora se aliste no Partido Trabalhista, a fim de torná-lo uma força irresistível e que a opinião pública, através dele, se faça manifestar."[64]

As diferenças de Getúlio com o governo de Dutra logo se tornaram intransponíveis. No Catete, como consequência do alinhamento incondicional do governo brasileiro aos Estados Unidos, o general pusera em prática uma política econômica lastreada na abertura do mercado às importações e na elevação da taxa de câmbio. Era uma fórmula destinada a combater a inflação, incentivando-se a entrada de artigos importados no país, para com isso tentar baratear os produtos nacionais pela força da concorrência. Bastava passar os olhos nas páginas de anúncios dos jornais e revistas para se dar conta da chegada maciça ao país de artigos estrangeiros, sobretudo norte-americanos.

À mesa, os brasileiros passaram a consumir a aveia Quaker Oats, a gelatina Royal, o suco V-8 e o achocolatado Ovomaltine. Para escovar os dentes, dispunham agora do creme dental Kolynos ou Philips. Antes de sair à rua, punham os óculos Ray-Ban, usavam o desodorante Magic ou o talco Night & Day. A geladeira, em casa, era Frigidaire ou GE. Para dores musculares, câimbras e contusões, recomendava-se o uso de Untisal; para dores, gripes e resfriados, Rhodine.[65]

A fim de fazer valer seu receituário, Dutra buscava costurar uma sólida base de apoio parlamentar, capaz de responder aos solavancos típicos do jogo político. Para tanto, adotou um figurino historicamente conhecido. Aproveitou que diversos auxiliares pretendiam se desincompatibilizar para concorrer às eleições estaduais e promoveu uma ampla reforma ministerial, oferecendo à UDN cargos no primeiro escalão do governo. Na troca de comando, a pasta das Relações Exteriores e a da Educação foram entregues aos udenistas Raul Fernandes e Clemente Mariani, enquanto a Agricultura foi confiada ao deputado Daniel de Carvalho, do Partido Republicano, aliado sistemático da União Democrática Nacional nas votações do Congresso.

"A UDN [...] está se agarrando ao governo com unhas e dentes", advertiu Alzira a Getúlio. "O pobre do Dutra deve estar se sentindo como um osso prestes a ser entregue a uma cachorrada esfomeada."[66]

O general-presidente, a propósito, já vinha sendo mencionado nas cartas entre pai e filha como o "Grão-de-Bico" — o apelido jocoso pelo qual era citado nas mesas dos bares e cafés cariocas, em alusão à sua proverbial feiura física.[67]

"Estou cansado de levar coices dessa mula que está no governo", explodiu Getúlio.[68]

O fato de ter sido convidado e posteriormente desconvidado para a inauguração da usina siderúrgica de Volta Redonda, em outubro de 1946, foi considerado por ele um ultraje pessoal. Os operários da empresa lhe haviam preparado uma recepção festiva, mas a programação fora cancelada à última hora, por "ordens superiores". Em vez de uma grande solenidade, compatível com a importância estratégica do empreendimento, organizou-se um evento discreto, que não mereceu sequer a presença do presidente da República. Nenhum dos dois oradores oficiais do dia — o coronel Silvio Raulino de Oliveira, presidente da companhia, e o engenheiro Edmundo de Macedo Soares, recém-nomeado ministro da Viação e Obras Públicas — citou Getúlio em seus respectivos discursos.[69]

"Agora, [é] para rir", indignou-se Alzira, ao lembrar que o pai, cinco anos antes, barganhara com Roosevelt a entrada do Brasil na Segunda Guerra em troca do financiamento da siderúrgica.[70] "Macedo Soares teve medo de pronunciar o teu nome e referiu-se ao governo anterior como se tivesse pinças desinfetantes na voz."[71]

Apesar da desfeita, Getúlio não era homem de queimar pontes atrás de si. Convocou a São Borja o jornalista José Soares Maciel Filho, velho amigo da família, e o orientou a manter uma relação amistosa com Dutra. Também recomendou que sustentasse conversas constantes com o novo ministro da Justiça, Benedito Costa Neto, e com o presidente da Câmara, Honório Fernandes Monteiro, ambos filiados ao PSD. Era preciso sondar os passos do oponente em seu próprio território.[72]

Maciel desempenhou a incumbência com singular desenvoltura:

"Desde que voltei do Rio Grande, só com o general Dutra já falei quatro vezes", comunicou, em correspondência a Getúlio. "O homem, de manhã, está bem; de tarde, está mal; de noite, está péssimo; no dia seguinte está bem, e assim sucessivamente."[73]

Uma das missões de Maciel era sondar as clássicas oscilações de temperamento de Dutra, um indivíduo afável no trato pessoal, mas também imprevisível.

O presidente, sabia-se, não gostava de falar muito. Não era chegado a fazer discursos, conceder entrevistas à imprensa ou mesmo se deixar levar por longas conversas com aliados.

"As palavras não foram feitas para serem gastas", costumava dizer.

Certa feita, quando um jornalista tentou entrevistá-lo, Dutra perguntou se por acaso o sujeito levava um saca-rolhas no bolso.

"Sem saca-rolhas, de mim não sai nada", avisou.[74]

Maciel recebeu outras delegações tão complexas quanto a de arrancar confidências de Dutra. Uma delas era trabalhar, com o auxílio dos interlocutores no PSD, para que a política oficial do Ministério do Trabalho permanecesse, de alguma forma, sob a influência getulista. À primeira vista, parecia impossível. Na reforma do ministério, o PTB fora rifado da pasta, entregue por Dutra ao empresário Morvan Dias de Figueiredo, vice-presidente da Federação das Indústrias de São Paulo (Fiesp), sócio-proprietário da indústria de vidros, louças e metais Nadir Figueiredo, além de acionista da Esso, subsidiária da Standard Oil.[75] Um nome, portanto, perfeitamente identificado com o patronato e as multinacionais.

Mas o que pouca gente sabia à época era que Morvan fora ungido por meio de um acordo secreto, selado na casa de Maciel, em reunião que contou com a presença de Baeta Neves, dirigente do PTB, e dos empresários pessedistas Roberto Simonsen, presidente da Fiesp, e Euvaldo Lodi, presidente da CNI — duas lideranças profundamente afinadas com a política desenvolvimentista e de proteção à indústria nacional adotada por Getúlio durante o Estado Novo.[76]

"Estive em reunião secreta, na casa do Maciel, com o Lodi, o R. Simonsen e o Baeta", segredou Alzira, numa carta a Getúlio. "Comprometeram-se, em nome do Morvan, por cuja nomeação te serão eternamente gratos, a fazer política trabalhista [...] e a guarnecer todos os postos de destaque do ministério com elementos indicados pelo Baeta." Conforme o relato de Alzira ao pai, os presidentes da Fiesp e da CNI "se declaram diretamente responsáveis por qualquer deslize porventura feito pelo Morvan, [e] prometeram, por si e por todos seus amigos, dependentes e associados, a respeitarem teu nome e a te prestarem todo o acatamento e consideração".[77]

Alzira disse ter ficado impressionada com a capacidade de articulação de Maciel Filho, que teria induzido Dutra a nomear Morvan e ao mesmo tempo arrancado de duas das maiores lideranças empresariais do país o compromisso de manter resguardados os interesses de Getúlio.

"Não sei aonde ele aprendeu a técnica do rabo de arraia e a mágica da rasteira sem queda. Se foi contigo, parabéns pelo aluno."[78]

Para que as aparências fossem preservadas, a bancada trabalhista conservaria a autonomia parlamentar, sendo inclusive liberada para atacar o governo e os patrões — "para que não fosse descoberto o acordo, que deveria, no interesse de todos, permanecer o mais secreto", detalhou Alzira.[79]

Algo, porém, a angustiava: não ter com quem dividir, no círculo afetivo e familiar, as informações cada vez mais confidenciais de que se tornara portadora.

"O Ernani nem sonha com essas minhas atividades. Por isso, quando me escreveres, não fala dessa turma a não ser em charada, pois às vezes dou-lhe tuas cartas para ele ler, quando as recebo em sua presença", pediu ao pai.[80] "No dia em que o Ernani descobrir isso tudo, creio que haverá tempestade no lar. Conto contigo para juntar os cacos. Não sei ainda se ele ficará mais zangado por eu me haver metido ou se por não lhe ter contado."[81]

Alzira, Maciel e Baeta passaram a constituir, na surdina, o que Getúlio batizou de "meu triunvirato". Cada um dos três, sob a supervisão geral da filha, recebia tarefas específicas, que convergiam para o único objetivo: preparar o terreno para a volta do ex-presidente ao Rio de Janeiro. Numa das muitas cartas a Alzira, Getúlio desenhou as linhas gerais do plano:

> Quero colocar em tuas mãos um instrumento de ação e de defesa, para que possas usá-lo, influenciando, mesmo que de longe, o dromedário que ocupa hoje o Catete, e agindo sobre ele através de seus sentimentos elementares e instintivos que são o receio e o interesse. Como todos os animais que agem por instinto, quando predomina o receio e a desconfiança, sua reação é violenta. Mas quando fareja o interesse de sua conservação ou outro qualquer, cabresteia com docilidade. Não suponhas, porém, que esse caráter instintivo seja destituído de astúcia. Todos os animais a possuem, e alguns em grau bem desenvolvido. O Maciel está fazendo uma manobra de envolvimento em grande estilo, favorecendo os interesses do animal.[82]

A operação pressupunha, em paralelo, uma sondagem na hierarquia militar, para evitar que as ações do triunvirato fossem surpreendidas por uma reação armada. Tal providência ganhava maior relevo porque, na reforma do ministério,

Dutra trocara o titular da pasta da Guerra, Góes Monteiro, pelo general Canrobert Pereira da Costa, outro antigetulista assumido, ativo participante do movimento que pusera fim ao Estado Novo.

Maciel, seguindo as instruções ditadas de São Borja, convidou o próprio Góes Monteiro — o maior artífice da derrubada de Getúlio em 1945 — para uma reunião informal, regada a bom uísque, em sua residência.

"O encontro entre Maciel e Góes foi patético", definiu Alzira.

Na conversa, segundo ela, o general teria indagado:

"Mas o dr. Getúlio ainda tem confiança em mim?"

"Nunca deixou de ter", respondera Maciel, pondo em prática, à risca, a cartilha getulista. O inimigo da véspera podia muito bem vir a ser o aliado circunstancial de amanhã.[83]

Getúlio estava de olho nas eleições regionais que se aproximavam. Se conseguisse fazer um bom número de governadores, em especial nos colégios eleitorais de maior expressão no país, daria um importante passo para garantir seus planos de médio e longo prazos.

"Nas eleições de 2 de dezembro, carreguei nas costas muita gente, sem ser ouvido na organização das chapas. Desejo que isso não se reproduza. Pretendo ser ouvido", avisou a Alzira, para que ela repassasse o recado adiante.[84]

Depois de uma série de articulações regionais supervisionadas a partir do Rio de Janeiro por Maciel, Baeta e Alzira, Getúlio considerou ter chegado a hora de sair novamente da sombra. Agendou a volta ao Senado para o dia 4 de dezembro de 1946 — exatamente a um mês e meio das eleições estaduais, marcadas para 19 de janeiro de 1947.

O curto intervalo que restava entre o retorno de Getúlio ao núcleo dos acontecimentos e a data do pleito era uma inequívoca demonstração de autoconfiança. A despeito do calendário apertado, o simples condão de sua presença nos comícios garantiria a vitória dos candidatos apoiados por ele nos estados, calculou. O povo, enchendo as praças públicas, daria a melhor resposta para os que o haviam bombardeado na Constituinte, previu.

Em 25 de novembro, Getúlio tomou um avião e seguiu para Porto Alegre, onde fez uma escala prévia na maratona de viagens eleitorais que pretendia realizar pelo país. Na capital rio-grandense, participou naquele mesmo dia de um "comício-monstro" — assim o definiram os organizadores — a favor do candidato do PTB ao governo gaúcho, Alberto Pasqualini (apesar dos esforços de Getúlio, os trabalhistas do Rio Grande não tinham conseguido um entendimento com o PSD local, que manteve a candidatura de Valter Jobim).[85] Uma multidão lotou o largo da prefeitura para ouvi-lo.[86]

"Quanto mais medito no silêncio e no recolhimento de minha paz interior, quanto mais balanço certos dados no arquivo de minha memória, mais se avoluma o sentimento de uma verdade que ressalta da trama dos acontecimentos", iniciou. "As causas remotas da campanha política que sofri, seus motores ocultos geram em mim uma convicção: a de que fui vítima dos agentes da finança internacional, que pretendem manter o nosso país na situação de simples colônia, exportadora de matérias-primas e compradora de mercadorias industrializadas no exterior."[87]

Para que não restassem dúvidas a respeito do diapasão pelo qual iria afinar sua fala dali por diante, Getúlio especificou:

"A velha democracia liberal e capitalista está em franco declínio porque tem seu fundamento na desigualdade. A ela pertencem vários partidos com o rótulo diferente e a mesma substância. Não é de se estranhar que venham a se reunir. São os expoentes da democracia burguesa, a velha democracia liberal que afirma a liberdade política e nega a igualdade social."[88]

E arrematou:

"Esta democracia é como uma velha árvore coberta de musgos e folhas secas. O povo um dia pode sacudi-la com o vendaval de sua cólera, para fazê-la reverdecer em nova primavera, cheia de flores e frutos. A outra é a democracia socialista, a democracia dos trabalhadores. A esta eu me filio."[89]

Em sua coluna no *Correio da Manhã*, Carlos Lacerda ironizou o fato de Getúlio ter passado a se definir como "socialista".

"Vargas afirma que medita no silêncio de sua 'paz interior'. E tem paz esse homem? Não lhe doem na consciência os homens que mandou matar, as vítimas de Filinto Müller? [...] Falar nas massas tornou-se um bom negócio? Pois Getúlio [...] falará nas 'massas'. O partido de Hitler chamava-se também Partido Operário Nacional Socialista."[90]

Para Lacerda, o ex-ditador dispunha de duas armas poderosas: "a ignorância e a miséria". Poderosas, mas não imbatíveis, ressalvou. "Quando todos houverem se acomodado e se arranjado, ainda o enfrentaremos, na rua, na urna, na tribuna, onde quer que apareça seu cortejo de pulgas amestradas. Disputaremos consciência por consciência, cidadão por cidadão, criatura por criatura. Faremos a luta do esclarecimento contra a confusão, da boa contra a má-fé."[91]

A guerra eleitoral, portanto, estava lançada. O ano de 1947, ao que tudo indicava, funcionaria como uma prévia do calendário sucessório de 1950 (quando seria escolhido o próximo presidente da República). O grupo político que saísse vitorioso na disputa pelos governos estaduais, estimava-se, partiria na frente, com larga vantagem sobre o adversário, na corrida para alcançar a verdadeira linha de chegada: o Palácio do Catete.

6. Um místico envia a Alzira supostas mensagens do Além: "Getúlio será arrasado e só depois levado de volta ao poder" (1946-7)

Getúlio saiu do plenário do Palácio Monroe, sede do Senado Federal, levado em triunfo nos braços do povo. O público presente às galerias invadiu o local reservado aos parlamentares e foi buscá-lo na tribuna, para carregá-lo nos ombros e postá-lo diante de uma das janelas que davam para os lados da Cinelândia. Lá embaixo, cerca de 3 mil pessoas gritavam seu nome, lançando chapéus para o alto. O grupo voltou a conduzi-lo em charola pelos salões, escadarias e corredores até a entrada principal do prédio. Do lado de fora, a multidão continuava a aclamá-lo.[1]

"O Senado teve ontem um dia de muito movimento e agitação. O discurso do sr. Getúlio Vargas atraíra considerável concorrência de amigos e partidários do ex-chefe de governo e também não pequeno número de curiosos; ficando repletas, transbordantes, as tribunas e galerias", noticiou *A Noite*.[2]

Toda aquela euforia tinha explicação. Getúlio Vargas, que evitara quaisquer pronunciamentos durante a Assembleia Nacional Constituinte, acabara de fazer o seu primeiro discurso, de quase três horas, como senador da República. Depois de esgotar o tempo regulamentar do expediente, utilizou cada um dos trinta minutos adicionais que lhe foram concedidos pelo presidente da Casa, Nereu Ramos — que também tinha sido eleito indiretamente pelo Congresso, após a promulgação da nova Constituição, vice-presidente da República. Nem assim

Getúlio conseguiu dar conta do calhamaço de mais de cinquenta páginas datilografadas que levara debaixo do braço. Depois de votada a ordem do dia, pediu novamente a palavra, para concluir a leitura do texto que na ocasião ele próprio definiu, sem nenhuma modéstia, como "um documento de nossa História".[3]

Enquanto lia a papelada, Getúlio ignorou olimpicamente a maioria dos apartes, não permitindo que ninguém o interrompesse. Seguiu adiante, dando sequência ao discurso, sem se preocupar em responder aos adversários. Com a voz inalterada, apenas pediu aos taquígrafos que tomassem nota de todas as interferências. Ao final, caso houvesse tempo, as responderia, em bloco. Porém, de antemão, pelo adiantado da hora, já se sabia que aquilo não seria possível. A data, 13 de dezembro de 1946, não fora escolhida aleatoriamente. Como era a última sessão do ano, os udenistas não poderiam confrontá-lo nos dias posteriores. Getúlio teria a palavra final, pelo menos durante aquela convocação. Desde o dia 4 vinha frequentando as sessões no Monroe, mas esperara o instante exato para se fazer ouvir.[4]

"Não aceitar o debate é atitude muito cômoda, sobretudo quando o discurso vem escrito", protestou o senador Hamilton Nogueira (UDN-DF).[5]

Getúlio fez de conta que não ouviu o oponente — não se dando sequer ao trabalho de levantar os olhos do papel. O público, em sua maioria favorável ao orador, reagiu com uma explosão de hilaridade.

"As galerias não podem se pronunciar", avisou Nereu Ramos, fazendo soar a campainha.[6]

Um dia antes, Getúlio anunciara à imprensa que iria fazer a prestação de contas de seus quinze anos de governo. Ainda em São Borja, começara a reunir material para aquele momento de desforra. Mobilizara antigos auxiliares, consultara documentos de seu arquivo pessoal e requisitara relatórios oficiais ao Instituto Brasileiro de Geografia e Estatística (IBGE) — órgão fundado por ele próprio, em 1934, com o nome de Instituto Nacional de Estatística (INE). No discurso, tentou justificar as atitudes de força tomadas pela ditadura e, em seguida, deteve-se a fazer um inventário das conquistas econômicas obtidas no período. Atribuiu aos militares a responsabilidade pelo golpe do Estado Novo em 1937, embora dissesse não ter "fugido ao dever histórico" de, como ditador, manter o Brasil imune aos extremismos de esquerda e de direita, neutralizando comunistas e integralistas.

"Era indispensável enfrentar, com um governo forte, todas as interferências internacionais que nos lançavam a uma guerra civil. [...] Eu sabia qual o destino das nações fracas e confiantes. Precisava agir antes que fosse demasiado tarde", alegou.[7]

Derramou-se em elogios ao ex-presidente norte-americano Roosevelt, de quem afirmava ter sido amigo próximo e admirador sincero, e rememorou os riscos envolvidos quando abandonou a política de neutralidade para romper relações diplomáticas com a Alemanha de Hitler. Contou das pressões que recebera ao determinar que o embaixador nazista, Karl von Ritter, fosse declarado persona non grata no Brasil, e explicou como concedera as bases militares no litoral nordestino aos Estados Unidos, em troca de Volta Redonda e em nome da manutenção da unidade continental.

"Não dispunha de outras forças materiais além das que minha inteligência me oferecia e, às vezes, tinha que recorrer à astúcia", gabou-se.[8]

Porém Getúlio reservou a maior parte das páginas de seu discurso para fazer o elogio da política econômica intervencionista implementada pela ditadura, o que representava uma crítica direta ao liberalismo de Dutra. Enfileirou números oficiais para sustentar que, graças à ação de seu governo, a produção de matérias-primas e a produção industrial teriam triplicado de volume no país. A construção civil recebera grande impulso "por meio de grandiosas obras públicas". O café deixara de ser o único item da pauta de exportações. Implementara-se o programa do álcool combustível, reduzindo-se a dependência externa de petróleo e incentivando-se a produção nacional de cana-de-açúcar. De 113 mil quilômetros de estradas em 1930, o Brasil passara a ter 250 mil ao final de 1945. O salário médio dos trabalhadores quadruplicara no mesmo período.[9]

"Mas o dia de ontem foi passado; olhemos para o futuro confiantes no Brasil", concluiu Getúlio. "Somos hoje a maior nação latina da humanidade. Temos uma tradição preciosa a defender. [...] Temos um glorioso destino a cumprir."[10]

As galerias o aplaudiram de pé. Tão logo pressentiu a invasão do plenário, Nereu suspendeu a sessão e exigiu que os seguranças entrassem em ação e as torrinhas fossem evacuadas. Não foi preciso. Antes disso, elas se esvaziaram por conta própria. Depois de Getúlio ser conduzido para fora nos ombros do público, não ficou praticamente ninguém para assistir ao encerramento dos trabalhos. Os brados impediram que os senadores que haviam permanecido conseguissem escutar uns aos outros.[11]

"Essas expansões são um desrespeito ao Senado brasileiro", protestou Nereu

Ramos, indo até a porta da sala e chegando a sair ao corredor para pedir silêncio aos manifestantes.[12]

O pito foi em vão. O clamor só aumentou. Em poucos minutos, o vozerio ultrapassou os limites do Monroe e se expandiu por toda a região da Cinelândia. Quando Getúlio chegou lá fora, a multidão o saudou cantando o Hino Nacional.[13]

Foram apenas oito dias de engajamento na campanha, mas com direito a escalas em seis capitais brasileiras. Entusiasmado com o respaldo popular que obtivera na última sessão do ano no Senado, Getúlio iniciou uma exaustiva agenda de viagens políticas pelo país.

Em 6 de janeiro de 1947, segunda-feira, participou de um grande comício em Belo Horizonte, em apoio à candidatura do pessedista José Francisco Bias Fortes, que concorria ao governo mineiro em coligação com o PTB. Depois tomou um trem e, na quarta-feira, 8, estava no palanque armado na praia do Russell, no Rio de Janeiro, pedindo votos para os candidatos proporcionais do Partido Trabalhista Brasileiro — sintomaticamente, não citou o nome de Edmundo de Macedo Soares, que se impusera à disputa em detrimento da vontade de Ernani do Amaral Peixoto e concorria ao governo amparado por um coligação eclética, entre PSD, PTB e UDN. No sábado, 11, após embarcar no Aeroporto Santos Dumont, Getúlio discursou, em João Pessoa, ao lado do candidato Osvaldo Trigueiro, que, apesar de filiado à UDN, se comprometera a executar o ideário trabalhista caso chegasse ao governo paraibano.

No domingo, 12, Getúlio desembarcava em Fortaleza para apoiar a candidatura do general Onofre Muniz Gomes de Lima (pela coligação PSD-PTB) ao Palácio da Luz, então sede do Executivo cearense. No mesmo dia, voou para o Recife, a tempo de prestigiar o comício do jornalista Barbosa Lima Sobrinho, que concorria também por uma aliança entre pessedistas e petebistas ao governo pernambucano. Na segunda-feira, 13, encerrou a maratona de campanhas por Salvador, no palanque de Antônio Garcia de Medeiros Neto, do PTB, adversário do udenista Otávio Mangabeira na disputa para o cargo de governador da Bahia.

"Precisamos colocar as empresas de serviços públicos a serviço do povo", discursava Getúlio, país afora. "Não podemos permitir que o povo seja apenas a fonte de receita garantida para os seus exploradores, que contam com todos os benefícios do monopólio."[14]

Assis Chateaubriand, em sua coluna publicada nos jornais dos Diários Associados, contestou:

"Ora, o sr. Getúlio Vargas ocupou as funções de governo e já teve enfeixados em suas mãos todos os poderes que um homem poderia ambicionar nesse país. As Lights do Rio e São Paulo, como de outros estados, são simples mandatárias do poder público, fiscalizadas diretamente pelo governo, com tarifas discutidas e aprovadas por agentes estatais", observou Chatô. "Quem impediu então o sr. Getúlio Vargas de pôr essas companhias em seu lugar? Se elas hoje ainda exploram as massas, só um homem é responsável por tamanho crime: o sr. Getúlio Vargas, que não teve durante catorze anos nem um Congresso a lhe contrariar as vontades e, nos últimos oito anos de governo, nem um só jornal a lhe criticar as decisões de governante."[15]

Para surpresa de muitos e dele próprio, os esforços de Getúlio como cabo eleitoral itinerante não produziram os efeitos imaginados. Bias Fortes perdeu em Minas Gerais para Milton Campos, da UDN, apoiado por Dutra. No Ceará, o general Gomes de Lima foi derrotado por Faustino Albuquerque, também udenista. Na Bahia, Medeiros Neto não teve maiores chances diante de Mangabeira, um dos expoentes da União Democrática Nacional que concorreu com um amplo leque de apoios, incluindo os comunistas. Em Pernambuco, Barbosa Lima Sobrinho ganhou nas urnas por apertados 845 sufrágios. No entanto, só assumiria o governo dali a um ano, após tormentosa batalha judicial, uma vez que a UDN entrou com seguidos recursos pedindo impugnações de urnas e recontagem de votos. Os reveses nesses quatro estados se somaram ao fracasso da candidatura de Alberto Pasqualini no Rio Grande do Sul, batido na disputa pelo pessedista Valter Jobim.

No cômputo geral, o PTB, que explorara ao máximo a imagem de Getúlio durante as campanhas estaduais, não conseguira fazer um único governador do próprio partido, embora tivesse participado, como coadjuvante, de quatro coligações vitoriosas. Enquanto isso, o PSD fizera doze, e a UDN, sete governadores. Em todo o país, os trabalhistas elegeram 85 deputados estaduais, contra 354 do PSD e 241 da UDN. Quando muito, o PTB podia comemorar o aumento na representação proporcional em alguns estados da federação, particularmente no Rio Grande do Sul, onde fizera a maioria da Assembleia Legislativa e elegera para o Senado um ex-ministro de Getúlio, Joaquim Pedro Salgado Filho. No Distrito Federal, conquistara a segunda maior bancada, com nove vereadores (o mesmo número obtido pela UDN, mas a metade dos eleitos pelo Partido Comunista, que elegeu, sozinho, dezoito candidatos).[16]

A grande surpresa — e uma das derrotas mais simbólicas para Getúlio naquele início de 1947 — ocorrera no maior colégio eleitoral do país, São Paulo, justamente por onde ele fora eleito senador apenas dois anos antes. Ademar de Barros, interventor cassado durante o Estado Novo após sucumbir a uma avalanche de denúncias de corrupção, ressuscitara para a vida pública ao ser eleito governador do estado, pelo Partido Social Progressista (PSP), obtendo 393 mil votos, contra 340 mil conferidos ao adversário, Hugo Borghi. A campanha em São Paulo tivera lances rocambolescos que envolveram desde o apoio inusitado dos comunistas a Ademar até o pedido de cancelamento ao TSE, pela própria executiva nacional do PTB, do registro da candidatura de Borghi, que se lançara à disputa sem consultar a cúpula do partido.

À última hora, sem poder contar com a legenda petebista, Hugo Borghi saíra candidato pelo nanico Partido Trabalhista Nacional (PTN). Apesar disso, Getúlio chegara a ir a São Paulo em 16 de janeiro, quando faltavam apenas três dias para a data do pleito, e pedira votos para Borghi, em um palanque armado no vale do Anhangabaú. Antes, como garantia, exigira do candidato uma declaração escrita de próprio punho na qual ele aceitava se submeter à orientação política da executiva do PTB dali por diante e firmava o compromisso de, caso eleito governador paulista, cerrar fileiras na oposição a Dutra.[17]

"Essas eleições podem acabar sendo de fato o Waterloo do sr. Getúlio Vargas, que saiu do retiro de São Borja com fumaças de Napoleão quando escapou da ilha de Elba. Basta, para tanto, que perca o sr. Pasqualini, no Rio Grande do Sul, e o sr. Borghi seja derrotado em São Paulo", pressagiara o *Correio da Manhã*, um dia antes do início da contagem dos votos.[18]

"O sr. Getúlio Vargas entra a enxergar que o 'Ele disse' é uma sobrevivência, um anacronismo. [...] Sua palavra perde alento à medida que o resultado das urnas vem desmentindo a sua prosápia", comentou ainda o jornal, quando as primeiras zonas eleitorais começaram a ser apuradas em todo o país. "Derrotado em Minas, em Pernambuco, na Bahia, em São Paulo e no Rio Grande do Sul, o sr. Getúlio será quase automaticamente excluído do jogo político. [...] Talvez, afinal, se convença de que seus dias estão findos, e o desespero de não poder galgar de novo o poder o levará, quem sabe, ao recolhimento definitivo."[19]

* * *

O movimento de automóveis na pequena via, assim como o entra e sai de pessoas no portãozinho de ferro diante do sobrado de número 295 da rua Professor Gabizo — a cerca de quinhentos metros de onde estava por ser lançada a pedra fundamental do estádio do Maracanã —, denunciava que aquela não era apenas mais uma pacata residência suburbana, como tantas na Tijuca. Não havia letreiros na fachada nem outros sinais de identificação. Mas ali funcionava a Occulta Universitas, sociedade que se definia como uma "Organização espiritualista para a preparação do Terceiro Milênio e divulgação dos princípios da Era Aquariana".[20]

O líder dessa misteriosa confraria era um médium ítalo-brasileiro que atendia pelo nome de Menotti Carnicelli. Ao combinar em seus rituais elementos da maçonaria, do espiritismo, da umbanda e de correntes esotéricas menos conhecidas, Carnicelli dizia incorporar uma entidade mística chamada Anael. O modesto local, cenário das reuniões do grupo, era denominado pelos frequentadores de Templo. E o principal destinatário das alegadas mensagens de Anael ao mundo terreno — "psicografadas" pelo próprio Carnicelli — era Getúlio.[21]

"O homem que se chama na terra Getúlio Vargas é um espírito de luz, que tem uma missão a cumprir no Brasil. Já foi em outras encarnações Confu-Tsé, Arquimedes e Demóstenes", dizia uma dessas mensagens hipoteticamente ditadas do Além. "Sua alma gêmea é João Evangelista, isto é, sua polaridade positiva, pois todos nós possuímos duas polaridades, a negativa e a positiva. A alma é imortal e disso daremos provas. A dúvida é o começo da fé."[22]

Na assinatura das mensagens, o "A" de Anael era cabalisticamente representado na forma de uma estrela, e do "L" final saía uma linha circular, que dava três voltas em torno do nome e terminava em uma seta, apontando para cima. Entre os decantados poderes sobrenaturais de Carnicelli, estaria o de conseguir prever o futuro.

A queda de G.V. do poder estava prevista e devia acontecer, era o seu Carma. A humilhação e o sofrimento por que passou eram necessários para que a impulsão de sua nova ascensão fosse maior. Sua queda agiu como uma catapulta, para arremessá-lo ainda mais alto. G.V. soube cair, com dignidade e nobreza, mas sua capacidade de perdoar e esquecer os agravos deve se tornar ainda maior, porque aqueles que hoje o apupam o aplaudirão amanhã, e muitos daqueles que são seus partidários agora depois se voltarão contra ele. Mas isso não o deve preocupar, porque o mal também é necessário para salientar o bem. Anael estará sempre presente para ajudá-lo.[23]

A intermediária entre Getúlio e Menotti Carnicelli era Alzira. Desde o ano anterior, nas cartas remetidas a São Borja, ela mantinha o pai informado de todos os "recados" e "vibrações" recebidos pelo guru da Tijuca, citado na correspondência familiar sempre pelo codinome de "Professor".

"O Professor pediu para se avistar comigo amanhã", escreveu Alzira, em certa ocasião. "Também tenho, como tu, meditado muito sobre os porquês de certas coisas. Em vão busco uma resposta terrena e vou sempre cair no Astral. [...] É por isso que me vejo novamente lançada no Carma, como diz enfaticamente o Professor", ela comentara, de outra feita. "Minha atitude em relação às revelações dele continuam na mesma expectativa; não duvido, mas também não posso dizer que creio."[24]

Pelo sim, pelo não, os recados do misterioso conselheiro eram repassados, na íntegra, a Getúlio. Em seu arquivo particular, ficaram dezenas de páginas atribuídas por Carnicelli a Anael. Pelo que afirmavam as previsões, um acontecimento de grande monta — também referido por Alzira apenas em código, como "o Baile" — provocaria uma inesperada reviravolta no cenário político nacional e restauraria ao poder, "por meio de força avassaladora", o presidente deposto. Assim estava escrito, teria testemunhado o Professor.

"Esta dúvida me espicaça e atormenta. Se é verdade, estou agindo bem; se é pilhéria, estou bancando a maluca", escreveu Alzira ao pai.[25]

Segundo Carnicelli, a derrota eleitoral de Getúlio naquele início de 1947 teria "um significado cósmico". Segundo consta, uma semana depois do pleito, em uma das sessões do Templo, Anael se manifestara mais uma vez e mandara uma mensagem ao ex-presidente, que ainda estava abalado pelo insucesso nas urnas:

"Anael disse e confirma sempre: Getúlio será arrasado e somente depois será levado ao poder por consagração nacional. Tal fato constituirá página inédita na história continental."[26]

Os discípulos de Carnicelli formavam uma audiência eclética. Havia desde médicos, dentistas, advogados, arquitetos, industriais, professores, comerciantes, funcionários públicos, bancários, contadores e estudantes a empregadas domésticas, operários, balconistas, comerciários, zeladores e soldados do Exército. Em um dos documentos da Occulta Universitas, é possível identificar, entre outras tantas, a assinatura da atriz de teatro e cinema Conchita de Moraes, cubana radicada no Brasil que atuou em diversos filmes da época, como *Bonequinha de seda* (1936), de Oduvaldo Viana, um clássico da filmografia nacional.[27]

Os escritos que Menotti Carnicelli enviava a Getúlio eram, na maioria das vezes, datilografados e continham trechos enigmáticos, de difícil compreensão. Em outras passagens, assumiam um tom imperativo e grandiloquente, com letras maiúsculas:

ANAEL é uma Era. As palavras que traz serão compreendidas unicamente pelos Eleitos. ANAEL não fala. ANAEL age. As palavras de ANAEL, quando se apresentarem como o ABSURDO na Terra, constituem a LÓGICA do Alto. E o Alto determinou sempre a Marcha das Civilizações. É este Determinismo Histórico que devemos aceitar: o Determinismo resultante de uma Lei mais alta: A Lei da Causa e Efeito.

Cada povo tem exclusivamente aquilo que merece. O Brasil, em virtude deste determinismo, passará a merecer mais.

Desligue-se, portanto, dos VELHOS MÉTODOS. E, sobretudo, dos VELHOS HOMENS. Seu futuro governo será composto de HOMENS REALMENTE NOVOS.

ANAEL, como prepara a CONSCIÊNCIA, está preparando a CONSCIÊNCIA de outros seres agora anônimos, MAS QUE APARECERÃO NO MOMENTO OPORTUNO AO SEU REDOR. [...]

O segredo é este: O POVO QUER GETÚLIO, NÃO OS ANTIGOS SATÉLITES DE GETÚLIO.

Desperte para despertar. Coloque-se acima das realizações imediatas. VISE UNICAMENTE O FUTURO. Sinta-se nos demais para afirmar-se cada vez mais.

Viva a massa para poder compreendê-la e representá-la no MUNDO DE AMANHÃ. [...]

Então, compreenda: COLOQUE-SE SÓ, NO CAMPO DE LUTA. ABANDONE GREGÁRIOS INFIÉIS QUE DESEJAM APROVEITAR SEU NOME PARA A OPORTUNIDADE IMEDIATA.

NADA DE POLÍTICA. Vá ao encontro da massa espontaneamente. AÇÃO IMEDIATA. Para não se desiludir do povo que o aguarda, é necessário ser povo. E para sê-lo, é necessário senti-lo: FRAGMENTE-SE NO POVO, MAS CONCENTRE O POVO EM SI.[28]

Menotti Carnicelli chegou a remeter a Getúlio uma lista de ordens e providências que, segundo o médium, também teriam sido ditadas por Anael para que fossem cumpridas sem maiores discussões. De acordo com tais orientações, não haveria eleição presidencial em 1950, pois um grande movimento popular desencadearia uma greve geral no país, paralisando a sociedade e derrubando todas as autoridades, abrindo caminho para que Getúlio fosse reempossado na presidência da República por aclamação popular. As recomendações sugeriam que "todos os capitalistas do Brasil beneficiados pelo Estado Novo" fossem procurados e convencidos a patrocinar o movimento. As classes armadas também deveriam ser preparadas, para que chegada a hora crítica pressionassem o governo federal a ceder às reivindicações dos manifestantes.[29]

"O movimento deverá deflagrar nos estados mais importantes, depois de uma ordem expedida do Rio a todos os núcleos", detalhava um dos itens da mensagem entregue a Getúlio. "O novo governo será obra do átimo. Tudo deve ser feito assim. Do contrário, até o exílio não poderá ser evitado." Carnicelli chegou a dizer que Anael, na prenunciada volta de Getúlio Vargas ao poder, teria instruções pontuais para serem postas em prática na futura condução política e administrativa do país: "No governo da Nova Era a ser iniciado no Brasil, deverá ser aumentado o número de ministérios existentes, pois os atuais são insuficientes. Anael dirá oportunamente quantos e quais deverão ser criados e também os nomes daqueles que os deverão ocupar".[30]

Embora Getúlio não pareça ter levado essas recomendações a sério, Alzira continuou mantendo contatos com o médium, frequentando o Templo e repassando suas "mensagens astrais" ao pai. No final de março, Carnicelli enviou mais uma delas, afirmando que o desfecho final, profetizado por Anael, ocorreria muito em breve, em questão de dias.

"Todas as linhas das Forças Ocultas marcham agora para o cruzamento definitivo", argumentou. "Prossiga devagar, como a tartaruga, sempre couraçado contra todos os ataques do exterior. Tudo será resolvido em breve. Muito em breve."[31]

O mês acabou sem que ninguém tivesse notícia do "Baile", embora Menotti Carnicelli continuasse afirmando que as previsões de Anael poderiam tardar, mas jamais falhariam. Dali a algum tempo, o mesmo Carnicelli passaria a afirmar que caberia a Getúlio um destino ainda maior do que simplesmente voltar a ser o presidente do Brasil.

"Anael quer que você prepare seu espírito para uma viagem à Argentina, em visita ao seu primo — Perón."[32]

Ao estabelecer um "parentesco" político entre Getúlio Vargas e o então presidente argentino, Juan Domingo Perón, Carnicelli chamava a atenção para as coincidências entre as trajetórias de um e outro. Em 1943, Perón participara do movimento militar pela derrubada de Ramón Castillo e se tornara secretário do Trabalho e Segurança Social, produzindo a partir daí uma vasta legislação a favor das classes trabalhadoras. No ano seguinte, fora alçado ao cargo de vice-presidente da Argentina, mas em outubro de 1945 se vira forçado a renunciar por pressão de setores das Forças Armadas. Chegara a ser preso por quatro dias, até que um gigantesco movimento popular — coordenado por líderes sindicais e por sua amante, Eva Duarte, a Evita — exigira sua libertação. Perón saíra da cadeia já como candidato a presidente da República, vencendo as eleições em 1946 com significativa votação.

Segundo Carnicelli, Anael teria previsto uma grande conjunção de forças entre Getúlio e Perón. Unidos, os dois estariam destinados a estabelecer uma aliança continental que viria a ser batizada, de acordo com o místico, de Confederação Estável Sul-Americana.

"Anael quer que você esteja na Argentina, comendo *puchero* com Perón e articulando sua volta."[33]

Em vez de ir a Buenos Aires, Getúlio rumou para Petrópolis, onde foi aliviar as decepções pelos resultados eleitorais de janeiro. Enquanto isso, Menotti Carnicelli seguiu abastecendo Alzira de "mensagens do Além" e fazendo previsões sobre uma futura união continental entre Brasil e Argentina.

O líder da Occulta Universitas é um personagem obscuro, nunca citado em livros brasileiros — históricos ou biográficos — sobre Vargas. Na Argentina, contudo, historiadores e biógrafos de Perón registram o nome de Menotti Carnicelli como sendo ninguém menos do que o mestre espiritual de José López Rega — *El Brujo*, o todo-poderoso ministro peronista, misto de conselheiro esotérico e articulador político, responsável mais tarde pela criação da Triple A, grupo paramilitar e terrorista dedicado a exterminar artistas, intelectuais, sindicalistas, estudantes e políticos de esquerda. Estima-se que a Triple A — Alianza Anticomunista Argentina — tenha assassinado cerca de setecentas pessoas. Entre seus métodos de atuação constavam o sequestro, o estupro de mulheres e a detonação de explosivos sobre o corpo das vítimas.

Raúl Damonte Taborda, jornalista e político portenho que fez parte do círculo íntimo de Perón, publicou no exílio, no Uruguai, em 1955, após romper com o peronismo, um livro que circularia clandestinamente na Argentina e no qual era relatada uma série de cinco encontros sucessivos entre Carnicelli e Perón. De acordo com Taborda, o médium brasileiro foi convidado a ir a Buenos Aires pelo líder argentino, que teve curiosidade de conhecê-lo e o instalou no Hotel Nagaró, a poucas quadras da Casa Rosada. Carnicelli teria realizado então sessões mediúnicas em pleno gabinete presidencial.

> Enquanto ministros, generais e apoiadores aguardavam do lado de fora, Menotti Carnicelli "caía em transe", sem fechar os olhos de seu rosto moreno e feições nobres, destacadas ainda mais pela cabeleira branca. Sentava rigidamente na cadeira, depois de fumar até seis charutos cubanos, um atrás do outro. Perón enxugava o suor abundante que corria pelo rosto do "médium", que então ia respondendo ao bombardeio de perguntas que o ditador formulava.[34]

Com lápis e papel na mão, Perón indagava a Carnicelli sobre os mais variados assuntos, anotando as respostas minuciosamente. Perguntava, por exemplo, se Evita lhe era fiel, se ele próprio viveria muitos anos, se conseguiria executar seus planos de poder e, sobretudo, se determinados ministros e auxiliares seriam confiáveis e leais.

"Muitos líderes peronistas, desaparecidos ou assassinados de uma hora para outra, nunca souberam que sua sentença de vida e morte foi selada nessas sessões de 'espiritismo'."[35]

Um dos grandes vitoriosos das eleições de janeiro foi o antigetulista Carlos Lacerda. Indignado pelo fato de a UDN ter acolhido os cargos ministeriais oferecidos por Dutra e passado a compor a base aliada do governo, Lacerda organizara, meses antes, o Movimento Renovador da União Democrática Nacional. A novidade atraíra a simpatia de uma inusitada composição de forças, que abarcava desde a chamada Resistência Democrática (em que pontilhavam lideranças liberais a exemplo do advogado Sobral Pinto) até um pequeno grupo de trotskistas articulado pelos jornalistas Mário Pedrosa e Edmundo Muniz, passando ainda pela adesão de pensadores conservadores católicos como Alceu Amoroso Lima e Gustavo Corção. Dessa conjunção heterogênea de tendências nascera a ideia da candidatura de Lacerda a vereador, lançada como alternativa às opções disponíveis ao eleitorado do Distrito Federal.[36]

A campanha de Carlos Lacerda pelo Movimento Renovador da UDN foi arrasadora. Os comícios nos quais esteve presente atraíram gigantescas multidões. Um palanque itinerante, o "Caminhão do Povo", percorreu os bairros da cidade, chegando a zonas eleitorais populosas, mas que de tão distantes nenhum adversário fazia empenho de visitar. Deflagrou-se ainda outro tipo de contato corpo a corpo com as comunidades, por meio do "comício em casa", quando cabos eleitorais e correligionários convidavam vizinhos, parentes e amigos para palestras com o candidato a vereador, que ao final abria a conversa para uma sessão de perguntas e respostas.[37]

Mais tarde, em suas memórias, Lacerda recordaria os artifícios de que já começava a lançar mão para magnetizar grandes plateias:

> Se o público está olhando para o outro lado, você fala uma coisa que faz todo mundo rir, e todos se voltam e riem. E nesse momento você aproveita e diz a coisa séria. Ou quando o público é sério demais, você o faz rir. Enfim, isso faz parte de uma qualidade histriônica, vamos dizer, um pouco circense.[38]

Às vésperas da eleição, Carlos Lacerda desfilou em carro aberto pelas ruas do Rio, confirmando a enorme popularidade. O resultado das urnas foi massacrante para os adversários. Lacerda obteve 34 mil votos, contra os cerca de 13 mil do segundo colocado, Benedito Mergulhão, do PR, e os 10 mil do terceiro, Pedro de Carvalho Braga, do PCB. Considerados apenas os candidatos da UDN, obteve cerca de seis vezes mais sufrágios do que o segundo nome mais votado da legenda, o do radialista, locutor esportivo e compositor Ary Barroso, autor do samba-exaltação "Aquarela do Brasil" e apresentador do popularíssimo *Calouros em Desfile*, na Rádio Tupi.[39]

Lacerda, contudo, quase não conseguiria tomar posse. Um representante do Ministério da Guerra lhe telefonou para informar que estaria oficialmente impossibilitado de assumir a cadeira na Câmara Municipal por ser considerado, para todos os efeitos, um desertor do Exército. Em novembro de 1935, aos 21 anos — e nessa época ainda comunista —, ele fora convocado pelo 2º Batalhão de Infantaria, em Niterói, para reforçar as tropas legalistas contra o movimento militar revolucionário deflagrado por Prestes naquele ano. Lacerda decidira não se apresentar e, por isso, tivera invalidada sua carteira de reservista, documento exigido para a diplomação dos eleitos. Precisou então, aos 32 anos de idade, comparecer a um posto de recrutamento e, como se fosse um rapazote, jurar a bandeira, cumprindo os protocolos legais para se diplomar vereador.[40]

Uma das primeiras ações de Carlos Lacerda no exercício do cargo foi propor a mudança do nome da avenida Presidente Vargas para avenida Castro Alves — sugestão derrotada em plenário. Mas seu mandato ficaria realmente marcado pela oposição acirrada ao prefeito do Distrito Federal, o general de divisão Ângelo Mendes de Morais, nomeado por Dutra. O projeto de construção do Maracanã — destinado a ser o palco principal da Copa do Mundo a ser realizada no Brasil dali a três anos, em 1950 — foi um dos alvos prediletos do vereador estreante.

Carlos Lacerda questionou o custo previsto para as obras do estádio (400 milhões de cruzeiros, cerca de meio bilhão de reais) e, por esse motivo, foi qualificado pelo colega Ary Barroso de "inimigo do esporte brasileiro". Para se defender da acusação, propôs um projeto alternativo ao Maracanã: a instalação de um complexo desportivo na área da lagoa de Jacarepaguá, onde os terrenos eram bem menos valorizados. Com metade do dinheiro orçado para a Copa, argumentou, o Brasil poderia construir uma moderna vila olímpica na qual a urbanização da lagoa possibilitaria a realização de competições aquáticas e abriria novas possibilidades para o esporte nacional. Contudo, terminou voto vencido.[41]

Ele também fez bastante barulho quando denunciou a aprovação de um projeto que criava cem novos empregos na Câmara, a serem preenchidos com guardas de segurança, assistentes e assessores para o secretariado da casa. Quando tentaram silenciá-lo oferecendo-lhe a oportunidade de preencher alguns desses cargos com parentes, amigos ou afilhados políticos, Lacerda levou o assunto para a coluna de jornal e lamentou que até mesmo correligionários houvessem votado a favor da medida.[42]

"Nem a própria UDN escapa. A carne é fraca, e quando todos em redor se põem a aproveitar, também ela ou uma parte dela cede à tentação do emprego e do pistolão."[43]

A comissão executiva do partido o puniu com uma suspensão de trinta dias, por ter exposto na imprensa uma questão que, no entender do comando da agremiação, deveria ter sido tratada de maneira interna e sem alarde.[44]

"Senhora comissão, senhora minha", revidou Lacerda, em ofício à direção da UDN. "Esqueceu-se a senhora de dizer desde e até quando fico privado da sua deliciosa companhia", ironizou. "Com qual moral a senhora [...] censura primeiro, para depois suspender, e ainda planejar a eliminação, dos quadros do partido, daqueles seus representantes que não concordam com a sujeira?"[45]

Atitudes de independência como aquela aumentavam o capital político de Lacerda e lhe conferiam uma aura de anjo vingador, fazendo-o conquistar a simpatia cada vez mais irrestrita de parcelas significativas da população carioca — sobretudo das classes médias, que se identificavam com o discurso do autodeclarado paladino da moralidade pública.

Dali a alguns meses, ele se viu em outra batalha com colegas de partido, quando a Câmara dos Deputados, com o voto favorável dos udenistas, aprovou uma nova Lei Orgânica para o Distrito Federal, retirando da Câmara de Vereadores — e transferindo para o Senado — a prerrogativa de aprovar ou recusar os vetos do prefeito. Em protesto, Carlos Lacerda simplesmente renunciou ao mandato — alegando que os vereadores tinham perdido todo o poder decisório. Transformou-se assim em um mártir político, o que só lhe ampliou a popularidade.[46]

"A UDN, de recuo em recuo, se entrega a uma falsa democracia", acusou.[47]

Dedicado novamente, em tempo integral, às lides jornalísticas, Carlos Lacerda continuou a atacar o prefeito do Rio, a quem passou a se referir como o "general Ângelo Mussolini de Moraes" — menção à suspeita de que os policiais do Distrito Federal torturavam e seviciavam prisioneiros políticos, mantendo a lógica repressiva e totalitária do Estado Novo.[48]

Certa noite, ao chegar à Rádio Mayrink Veiga, para apresentar mais um de seus programas diários, foi abordado por cinco indivíduos que o agrediram com socos e coronhadas, e tentaram arrastá-lo para dentro de um automóvel. Reagiu, mas foi violentamente espancado, até que seus gritos chamaram a atenção dos vizinhos e as luzes nas janelas do prédio ao lado começaram a se acender. Foi quando conseguiu se desvencilhar e correr para dentro da emissora. Os homens que o haviam surrado entraram no carro e abandonaram o local em alta velocidade.[49]

No dia seguinte, o jornalista compareceu à redação do *Correio da Manhã* com a cabeça enrolada por uma faixa de gaze, o olho roxo e o rosto coberto de hematomas. Uma testemunha havia anotado a placa do carro no qual fugiram os agressores. O veículo, segundo se apurou, pertencia à polícia do Distrito Federal.[50]

"Ninguém neste país pode mais ignorar que o general Mendes de Morais foi o mandante do atentado na porta da Mayrink Veiga", proclamou Carlos Lacerda.[51]

Em breve, nem mesmo o *Correio* conseguiria conviver com aquela "metralhadora giratória" — como o jornalista passou a ser apelidado pelos próprios colegas. À época, o país estava envolvido em uma grande controvérsia a respeito do petróleo. De um lado, situavam-se os liberais, defensores da participação do capital privado estrangeiro na exploração do produto. De outro, os partidários do monopólio estatal. O primeiro grupo argumentava que o Brasil, sozinho, não teria mão de obra qualificada, tecnologia de ponta e recursos suficientes para dar conta da grande empreitada. Assim, uma aliança com o capital externo, sobretudo oriundo de empresas norte-americanas, solidificaria os laços de colaboração entre os dois países e demarcaria uma posição clara naqueles tempos de Guerra Fria. O outro grupo postulava a necessidade estratégica de não se abrir mão do controle sobre o item mais valioso e cobiçado da economia mundial. Lacerda, é claro, não poderia deixar de ter uma posição definida sobre o assunto.

Em seus artigos do *Correio da Manhã*, era enfático ao defender a entrada do capital estrangeiro na exploração das jazidas e no refinamento do petróleo, dizendo-se absolutamente contrário aos "nacionalistas do bananismo". Em fevereiro de 1947, o presidente Dutra nomeou uma comissão para analisar o assunto à luz da nova Constituição, e disso surgiu o chamado "Estatuto do petróleo", anteprojeto que desagradou os dois lados em contenda — pois rejeitava o monopólio estatal, mas não favorecia totalmente os interesses das multinacionais, ao impor limites à abertura do mercado petrolífero.

O encaminhamento provocou uma grande reação nacionalista, consubstanciada na campanha "O petróleo é nosso" — frase historicamente atribuída a Getúlio e que teria sido pronunciada em 1939, quando da descoberta das primeiras reservas no estado da Bahia, ainda durante o Estado Novo. Surgiu então o Centro de Estudos e Defesa do Petróleo e da Economia Nacional (CEDPEN), presidido pelo general Júlio Caetano Horta Barbosa e articulado por militares, políticos, intelectuais e estudantes, todos em torno da mesma bandeira. A pressão da campanha nas ruas conseguiu paralisar a tramitação do "Estatuto do petróleo" no Congresso Nacional, o que obrigou o governo a renovar as concessões das empresas privadas nacionais de refino, fato que indignou Carlos Lacerda.

"Amplia-se cada vez mais a influência do bananismo, isto é, da gongórica, patriotiqueira, tonitruante e bestialógica liquidação do Brasil pelos que, à força de amá-lo, deixam-no morrer à míngua."[52]

Lacerda voltou sua mira para os dois grandes concessionários nacionais beneficiados com a obstrução do projeto do governo no Congresso: os grupos Soares Sampaio-Corrêa e Castro (Refinaria e Exploração de Petróleo União S/A) e

Drault Ernany-Eliezer Magalhães (Refinaria de Petróleo do Distrito Federal S/A), acusados pelo jornalista de serem "os mais notórios próceres da adulação e do engodo". Entretanto, Paulo Bittencourt, dono do *Correio da Manhã*, era amigo de infância da família Soares Sampaio, e por isso determinou que não fosse publicado no jornal mais nenhum artigo sobre o caso.

"Os Sampaio são meus amigos de juventude e não posso deixar sair no meu jornal uma paulada dessas neles", disse Bittencourt a Lacerda.

"Bom, então, paciência, eu saio", retrucou o jornalista.[53]

No dia seguinte, o *Correio* veiculou uma nota assinada por Paulo Bittencourt na qual eram explicados os detalhes da desavença e se comunicava aos leitores:

> Má notícia: Carlos Lacerda deixou de colaborar neste jornal. Que nos fará falta sua colaboração — ardente, pessoal, um pouco romântica e subjetiva, mas sempre corajosa e honesta — não há dúvida. [...] Determinei a suspensão do que me parecia uma série de artigos que feriam *pessoalmente*, que me pareciam prejudicar *pessoalmente* amigos meus, que eram descritos nas colunas do meu jornal de um modo inteiramente oposto ao juízo que eu, *pessoalmente*, faço deles. Justo? Injusto? Não sei e não importa. Carlos Lacerda magoou-se comigo e, dentro do seu ponto de vista, não lhe nego razão. Ele, porém, no meu lugar, faria o mesmo. Perdemos ambos, creio eu.[54]

Assis Chateaubriand parecia ter razão quando dizia aos seus repórteres e articulistas que se um jornalista quisesse ter opinião própria, então deveria montar o próprio jornal. Era o que Carlos Lacerda estava prestes a fazer.

Para Getúlio, particularmente, não seria uma boa-nova.

7. Ministro da Guerra denuncia complô de sargentos para depor Dutra e recolocar Getúlio no Catete (1947)

No dia 15 de abril de 1947, o terceiro-sargento Ubiratan Tamoio da Silva, 23 anos, da Escola de Artilharia da Vila Militar, no Rio de Janeiro, procurou o comandante de sua bateria, capitão Joaquim Antônio de Fontoura Rodrigues, para fazer uma grave denúncia. Segundo ele, um grupo de jovens sargentos, cabos e soldados daquela unidade estaria envolvido em um complô para derrubar Eurico Gaspar Dutra — e para reconduzir Getúlio Vargas à presidência da República.[1]

Ubiratan revelou ao capitão que vinha sendo assediado, havia vários dias, por um colega, o também terceiro-sargento Gilvan Esmeraldo Cartaxo, 25 anos, um "exaltado getulista". Por mais de uma vez, Gilvan o questionara sobre suas posições políticas. Fosse na hora do rancho, nos momentos de folga ou no dormitório, sempre quando estavam a sós, dirigia-lhe a mesma e insistente pergunta: "O que você acha do Getúlio?"[2]

Desconfiado, Ubiratan resolvera se dizer "queremista", para tentar descobrir possíveis segundas intenções na abordagem. Por isso, aceitara o convite que o colega lhe fizera para ir até o apartamento do ex-presidente, no Flamengo. Gilvan garantira ter estado lá em outras ocasiões, sendo sempre muito bem recebido pelo dono da casa. Ubiratan achara estranho que um homem ilustre como Getúlio Vargas se dispusesse a aceitar a visita de um simples sargento. Mas tinha decidido seguir investigando a história, que lhe parecera muito suspeita.[3]

Já era fim de tarde quando os sargentos Ubiratan e Gilvan tomaram um ônibus em direção ao morro da Viúva. Saltaram na praia de Botafogo e caminharam alguns metros até o Edifício Uruguai, onde morava Getúlio. O porteiro os autorizou a subir ao décimo andar pelo elevador social. Ao abrir-lhes a porta, um homem negro, de mais de dois metros de altura, de paletó de linho branco, se apresentou como "segurança pessoal do presidente". Não só demonstrou conhecer Gilvan, como o tratou com especial deferência. Apesar da boa acolhida, informou-lhes que, infelizmente, não poderiam falar com o "dr. Getúlio" naquele dia, pois ele estaria em reunião reservada.[4]

O sargento Ubiratan já reavaliava suas desconfianças a respeito do caso quando o grandalhão sugeriu que os dois fossem até uma pensão familiar, a poucas quadras dali, onde morava "um secretário do dr. Getúlio". Ao dizer isso, tomou um pedaço de papel e rabiscou nele, com má caligrafia, um nome, um endereço e um número de telefone:

"Carlos Maciel. Rua Senador Vergueiro, 173. Fone: 25-3515."[5]

O "dr. Maciel", homem de confiança do "dr. Getúlio", estaria em condições de despachar sobre os assuntos que porventura desejassem tratar, observou o guarda-costas — que depois Ubiratan veio a saber se chamar Gregório Fortunato.[6]

Ubiratan acompanhou Gilvan até a rua Senador Vergueiro. Ali, teve confirmadas as expectativas de que haveria algo estranho no ar. Maciel os convidou para jantar e, à mesa, comentou que Dutra não demoraria muito tempo no poder. Insinuou que caberia a eles, sargentos, estabelecer contatos com soldados e oficiais subalternos de outras unidades militares para ampliar o raio de ação e garantir o apoio de um número suficiente de getulistas leais. Em vez de cortejar a cúpula dos quartéis, o ex-presidente pretendia contar, dali por diante, com a base da tropa, pois os generais e os oficiais superiores estariam acomodados à situação, mostrando-se pouco sensíveis às demandas populares.[7]

Entre uma garfada e outra, Gilvan passou às mãos de Maciel uma lista previamente elaborada, com o nome dos integrantes da Escola de Artilharia comprometidos com o getulismo. Ubiratan espichou o olho e identificou, de relance, a referência a pelo menos meia dúzia de amigos.[8]

Ao delatar a história ao capitão Joaquim Antônio de Fontoura Rodrigues, o sargento Ubiratan perguntou ao superior qual atitude deveria adotar dali por diante: continuar infiltrado na presumível conspiração ou afastar-se imediatamente de todos os envolvidos? Fontoura preferiu não decidir sozinho. Levou o caso ao comandante geral da Escola, capitão José Joel Marcos, que recomendou toda cautela possível. Mas orientou o sargento a prosseguir colhendo informações junto aos prováveis agitadores, até que obtivesse uma prova concreta de que havia um levante em gestação.[9]

Cerca de duas semanas depois, no dia 2 de maio, um dos sargentos cujo nome constava da lista de suspeitos — Pedro Ipiranga de Paula Costa, 24 anos — pressentiu o cheiro do perigo e, na esperança de se resguardar de represálias, decidiu contar "tudo o que sabia", por escrito, ao comandante. Redigiu um relatório detalhado no qual afirmou também ter sido convidado por Gilvan a fazer uma visita ao apartamento de Getúlio. Mas, ao contrário de Ubiratan, conheceu de perto o ex-presidente, que os recebeu na sala de casa, fumando um enorme charuto.[10]

"Quais são as suas aspirações, meu jovem?", teria lhe perguntado Getúlio, após soltar uma baforada cinza-azulada.

"Em primeiro lugar, coloco os sagrados interesses da pátria, e em segundo, os meus interesses particulares", ele respondera. "Mas acho que só derrubando o general Dutra as minhas aspirações podem ser alcançadas", brincou.

Getúlio não teria conseguido conter a gargalhada.

"Isso não vai demorar muito", dissera, ainda rindo. "Vocês, sargentos, são os futuros oficiais do Exército. E o Gilvan, um dia, ainda vai ser meu ajudante de ordens."[11]

De acordo com o relato de Pedro Ipiranga, Getúlio os aconselhara a não mais o visitar de uniforme militar, pois isso poderia chamar a atenção da polícia política, o que o deixaria em má situação. Quando Ipiranga disse que vinha de uma família pobre e por isso não teria dinheiro para comprar "roupas de paisano", o ex-presidente prometeu ajudá-lo. Dirigindo-se a Gilvan, recomendou que levasse o colega até seu secretário particular, Carlos Maciel. Este lhe pagaria um terno decente, confeccionado por um alfaiate amigo.[12]

Na sequência, o relatório narrava o consequente encontro de Ipiranga com Maciel, que tentara convencê-lo de que a campanha presidencial do brigadeiro Eduardo Gomes teria sido financiada com dinheiro dos Estados Unidos. Maciel também argumentara que os capitalistas norte-americanos jamais haviam se conformado com o acordo entre Roosevelt e Getúlio para a construção da usina de

Volta Redonda. Por isso, estariam tentando manipular Dutra para manter o Brasil como colônia do capital estrangeiro. Portanto, só a recondução de Getúlio ao Catete asseguraria a verdadeira independência nacional. Maciel ainda teria comentado que a Escola de Artilharia era a principal guarnição a ser ocupada no caso de uma revolta militar. Se houvesse uma boa articulação entre os canhões da Artilharia, os aviões do campo dos Afonsos e os veículos da Divisão Motomecanizada, estaria montada uma força praticamente imbatível, capaz de fazer e desfazer presidentes.[13]

O relatório de Ipiranga foi considerado pelo capitão Joel Marcos como uma prova objetiva de que a tese conspiratória era real. Embora não houvesse nenhum indício de que os sargentos da Escola de Artilharia estivessem articulados com quaisquer outros corpos militares, decidiu-se estrangular o suposto movimento "no seu nascedouro". O capitão remeteu a denúncia ao Ministério da Guerra, que por sua vez ordenou a abertura imediata de um Inquérito Policial-Militar (IPM) e a prisão preventiva de todos os suspeitos. Dez sargentos, três cabos e três soldados foram detidos para averiguação.[14]

No mesmo dia, o ministro da Guerra, Canrobert Pereira da Costa, se apressou em conceder uma entrevista à imprensa para informar ao país que o Exército desarticulara um golpe de Estado em andamento. O general não acusou Getúlio de estar diretamente envolvido no episódio, mas deu a entender que o objetivo do malogrado complô era derrubar Dutra e reinstaurar o Estado Novo. Canrobert também não explicou como uma dúzia de jovens sargentos e soldados rasos iria conseguir tomar o governo, mas a notícia provocou uma comoção no Senado, o que obrigou Getúlio a subir à tribuna para se defender.[15]

"Surgem insinuações, intrigas e receios de que eu esteja ameaçando ou cogitando ameaçar as instituições", protestou. "Para dirimir de uma vez para sempre essas dúvidas, declaro solenemente à nação que sou contrário a toda e qualquer agitação que venha perturbar a tranquilidade nacional. Sejam quais forem minhas divergências, sou pela defesa da ordem pública, das instituições e do governo legalmente constituído", disse. "Isto não me tolhe a liberdade de crítica nem significa solidariedade política. Mas representa a compreensão da necessidade nacional de paz e ordem."[16]

As palavras de Getúlio não bastaram para abrandar as suspeições. Muitos acreditavam que ele pretendia aproveitar um momento político particularmente crítico para o país — com greves explodindo a cada semana, acompanhadas de manifestações de rua contra a inflação — para tumultuar ainda mais o panorama, insuflando um motim de sargentos. Por esse raciocínio, a subversão hierárquica iria estabelecer a anarquia nos quartéis, minando a autoridade do general Dutra.

Durante os interrogatórios do IPM, a maioria dos detidos negou qualquer envolvimento em complôs para derrubar o governo. Três deles informaram apenas que Gilvan os havia levado ao mesmo alfaiate, dizendo que não se preocupassem com os custos da confecção da roupa, pois o secretário de Getúlio pagaria as despesas. Mas outros dois acusaram Gilvan de ter tentado obter, por meio deles, as chaves dos paióis de munição e de equipamentos bélicos da Escola.[17]

Ao ser ouvido no inquérito, o delator Ubiratan Tamoio da Silva acrescentou novos detalhes que ajudaram a incriminar de vez o colega Gilvan, apontado como coordenador do conjecturado levante. Ubiratan disse ter presenciado uma reunião subversiva nas dependências da Escola de Artilharia, mediada por Gilvan, com a presença de outros dois terceiros-sargentos (Jesus Maciel Taroco e Pedro Ipiranga de Paula Costa) e dois soldados (Miguel de Oliveira Chaves e Romualdo Guilherme Clemente). Durante a conversa, um dos participantes teria comentado que, quando Getúlio Vargas voltasse ao poder, todos eles seriam automaticamente promovidos a primeiro-sargento, por merecimento.[18] Ubiratan contou ainda ter feito com Gilvan uma nova visita à casa de Carlos Maciel. Dessa vez, acompanhados dos colegas Taroco e Ipiranga. Na ocasião, teriam discutido a quem caberia o "privilégio" de eliminar, durante a planejada revolta, o comandante da Escola de Artilharia. Nem Taroco nem Ipiranga, porém, confirmaram a história.[19]

Interrogado, o sargento Gilvan não viu problemas em assumir que era simpatizante de Vargas. Não confirmou, contudo, que estivesse liderando um levante contra Dutra. Conversara com Getúlio apenas em três ocasiões e se tornara eternamente grato ao ex-presidente desde que lhe endereçara uma carta, anos antes, solicitando auxílio para tratamento de sífilis — no que fora logo atendido. Não escondeu também que, se estivesse ao seu alcance, trabalharia para reconduzi-lo ao Palácio do Catete, embora ele próprio, Getúlio, jamais o houvesse autorizado a cometer atos inconsequentes em seu nome. De acordo com o depoimento de Gilvan, não haveria uma revolta em curso, mas apenas "ideias vagas", na sua cabeça, a esse respeito. Nunca coordenara reuniões subversivas. As conversas com os colegas eram abertas, feitas na própria Escola, à luz do dia, sem intenção conspiratória.[20]

De todo modo, o ministro Canrobert considerou o depoimento uma confissão de culpa e, na manhã de 29 de maio, deixou vazar para a imprensa as conclusões do encarregado do inquérito, major Aguinaldo de Oliveira de Almeida, que pedia a ratificação da prisão dos militares e também as detenções de Carlos Maciel e Gregório Fortunato, citados como interlocutores frequentes de Gilvan. O major sugeria ainda que, na fase posterior do processo, o ex-presidente Getúlio Vargas também deveria ser chamado a depor, para que ficasse devidamente apurada sua responsabilidade na história.[21]

Um repórter do *Globo* correu ao apartamento de Getúlio para saber o que ele tinha a dizer a respeito. O cenário que o jornalista encontrou no Edifício Uruguai em nada parecia um quartel-general conflagrado. O ex-presidente estava sozinho em casa, acompanhado apenas da copeira, que lhe servia o café, e de um datilógrafo que passava à máquina o texto final de um discurso que o senador pretendia ler no dia seguinte, a respeito da crise econômica do país.[22]

"Isso tudo é mera fantasia, não posso tomar conhecimento de tais boatos", declarou Getúlio.[23]

Apesar do desmentido, as edições vespertinas dos jornais cariocas abriram grandes manchetes para o caso. SENSAÇÃO NO INQUÉRITO DO MINISTÉRIO DA GUERRA — SERÁ OUVIDO O SR. GETÚLIO VARGAS SOBRE O COMPLÔ DA VILA MILITAR, estampou o *Diário da Noite* no alto da primeira página.[24] CONSPIRAÇÃO PARA REPOR O SR. GETÚLIO VARGAS NO PODER, noticiou *O Globo*, que no dia seguinte publicou uma charge na qual o senador gaúcho aparecia por trás da cortina do Palácio do Catete, de charuto aceso na boca e segurando uma bomba, pronta para ser arremessada contra Dutra.[25]

A despeito das fragilidades e das muitas lacunas do IPM, seis sargentos, um cabo e dois soldados foram expulsos do Exército, por decisão do comandante da 1ª Região Militar, general Euclides Zenóbio da Costa. Entre os punidos estavam Gilvan Esmeraldo, Pedro Ipiranga e Jesus Maciel Taroco. O sargento Ubiratan, autor da denúncia, foi inocentado. Outros sete praças receberam pena disciplinar de trinta dias de prisão.[26]

Dada por concluída a investigação militar, o inquérito foi remetido à Justiça civil, que decidiu não endossar o pedido de prisão de Carlos Maciel e Gregório Fortunato, por insuficiência de provas materiais. Pelo mesmo motivo, Getúlio não foi chamado a depor a respeito da "Pequena Intentona" — como a batizou o *Diário Carioca*.[27]

"A conspiração dos sargentos degenerou em pilhéria, em face dos documentos existentes no processo", escreveu José Soares Maciel Filho, primo de Carlos

Maciel, em carta a Getúlio. "O inquérito policial apresenta aspectos de verdadeiro ridículo quanto às acusações que foram feitas. A única referência que existe ao Gregório é que ele abriu a porta [aos sargentos]."[28]

O arquivo pessoal do ex-presidente revelava que ele e seus aliados pareciam muito mais empenhados em alijar o Partido Comunista do comando das organizações operárias — para estabelecer a hegemonia do PTB na área sindical — do que em fomentar motins nos quartéis. Nos meses anteriores, Maciel Filho, no papel de uma das cabeças do "triunvirato" varguista, começara a tramar nos bastidores pelo cancelamento do registro do PCB, legenda que naquele momento enfrentava uma batalha jurídica para se manter na legalidade, após as denúncias oferecidas por Barreto Pinto e por Himalaia Virgulino ao Tribunal Superior Eleitoral.[29]

O décimo terceiro parágrafo do artigo 141 da Constituição recém-promulgada afirmava que era "vedada a organização, o registro ou o funcionamento de qualquer partido político ou associação, cujo programa ou ação contrarie o regime democrático". Um decreto baixado por Dutra determinava também o cancelamento do registro de qualquer agremiação que recebesse "orientação política ou contribuição financeira do exterior". Com base nos dois dispositivos, o TSE acolhera as denúncias, argumentando que o programa do PCB adotava a orientação política da União Soviética, defendia a chamada "ditadura do proletariado" e, segundo as acusações, seria financiado por Moscou.[30]

Enquanto o TSE se preparava para julgar a procedência das denúncias — fortemente pressionado pelos militares que apoiavam o fechamento da agremiação —, a opinião pública se encontrava dividida. Até mesmo os udenistas mais empedernidos defendiam a manutenção do registro legal do PCB, sob o argumento de que o fechamento de partidos políticos seria uma prática incompatível com o processo de reconstrução democrática do país.

"Não defendo o Partido Comunista. Defendo a democracia", justificava, por exemplo, Carlos Lacerda, que chegou a ser desafiado por Himalaia Virgulino para um duelo, em resposta às críticas que o jornalista lhe fizera, ainda no *Correio da Manhã*. Lacerda, contudo, não aceitou o confronto. "Informado [...] de que havia um duelo na cabeça do sr. Himalaia, limitei-me a dizer que não tomava conhecimento da existência do ex-procurador do Tribunal de Segurança", desdenhou.[31]

O general Góes Monteiro, que mesmo sem o cargo de ministro da Guerra continuava a ser uma espécie de eminência parda nas Forças Armadas, era um dos oficiais que estavam reticentes quanto à questão. Uma das novas missões de Maciel era, precisamente, fazê-lo tomar posição favorável à cassação do registro da legenda comandada por Prestes.

"Os políticos ainda não chegaram à conclusão de que o problema principal é o Partido Comunista. Continuam vários elementos da intimidade do general Dutra a achar que o perigo número 1 é Getúlio", escreveu Maciel a Góes. "Devo-lhe dizer, meu caro general, que o meu ponto de vista é bem claro a esse respeito. [...] Se o PCB não for fechado imediatamente, dentro de três meses teremos guerra civil no Brasil."[32]

A radicalização das greves e dos protestos de rua atribuídos aos comunistas, alegava Maciel, tenderia a evoluir para uma conflagração mais grave. Na capital paulista, ônibus e bondes já estavam sendo queimados por manifestantes. "O ambiente em São Paulo, devido à crise econômica, [...] é favorável a qualquer levante contra o governo federal. Isso significa barricadas nas ruas e uma responsabilidade gravíssima."[33]

Maciel abrira também um canal de interlocução com os donos dos grandes jornais do Rio de Janeiro. "Apesar de termos a maioria dos redatores e dos tipógrafos filiados ao Partido Comunista, estamos conseguindo que a imprensa apoie o governo em toda e qualquer atitude contra o PCB", celebrou.[34]

No caso dos jornais, além da prevenção habitual da maior parte dos proprietários contra o "fantasma vermelho", a campanha anticomunista contou com uma ajuda financeira providencial. "O ambiente de imprensa, preparado e sustentado pela indústria, é francamente favorável ao fechamento do partido", comentou Maciel, na carta a Góes. "Não preciso dizer ao general quanto do nosso esforço existe nessa preparação, nem acredito que seja necessário destacar os relevantes serviços prestados, nesse terreno, pelo Lodi e pelo Roberto Simonsen."[35]

Em 12 de abril, o TSE se reuniu para dar início ao julgamento das denúncias apresentadas por Barreto Pinto e Himalaia Virgulino. Com base no que dizia o texto constitucional, o subprocurador da República, Alceu Barbedo, opinou pela procedência da acusação. Contudo, o relator do processo, Francisco Sá Filho, considerou que as provas apresentadas nos autos — a maior parte composta por recortes de jornais e revistas — não eram substantivas o suficiente, e por isso recomendou o arquivamento da causa.[36]

Cerca de um mês depois, em 7 de maio, o Tribunal concluiu os debates. O juiz Ribeiro da Costa acompanhou o parecer do relator, mas seus colegas José Antonio Nogueira, Francisco de Paula Rocha Lagoa Filho e Cândido Mesquita da Cunha Lobo discordaram. Assim, por três votos a dois, o TSE determinou o cancelamento do registro do PCB, devolvendo a agremiação à ilegalidade.[37] Nesse mesmo dia, o ministro da Justiça, Costa Neto, mandou fechar todas as sedes e células do partido espalhadas pelo país. As organizações sindicais controladas pela legenda, filiadas à Confederação dos Trabalhadores do Brasil (CTB), sofreram intervenção federal. Os dirigentes comunistas foram substituídos por juntas governativas nomeadas diretamente pelo ministro do Trabalho, Morvan Figueiredo.[38]

"[Esta é uma] data de especial relevo para todos os patriotas e, especialmente, para os trabalhadores verdadeiramente amigos de nossa terra", disse Morvan, em nota oficial à nação.[39]

Os comunistas entraram com recurso na Justiça, solicitando habeas corpus contra o fechamento de suas sedes, mas o pedido foi negado. Ao tentarem se reunir em torno de nova sigla, criando o Partido Popular Progressista (PPP), esbarraram novamente em uma decisão contrária do TSE, que não lhes concedeu o devido registro. Novas derrotas ainda estavam por vir. Em outubro daquele ano, Dutra aprofundaria o alinhamento com os Estados Unidos e anunciaria o rompimento das relações diplomáticas do Brasil com a União Soviética. Em janeiro do ano seguinte, o Congresso cassaria o mandato de todos os parlamentares eleitos pelo PCB.

"Nós, comunistas, aqui voltaremos", disse o deputado Gregório Bezerra, ao fazer o último discurso de um membro do partido na Câmara. "Saímos empurrados pela reação, mas voltaremos a este plenário, conduzidos nos braços do povo e do proletariado!"[40]

O homem de barba malfeita e cabelo desgrenhado, envergando um macacão de operário e calçando tamancos, se apresentou na portaria do Palácio Monroe como mecânico e encanador. Disse ter sido chamado pelo pessoal da secretaria do Senado para efetuar um serviço nas galerias do plenário. Os guardas não pediram para conferir o que ele levava na bolsa a tiracolo, satisfazendo-se com a informação de que ali só havia ferramentas básicas de trabalho: alicate, martelo de borracha, chave inglesa, chaves de fenda.[41]

Ao ter a entrada liberada, o sujeito se encaminhou para a área reservada ao público. Do alto das galerias, localizou a poltrona onde estava sentado o senador Getúlio Vargas. Daí, saiu dando cotoveladas em quem encontrou no caminho até achar uma melhor posição para executar um plano sinistro. As torrinhas da Casa estavam superlotadas naquela tarde de 18 de junho de 1947. O senador Ivo d'Aquino, do PSD de Santa Catarina, ocupava a tribuna havia mais de quarenta minutos. Fazia uma longa preleção em resposta ao discurso que Getúlio pronunciara dias antes, contra a política econômica do presidente Dutra.[42]

"O governo da República não está seguindo política errônea", contra-atacava o representante catarinense. "Errônea seria a sua política se não tivesse adotado as providências imediatas para corresponder às solicitações que lhe são feitas."[43]

O indivíduo de macacão postou-se junto a um dos balcões, poucos metros acima da bancada gaúcha. Abriu então a bolsa e sacou um volume suspeito, encoberto por uma folha de jornal amassada e amarrada com barbante. O homem deu um passo para trás, flexionou o braço e arremessou o embrulho em direção ao plenário. O projétil passou raspando sobre a cabeça de alguns senadores e, com um estrondo seco, desabou sobre a mesinha do chefe da taquigrafia e, em seguida, rolou pelo tapete.[44]

O ruído, inesperado, provocou um corre-corre nas galerias.

"É bomba! É bomba!", alguém gritou.[45]

Abriu-se um clarão nas galerias antes apinhadas de gente. Enquanto as pessoas se atropelavam em direção à porta de saída, o autor da façanha permanecia no local, de pé, em posição desafiadora.

"Exija minha prisão, sr. Getúlio Vargas! Foi uma desafronta à nação brasileira", berrou.[46]

No mesmo instante, dois seguranças pularam sobre o agressor, imobilizando-o. Jogado ao chão, com as mãos para trás, ele continuou esbravejando.

O impacto do pacote com a mesa do taquígrafo dilacerara uma parte da folha de jornal, permitindo que se visse o conteúdo. Não se tratava de uma bomba. Era um pedaço de pedra tosca, provavelmente arrancado de algum calçamento de rua. As arestas afiadas e o peso do artefato — cerca de seiscentos gramas — teriam sido suficientes para produzir um grande estrago, caso houvesse acertado a cabeça de alguém.[47]

Levado pelos guardas à secretaria do Senado, o homem se identificou como Eliseu Magalhães, 44 anos. Estava desempregado e se dizia vítima de uma injustiça histórica. Atribuía seu infortúnio pessoal ao ex-presidente. A família estaria passando necessidades desde o dia em que ele fora demitido das oficinas da Estação Ferroviária Engenho de Dentro, três anos antes. Na ocasião, se desentendera com um engenheiro da companhia e, quando o então ditador Getúlio Vargas fizera uma visita ao local, aproveitara para abordá-lo a respeito do assunto. Recebera a promessa de que seu caso seria analisado com o devido interesse. Nunca recebera, porém, nenhum tipo de resposta. Chegara a ir ao Catete, mas não lhe permitiram o acesso ao gabinete presidencial. A partir daí, passara a odiar Getúlio, a quem antes admirava. Jurara a si mesmo que um dia iria matá-lo.[48]

"Moro na avenida Presidente Vargas, mas mudei o nome dela, por conta própria, para avenida Marechal Floriano", disse ao delegado do distrito policial para onde foi encaminhado.[49]

A polícia informou que o homem não estava em pleno domínio de suas faculdades mentais, e por esse motivo não poderia permanecer na cadeia pública. Foi mandado para o Hospital Pedro II, no Engenho de Dentro. "O autor do atentado não parece regular bem do juízo. Suas declarações são às vezes sem nexo", observou a reportagem do *Correio da Manhã*. "Chegou-se à conclusão de que o ex-funcionário da Estrada de Ferro é um débil mental, portanto, um irresponsável. Não disse coisa com coisa", confirmou *A Noite*.[50]

A história de Eliseu Magalhães podia ter se encerrado aí, após ele ter sido internado em um dos pavilhões reservados aos pacientes violentos do manicômio. Entretanto, cinco dias depois de dar entrada na instituição, Eliseu simplesmente desapareceu. À hora do café, aproveitou a desatenção dos funcionários e saiu andando, pelo portão da frente, sem que ninguém se preocupasse em lhe perguntar para onde estava indo.[51]

"Outras pedras virão", advertira. "Se eu pudesse, queimaria o Getúlio, o Filinto Müller, o Gaspar Dutra e todos os outros que arrasaram o Brasil, numa fogueira só."[52]

A direção do Pedro II organizou um grupo de buscas para vasculhar as ruas próximas ao hospício. Em vão. Com a ajuda da polícia, as matas e os morros vizinhos à sede da instituição foram esquadrinhados, mas também sem sucesso. A procura logo se ampliou para os bairros do Encantado, Quintino e Cascadura, onde residiam parentes e amigos do fugitivo. Ninguém sabia, porém, de seu paradeiro.[53]

"Várias turmas de policiais munidos da fotografia de Eliseu estão empenhadas nesse trabalho, percorrendo os quatro cantos da cidade", informou o *Diário da Noite*. "Teme-se que, no caso de se tratar mesmo de um maníaco, volte ele a atentar contra o sr. Getúlio Vargas ou contra qualquer outra personalidade política."[54]

Nas sessões seguintes do Palácio Monroe, Getúlio retrocedeu ao mutismo do ano anterior. Não fez mais discursos e evitou pedir apartes aos colegas. Permaneceu a maior parte do tempo sentado, acompanhando com evidente desinteresse os oradores que se sucediam na tribuna. Na imprensa, passado o primeiro impacto, o incidente virou motivo de chacota. Como nenhum acontecimento político escapava à irreverência dos cartunistas da revista *Careta*, Getúlio foi alvo de uma charge que retratava dois populares conversando no meio da rua:

"A experiência desaconselhava a pedra como arma de agressão", dizia um.

"É verdade. O homenzinho até parece que usa breve [amuleto] contra pedradas", observava o outro.[55]

Para quem sofrera o terrível acidente de 1933 — quando um bloco de rocha se desprendera de um paredão de granito e despencara sobre a capota do automóvel no qual viajava —, a piada não teve graça. Ela remetia diretamente à morte trágica do jovem ajudante de ordens, Celso Pestana; ao sofrimento de Darcy prostrada no leito do hospital com uma fratura exposta ameaçada de gangrena e ao estado de choque em que permanecera o filho Getulinho por vários dias.[56]

Para Getúlio, era hora de reconhecer a atmosfera hostil e bater em retirada. Ele já havia encaminhado um requerimento pedindo licença do Senado por quatro meses quando veio a notícia de que Eliseu Magalhães tinha sido recapturado à porta de um cinema, na avenida Marechal Floriano, ao conferir os cartazes dos filmes em exibição. Colocado em uma camisa de força e reconduzido ao manicômio, disse ter fugido por não aguentar mais se submeter ao tratamento dos psiquiatras, que mandavam acorrentá-lo para que os enfermeiros lhe dessem choques elétricos e fizessem punções para a retirada de liquor da espinha.[57]

Os médicos do Pedro II encaminharam à Justiça o laudo psiquiátrico de Eliseu Magalhães. O documento afirmava que o paciente sofria de alucinações auditivas e visuais. O diagnóstico era de esquizofrenia, "decorrente da sífilis". Os tratamentos prescritos, afirmaram os responsáveis, não estavam dando resultados práticos. "Ele está claramente embotado e amaneirado", definiram.[58]

Dois dias após a divulgação do laudo na imprensa, um avião especial da Cruzeiro partiu do Rio de Janeiro em direção ao Rio Grande do Sul. Getúlio estava a bordo. Voltava para São Borja. O suplente Camilo Teixeira Mércio, advogado e jornalista, gaúcho de Bagé, foi chamado para substituí-lo. Pelo previsto, Mércio deveria assumir a cadeira até o final daquele ano. Mas ficaria no cargo por muito mais tempo. Getúlio praticamente abandonou o Senado dali por diante, renovando a licença sucessivamente, sempre quando estava prestes a vencer.[59]

"Gostaria muito que me deixassem sozinho", disse a um jornalista que o procurou em Santos Reis. "Existem problemas mais importantes que alimentar campanhas contra mim. Já é tempo de se construir alguma coisa, se acham que nada fiz", afirmou. "Os políticos olham muito o passado, se esquecem do presente e, principalmente, do futuro. Mas é perigoso esse cacoete, pois quem olha muito para trás acaba torcendo o pescoço."[60]

As eleições municipais de novembro de 1947 seriam as últimas antes do grande pleito presidencial marcado para 1950. Cerca de 1500 cidades brasileiras iriam escolher seus prefeitos. Os observadores políticos acreditavam que a consulta às urnas serviria como uma nova prévia para a sucessão de Dutra. Abalado pelos resultados desanimadores de janeiro, Getúlio estava decidido a não se engajar, dessa vez, em favor de nenhuma candidatura.

No lugar de pedir notícias políticas à filha, como sempre fazia, preferiu escrever-lhe de São Borja para que mandasse, além das habituais caixas de charutos — "meu estoque está se acabando" —, letras de sambas e marchinhas que estivessem fazendo sucesso no Rio de Janeiro. Queria sobretudo uma cópia de "Pode ser que não seja", composição de João de Barro e Antonio Almeida gravada por Jorge Veiga, uma das canções mais executadas no rádio durante o Carnaval daquele ano.

> *Nem tudo que reluz é ouro,*
> *Oi, nem tudo que balança cai!*
>
> *O homem que diz que não foge,*
> *Que enfrenta sorrindo a peleja,*
> *Pode ser que ele seja um valente,*
> *Mas também pode ser que não seja!*

"Quero melhorar o repertório do Nico e outros cantantes, que só sabem umas cantigas melosas e muito xaropes", explicou Getúlio, referindo-se aos peões da fazenda que, nas horas vagas, se reuniam na varanda para tocar violão.[61]

Getúlio aproveitaria a segunda fase de seu retiro político para resolver certas questões que o afligiam em São Borja. Uma delas era a necessidade de sair o quanto antes de Santos Reis, onde azedara a convivência com o irmão Protásio e, em especial, com a cunhada, Alaíde. As primeiras queixas surgiram por motivos fúteis, a exemplo do cheiro forte do charuto e das cinzas que Getúlio deixava cair no assoalho. Mas, como costuma ocorrer nesses casos, a presença prolongada do hóspede provocou incômodos reais ao cotidiano da residência. A perspectiva de se repetir o constante entra e sai de políticos, o tráfego de aviões aterrissando e decolando sobre as pacatas cabeças de gado e a casa sempre lotada de gente não agradava aos donos da fazenda.[62]

Getúlio Vargas solicitou o rompimento da sociedade com o irmão e a consequente divisão das terras da família. Coube-lhe, na partilha, uma estância situada no município de Itaqui, vizinho a São Borja. Foi ali, na Fazenda Itu, que ele iniciou a construção de uma nova casa que, tão logo ficasse pronta, passaria a lhe servir de refúgio.[63]

"Estou ultimando a construção da casa do Itu", informou a Alzira. "Pretendo depois convidar tua mãe. Ela faria uma experiência. Talvez esse repouso lhe assentasse bem. Prepara-lhe o espírito. Ainda podemos ter uma velhice tranquila. E bem a merecemos."[64]

Ao contrário da grande maioria dos getulistas, Alzira preferia que o pai permanecesse mesmo fora do embate eleitoral, para se poupar de novos desgastes. Após confabular com líderes trabalhistas, ela reforçara ainda mais essa convicção.

"Ele [Ruy de Almeida, deputado federal pelo PTB], como todos os do partido, aliás, acha que te deves embrenhar na luta municipal e garantir os núcleos eleitorais para que o PTB faça o presidente da República em 1950", expôs a filha. "Não serás tu quem vai distribuir cento e quinhentas mensagens para decidir, nos mil e tantos municípios do Brasil, se o seu Fagundes da esquina vai ser prefeito em lugar do seu Manuel da venda."[65]

Contudo, havia um detalhe que não poderia escapar mesmo a quem dizia só querer paz e sossego. A vitória de Ademar de Barros em janeiro, na disputa pelo governo de São Paulo, impusera um fato novo, capaz de desdobramentos imprevisíveis. A Constituição estadual paulista — promulgada em 9 de julho —

determinara que, além dos prefeitos dos municípios, também deveria ser escolhido, simultaneamente, por eleição direta, o vice-governador, cargo inexistente nos anos de ditadura. Como Ademar não ocultava de ninguém as pretensões de se candidatar ao Catete, todos já previam que, à hora necessária, ele renunciaria aos Campos Elíseos para se lançar à sucessão de Dutra. Por consequência, quem fosse eleito seu vice, dali a bem pouco tempo, passaria a governar o estado mais rico do país.

Ademar desejava eleger um substituto confiável, para não abrir mão do domínio sobre a máquina administrativa e eleitoral paulista. Mas as ameaças de impeachment ou de uma possível intervenção federal no estado — provocadas por novas denúncias de corrupção e irregularidades administrativas — recomendava uma solução negociada. Pragmático, Ademar buscou uma imprevista composição com Eurico Gaspar Dutra. Para tentar dissuadir o Catete de intervir no estado, o governador paulista surpreendeu a todos ao lançar como candidato a vice o próprio genro do presidente da República — o deputado federal Luiz Gonzaga Novelli Júnior, casado com a enteada de Dutra, Carmelita.

Novelli Júnior era filiado ao PSD, e sua indicação pelo PSP ademarista provocou um racha instantâneo no próprio partido — embora outras legendas menores, como o PTN de Hugo Borghi, lhe tenham declarado apoio, o que significou uma segunda ruptura do empresário do ramo do algodão com o PTB. Muitos pessedistas não aceitavam a hipótese de subir no palanque com o polêmico Ademar de Barros e, assim, lançaram a candidatura de outro correligionário, o também deputado federal Carlos Cirilo Júnior, líder da maioria na Câmara. O anúncio dessas duas candidaturas esquentou o pleito para vice-governador em São Paulo e provocou uma reviravolta nas opiniões de Alzira. De súbito, ela passou a considerar que Getúlio deveria sair da placidez de São Borja e ir a São Paulo para apoiar Cirilo.

"Não se trata de eleger este ou aquele, mas de fazer uma grande manobra política e de dar um teco no Dutra, por intermédio do Novelli", ela argumentou, em carta ao pai. "Estou me sentindo como touro na arena, com raiva de dar chifradas em pano vermelho. Agora quero ver sangue, no duro."[66]

Alzira convocou uma reunião em sua residência para debater as bases formais de um acordo político. Intermediada por ela e Maciel Filho, a conversa contou com a presença dos líderes petebistas Baeta Neves e Segadas Viana, tendo como convidado especial o pessedista Cirilo Júnior. Diante dos precedentes históricos do partido, a anfitriã tomara o cuidado de deixar uma orientação prévia aos representantes do PTB sentados à mesa de negociações:

"Pedi-lhes que não falassem em dinheiro antes do acordo, para não parecer venda. Depois, a grana viria", detalhou, em nova carta a Getúlio.[67]

Getúlio, que voltara ao hábito das longas campeadas pela estância, surpreendeu-se com o açodamento da filha.

"Como estás belicosa! Que demônio interior te está impelindo para a luta? Tudo isso me veio encontrar num período de quietude e recolhimento quase confuciano. Valerá a pena sair de meu repouso e descer à arena para lutar com os Ademar, os Novelli, os Borghi?", indagou-lhe. "Eles têm o poder, a força, o dinheiro. O estado do espírito popular já não é o de 45. Talvez vá encontrar o desencanto e o conformismo."[68]

Alzira, entretanto, seguiu a encorajá-lo:

"Poderás me perguntar por que eu, que sempre fui partidária da prudência, quero agora te empurrar para o fogo. E eu só saberei responder que a Fulismina [o apelido que Getúlio dera a ela, quando moça] apareceu. E está sentindo cheiro de pólvora."[69]

Maciel Filho tinha opinião semelhante:

"Estou convencido de que a sua viagem a São Paulo representará a maior manifestação popular que um homem público já tenha recebido em sua vida no Brasil. Isto terá importância decisiva no futuro de nosso país", prognosticou. "Estamos tentando um empreendimento único na vida brasileira: derrotar ao mesmo tempo o governo estadual e o governo federal, no estado mais forte e poderoso da nação. [...] Estamos cansados de apanhar em silêncio. Vamos levantar a cabeça de uma vez", insuflou. "Uma coisa é certa: se Getúlio Vargas for a São Paulo, o presidente da República será ele — ou quem ele quiser."[70]

8. Getúlio e Prestes sobem juntos no mesmo palanque. Comício termina com bombas e pancadaria (1947-8)

Foi um encontro histórico, testemunhado pelas cerca de 10 mil pessoas que, apesar do clima de terror que se instalara na cidade, se arriscaram a sair de casa para reunir-se diante do palanque armado no vale do Anhangabaú, no centro de São Paulo. Na noite de 4 de novembro de 1947, Getúlio Vargas e Luís Carlos Prestes participaram juntos do grande comício em apoio à candidatura do deputado Cirilo Júnior ao cargo de vice-governador paulista. Sob o pretexto de coibir "distúrbios da ordem pública", as autoridades haviam mandado interditar desde o início da tarde as vias de acesso ao local, restringindo o fluxo de pedestres ao viaduto do Chá. Com a justificativa de evitar a ação de franco-atiradores, os prédios que circundavam o Anhangabaú também foram evacuados, numa operação que contou com a participação de cavalarianos da Força Pública, homens da polícia civil e guardas municipais.[1]

No palanque, Cirilo foi um dos primeiros a falar, logo após o discurso do presidente do diretório estadual do PTB, Nelson Botinada. Pelo PSD falou o presidente interino da comissão executiva do partido, César Vergueiro. Mas a grande expectativa da noite era mesmo em relação aos discursos de Getúlio e Prestes. Quando os dois apareceram à frente do palanque, irromperam aclamações ao ex-presidente e ao líder comunista.[2]

"Povo de São Paulo! Trabalhadores do Brasil!", iniciou Getúlio. "Estou aqui cumprindo um dever cívico. Todos os paulistas devem saber, nesta hora, que o seu voto terá um valor plebiscitário, pois revelará se o governo federal deve ou não continuar com a política de incentivo à deslealdade, à miséria e à agressão da vontade popular."[3]

As palmas e os vivas ressoaram em todos os quadrantes do Anhangabaú. Enquanto Getúlio falava, bandeiras — inclusive vermelhas, proibidas — eram agitadas. Comunistas, queremistas, petebistas e pessedistas aliados a Cirilo Júnior se congraçavam na mesma euforia interpartidária. Contudo, em uma das esquinas do logradouro logo se percebeu um princípio de tumulto. Provocadores ensaiaram uma vaia e, ao mesmo tempo, tentaram abrir caminho à força para se posicionar diante dos oradores. Foram bloqueados pelos eleitores de Cirilo, que os empurraram na direção oposta.

"Essa eleição deverá dizer se o povo está de acordo com este governo, que só teve uma preocupação até agora: negar a origem dos votos que o elegeu. Ou seja: o voto dos paulistas traçará o novo rumo do sentimento nacional", prosseguiu Getúlio, tentando permanecer alheio ao distúrbio que progredia lá embaixo. "Votando em Novelli, direis 'sim'; votando em Cirilo, direis 'não' ao governo federal."[4]

Para Getúlio, derrotar Novelli Júnior significaria bater o próprio Gaspar Dutra nas urnas. Por tabela, significaria também impedir o domínio absoluto de Ademar de Barros sobre a política do estado, o que fragilizaria o governador paulista, em seu próprio território, na corrida pela sucessão presidencial.[5]

"Acabaram com o Estado Novo e agora querem instaurar o Estado Novelli", dissera Getúlio, horas antes, gargalhando do trocadilho, em entrevista à *Folha da Noite*.[6] "Agora Dutra está pisando na chapa quente e vai dançar o miudinho", teria dito também, em conversas privadas com amigos.[7]

Para Luís Carlos Prestes, infligir uma derrota ao Catete seria uma resposta às pressões governamentais que resultaram na cassação do registro eleitoral do PCB. Apoiar Cirilo significava também dar o troco à "traição de Ademar", que se elegera com o apoio efetivo dos comunistas, mas não os acolhera no governo e se declarara "neutro" na questão do fechamento do partido quando dos debates no TSE.[8]

No *Correio da Manhã*, o escritor Oswald de Andrade — ex-filiado do PCB que rompera com a legenda em 1945, quando os comunistas buscaram se aproximar pela primeira vez do movimento queremista — publicou uma crônica mordaz sobre a reunião de lideranças tão antagônicas no Anhangabaú. Oswald imaginava a perplexidade de um hipotético amigo que, após ter perdido a memória, recobrasse a lembrança das coisas exatamente no dia do comício em São Paulo. De ouvido colado ao rádio, acompanharia a transmissão do evento sem compreender o que se passava. Ao escutar o clamor captado pelos microfones da praça, pediria mais informações:

— Quem foi que chegou agora ao palanque?
— O Getúlio.
— E agora?
— O Prestes.
[...]
— É um combate de boxe ou um duelo?
— Não! Os dois estão se abraçando.
— Mas esse Prestes é aquele que o Getúlio prendeu? Aquele da mulher morta no campo de concentração?
— Exatamente.
— E o Filinto Müller também está no palanque?
— Ainda não.
— E o Plínio Salgado?
— Deve estar por detrás do palanque...
— Explique o que eles querem.
— Derrubar o general Dutra.
[...]
— Mas não foi o general Dutra que deu força ao Getúlio para acabar com o Prestes?
— Foi.
[...]
— Estamos no Juízo Final, o único que resta ao mundo.[9]

Apesar da blague, Getúlio Vargas e Luís Carlos Prestes mal haviam trocado olhares. Os jornais da época descreveram apertos de mãos, tapinhas nas costas e abraços cordiais entre os dois. Prestes, contudo, passaria o resto da vida garantindo que nem sequer cumprimentara Getúlio. E o fato é que este, concluída a leitura do próprio discurso, resolveu descer pelos fundos do tablado, sem ao menos esperar para ouvir a palavra do líder comunista. Os seguranças, orientados por Gregório Fortunato, fizeram um cordão de isolamento e o conduziram até o automóvel que o aguardava na esquina da rua Líbero Badaró. Assim, Getúlio não estava mais presente ao local quando o próximo orador, o deputado Arruda Câmara, eleito pela legenda do PSP, anunciou que a palavra seria passada a Prestes.[10]

Nesse exato momento, alguém arremessou contra o palco duas bombas "cabeças de negro", típicas de festas juninas. O barulho e a fumaça provocaram uma inevitável correria. No meio do atropelo, ouviu-se uma sequência de novos disparos, dessa vez perfeitamente identificáveis como tiros de revólver. A confusão se generalizou, e os soldados da cavalaria se precipitaram sobre a massa, de espada em punho. Cirilo Júnior e Prestes desceram do palanque protegidos por uma corrente de militantes que, de mãos dadas, lhes abriram um corredor humano.[11]

Ao empurra-empurra seguiram-se minutos intermináveis de severa pancadaria. Homens, mulheres e crianças foram pisoteados pelos cavalos da tropa de choque, enquanto mastros de bandeiras eram convertidos em porretes, e rojões, em armas de fogo. Grande parte do público correu em direção à praça do Patriarca, onde a tropelia dos cavalarianos prosseguiu, sem discriminação de alvos. Quem encontrassem pela frente, não importava a coloração partidária, recebia seu quinhão de bordoadas.[12]

Uma hora depois da refrega, o logradouro vazio e silencioso lembrava o rescaldo de um campo de guerra: sangue respingado nas calçadas, bandeiras em farrapos no chão, o palanque completamente destruído. Embora os jornais tenham noticiado todos os detalhes das cenas de selvageria no Anhangabaú, os comentaristas políticos preferiram enfatizar o inusitado da imagem de Getúlio e Prestes, lado a lado.

A edição da fotografia na qual os dois apareciam juntos no palanque dera a impressão de que o chefe comunista segurava o microfone a fim de que o ex-ditador tivesse as mãos livres para empunhar as páginas datilografadas do discurso. Mas, na imagem original, com enquadramento mais aberto, ficava claro que quem segurava o microfone era outro indivíduo, de chapéu e bigodinho, colocado atrás de Prestes e com o braço estendido até próximo a Getúlio. Como na imagem em preto e branco o tom da manga do paletó do homem era semelhante ao do casaco de Prestes, o corte na imagem alargou o mal-entendido.

"Para aqueles que ainda põem em dúvida até onde vão as atitudes dos srs. Getúlio Vargas e Carlos Prestes, [publicamos] a fotografia acima, apanhada no comício de ontem em São Paulo, onde se vê o senador comunista segurando o microfone para o ex-ditador", destacou *A Noite*.[13]

Em texto de primeira página, assinado por José Eduardo de Macedo Soares, o *Diário Carioca* também repudiou a foto: "A imagem mostra o ex-capitão Prestes servindo obsequiosamente ao ex-ditador Vargas, chegando-lhe o microfone, enquanto baba seu pequeno discurso insidioso no comício do Anhangabaú", descreveu Macedo Soares. "A associação dos dois inimigos da democracia [...] é não somente uma afronta como uma intolerável ameaça ao Brasil."[14]

Os incidentes no Anhangabaú foram o ápice de uma sequência de lances trágicos vividos por Getúlio desde a sua chegada a São Paulo, quatro dias antes. Ele saíra de São Borja em 29 de outubro, uma quarta-feira, data que muitos amigos consideraram de mau agouro, pelo fato de assinalar o segundo aniversário de sua derrubada do poder. Sem dar ouvidos aos supersticiosos, voara para o Rio de Janeiro e, no sábado, 1º de novembro, partira de carro em direção à divisa com o estado paulista. Após uma concentração automobilística no célebre Clube dos Duzentos, palco de reuniões políticas desde a Primeira República, iniciara uma intensa agenda eleitoral, que incluiu comícios em 39 municípios de São Paulo, percorridos em apenas seis dias de campanha.[15]

"É a caravana do sim e do não", definiu Getúlio, malhando a tese de que a eleição de Cirilo serviria como um julgamento popular do governo Dutra.[16]

A excursão começou em Bananal e, ao longo do mesmo dia, estendeu-se a várias cidades do vale do Paraíba, até alcançar a atual zona metropolitana de São Paulo. Os municípios de Areias, Queluz, Cruzeiro, Valparaíba (futura Cachoeira Paulista), Lorena, Guaratinguetá, Aparecida, Pindamonhangaba, Taubaté, Caçapava, São José dos Campos, Jacareí e Mogi das Cruzes foram contemplados com comícios-relâmpagos, improvisados sobre a carroceria de caminhões. Como as prefeituras do interior estavam nas mãos de interventores nomeados por Ademar, não houve estrutura adequada para se receber a caravana. Isso não impedia multidões de recepcionarem Getúlio à entrada das cidades, debaixo de alegre foguetório, agitando flâmulas, cartazes e bandeirolas.[17]

Nessa fase preliminar do roteiro, registraram-se os primeiros contratempos. Em Guaratinguetá, desavenças entre dois grupos políticos municipais terminaram em troca de tiros. Em Taubaté, Gregório Fortunato precisou se lançar sobre Getúlio para que ele deitasse ao chão e escapasse de uma possível bala perdida. Um tenente do policiamento local puxara o revólver e, sem nenhuma causa aparente, fizera um disparo para o alto, gesto que foi seguido por um tiroteio que acabou por dissolver o evento e deixou um rastro de sangue, com dezenas de feridos.[18]

No segundo dia da maratona, 2 de novembro, domingo — em trajeto que incluiu Jundiaí, Campinas, Americana e Limeira —, não se teve notícias de maiores transtornos. Mas no terceiro dia — que compreendeu atos de campanha em Piracicaba, Rio Claro, Araras, Leme, Pirassununga, Porto Ferreira, Santa Rita do Passa Quatro, Cravinhos e Ribeirão Preto —, ocorreram novas cenas de violência.[19] Em Ribeirão — onde postes e troncos de árvores foram cobertos de crepe preto, em sinal de luto pela passagem do ex-ditador —, a energia elétrica que abastecia o palanque montado na praça principal foi cortada. No meio da escuridão, distinguiu-se mais uma vez o inconfundível estampido de um tiro. Convocada, a Força Pública lançou bombas de gás lacrimogêneo sobre o público.

Getúlio, que se resguardara no interior da igreja matriz durante o imbróglio, tentou continuar o discurso após o restabelecimento da luz. Não conseguiu. Busca-pés e bombas de são-joão foram jogados em direção ao palco, impedindo-o de prosseguir. O comício foi dado por encerrado quando os bombeiros entraram em ação, lançando jatos de água contra a assistência. O alvoroço se estendeu madrugada adentro pelas ruas da cidade, e do Grande Hotel, onde pernoitou, Getúlio pôde ouvir os tiros que ainda pipocavam lá fora.[20]

Em Cravinhos, segundo informações colhidas pela reportagem de *A Noite*, um senhor identificado pela polícia como Euclides Arantes Nogueira, lavrador, teria subido no estribo do carro em que viajava Getúlio e tentado esbofeteá-lo. O agressor foi contido por Gregório Fortunato, seguindo-se aberta luta corporal entre os dois. Gregório levou a melhor, mas o para-brisa do carro de Getúlio, estilhaçado durante a briga, ficara como má recordação do episódio.[21]

No quarto dia, 4 de novembro, terça-feira, a caravana se dirigira enfim à cidade de São Paulo — passando antes por Araraquara, São Carlos e Itirapina —, para a realização do grande comício, ao lado de Prestes, no Anhangabaú.

"Se tentarem assustar o povo, será muito pior", advertira Getúlio, em entrevista a *Folha da Manhã*. "Porque o povo não tem medo."

"Vossa excelência também não tem medo?", questionara o repórter.

"Qual nada. Eu sempre pago para ver", respondera, meio desdenhoso, meio desafiador.[22]

O Estado de S. Paulo condenou o fato de Getúlio — "o maior inimigo de todos os tempos" — estar se lançando "a uma das mais arrojadas aventuras políticas a fim de recompor o edifício de seu poderio", conforme definiu o jornal. "Ele próprio já proclamou que as próximas eleições vão ter uma grande significação. Por outras palavras, quer dizer que os resultados desse pleito vão pesar, decisivamente, na futura batalha para a sucessão presidencial da República", detalhou o *Estado*. "Não acreditamos que São Paulo, ainda com tantas feridas abertas pelos golpes ditatoriais, se esqueça do que padeceu para, mais uma vez, iludido na sua boa-fé, entregar-se e entregar o Brasil à ambição desmedida e estéril do mais atrevido caudilho que já surgiu em terras brasileiras."[23]

Movida pelo mesmo sentimento de indignação, a diretoria do Centro Acadêmico XI de Agosto, da Faculdade de Direito, organizou um enterro simbólico de Getúlio no largo São Francisco e, diante de um caixão de defunto, divulgou uma moção de protesto: "Os estudantes de Direito reconhecem no ex-ditador o inimigo número 1 de São Paulo, responsável pela morte de tantos estudantes democratas. Resolvem, portanto, tomar posição desde já, apontando à execração pública a figura grotesca do ex-ditador de 1937 que pretende fazer de São Paulo o trampolim das suas incríveis pretensões políticas".[24]

Após o acidentado comício na capital paulista, os dois últimos dias do percurso da caravana de Getúlio, 5 e 6 de novembro, quarta e quinta-feira — com paradas em Assis, Bauru, Sorocaba, Santos e Santo André —, viram se repetir os conflitos de rua, que obedeciam sempre ao mesmo padrão. Provocadores infiltrados davam origem a agressões, bate-bocas e tiroteios, o que legitimava a ação violenta da polícia e não raro derivava para a batalha campal.[25]

"Estou numa campanha democrática. Não posso ser interrompido por desordeiros", protestou Getúlio, quando um grupo passou a apupá-lo, em Bauru.[26]

Depois disso, em vez de ceder, a vaia só aumentou, o que levou Getúlio a dobrar as folhas de papel que trazia nas mãos e enfiá-las no bolso do paletó, para enfrentar a audiência com uma fala de improviso.

"Eu não queria dizer, mas vocês estão me provocando!", exclamou. "Com a candidatura de Novelli Júnior, querem transformar São Paulo, o estado líder da Federação, em incubadora para a desova da parentela."[27]

Nesse dia, ao descer do caminhão, Getúlio deixou Bauru escoltado pela guarda pessoal. O automóvel no qual embarcou teve de seguir a toda velocidade, estrada afora. Só parou dali a 250 quilômetros, ao adentrar os limites de Sorocaba.[28]

* * *

"Deixei de ser o bicho-papão, já não faço medo num pleito eleitoral", escreveu um melancólico Getúlio Vargas a Alzira, em 27 de novembro de 1947, quando a marcha das apurações já havia decretado o triunfo de Novelli Júnior, o candidato ungido por Ademar de Barros e Eurico Gaspar Dutra.[29]

Ante o prenúncio da derrota, Getúlio tomara um avião e retornara, sem maiores alardes, para São Borja. Passaria o Natal e o Ano-Novo sozinho. Por ter conferido à eleição paulista o caráter de plebiscito, o resultado o deixara em situação embaraçosa, ao passo que fortalecera, sobretudo, Ademar de Barros. A partir dali, qualquer possível arranjo a respeito da sucessão de Dutra teria que passar, necessariamente, pelos corredores e salões dos Campos Elíseos.[30]

"Minha querida filha, desde que cheguei caí novamente no silêncio e no isolamento. Isso não evita que eu trague, de quando em vez, um pouco de fel", escreveu Getúlio.[31] "Vocês levaram-me a esse combate para o qual não estávamos preparados; fracassamos", lastimou.[32] "Aquela suposição de que eu era um trunfo capaz de decidir uma eleição em São Paulo também se desvaneceu", disse.[33] "É preciso agora aproveitar o tempo para reorganizar o PTB. Nova direção, novos processos, atrair gente nova, enfim, organização. Tão cedo não teremos eleições. [...] É conveniente aproveitar esse tempo para trabalhar numa obra de organização e limpeza. Procuremos desse fracasso colher algum resultado, isso é o que manda a sabedoria."[34]

Apesar do tom conformista, Getúlio logo se deparou com uma obra que se anunciava ainda mais difícil de ser executada do que, por exemplo, derrotar Ademar de Barros nas urnas: reestruturar uma legenda em frangalhos. A tarefa crescia de complexidade porque, em 22 de janeiro de 1948, a UDN, o PSD e o PR homologaram o chamado "acordo interpartidário", assinado na presença de Dutra, no Palácio do Catete, pelos presidentes das três agremiações, José Américo de Almeida, Nereu Ramos e Artur Bernardes. O bloco somava 235 dos 286 deputados federais, o que garantiria a Dutra uma maioria folgada no Congresso e, por consequência, marginalizaria o PTB, reduzindo-o à condição de nanico.[35]

O encarregado da missão hercúlea de reerguer o Partido Trabalhista foi o senador gaúcho Pedro Salgado Filho, ex-ministro do Trabalho durante o Governo Provisório e ex-ministro da Aeronáutica no Estado Novo. Nomeado vice-presidente do PTB, Salgado Filho passaria a ser, na prática, o chefe executivo do partido, já que Getúlio, distante, desempenhava apenas a função de presidente honorário. O novo chefe trabalhista tinha um currículo respeitável e uma fama de hábil negociador. Aposentara-se como ministro do Supremo Tribunal Militar (STM) e, durante a Guerra, respondera por parte das transações com os Estados Unidos para a concessão das bases militares no Nordeste.[36]

"Tenho feito tudo quanto estava no meu alcance para não deixar o partido perecer", escreveu Salgado a Getúlio, após as primeiras semanas de trabalho, um tanto quanto descrente das próprias forças para dar conta da delegação. "[Creio que] o único meio de solucionarmos o nosso caso é com o seu nome, acima de todos."[37]

A sugestão de Salgado Filho era para que o próprio Getúlio Vargas abandonasse São Borja, voltasse para o Rio de Janeiro e assumisse a direção efetiva do PTB. O ex-presidente, porém, rejeitava semelhante hipótese:

"Compreendo suas nobres intenções, mas não sou candidato senão ao repouso", respondeu Getúlio, desincumbindo-se da função.[38]

Na definição de um aliado, o PTB parecia, nesse instante, um "saco de gatos".[39] Os trabalhistas continuavam sem coordenação de movimentos ou identidade de propósitos. A derrota em São Paulo agravara as discórdias e levara certos setores do partido a responsabilizar Getúlio diretamente pelo fiasco, já que ele arcara com o risco de apoiar a candidatura do pessedista Cirilo Júnior, em vez de optar por uma candidatura própria. Como sintoma da crise, o chefe do diretório paulista, Nelson Botinada, que hospedara Getúlio em sua casa durante a caravana em São Paulo, teve a ousadia de lhe enviar uma conta a título de ressarcimento das despesas domésticas.[40]

"Minha impressão é que voltamos ao marco zero de novembro de 1945, com um pirulito de sobrecarga em vista dos vários fracassos políticos, eleitorais e partidários", considerou Alzira, que pedia instruções paternas a respeito de como se comportar, dali por diante, no papel de "babá do PTB".[41]

"Não intervenhas mais. Se puderes, continua mantendo contato [...] apenas para saber o que se passa e informar-me. Eu permanecerei estranho. Quando vierem a mim, estabelecerei as condições para um reajustamento", aconselhou o pai. "E, se não vierem, continuarei nesse retraimento progressivo, indo até a retirada da atividade política e a renúncia do mandato. Se eu não puder orientar o todo num sentido mais eficiente, quero, pelo menos, ficar dono de mim mesmo. Também não serei chefe de grupos."[42]

As palavras de Getúlio revelavam o tamanho de seu desapontamento, mas também sugeriam uma estratégia calculada. Ele iria, mais uma vez, submergir, transformar-se em sujeito oculto.

"A última chance que tivemos de galvanizar e harmonizar o partido foi, sem dúvida, a eleição paulista. O bruto, porém, estava minado e carunchado demais. Não foi possível", admitiu Alzira. "Só um fato novo poderá trazer outra oportunidade. E a não ser que o sr. presidente carinhosamente no-lo forneça, somente as eleições de 1950. Até lá, o melhor é ainda fingir de morto."[43]

Fingir-se de morto era uma das habilidades de Getúlio. Disposto a ficar distante dos acontecimentos políticos, enviou no início de janeiro do ano seguinte, 1948, um ofício ao Palácio Monroe solicitando o primeiro prolongamento da licença, por seis meses. Segundo o regimento interno do Senado, ele poderia se ausentar durante esse mesmo período, sem nenhuma justificativa — e sem ser declarada a vacância —, ou usar da prerrogativa do licenciamento sempre que julgasse necessário, desde que comunicasse o afastamento, com antecedência e por escrito, ao presidente da Casa. Assim, o suplente Camilo Mércio foi convocado para reassumir a cadeira até o final de junho.

"Quanto à renúncia, não pretendo usar dela, por enquanto. Esse mandato é o meu escudo e minha defesa contra perseguições iminentes que estão nas intenções e nos planos dos poderosos do dia", comunicou Getúlio a Alzira, que ainda se sentia a grande responsável por ter levado o pai ao desastre eleitoral de São Paulo, diante de Ademar de Barros.[44]

"Fico a pensar se no meu desejo de te servir não fui apenas uma idiota, proporcionando-te novas mágoas e desilusões", ela se penitenciou. "Voltamos ao ponto de aguardarmos as manifestações do Astral. O Professor procurou-me há uma semana para dizer que te comunicasse o seguinte: 'Tudo está muito bem'. E em uma das reuniões, declarou que era assim que te queria, inteiramente só e traído por todos."[45]

Para ficar ainda mais isolado, Getúlio ultimou o término da construção da casa e a consequente mudança para a Fazenda Itu. Mandou comprar um mobiliário básico e o remeteu por caminhão ao novo endereço, onde as duas únicas companhias, além dos peões e boiadeiros, passaram a ser a cozinheira Felícia e o marido dela, o caseiro Amaraldo. Antes de se instalar no local, Getúlio providenciou a ligação de água encanada, puxada do subsolo pela ação do cata-vento, comprou uma geladeira para a cozinha e uma eletrola para a sala, únicos comodismos da moradia. Até mais ainda do que em Santos Reis, a construção em Itu primava pela simplicidade. O quarto, de novo, era um modelo de despojamento. A cama com cabeceira de madeira escura estava ladeada apenas por duas mesinhas torneadas e de pés altos. O guarda-roupa seguia o mesmo padrão austero e pouco imponente.[46]

Os luxos de Getúlio, afinal, eram de outra natureza:

"[E de] charutos, como andamos? Por que não vêm mais? Quando não tenho dos meus charutos, sou forçado a fumar os mata-ratos que encontro e me atacam o estômago", reclamou, em uma das cartas a Alzira. "Estou acostumado com os cubanos, Romeu & Julieta de preferência, ou Corona. É o meu vício e já não posso mudar", especificou. "Essas [caixas] que me vieram, de 25 a trinta charutos, são esgotadas numa semana", disse. Nunca fora muito de beber, mas no retiro em São Borja adquiriu o hábito de entornar alguns tragos de uísque, item que passou a incluir na lista periódica de pedidos à família. "Também desejo meia dúzia de camisas leves, frescas e folgadas, não grandes demais, de mangas curtas. [...] Lembrei-me que também preciso de água-de-colônia."[47]

Getúlio passou a dedicar o tempo livre a organizar um pomar e a semear árvores ornamentais em torno da nova casa. Em poucos meses, o terreno ficou pontilhado de mudas de laranjeiras, abacateiros, acácias, flamboyants, ipês, girassóis, cambucás e paus-brasil.

"A roupa de cama mandada por tua mãe, as toalhas de banho etc., tudo foi muito útil, oportuno e bem escolhido", agradeceu, aproveitando para pedir que lhe enviassem também talheres, toalhas de mesa e colheres de pau, pois Felícia se queixava da falta de utensílios e acessórios básicos na cozinha.[48]

"Tenho me divertido muito só em pensar em ti preocupado com problemas de donas de casa, dos quais nunca te deste conta", caçoou Alzira.[49]

No início de fevereiro, José Olympio despachou para a Fazenda Itu um caixote com os quarenta lançamentos mais recentes da editora.[50] Mas Getúlio, que fora um leitor voraz na juventude, decidira adotar como atividade intelectual prioritária, em sua reentrada na vida de estancieiro, a mera resolução das palavras cruzadas da revista *Fon-Fon!*. O semanário oferecia ao final de cada mês o prêmio de uma assinatura anual aos leitores que enviassem à redação, com o menor número de erros, os resultados dos passatempos publicados no período. Embora não fizesse questão de concorrer, Getúlio se aplicava em resolvê-los, um a um.

"É uma distração e uma ginástica cerebral", definia. "Planto árvores de dia e resolvo palavras cruzadas à noite."[51]

A cada nova mensagem endereçada ao pai, Alzira lhe remetia as suas próprias respostas do concurso anterior.

"Tenho mandado porque sei que não dispões de um bom amansa-burro por aí, e há algumas palavras que só mesmo em dicionário", justificou a filha. "Confio, porém, que só recorras à cola em último caso."[52]

Quando se cansava de descobrir o significado, por exemplo, de "mar encapelado", com sete letras, ou de "indivíduo a quem foram funestas as suas elevadas pretensões ou ambições", com cinco,[53] Getúlio buscava divertimento na eletrola. Continuava fã ardoroso de marchinhas e sambas. Numa das prateleiras da sala, a coleção de discos de cera em 78 rotações crescia a cada remessa.

"Manda agora 'É com esse que eu vou'", pediu a Alzira, referindo-se à composição de Pedro Caetano, gravada pelo grupo Quatro Ases e Um Coringa, sucesso carnavalesco de 1948.

A filha, convidada de honra para a coroação da cantora Dircinha Batista como Rainha do Rádio, contou-lhe ter sido muito bem recebida pelos artistas presentes ao evento. O prêmio, criado originalmente em 1937 para arrecadar fundos em prol de um hospital beneficente, converteu-se em grande sucesso popular, com cupons de votação impressos na *Revista do Rádio*. Durante onze anos seguidos, Linda Batista reinara absoluta, passando a coroa à irmã Dircinha naquela vez.

"Teu prestígio entre o pessoal do rádio é enorme. Fiz um bruto sucesso a tua custa", narrou Alzira. "O diretor da Rádio Nacional, Lamartine Babo, a Aracy Cortes, as irmãs Batista, [...] [o cantor] Alvarenga [...] e até o Rei Momo foram me cumprimentar e pedir para te remeter abraços."[54]

Nem todos, porém, sentiam as mesmas saudades de Getúlio. Nos Diários Associados, Assis Chateaubriand escreveria naquele início de ano uma série de quatro artigos para celebrar o que considerava "o fim da mística da invencibilidade de Getúlio Vargas".

"A decepção em São Paulo foi para ele verdadeiramente acabrunhadora. Atacado, alvo de surriadas atrozes, a jornada da propaganda eleitoral que ali foi realizar deverá ter-lhe ensinado tantas coisas que nunca mais ousou sair a público", avaliou Chatô. "Tinha o sr. Getúlio Vargas uma supervalorização de si mesmo, e viu-se nas cordas, com espanto da própria vaidade", definiu. "O mágico perdeu a cartola, os coelhos brancos, as rosas e os passarinhos. O bruxo esqueceu o segredo dos filtros embriagadores."[55]

Com sua linguagem peculiar, Chateaubriand considerava Getúlio uma liderança política ultrapassada, sem nenhum futuro plausível à vista. "A campanha que empreendeu esteve longe de assumir a envergadura digna de um chefe de Estado. Ele agiu como um misto de cabo e de galopim eleitoral. Barateou-se, degradou-se, ao se meter dentro de um caminhão de estiva com um alto-falante, e a fazer o papel de urso de feira, de histrião pelas cidades do vale do Paraíba e da Mogiana afora", comparou Chatô. "Impotente e desencorajado, vendo esfarrapada a sua mística, o chefe do Estado Novo, em São Borja, vacila como um pavio de um grande candeeiro, prestes a se apagar."[56]

Em uma de suas andanças matinais pela fazenda, Getúlio passou mal, tropeçou numa pedra, caiu e esfolou o joelho. Há dias vinha sentindo palpitações e acessos de tontura. Punha a culpa pelos incômodos em uma cárie que lhe brotara em um dos molares superiores. Como reflexo da inflamação no nervo dentário, a cabeça por vezes parecia querer explodir, deixando-o meio zonzo. Mas uma dor na perna também o importunava. Começava à altura do fêmur e se irradiava pela coxa até as articulações da rótula.[57]

"Isso não tem importância e nem deve ser objeto de comentários", notificou à filha. "Pensei que talvez me fizessem bem umas aplicações de penicilina, esse remédio de que se proclamam tantas maravilhas e que nunca experimentei. Qual seria a fórmula mais cômoda e mais eficiente dessa aplicação e qual a quantidade aconselhável? Indaga isso por aí."[58]

Descoberta pelo médico e bacteriologista escocês Alexander Fleming em 1928, a penicilina passara a ser utilizada como medicamento em 1941. Quatro anos depois, após o antibiótico ter salvado a vida de milhares de soldados durante a Segunda Guerra, Fleming ganhara o Prêmio Nobel de Fisiologia ou Medicina e se tornara uma celebridade mundial. A popularização da "droga miraculosa" — como a penicilina passou a ser chamada pela imprensa da época — provocou o uso indiscriminado e incentivou a automedicação. Eram comuns anúncios de farmácias e boticas que apregoavam, nas páginas dos jornais, os poderes mágicos da "Penicilina Americana", que em sua versão injetável passou a ser recomendada como a grande panaceia para as mais variadas moléstias.

"Entregue a si próprio e longe de meu olho clínico de charlatã, imagino as imprudências que não andará fazendo por aí o filho do velho [general] Vargas", recriminou Alzira. "Excesso de carne, longas caminhadas ao sol, cavalgadas para cansar o corpo, um traguinho para cansar o espírito, remédios para dormir e um diadema cruel parafusando o coco. E os dentes levam a culpa..."[59]

A filha decidiu contatar um clínico conhecido da família em Porto Alegre para que fosse a São Borja realizar um exame completo no pai. Por enquanto, nada de remessas de Penicilina Americana, avisou.

"Alguns médicos aqui já condenam o abuso de penicilina, isto é, o uso da mesma sem uma indicação específica, não só para não habituar o organismo e reservá-lo para quando for realmente necessário, como porque talvez ela não seja tão inócua como se supunha até agora", informou ao pai, despachando-lhe um estoque emergencial de analgésicos.[60]

O médico diagnosticou uma batelada de problemas: artrite, reumatismo, carência de vitaminas, obesidade, elevação dos índices de ácido úrico, hiperglicemia e complicações ósseas decorrentes da antiga fratura provocada pelo acidente automobilístico de 1942. Prescreveu a ingestão de fortificantes, uma alimentação balanceada, aplicações de sulfa, compressas quentes e, por fim, um modismo entre os médicos da época, injeções de iodo, tidas como revigorantes. No caso de Getúlio, a aplicação de iodo endovenoso apenas tendia a lhe agravar o quadro de insuficiência renal, o que acarretava inchaço nos pés, hipertensão e novos sintomas de fadiga.[61]

Aos 66 anos, se andava mal do corpo, Getúlio tampouco desfrutava de uma saúde financeira compatível com a de um homem de sua posição. A construção da casa nova e a dissolução da sociedade com Protásio haviam corroído suas finanças pessoais.[62] Após ter passado quinze anos no poder, Getúlio saíra do Catete como um cidadão remediado, sem ter usado o cargo em proveito do próprio enriquecimento, conforme reconheciam até mesmo alguns de seus mais inflamados adversários políticos — embora pelo menos um deles, José Eduardo de Macedo Soares, dono do *Diário Carioca*, afirmasse o contrário.

"Getúlio enriqueceu na presidência da República. Enriqueceu guardando até o último real do subsídio e da representação, acumulando esses vencimentos, empregando-os rendosamente por mão de amigos", acusava Macedo. "Todas as suas despesas pessoais, desde os charutos, a roupa do corpo, os gastos da família, as mesadas dos filhos, [...] a luz, o gás, tudo, tudo de que vive um homem e sua família numa bela capital, tudo era sugado, tudo era dado, tudo era apanhado e aproveitado nas polpudas verbas orçamentárias da presidência da República."[63]

Getúlio ficou indignado quando soube pelos jornais que o senador Vitorino Freire, do PSD do Maranhão, subira à tribuna para também acusá-lo de ter desfrutado de gordas mordomias no Catete. Vitorino denunciou que, no Estado Novo, a família Vargas esbanjava cerca de 190 mil cruzeiros mensais — cerca de 300 mil reais por mês, em preços de hoje — com almoços nababescos oferecidos a parentes, agregados e amigos. A guarda pessoal, organizada por Bejo e coordenada por Gregório Fortunato, teria custado ao palácio outros 3 milhões de cruzeiros ao mês — 4,8 milhões de reais, em valores atualizados.

"Esse cafajeste, enriquecido pelas facilidades da atual administração, quer ferir-me naquilo que mais prezei durante o meu governo, o escrúpulo na gestão dos negócios públicos", escreveu Getúlio, melindrado, a Alzira. "A nossa vida era bem modesta e não podíamos gastar 190 mil cruzeiros por mês só em almoços. A guarda pessoal era paga pela polícia, e não por contas de palácio. [...] Só se querem passar ao débito do meu governo os meses do Linhares."[64]

Às despesas da Fazenda Itu somavam-se os custos de manutenção do apartamento no Flamengo, onde Darcy continuava morando. Para honrar os compromissos financeiros imediatos da esposa, Getúlio orientou Alzira a receber por procuração, e transferir automaticamente à conta bancária da mãe, os jetons referentes às únicas quatro vezes em que fora tomar chá com bolinhos na Academia Brasileira de Letras desde 1945.

"Há pouco recebi carta de tua mãe e fiz uma raspagem nas minhas reservas para acudi-la", comunicou à filha.[65]

Quanto ao próprio sustento, o Senado lhe assegurava, mesmo em caso de licença, o recebimento da parte fixa do subsídio, embora as ajudas de custo estivessem cortadas.[66]

"A vida em toda parte está difícil", queixava-se.[67]

Não bastassem tantos problemas, uma temporada de seca também se abateu sobre São Borja, seguida de uma praga de gafanhotos que dizimou a lavoura e os pastos. Os prejuízos para os fazendeiros locais foram incalculáveis, o que levou o então deputado João Goulart a comandar uma ação da bancada estadual para cobrar medidas de emergência ao governador Valter Jobim. Como medida auxiliar, o Ministério da Aeronáutica enviou para o interior do Rio Grande do Sul um avião bimotor carregado de inseticidas para o combate à praga.[68]

"Estamos atravessando aqui um período angustioso", relatou Getúlio. "É um panorama de desolação. Todas as plantações da fazenda foram devoradas pelos gafanhotos, e em algumas dessas as colheitas já estavam perdidas pela seca."[69]

Mais ou menos por esse tempo, surgiu no Rio de Janeiro o boato de que Getúlio estaria aproveitando a temporada de isolamento em São Borja para preparar um livro de memórias. Ao tomar conhecimento da informação, o correspondente do *New York Times* no Rio de Janeiro, Frank Garcia, procurou Alzira e comunicou que o jornal norte-americano teria interesse em comprar os originais do livro, "a qualquer preço".[70] Havia rumores de que a editora José Olympio também se mostrara igualmente interessada no trabalho, oferecendo a quantia de 200 mil cruzeiros — cerca de 240 mil reais — a título de adiantamento de direitos autorais, valor então inédito no país.[71]

"Getúlio Vargas é candidato a best-seller", noticiou o vespertino gaúcho *Folha da Tarde*. Segundo o periódico, o ex-presidente levara consigo para a fazenda caixotes de cartas, documentos, relatórios, telegramas, fotografias, notas de jornais e outras fontes, nas quais se basearia para elaborar a obra, que deveria se intitular simplesmente *Minhas memórias*.[72]

"*O Globo* anunciou ontem que estás mesmo escrevendo tuas memórias e o Frank Garcia voltou a pedir prioridade. Que tal, vamos fazer nossa independência financeira à custa do *New York Times*?", indagou Alzira, animada.[73]

Getúlio, entretanto, jamais escreveu a apregoada autobiografia. Em vez disso, combinara com José Olympio a publicação de mais um volume de *A nova política do Brasil*, a interminável coleção de discursos, iniciada em 1938 e que já estava indo para o décimo segundo tomo. Por sugestão do editor, o livro, em vez de fazer parte da série, seria lançado como título autônomo — *A política trabalhista no Brasil*. Reuniria as poucas intervenções de Getúlio na tribuna do Senado e os discursos da campanha eleitoral do início de 1947, quando percorrera vários estados do país. A obra, contudo, só viria a lume em 1950. Até lá, muitos continuariam esperando a narrativa autobiográfica do ex-presidente — e se indagando sobre seus presumíveis objetivos.[74]

"A propósito da publicação de *Minhas memórias*, há duas correntes de interpretação. Enquanto uma corrente firma o princípio de que o sr. Getúlio Vargas, antes de morrer, preocupa-se em deixar aos pósteros uma história sincera de sua vida, outros afirmam que o ex-ditador não vê a morte como um fim próximo, mantendo a certeza de que ainda viverá muitos anos", especulou, por exemplo, a *Folha da Tarde*. "Seu livro, portanto, a ser lançado em momento propício ao estudo da sucessão presidencial, teria a finalidade de 'limpá-lo' diante de ponderável parte da opinião pública, e preparar o terreno para o lançamento de sua candidatura ao Catete."[75]

Recolhido ao silêncio durante todo o primeiro semestre de 1948, Getúlio não se preocupou em confirmar ou desmentir os boatos. A dificuldade de acesso à Fazenda Itu o ajudava a manter a atitude de discrição. As estradas eram ruins e, até aquele momento, ainda não havia um campo de pouso estabelecido, ao contrário de Santos Reis. Na pequena varanda da casa, a rede armada sobre o chão quadriculado de azulejos pretos e brancos ficou sendo o lugar preferido de Getúlio. Ele passava horas no mesmo local, sentado à rede, soltando baforadas do charuto e degustando o chimarrão, enquanto contemplava o horizonte, elucubrando planos para o futuro.

Embora continuasse cético em relação a supostas mensagens enviadas do Além, considerou que não custava nada sondar os vaticínios espirituais de Anael a respeito de seu destino.

"Como vai o Professor com suas emanações do Astral?", perguntou a Alzira. "Se ele ainda não desanimou, é pouco provável que o mesmo não tenha acontecido com a [sua] assistência. Esta já o deve ter abandonado."[76]

O telefone da casa de Alzira tocou, e uma voz, do outro lado da linha, lhe deu o recado. Era preciso que ela fosse urgente ao apartamento da mãe, onde alguém a aguardava, com uma mensagem secreta a ser repassada o mais depressa possível a Getúlio. Pouco minutos depois, Alzira chegou esbaforida ao local e encontrou, sentado no sofá, a sua espera, Menotti Carnicelli. O recado, segundo ele, vinha de Anael:

"Mande dizer ao nosso homem que o momento é da maior gravidade. É necessário que o dr. Getúlio tenha os olhos bem abertos."

Alzira, curiosa, pediu detalhes.

"Tudo aquilo que Anael anunciou está para acontecer", resumiu-se a dizer Carnicelli, acrescentando apenas que o general Góes Monteiro, que havia sofrido um infarto do miocárdio, não iria morrer tão cedo.

"O general Góes será o instrumento da volta de Getúlio", mandara dizer Anael.

Alzira não conseguiu arrancar mais nenhuma palavra do guru da Occulta Universitas. Em carta ao pai, particularizou:

"Perguntei-lhe quais eram as instruções sobre tua vinda. [...] Anael te havia dito para ficar em silêncio, pois tuas palavras de hoje poderiam ser interpretadas contra ti amanhã — e que quanto à tua volta seria por consagração popular. Foi só."[77]

O jovem deputado trabalhista Leonel Brizola, 26 anos, quebrou um recorde histórico ao ocupar a tribuna da Assembleia Legislativa do Rio Grande do Sul com um discurso de mais de três horas. Ainda estudante de engenharia civil e eleito pela "ala moça" do PTB gaúcho, o rapaz nascido na localidade de Cruzinha, então pertencente ao município de Passo Fundo (e hoje a Carazinho), era filho de um tropeiro maragato, morto na revolução rio-grandense de 1923.[78] Depois de fazer um circunlóquio sobre a própria origem familiar, entremeando críticas ao governo federal e comentários sobre as desigualdades regionais do país, proclamou:

"O Rio Grande, em peso, pela maioria esmagadora de seu povo, comparecerá com toda a sua alma, na próxima campanha eleitoral, se for para levar à presidência da República o nome de seu filho mais querido e mais ilustre: Getúlio Vargas."[79]

Dada a proximidade de Brizola com a família Vargas — ele era amigo de Maneco e de Espártaco —, o discurso foi considerado pela imprensa de Porto Alegre como o lançamento oficial da candidatura de Getúlio ao Catete. Embora o vice-líder da bancada trabalhista, João Nunes de Campos, tenha se apressado em desmentir tal interpretação — e atribuído a fala do colega a "uma efusão puramente pessoal"[80] —, não houve como conter a avalanche de notícias que se seguiu. Os jornais gaúchos estamparam as declarações de Brizola em manchetes, e não demorou muito para que os periódicos do Rio de Janeiro as repercutissem, pautando por consequência, numa reação em cadeia, o restante da imprensa nacional.

"Ele voltará!" — passou a ser o dístico que contagiou os getulistas em todo o país.

No Rio Grande do Sul, onde não se falava em outra coisa em todas as rodas de conversa da cidade, a Livraria do Globo mandou imprimir 20 mil cartazes, panfletos e santinhos de campanha. No Rio de Janeiro, máscaras de Carnaval com o rosto de Getúlio — que tinham feito grande sucesso entre os foliões daquele ano —, regressaram subitamente às ruas, em pleno mês de agosto. Em questão de dias, o queremismo voltou à praça pública, em versão revista e ampliada.[81]

Maneco Vargas e João Goulart, que estavam na capital federal para tratar com Salgado Filho de assuntos relativos à reestruturação do PTB rio-grandense, ficaram extasiados com a efervescência. Alzira, contudo, tentou alertar os rapazes para os efeitos colaterais de uma nova precipitação dos acontecimentos. Escaldada com os dois últimos reveses, ela considerava prematura toda aquela movimentação, quando faltavam ainda mais de dois anos para as eleições. Chamou Maneco e Goulart para uma conversa reservada e tentou persuadi-los a não insuflar ainda mais a militância e os colegas de partido.

"Consegui convencer o Maneco, mas não o Jango, que [ressuscitar] o movimento queremista antes do tempo é [fazer] o jogo do adversário. Eles acham que é necessário manter a chama acesa e eu que é imprescindível apagar os vestígios de fogo. Compreende-se. Eu faço política pessoal, a deles é partidária", reportou ao pai. "O pessoal do PTB está agindo infantilmente, mostrando a todo mundo que tem uma bicicleta nova, capaz de vencer qualquer páreo. Esquecem-se que os [que] vão correr em bicicleta velha estão de olho, prontos para usar de todos os truques para sabotar-lhes a corrida."[82]

Getúlio concordou com a filha. Mandou chamar Salgado Filho a São Borja e o encarregou de desestimular os filiados quanto a qualquer antecipação do calendário eleitoral. Como estava por se encerrar o prazo da licença no Senado, encaminhou novo ofício, solicitando outros seis meses de afastamento, deixando que o suplente Camilo Mércio continuasse a lhe guardar o lugar até o final daquele ano.

"Às pessoas que te falarem sobre política, sucessão presidencial etc. e quiserem saber qual a minha opinião ou orientação, podes responder que só estou encarando esse assunto pelo seu aspecto pitoresco de jogo de interesses, no qual não desejo tomar parte", disse Getúlio a Alzira.[83]

Nos meses anteriores, a propósito, a filha percebera certa mudança no comportamento de antigos adversários, que teriam buscado se aproximar, gradativamente, dela e de Ernani. Em festas, solenidades públicas e encontros ocasionais, muitos dos que antes lhe viravam a cara passaram a cumprimentá-los com inesperada gentileza. Alzira atribuíra o fenômeno aos desgastes políticos e econômicos enfrentados pelo governo Dutra, que com sua política de abertura descontrolada do mercado desequilibrara a balança comercial e provocara o esgotamento quase total das reservas monetárias do país.[84]

A expectativa inicial de que os Estados Unidos cooperassem com o novo plano de desenvolvimento nacional cedeu lugar a uma irremediável desilusão. O governo norte-americano elegera como objetivo prioritário, no pós-guerra, promover a reconstrução da Europa Ocidental, por meio do chamado Plano Marshall, que injetou bilhões de dólares no velho continente. Quanto ao Brasil e aos demais países latino-americanos, Washington os aconselhou a ampliar suas próprias fontes internas de financiamento e a manter um clima favorável ao ingresso de capitais privados.[85]

"Está se processando a virada da montanha. Anda todo o mundo amável conosco e de cara sorridente. O governo está cada vez mais desmoralizado", escrevera Alzira ao pai, oito dias antes do início do novo surto queremista despertado pelo discurso de Brizola. "As importações estão paralisadas por falta de dólar, as negociatas avultam", ela detalhara.[86] "O Astral mandou te avisar que o país está à beira da falência e cairá nas mãos do estrangeiro. [E] que deves evitar isso senão teu trabalho no futuro será dobrado."[87] A filha chegara a zombar da excentricidade da situação: "O couro da barriga já não aguenta sozinho as gargalhadas que tenho vontade de dar na cara dos sem-vergonha que recomeçam a nos fazer roda.[88]"

Segundo Alzira, até mesmo o ministro da Guerra, general Canrobert, remetera um recado amistoso a Ernani, que pretextara uma falsa gripe para não comparecer a um banquete oferecido pelo comando da 1ª Região Militar aos deputados e senadores. Percebendo que Ernani declinara do convite por receio de ser alvo de constrangimentos, Canrobert pedira a um amigo em comum que lhe transmitisse a seguinte mensagem:

Nós todos gostamos muito dele [Ernani] e não há nada contra ele de parte do Exército e mesmo em relação ao dr. Getúlio, ninguém tem direito de levantar a voz para falar contra. Todos aqui são generais feitos por ele. [...] O que houve em 45 é que havíamos assumido um compromisso de que haveria eleições e nos pareceu que ele não queria realizá-las. Mas todo o Exército é amigo dele e grato pelo que fez.[89]

Contudo, com cartazes e panfletos anunciando por todos os lados o slogan "Ele voltará!", a conjuntura mudara de perfil e regredira à tensão anterior. Os jornais, que haviam relegado Getúlio a um providencial esquecimento a partir de meados do primeiro semestre, voltaram a abrir manchetes contrárias a ele. Chateaubriand, um dos que lhe haviam dado trégua provisória, voltou à carga, com redobrado furor.

"Este Malasarte se finge de morto, na fronteira do Rio Grande, enquanto a mística queremista, acalentada com as verdes esperanças do sebastianismo militante, se prepara para lançá-lo de novo no cenário da nação", criticou Chatô. "O velho incorrigível e totalitário é e continua sendo candidato à sucessão do general Dutra como ninguém, e como nunca."[90]

A partir de novembro, o *Diário da Noite* chegou a denunciar um pretenso complô internacional, articulado entre o ex-ditador brasileiro e o então presidente argentino, Juan Domingo Perón. De acordo com o repórter Wilson Aguiar, autor de uma série de matérias publicadas sobre o tema nos Diários Associados, Perón desejaria repetir o sonho de Hitler e promover uma grande expansão territorial de seus domínios, fundando o "Vice-Reinado do Prata". Paraguai, Bolívia, Uruguai e os chamados "estados brancos" do Brasil — Paraná, Santa Catarina e Rio Grande do Sul — estariam sob a ameaça de serem anexados à Argentina, com a devida cumplicidade de Getúlio.[91]

Embora os boatos, de certa forma, refletissem os conselhos secretos de Menotti Carnicelli a Getúlio, não havia naquele momento nenhuma base concreta para semelhante acusação. O repórter apenas viajara à capital do país vizinho, onde permanecera por cerca de duas semanas, e lá entrevistara um grupo de deputados peronistas que se diziam "admiradores de Getúlio" e que, por esse motivo, teriam lamentado a sua deposição em 1945. Foi o quanto bastou para que o *Diário* passasse a especular sobre a existência de uma conexão Buenos Aires-São Borja.[92]

As obras de ampliação das linhas telefônicas entre cidades fronteiriças argentinas e gaúchas também foram noticiadas como "indícios convincentes" de que havia uma ação consorciada em franco preparo. Se o governo de Perón pretendia estender fios de telefone até pequenos municípios rio-grandenses (como São Borja, por exemplo), só poderia haver nisso uma motivação oculta: estabelecer um canal direto de comunicação entre a Casa Rosada e a Fazenda Itu, cogitou-se.[93]

Outra "evidência" do complô seria o fato de alguns lotes dos cartazes e panfletos da campanha "Ele voltará!" estarem sendo impressos em gráficas portenhas — o que na verdade revelava apenas que os preços cobrados pelas tipografias de Buenos Aires eram inferiores aos praticados pelas concorrentes de Porto Alegre, incluindo o frete.[94]

Até mesmo a amizade entre um reconhecido getulista, Epitácio Pessoa Cavalcanti de Albuquerque (o Epitacinho, sobrinho do ex-presidente Epitácio Pessoa), e o embaixador da Argentina no Brasil, Juan Isaac Cooke, passou a ser apontada como uma "relação altamente suspeita". Do mesmo modo, como muitos amigos e agregados da família Vargas mantinham negócios com parceiros comerciais do outro lado da fronteira, como era o caso de Protásio e de Batista Lusardo, suas constantes incursões pela região do Prata ajudavam a dar contornos mais nítidos ao quadro geral de suspeição.[95]

"Será que eles acreditam nas coisas que inventam ou são mesmo só safados?", escreveu Alzira a Getúlio.[96]

Um porta-voz do Itamaraty, ouvido pelo jornal *O Globo*, classificou as notícias a respeito de um complô tramado entre Getúlio e Peron como algo "inteiramente fantasioso e sem fundamento". Fontes militares ouvidas pela imprensa também desmentiram a existência de qualquer movimentação atípica na fronteira entre os dois países. Mesmo assim, as especulações continuaram a fornecer assunto para as colunas políticas e para os discursos de governistas no Congresso.[97]

"Há novamente um esboço de reação dos círculos oficiais e da imprensa contra ti, após um período de vários meses de expectativa simpática", alertou Alzira. "Em parte pode-se atribuir isso a mais um erro de tática de alguns dos nossos. Ignoro ainda se é por burrice ou má-fé. Vindo do grupo que veio, deve haver um pouco de ambos", sentenciou a filha. "É preciso que teus jovens e fogosos políticos daí compreendam que estamos pisando um terreno falso e que é preciso cautela. Gastar entusiasmo e energia antes do tempo não traz resultado prático."[98]

Até mesmo o trágico assassinato do udenista mineiro Virgílio de Melo Franco, em sua residência carioca no Jardim Botânico, também seria incorporado ao repertório dos adeptos das teorias conspiratórias. Virgílio morreu após ser atacado por um ex-empregado, Pedro Santiago Pereira, no dia 29 de outubro, quando a deposição de Getúlio Vargas completava exatos três anos. As circunstâncias do crime jamais foram esclarecidas, o que deu ensejo às mais variadas suposições, inclusive a de que o político teria sido eliminado por encomenda expressa do ex-presidente.

"Procuraram espalhar [...] ter sido eu o mandante da morte do Virgílio", indignou-se Getúlio. "Custa-me crer que haja gente tão canalha, capaz de afirmar isso; ou tão idiota, para supor. De qualquer forma, canalhas ou idiotas não merecem resposta."[99]

Enquanto Getúlio voltava a ser alvo de ataques, os jornais davam conta dos possíveis candidatos à sucessão de Dutra. Como em qualquer período pré-eleitoral, os balões de ensaio eram inflados e alçavam voo com a mesma velocidade na qual, na sequência, eram esvaziados e derrubados. Na perspectiva de uma coligação nacional entre PSD e UDN, nada menos de vinte nomes dos dois partidos seriam ventilados pela imprensa ou sussurrados nos bastidores políticos, a partir daquele final de 1948: Adroaldo Mesquita da Costa, Afonso Pena Júnior, Barbosa Lima Sobrinho, Canrobert Pereira da Costa, Carlos Luz, Cirilo Júnior, Cordeiro de Farias, Ernesto Dornelles, Góes Monteiro, Israel Pinheiro, João Neves da Fontoura, Miguel Couto Filho, Milton Campos, Nereu Ramos, Oswaldo Aranha, Otávio Mangabeira, Ovídio de Abreu, Pereira Lima, Pinto Aleixo e Valter Jobim.[100]

Entre tantos, os mais cotados eram o udenista Otávio Mangabeira, governador da Bahia, e o pessedista Nereu Ramos, vice-presidente da República, tidos como candidatos naturais por seus respectivos partidos. O único problema é que as pretensões de Mangabeira e Nereu, se materializadas, prometiam gorar o pacto interpartidário firmado no início do ano, uma vez que UDN e PSD pareciam não conseguir chegar a um acordo sobre a quem caberia indicar o cabeça de chapa. No meio do impasse, surgiam os demais presidenciáveis — e o nome do ministro da Guerra, Canrobert Pereira da Costa, despontava no horizonte como uma solução militar, "extrapartidária e apolítica", para o caso de permanecer a dificuldade de se definir uma candidatura civil de consenso. No governo, cogitava-se até mesmo a possibilidade de se decretar a prorrogação do mandato de Dutra por mais dois anos, em nome da manutenção da ordem pública, o que provocava uma repulsa geral na opinião pública.[101]

"A desagregação governamental está se processando lenta, mas seguramente. Um pouco mais de paciência. Sou correspondável por uma aventura tua, a de

São Paulo. Não quero ser de outra, sem garantias cabais", escreveu Alzira a Getúlio. "Sei, como se tivesse conversado longamente contigo, o que vai por tua cabeça e não quero que a sofreguidão de muitos te prenda antes do tempo. Sei que precisas e deves permanecer livre e desimpedido até a hora que quiseres agir. E embora nada tenhas dito, muita gente quer falar por ti. [...] Se por acaso eu estiver errada e eles certos, basta dizer: 'larga!' e eu me encolho."[102]

Era como se Alzira houvesse lido as ideias que, naquele momento, fermentavam na cabeça grisalha do pai.

"[Estou] ciente das maquinações referidas em teus relatórios e das leviandades ou precipitações de alguns dos meus correligionários", respondeu-lhe Getúlio, uma semana depois. "Interpretaste bem meu pensamento, desejo apenas não assumir compromissos e guardar minha liberdade de ação para, no momento oportuno, poder agir."[103]

Enquanto isso, nas ruas do Rio de Janeiro, panfletos com uma paródia do "Pai Nosso" já circulavam de mão em mão:

Pai dos pobres que estás em São Borja,
Glorificado seja o vosso nome,
Venha a nós o vosso governo,
Seja feita a vontade popular,
Assim nas urnas como depois da posse.
A certeza de vossa volta nos dai hoje,
Candidatando-vos à Presidência da República,
Assim como vão candidatar-se os vossos inimigos.
Não nos deixeis cair nas mãos da UDN
E livrai-nos doutro general e do Ademar,
Amém.[104]

9. O repórter Samuel Wainer entrevista Getúlio: "Não sou oportunista; sou homem de oportunidades" (1949)

Era uma segunda-feira de Carnaval. Mas, ali em Santos Reis, onde Getúlio decidira passar o feriado, não havia o menor sinal de folia. Ele, que tinha acabado de voltar de um de seus passeios matinais a cavalo, estava saindo do banho quando um funcionário de Protásio foi avisá-lo que havia um jornalista lá fora, querendo entrevistá-lo.[1] O homem lhe mandara entregar um cartão de visitas e, nele, podia se ler a seguinte informação:

SAMUEL WAINER

REPÓRTER DOS DIÁRIOS ASSOCIADOS

Getúlio ordenou que servissem um copo com água ao visitante e o mandassem esperar. Depois que terminasse de se vestir, iria recebê-lo. Sem nenhuma pressa, pôs uma camisa branca folgada de mangas curtas, vestiu as bombachas azuis, calçou o par de botas pretas e umedeceu de leve os cabelos com brilhantina, penteando-os para trás — deixando a descoberto a testa larga, que se confundia com a careca que já lhe tomava até a metade superior do cocuruto.[2]

A dieta, os analgésicos e os fortificantes prescritos pelo médico pareciam estar surtindo algum efeito. A perna ainda lhe importunava, impedindo-o de se dedicar às longas caminhadas. Mas, no geral, aparentava boa disposição. As boche-chas ligeiramente rosadas emprestavam-lhe um aspecto saudável. Porém, estava ainda mais gordo do que de costume, tendo ultrapassado a marca crucial dos cem quilos. Como era baixinho, o excesso de peso o deixava ainda mais roliço.[3]

Quando o viu, com aquela indumentária tipicamente gauchesca, Wainer não pôde evitar a comparação que lhe veio à mente:

"Vargas parecia um desses bonecos que se vendem como lembrança do Rio Grande do Sul."[4]

A primeira e última vez que o jornalista pusera os olhos no ex-presidente fora cerca de dois anos antes, quando escrevera uma série de reportagens sobre a polêmica do petróleo, o tema que seguia a dividir opinião no país.

"E como vai o petróleo?", perguntou de chofre Getúlio, no reencontro com Samuel Wainer, em Santos Reis. "Espero que não tenha vindo para me entre-vistar..."[5]

"Não, senador, vim conceder-lhe uma entrevista. Que deseja saber?", devol-veu Samuel, conhecedor da habilidade de Getúlio em inverter as posições entre repórter e entrevistado.[6]

O sr. Vargas riu com satisfação. E seu riso ampliou-se para uma longa gargalhada quando eu lhe disse que, percorrendo o Rio Grande do Sul para estudar de perto a situação de um dos produtos gaúchos mais valorizados no Brasil — o trigo —, não poderia deixar de procurar saber também como ia ele — Vargas —, outro produto gaúcho altamente valorizado nos grandes mercados da política nacional.[7]

"O sr. está exagerando", contrapôs Getúlio, ainda rindo. "Estou longe e afas-tado dos acontecimentos. O sr. é que poderá me informar sobre o que se passa no país..."[8]

A entrevista que se seguiu rendeu uma das histórias mais famosas da impren-sa brasileira. No livro *Minha razão de viver: Memórias de um repórter*, publicado três décadas depois, Samuel Wainer contaria que, entre outras revelações bombásticas, Getúlio lhe teria dito, com todas as vogais e consoantes, a sentença que se torna-ria célebre: "Eu voltarei, mas não como líder de partidos, e sim como líder de massas". Ou seja, de acordo com o relato autobiográfico de Wainer, Getúlio as-sumira e formulara para ele, em primeira pessoa, o slogan queremista — "Ele voltará!".[9] Tal versão, incluída no livro, foi incorporada por boa parte da bibliografia existente sobre o tema. Entretanto, não é inteiramente precisa.

Ao longo do texto original da entrevista, publicado no dia 5 de março de 1949, em nenhum momento Getúlio disse que "voltaria", pelo menos na acepção sugerida nas memórias do jornalista. A rigor, pelo que está transcrito na reportagem, o que ele informou, ao se despedir do jornalista, foi algo de teor bem menos sensacional: "Pode publicar que voltarei para o Rio de Janeiro em abril ou, no máximo, em maio próximo", referindo-se ao fim de sua licença no Senado. Em outro trecho, depois de "alguns segundos em profunda meditação", Getúlio comentara: "Eu não sou propriamente um líder político. Sou, isto sim, um líder de massas".[10] Ao justapor uma passagem da entrevista a outra, dando-lhes um caráter de associação de ideias, o livro de memórias de Wainer acabou por conferir às palavras do entrevistado um sentido exatamente oposto àquele que, de fato, possuíram à época.

Em vez de representar um anúncio de que ele entrara de vez na disputa sucessória, as respostas de Getúlio ao repórter foram, na verdade, uma aula política de como não se comprometer com nada e com ninguém, inclusive com a própria candidatura, deixando assim uma margem enorme para futuras manobras, como lhe era peculiar. Ao se dizer um "líder de massas", e não um "líder político", colocava-se acima das contingências partidárias e dos arranjos de ocasião.

"Não sou um oportunista, mas um homem de oportunidades. Se fosse um oportunista, teria ficado ao lado do sr. general Dutra e obtido compensação pelo apoio que lhe dei. O meu pensamento, entretanto, está todo ele voltado para os trabalhadores do Brasil", disse Getúlio a Samuel Wainer.[11]

"Sendo o sr. um homem de oportunidades, por que não se apresenta candidato à sucessão presidencial nesse momento em que sua popularidade parece voltar ao seu apogeu?", questionou o repórter.[12]

Getúlio dera mais uma de suas típicas gargalhadas e saíra pela tangente:

"Responder-lhe-ei a esta pergunta quando nos encontrarmos no Rio."[13]

Em suma, ao mesmo tempo que deixava todas as opções em aberto, inclusive a da própria candidatura, Getúlio mantinha o mantra de que seria apenas um mero espectador do quadro político nacional. Como bem salientara em uma de suas últimas cartas a Alzira, isso o dispensava de assumir obrigações e o deixava livre para agir no momento oportuno.

"Minha posição atual é a de um simples observador", reforçou, na entrevista a Wainer. "Pode declarar que até hoje não recebi emissários, nem autorizei combinações em meu nome. Ao sr. Salgado Filho, tenho recomendado sempre: organizar o partido, sem se comprometer com ninguém."[14]

Na verdade, um segmento específico da entrevista causou muito maior sensação no meio político da época — embora posteriormente, com o passar do tempo, tenha sido relegado a segundo plano. Quando Samuel Wainer indagou a Getúlio qual avaliação fazia da figura do brigadeiro Eduardo Gomes, ele respondeu: "Considero-o um grande nome e um grande valor moral. Pessoalmente tenho o maior apreço por ele."[15]

Ao ser indagado então se estaria disposto a perdoar os muitos ataques que recebera da UDN, comentou:

"Perdoar o quê? Todo o mundo sabe que não guardo ódios nem rancores contra ninguém, nem tenho contas a ajustar com quem quer que seja."[16]

Wainer não relatou nas suas memórias — e talvez ele nem sequer soubesse disso —, mas as cartas trocadas entre Alzira e Getúlio revelavam, entre outras surpresas, que a ida de um repórter dos Diários Associados a São Borja obedecera a um plano previamente traçado no Rio de Janeiro, com a devida combinação entre representantes da UDN e a filha do ex-presidente. Duas semanas antes do Carnaval, o deputado udenista José Cândido Ferraz procurara Ernani do Amaral Peixoto em segredo, para propor uma tática mútua e, no mínimo, audaciosa: arrancar de Getúlio algum comentário positivo em relação a Eduardo Gomes com o objetivo declarado de introduzir o brigadeiro de novo na bolsa de apostas eleitorais. Por mais insólita que a sugestão pudesse parecer, ela correspondia ao desejo de certos setores da UDN de abortar o acordo interpartidário, deixando também o PSD livre para lançar o próprio candidato.

Segundo José Cândido dissera a Ernani, os brigadeiristas achavam que a única garantia para a manutenção da UDN como partido autônomo seria o lançamento de uma candidatura autêntica, como a de Eduardo Gomes. Mas, para que isso ocorresse, seria necessário "um auxílio externo", a fim de dobrar a própria resistência do brigadeiro, que, marcado pela derrota para Dutra em 1945, dizia não querer se lançar de novo à disputa. Ainda de acordo com Cândido, tal auxílio só poderia partir de uma pessoa: Getúlio Vargas.

Eles, brigadeiristas, tinham consciência de que Getúlio não poderia apoiar Eduardo Gomes, dadas as circunstâncias então recentes, mas como o ex-presidente se dizia livre de todo e qualquer compromisso, não custaria sondá-lo a respeito do assunto. Bastaria uma meia dúzia de palavras simpáticas, não necessariamente uma adesão, para se fabricar um fato político e estimular o brigadeiro a entrar no páreo. Em troca da intermediação de Ernani, o PSD também ficaria a cavaleiro para lançar o próprio nome, garantindo a realização das eleições e eliminando o risco de uma solução militar, como a de Canrobert — ou a prorrogação do mandato de Dutra.[17]

Ernani do Amaral Peixoto prometeu avaliar a questão e sondar o terreno. Quando discutiu o assunto com Alzira, ela calculou que aquele intrincado quebra-cabeça poderia representar também um grande lucro para os getulistas. Se o acordo entre as duas grandes legendas fracassasse, dividindo-se então as forças hegemônicas, estaria aberto o espaço para a viabilização de uma terceira candidatura, trabalhista ou mesmo independente, que de outra forma não teria como fazer frente à sólida estrutura partidária de uma coligação UDN-PSD.

Coube a Alzira, então, explicar ao pai a execução objetiva do plano:

"Zé Cândido [...] disse que, caso consentisses, eles mandariam um jornalista da UDN, dos menos vermelhos, para tomar como ditas ao acaso de uma entrevista as rosas de teu amor acendrado pelo brigadeiro e seus cupinchas."[18]

E, então, detalhou:

De qualquer maneira, esta aproximação da UDN é interessante para ti. Não implica em compromisso algum. Se amanhã quiseres que o PTB faça uma aliança com o PSD e lancem um candidato junto à UDN, já se terá precipitado. Se a UDN quiser abrir a boca para xingar, já não poderá, porque a qualquer momento poderá ser denunciado o namoro. Se as circunstâncias te forçarem a ser o candidato, já a UDN não poderá estrilar: se eras bom para apoiar, também serves para ser [candidato]. Será um susto para o Dutra e um rebuliço na política nacional. Divirta-se.[19]

"Estou começando a me divertir", respondeu Getúlio, autorizando a execução da manobra. Como condição, impunha apenas a necessidade de que o primeiro aceno público de simpatia partisse dos próprios udenistas. "Quando chegar o emissário, o terreno estará macio, e isso poderá servir como ponto de partida na palestra", definiu. "Como nada estou pedindo, devo jogar com cartas marcadas."[20]

Samuel Wainer, contudo, chegou a São Borja antes de ser posta em prática a exigência estabelecida por Getúlio, o que ameaçou arruinar o ajuste. Sem saber se Wainer era ou não o jornalista prometido por José Cândido Ferraz — e talvez realmente não fosse —, ciente de que estava correndo um risco calculado, o ex-presidente resolveu executar mesmo assim sua parte no jogo. Estava verdadeiramente interessado nos desdobramentos políticos que o gesto poderia produzir.

"A coisa saiu um tanto precipitada, pela vinda de surpresa de Wainer", advertiu a Alzira.[21]

A filha, no entanto, relativizou o problema. O elogio de Getúlio ao brigadeiro provocara os efeitos desejados:

"O resultado obtido por eles e por nós foi almejado, de modo que não há o que retroceder", avaliou.[22] "A entrevista fez misérias no mundo político", ela informou. "Sua excelência [Dutra] se assustou. [...] A UDN assumiu a atitude de donzela cujo namoro secreto é descoberto pelos pais. Está encabulada, mas não quer terminar o assunto e faz constar que foi pedida em casamento", comparou.[23] "O PSD, esposa fiel e interessada, que durante anos tolerou a mancebia do Dutra com a UDN, agora parece que criou vergonha na cara e resolveu lançar olhares ternos ao PTB, disposto a ter também o seu caso extramatrimonial, às escâncaras", zombou Alzira.[24] "O resumo da ópera em português é o seguinte: Dutra deseja o candidato único como meio de evitar a tua influência direta nas eleições. O acordo PSD-UDN garantiria qualquer candidato. Teu prestígio eleitoral não seria solicitado por ninguém, e o PTB, sem organização e sem governo na mão, nada poderia fazer sozinho."[25] Em outras palavras, todas as possibilidades estavam novamente em aberto.

Eufórico, João Neves da Fontoura foi à casa de Alzira Vargas para comentar o episódio. Definiu a entrevista de Getúlio como "uma obra-prima de sagacidade política". Alzira não desperdiçou a oportunidade de fazer a mosca azul ficar pairando também sobre a cabeça do pessedista João Neves, com a óbvia intenção de semear mais uma possível cisão no cenário pré-eleitoral.[26]

"Dr. Neves, o senhor sabe que o Patrão não fala, mas depois de muito saca-rolha consegui apurar que ele não deseja ser candidato, a não ser em caso de salvação nacional. [...] Desse modo, o senhor não pode se pôr à margem dos acontecimentos", sugeriu Alzira. "O Nereu é um excelente nome e tem sido muito correto com o Patrão, mas não goza de muita simpatia entre os trabalhistas. De modo que não se ponha à margem"[27]

Segundo a filha contou em tom malicioso ao pai, João Neves "não ficara triste" com a insinuação. Todavia, depois do atrevimento daquela abordagem, a própria Alzira receou estar extrapolando no papel de semeadora de impasses. Por isso, preocupada, mandou perguntar ao pai se deveria agir com mais moderação.[28]

"Estás muito arteira. Podes continuar", liberou Getúlio.[29]

Com o impacto da publicação da entrevista, acabou novamente o sossego em Santos Reis — e também na Fazenda Itu, que a partir disso precisou improvisar sua própria pista de pouso.

"Não me deixam trabalhar. São dois aviões por dia", queixou-se Getúlio. "A palestra com o seu Wainer parece que teve uma repercussão muito maior do que eu esperava."[30]

De fato, os céus de São Borja nunca estiveram tão congestionados como naqueles dias. Comitivas de pessedistas procuraram Getúlio a todo momento para dizer que não haviam fechado questão com a candidatura de Nereu Ramos e que, portanto, também estavam abertos a conversas e negociações. As caravanas aéreas do PTB, cujos filiados ainda não haviam entendido a lógica do elogio extemporâneo a Eduardo Gomes, o procuravam para pedir maiores esclarecimentos.

Toda aquela agitação política coincidiu com uma série de apreensões familiares para Getúlio. O irmão caçula, Benjamin Vargas, estava novamente em apuros. Acabara de ser condenado à prisão por mais uma de suas costumeiras aventuras na noite carioca. Dessa vez, o caso se dera na boate do luxuoso Copacabana Palace. Bejo estava a uma mesa, na companhia de uma turma de amigos, entre eles Joaquim Barrozo do Amaral — o "Boy", pai do futuro jornalista Zózimo Barrozo do Amaral —, quando uma senhorita, Rosa Conceição Conde, passou por eles e foi alvo de um gracejo pouco elegante:

"Baleia!", alguém do grupo comentou.[31]

Todos caíram na gargalhada, e a garota, ofendida, foi relatar o fato aos seus dois acompanhantes — o irmão, Carlos da Silva Conde, e um amigo de ambos, Augusto Santos Filho, sentados ali perto. Os dois rapazes se levantaram e foram tomar satisfações com os piadistas. Depois de intenso bate-boca, com direito a impropérios de ambos os lados, Carlos e Augusto decidiram voltar aos seus lugares e pedir a conta. Quando estavam saindo, o irmão de Rosa Conceição, ainda revoltado, atirou uma cadeira contra Benjamin, que por sua vez revidou puxando o revólver e apertando o gatilho. O tiro atingiu a coxa direita da moça, que caiu ao chão, sangrando muito. Bejo correu em direção à porta dos fundos, por onde desapareceu para escapar do flagrante.[32]

Na polícia, dias mais tarde, Bejo alegou legítima defesa. Disse que tinha atirado para o chão, com o intuito de responder à cadeirada que sofrera. O caso foi parar nos tribunais, e o juiz responsável pelo caso, depois de ouvir as partes e consultar o inquérito policial, entendeu que o acusado era culpado de tentativa de homicídio. Entretanto, como Benjamin Vargas, para todos os efeitos, era considerado réu primário, terminou sentenciado a uma pena branda, de quatro meses. Bejo recorreu em liberdade, e o novo encarregado do caso, o juiz Nelson Hungria, reduziu a punição para três meses, com direito a *sursis* — a suspensão condicional da pena.

"O Bejo, afinal, está livre", comunicou Alzira, aliviada, ao pai.[33]

Enquanto isso, a outra filha de Getúlio, Jandira, tivera uma recaída em seu quadro crônico de colapsos nervosos. O marido, Rui da Costa Gama, sofrera um grande prejuízo quando o sócio, com quem dividia o capital de uma fábrica de óleos lubrificantes, perdeu todo o dinheiro da empresa em mesas de roleta e carteado — embora Dutra tivesse proibido o jogo no Brasil desde abril de 1946, cassinos clandestinos ainda funcionavam nas principais cidades do país. O baque financeiro provocou uma desestruturação familiar, e Jandira, que caíra em depressão, precisou ser internada numa clínica de repouso. Falido e endividado, Rui transferiu o ônus das despesas de casa e a conta pelo tratamento da esposa para a família Vargas. Darcy viu-se então obrigada a assumir os custos do hospital e o sustento dos netos, Getulinho, de oito anos, e Edith, de sete.

"A Patroa está sobrecarregada de problemas e de encargos financeiros insolúveis", comunicou Alzira a Getúlio. "O tratamento de Jandira está saindo caríssimo."[34]

Para fazer frente aos novos gastos, Getúlio pôs à venda um terreno que comprara ainda no início dos anos 30, próximo à lagoa Rodrigo de Freitas.[35] E justamente quando fazia malabarismos para equilibrar o caixa doméstico, foi surpreendido com o convite para ser padrinho de casamento de Nora Lobo, moça que morava em Paris e era filha da escultora brasileira Maria Martins — casada com o diplomata Carlos Martins Pereira e Souza, então embaixador do Brasil na França, velho amigo de Getúlio.[36] Maria Martins, artista de renome internacional, era íntima de expoentes do surrealismo como André Breton, Max Ernst, Marc Chagall e, em especial, Marcel Duchamp, de quem chegou a ser amante.[37]

"A Maria Martins me telefonou de Paris pedindo para responderes a carta da Nora convidando-te para seu padrinho de casamento", cobrou Alzira. "Se não puderes ir, o que ela deseja veementemente, e não pudermos Ernani e eu te representar — falta "a grana" —, pede que passes a procuração para o [embaixador] Adolfo Alencastro que está na Holanda e irá. É necessário que te expliques em um bom presente", orientou a filha. "Dize-me mais ou menos de quanto podes dispor para que eu procure dentro do orçamento."[38]

Dada a situação financeira, o pai estipulou um teto de 5 mil cruzeiros (5,5 mil reais) para a compra do presente — um colar de águas marinhas, por sugestão de Alzira. O valor era compatível com a ocasião e a posição social da noiva, mas desfalcaria consideravelmente as já combalidas economias de Getúlio.[39]

"Ando fazendo tropas de gado aqui em São Borja para apurar uns cobres e remeter um auxílio à tua mãe. Daí poderás tirar para o presente à noiva, de acordo com a tua sugestão", escreveu Getúlio. "A despesa não deve exceder de cinco mil 'pacotes', no máximo."[40]

Quando, após o casamento da filha, Maria Martins anunciou que estava vindo para o Brasil — e por isso faria questão de visitá-lo em São Borja —, Getúlio pediu que a filha tirasse a ideia da cabeça da amiga.

"Dá lembranças minhas à loura embaixatriz e promete-lhe meu regresso [ao Rio], para que ela não se dê ao trabalho de uma visita. Sou um homem velho e adquiri até hábitos de caipira. Nem galanteios mais sei fazer."[41]

Em meio a isso, o *Diário da Noite* estava publicando, na forma de folhetim, um conjunto de textos anônimos, reunidos em livro pela gráfica O Cruzeiro, com o sugestivo título de *Eu fui guarda-costas de Getúlio*. Escrita pelo jornalista David Nasser, a narrativa em primeira pessoa era falsamente atribuída pelos editores a um dos homens da guarda pessoal de Vargas. O "romance histórico" retratava cenas dos bastidores do poder e supostas intimidades do então titular do Catete ao longo do Estado Novo. Além de tratar da violência institucionalizada no regime, Nasser descrevia orgias sexuais ocorridas na casa de Barreto Pinto, muitas delas com a participação do próprio Getúlio. Um dos capítulos publicados no *Diário* era ilustrado pela foto de uma bela mulher, de ar estrangeiro e grã-fino, que a legenda identificou como "Desirée, a amante russa do ditador".

"Se é verdade, e se o retrato da jovem é legítimo, não tens mau gosto. Meus parabéns. É infernal!", exclamou Alzira.[42]

Getúlio não gostou da brincadeira.

166

"Deve ser uma grande canalhada, que não li, nem pretendo ler", reclamou. "Nunca estive em casa do Barreto Pinto. Se houvesse justiça para essa espécie de imprensa seria o caso de chamá-la a juízo. Infelizmente, não há."[43]

Cerca de 5 mil gaúchos, vindos de todos os recantos do Rio Grande do Sul, rumaram em direção à estância São Vicente, propriedade de João Goulart, no dia 19 de abril de 1949, data do 67º aniversário de Getúlio — ou 66º, segundo as contas do aniversariante. "Chegavam a cavalo, chegavam a pé, vinham de longe, trajando ponchos vistosos; era o povo marchando ao encontro de seu líder", descreveu Samuel Wainer, que voltou a São Borja para fazer a cobertura do evento. "Deparei-me com um cenário tão grandioso quanto os descritos por John Reed em *Os dez dias que abalaram o mundo*, um painel perfeito para um filme de Sergei Eisenstein", comparou o jornalista.[44]

Getúlio chegou à fazenda de Jango por volta das nove e meia da manhã. Vestia traje de montaria: camisa amarelo-clara, botas de cano justo e um lenço azul no pescoço. Uma multidão já o aguardava no local. Muitos correram para abraçá-lo, para pedir autógrafos ou simplesmente para cumprimentá-lo, com eufórica veemência.

"Tá firme! Ele é como o pai foi, tem muitos anos a dar combate ainda", exultou um anônimo, numa tirada que o fez gargalhar.[45]

"Dr. Getúlio! O senhor precisa voltar! O senhor tem de voltar!", dizia uma senhora em pranto convulsivo, abraçando-o e pendurando-se no seu pescoço.[46]

"Voltar? Mas, minha filha, eu acabei de chegar!", respondeu Getúlio, com um chiste que, dessa vez, levou todos em volta a cair no riso.[47]

Os repórteres presentes ficaram impressionados com a capacidade que Getúlio tinha de tratar muitas daquelas pessoas pelo primeiro nome, fazendo-lhes perguntas sobre parentes e agregados, numa manifestação de memória prodigiosa. Enquanto assinava cadernos, lenços, chapéus, maços de cigarro e fotografias, ele se encaminhou à mesa instalada debaixo das árvores, onde seria servido o grande churrasco. Jango mandara abater cinquenta vacas e vinte capões, franqueando ainda mil litros de chope, mil litros de vinho e 3 mil garrafas de cerveja aos presentes.[48]

"A própria desorganização com que a festa transcorria — a falta de microfones, a multidão espraiada sem disciplina por todos os lados, a impossibilidade do sr. Getúlio Vargas libertar-se um só momento das centenas de abraços, saudações, pedidos de autógrafos — assegurava a espontaneidade da situação", escreveu Wainer. Em dado momento, segundo ele, João Goulart subiu em uma das árvores para pronunciar o discurso de saudação ao homenageado do dia.[49]

"Hoje, graças à instituição do voto secreto, criado no governo de vossa excelência, o povo sabe que poderá livremente decidir sobre a sorte de sua pátria", saudou Jango.[50]

Getúlio levantou e retribuiu com uma fala de improviso, que causaria sensação:

"Minha resposta não será um discurso. Um pouco desambientado da tribuna, não vou discursar, vou conversar com o povo. É apenas uma palestra direta convosco", anunciou. "É a primeira vez na minha vida que compareço a uma festa comemorativa do meu aniversário. Em outros tempos, quando chegava esse dia, eu procurava afastar-me, ocultar-me em um lugar qualquer ermo e desconhecido, para que não pudesse receber manifestações dessa ordem", recordou. "Mas por que mudei? Por que abri exceção a esta forma de conduta? Porque esta é uma festa do povo. Eu sei que todos colaboraram para ela: uns foram encarregados de sua organização; outros trouxeram os produtos de sua lavoura; outros, os automóveis e ônibus para auxiliar o transporte; outros, a lenha para fazer o fogo que está assando o churrasco", disse, arrancando aplausos. "Por isso vim, sabendo que o povo aqui comparece, que ele não dá importância à carantonha dos poderosos do dia, que ele desafia as malquerenças."[51]

Embora continuasse a insistir que não era candidato, Getúlio e seus aliados davam demonstrações cada vez mais evidentes em sentido contrário. Naquele mesmo mês de abril, os diretórios estaduais do PTB do Rio Grande do Sul e de São Paulo começaram a organizar listas e abaixo-assinados solicitando que ele se lançasse à disputa. O objetivo era conseguir 1 milhão de assinaturas, segundo os organizadores.[52]

"Ele só não voltará se não quiser", dizia o deputado Gurgel Amaral, líder dos trabalhistas na Câmara dos Deputados.[53]

Getúlio, porém, seguia desconversando:

"Minha preocupação agora é a encomenda de mudas e a formação de viveiros para o pomar e o parque que estou organizando no Itu", escreveu a Alzira. "Quando tiveres portador, manda-me meia dúzia de cuecas reforçadas, próprias para andar a cavalo, daquelas que me trouxeste. A fazenda era boa, mas não posso mais abotoá-las. Não dão na cintura. Mando-te junto a medida justa, com folga, para evitar que se reproduza o mesmo fenômeno."[54]

Alzira ficou indignada quando a bancada trabalhista na Assembleia Legislativa de São Paulo começou a se movimentar para barrar a proposta de impeachment do governador Ademar de Barros, articulada pela oposição estadual. Os adversários denunciavam a existência de uma famosa "Caixinha do Ademar", um grande esquema de propinas e de desvio de verbas públicas destinado a comprar apoio político de deputados e a abastecer os cofres de sua almejada campanha a presidente da República. Contava-se que, no gabinete, o governador manteria um armário abarrotado de dinheiro vivo. Certa feita, quando o secretário de Saúde informou-lhe que não havia rubrica no orçamento para a conclusão das obras de determinado hospital, Ademar simplesmente abrira o "baú" e de lá retirara um bolo de cédulas.

"Quanto o sr. precisa? Está aqui. Vai lá e completa o hospital."

"Governador, como é que eu vou contabilizar isso?", teria indagado o secretário, atônito.

"O sr. pode entender muito de Saúde, mas de governo não entende nada", respondera Ademar.[55]

Com uma administração pautada pela realização de grandes obras públicas, o governador paulista respondia aos críticos apresentando o legado de infraestrutura que pretendia deixar ao final de sua gestão. Entre outras concretizações, criara o Plano da Casa Própria Popular, elaborara um plano de água e esgoto para a capital e interior, concluíra o Hospital das Clínicas, estabelecera diversas instituições de ensino técnico e viabilizara pelo menos duas grandes rodovias, a Anchieta e a Anhanguera. Os partidários de Ademar de Barros não assumiam de público, mas incentivavam na surdina, como antídoto para as denúncias, um slogan que logo se tornaria célebre e faria escola — "Rouba, mas faz".[56]

Na base do chamado "populismo de favores", Ademar de Barros conquistou um eleitorado fiel, fenômeno demonstrado na sua própria eleição para os Campos Elíseos e confirmado com a vitória de Novelli Júnior na disputa pela vice-governadoria. O genro de Dutra, aliás, rompera com Ademar logo após eleito, passando a representar uma ameaça real ao titular, o que robustecia as especulações a respeito do interesse do governo federal em endossar a proposta de impeachment.

"O PTB, infelizmente, está entrando vorazmente na 'Caixinha do Ademar'. Quantos deixaram o rabo preso não sei ao certo, mas inúmeros já receberam o seu quinhão", advertiu Alzira ao pai, sugerindo que a bancada trabalhista estivesse sendo subornada para votar contra a cassação do governador.[57] A filha estava particularmente preocupada com os boatos de que a adesão gradativa do partido significaria, em última instância, uma aproximação inevitável entre o getulismo e o ademarismo. "Peço-te a máxima atenção para as démarches do Ademar. Ele está fazendo constar aos quatro ventos que está unido a ti. Os fatos a respeito dele são os mais graves e podem ir fazê-lo parar na cadeia a qualquer momento."[58]

Entretanto, muito maior surpresa teve Alzira quando o pai lhe revelou que, de fato, ele próprio aconselhara as lideranças do PTB paulista a prestigiar Ademar de Barros, bloqueando a hipótese do impeachment. No entender de Getúlio, o raciocínio político envolvido na questão era simples: tirar o governador do cargo significaria, automaticamente, entregar de bandeja os Campos Elíseos e toda a máquina do governo paulista a Novelli Jr., isto é, a Dutra. Além disso, enquanto continuasse a se equilibrar no poder — e a alimentar as esperanças de ser candidato a presidente da República —, o governador seguiria embaralhando o quadro eleitoral. Caso contrário, se chegasse à conclusão de que estava perdido e ameaçado de deposição, o homem da "Caixinha" bem poderia, no desespero, recorrer a uma nova composição com o governo federal.

"Como tábua de salvação, ele se entregará ao Dutra", explicou Getúlio, para justificar o apoio da bancada petebista ao governador. "No momento, essa parece-me a melhor tática", disse à filha.[59]

Alzira matutou sobre o assunto e, enfim, compreendeu a nova cartada do pai.

"O teu ponto de vista está certo: manter o homem vivo até o fim", ela resumiu.[60]

Getúlio começou a montar a lista de providências que precisava tomar na volta ao Rio de Janeiro: marcar uma visita ao dentista para obturar o molar cariado, ir ao clínico geral, agendar um cardiograma para saber a quantas andava o coração, fazer uma visita aos laboratórios clínicos para tirar sangue e medir os índices de glicose e ureia. Pretendia ainda consultar um otorrinolaringologista, pois zumbidos ocasionais e o princípio de uma leve surdez, comuns à idade, começavam a incomodá-lo. Os óculos precisavam ser trocados ou adaptados com lentes bifocais, pois vinha enfrentando dificuldades para ler e enxergar de perto.[61]

Contudo, Getúlio decidiu adiar a viagem quando tomou conhecimento de que Dutra aceitara uma proposta do governador gaúcho, Valter Jobim, para fazer mais uma tentativa de solução pacífica à sucessão presidencial. Havia um temor difuso de que os militares, ante a perspectiva de um impasse, pusessem os tanques na rua e se arvorassem mais uma vez em árbitros supremos da política nacional — posição histórica sempre evocada pela cúpula da caserna em caso de crises institucionais.

"O ambiente está tão carregado e tão impreciso que todo o mundo sente que algo pode acontecer a qualquer momento. O ambiente de inquietação e de alarme já existe", analisava Alzira. "A legalidade está por um fio. Esse fio é difícil de transpor porque atrás dele pode estar a guerra civil."[62]

A chamada "Fórmula Jobim" sugeria que, em nome da pacificação dos espíritos e da continuidade da transição democrática, deveria ser estabelecido um amplo leque de consultas a todas as lideranças dos partidos com registro no TSE, para então se buscar um candidato único, de consenso, com o objetivo de se constituir um grande governo de coalizão nacional. O entendimento não deveria excluir ninguém, nenhuma legenda partidária, ouvindo-se até mesmo a opinião das forças ditas populistas, como Ademar de Barros e Getúlio Vargas. Dutra, é claro, não podia se opor publicamente à tentativa, embora tivesse calafrios só de pensar em ver Getúlio e Ademar convidados para uma mesa-redonda.[63]

"O piquenique está ficando bom", comentou, a propósito, Alzira.[64]

No dia 27 de julho, em reunião no Palácio Monroe, sede do Senado, acertaram-se os termos do ajuste e decidiu-se enviar emissários para, separadamente, ouvir Getúlio e Ademar. Alzira achou que seria muito mais prudente o pai permanecer em São Borja, aguardando o tal emissário, do que rumar para o Rio de Janeiro e dar a impressão de que estaria ávido para ser ouvido:

"É muito mais espetacular que a montanha vá a Maomé", ilustrou.[65]

Getúlio pediu novo prolongamento da licença no Senado e, em rigoroso silêncio, aguardou os desdobramentos da situação. No dia 10 de agosto, na condição de emissário oficial, o pessedista gaúcho Cilon Rosa voou para São Borja a bordo de um bimotor Lockheed Electra, da Varig, para ouvir as opiniões de Getúlio Vargas a respeito da "Fórmula Jobim". O dono da Fazenda Itu quebrou a praxe de mandar uma camioneta buscar os visitantes na pista de pouso, localizada a cerca de dois quilômetros da casa, e foi pessoalmente receber Cilon à porta do avião.[66]

A conversa entre os dois foi a portas fechadas e durou cerca de uma hora e meia. Entre rodadas de chimarrão, Getúlio disse a Cilon que simpatizava com a ideia de uma conciliação geral das forças políticas nacionais. Porém achava mais sensato inverter os termos do acordo: antes de se escolher um candidato de consenso, deveria ser estabelecido primeiro um programa único de governo, elaborado por todos os partidos e que "sintetizasse as aspirações do povo brasileiro".[67]

Por mais lógica e ponderada que pudesse parecer, a sugestão de Getúlio apenas empurrava o problema para a frente, para se ganhar tempo e prolongar o estado geral de indefinição entre as forças políticas dominantes.[68] Quando os jornalistas que correram a São Borja tentaram ouvi-lo ao final da reunião, ele ficou mudo. Na intenção de agradá-los, ofertou-lhes uma caixa cheia de maços de cigarros, presente que havia recebido poucos dias antes de um amigo de São Paulo.

"Eu não fumo cigarros, só charuto, fiquem com eles", ofereceu.

"Ora, dr. Getúlio, nós voamos até Santos Reis para conseguir notícias e o senhor nos dá cigarros?", queixou-se um dos repórteres.

Getúlio soltou uma de suas melhores gargalhadas:

"Ora, vocês não conhecem aquela música, 'Fumando espero'?"[69]

Dito isso, saiu pela sala, em direção ao quarto, arriscando uns passinhos de dança e cantarolando a letra do tango imortalizado por Carlos Gardel, cuja versão em português foi gravada por Dalva de Oliveira:

Fumar é um prazer
que faz sonhar,
fumando espero
aquele a quem mais quero;

Se ele não vem,
então me desespero,
enquanto eu fumo
depressa a vida passa
e a sombra da fumaça
me faz adormecer...

Depois não falou mais nada aos jornalistas.

"Se, por um lado, o sr. Getúlio Vargas viveu um dia aparentemente dos mais bem-humorados, por outro conservou-se irredutível nos seus propósitos de nada declarar aos representantes da imprensa", relatou o repórter gaúcho Décio Freitas, do *Diário de Notícias*.[70]

"Resolveram meter a faca no peito da UDN", escreveu Alzira a Getúlio, em 18 de outubro, para informá-lo que Nereu Ramos decidira fazer valer a condição de líder do PSD, agremiação majoritária no Congresso, e impor um nome da legenda ao acordo interpartidário. Dutra, em resposta, vetara de saída o nome de Nereu, por considerá-lo muito próximo ao ex-ditador.[71] Ao receber a nota de Nereu com os termos da decisão do partido, o udenista Prado Kelly indagara, irritado:

"É mesmo uma despedida?"[72]

A UDN não aceitou a imposição e declarou, por meio de um discurso oficial de Prado Kelly na Câmara dos Deputados, que o pacto com o PSD estava definitivamente encerrado.[73] Dali para a frente, seria cada um por si.

O deputado pessedista Benedito Valadares ainda chegou a sugerir, com o aval de Dutra, uma nova possibilidade de arranjo, que ficou conhecida como "fórmula mineira": o candidato de união nacional deveria sair de Minas Gerais, estado de maior contingente eleitoral depois de São Paulo (que não contaria como fiador do acordo por estar nas mãos de Ademar de Barros). O catarinense Nereu, sentindo-se atropelado em suas pretensões, renunciou à presidência do partido. Foi seguido pelo gaúcho João Neves, que também se retirou da comissão executiva nacional.[74]

"Com a renúncia do Nereu, o PSD virou mingau", avaliou Alzira.[75]

Quanto mais os partidos se desentendessem na busca de uma solução consensual, melhor para Getúlio. Livre de compromissos, ele poderia mais tarde se apresentar como opção acima das querelas partidárias, uma resposta à incapacidade das lideranças tradicionais de construir um cenário efetivo de harmonia política.[76]

"Enfim, parece que a marcha das coisas está se acelerando para um desenlace", analisou Getúlio, que decidiu adiar mais uma vez a ida para o Rio de Janeiro, à espera de uma melhor definição do quadro político. "Não pretendo ir agora", disse. No lugar disso, convidou a filha para passar as festas do fim do ano com ele em São Borja. "Dona Felícia deseja saber se vens, por causa do leitão que está a tua espera. Se vens, o leitão aguardará a tua chegada. Se ainda demoras, ele morrerá, porque senão viria a porco. Também o leitão está na torcida."[77]

No Rio, naquele momento, um cinejornal de curta-metragem fazia retumbante sucesso, formando filas em torno do quarteirão. Exibido na Sessão Passatempo do Cineac Trianon, da avenida Rio Branco, a película mostrava cenas de Getúlio em São Borja, vestido com traje gaúcho, comendo churrasco, tomando chimarrão, sorrindo para a câmera e montando a cavalo. Alzira levou a filha, Celina, para assistir à fita e, em seguida, resolveu mandar seus comentários críticos ao pai.

"Com a devida vênia, aí vai o meu desabafo: não é o bastante saber que andas aí pelo Itu sozinho, com os dedos abertos e inchados de tanto comer carne, sem te tratares, e ainda te dás ao luxo de me pregar uma peça? Será que não encontrastes por aí um redomão [cavalo recém-domado] para montar? Cheguei a dar pulos na cadeira quando vi que cavalgavas, todo prosa, o 'inocente' Sabiá", repreendeu a filha. "Alimento a vaga esperança que tenha sido só para o filme, mas confesso que não estou muito segura. Creio que vou comprar a cumplicidade do Amaraldo para te policiar. O reumatismo, o artritismo ou coisa que o valha também devem ter ido embora, a julgar pela exibição", disse. "O Tom Mix costuma fazer destas para entusiasmar a garotada", comentou, comparando a atuação do pai às estripulias de um famoso caubói dos tempos do cinema mudo.[78]

O ano que antecedeu as eleições presidenciais de 1950 não se encerrou antes de dois grandes e inesperados acontecimentos, que em novembro e dezembro transferiram o eixo político do país para a pequenina São Borja. Nereu Ramos, sentindo-se desimpedido em relação aos pactos com a UDN, foi confabular com Getúlio em busca de uma nova associação que lhe mantivesse as esperanças de chegar ao Catete. Ademar de Barros, percebendo que o PSP não poderia marchar sozinho na contramão de todos os demais partidos, decidiu fazer o mesmo e também rumou para o Rio Grande, na esperança de conquistar o apoio do líder trabalhista.

"Virão o Nereu e o Ademar. Não estou me vangloriando por isso, embora

174

o assunto pareça divertido", escreveu Getúlio. "Eu estou levando a sério, pela importância que tem para mim."[79]

Alzira, que só conseguiria ir a São Borja no início do ano seguinte, mandou-lhe o seguinte recado:

Agora que a encrenca está formada e a macacada de rédeas no chão, o páreo é teu. Podes fazer *forfait*, correr em pista seca ou molhada, em areia ou na grama. [...] Mas, como filha, não desejo te ver mais uma vez a descascar abacaxi para que os outros o comam, e a casca deste está cada vez mais dura. Quero que te devolvam o que é teu, a glória tomada de quinze anos de luta silenciosa e tenaz, quero que reconheçam, um a um, publicamente, o que te negaram ou silenciaram em covardia. O resto é silêncio, de minha parte. Estou no mesmo barco, para o que der e vier, e qualquer um serve. Decide o que te parece melhor, na certeza de que a parada é tua e de mais ninguém.[80]

Nereu foi o primeiro a chegar. Às nove e meia da manhã do dia 12 de novembro, um possante Douglas, da Varig, aterrissou na pista de pouso de Santos Reis, estância que serviu de cenário para o encontro, devido à melhor estrutura para receber o vice-presidente da República. Ao contrário do que ocorrera no colóquio com Cilon Rosa, não houve preocupação de manter em sigilo a conversa, que tomou cerca de duas horas. A reunião se deu numa sala de portas abertas, com os jornalistas postados no salão de inverno, logo ao lado.[81]

Getúlio escutou mais do que falou. O diálogo significou mais uma troca de amabilidades do que uma reunião deliberativa. Cautelosos e ressabiados, nenhum dos dois quis firmar compromissos definitivos. Deixaram acertada, porém, a disposição de voltarem a se encontrar outras vezes para amadurecer o assunto. Ao término da conversa, Nereu repetiu aos repórteres o que havia verbalizado minutos antes ao interlocutor.

"Vim simplesmente visitar o meu prezado amigo, senador Getúlio Vargas, e com ele conversar sobre a situação política do país", disse. "Esse encontro preliminar decorreu sob as melhores perspectivas, estabelecendo por isso mesmo a possibilidade de um amplo entendimento visando uma solução harmônica para a questão sucessória."[82]

Em seguida, foi a vez de Getúlio falar aos jornalistas, mas do lado de fora da casa, à sombra dos laranjais da fazenda.

"Quero declarar aos senhores que até o presente momento tenho sido um simples espectador da situação política nacional, com relação ao problema sucessório. Não sou ator, sou espectador", insistiu. "Não tenho compromissos com partidos nem com nomes. Também não tenho incompatibilidades com ninguém."[83]

Um mês depois, 13 de dezembro, o governador Ademar de Barros utilizou o próprio avião — um DC-3, apelidado de "boate voadora" devido à fama de mulherengo do governador — para chegar a Santos Reis. Foi recebido com um almoço ao ar livre, sob as copas dos cinamomos seculares da estância de Protásio Vargas. Entre travessas com porções generosas de churrasco de ovelha, batata-doce, aipim cozido e farinha de mandioca, Getúlio e Ademar conversaram apenas amenidades na frente dos jornalistas. Contaram piadas, riram bastante e se fartaram de comida. Após o cafezinho, refugiaram-se no interior da casa para uma reunião a sós.[84]

Enquanto caminhavam lado a lado, compunham uma dupla pitoresca. Ademar, com mais de um metro e oitenta, suando em bicas, de suspensórios e gravata listrada, trazia a camisa estufada e os botões quase explodindo nas respectivas costuras, devido à proeminente barriga. O baixinho Getúlio, que não parava de ganhar peso a cada dia, ostentava o seu "uniforme" habitual de gaúcho, com bombachas cada vez mais largas.[85]

Ao escrever sobre o encontro, Assis Chateaubriand comentou:

"Os jacarés que se avistaram são feras que pretendem comer a mesma onça."[86]

Depois de uma hora e meia de conversa, Getúlio e Ademar trocaram abraços de despedida sem revelar a ninguém o conteúdo do diálogo.

"Não tenho nenhuma declaração a fazer. Estou na sombra e calado. Passarinho na época que muda de pena não canta", desculpou-se Getúlio.

"E quanto tempo dura essa muda, senador?", indagou um repórter.

"Bom, creio que não deve demorar muito. Não poderá demorar..."[87]

10. Candidatura de Getúlio é lançada por Ademar de Barros. "Não gostei e não estou entendendo coisa alguma", diz Alzira (1950)

A comparação foi inevitável. Era como se uma das "cerimônias cívicas" do Estado Novo houvesse sido transplantada no tempo e no espaço para ser revivida, com os mesmos contornos nacionalistas, naquele 15 de junho de 1950. Em vez do Rio de Janeiro, o cenário era São Paulo. No lugar da praia do Russell, a colina do Ipiranga. No mais, tudo parecia semelhante, como se decalcado do modelo original. As escadarias do Monumento à Independência, defronte ao Museu Paulista, estavam "feericamente iluminadas", para citar a expressão utilizada pelos organizadores. As quatro piras laterais foram acesas, e um grupo de holofotes, instalados na base do conjunto arquitetônico, lançava focos de luz verde e amarela sobre as esculturas, dando maior ênfase à alegoria do topo, representando a Liberdade. Um elemento novo, porém, foi incorporado naquela noite à obra do escultor italiano Ettore Ximenes. Na plataforma frontal, abaixo da reprodução em alto-relevo do quadro de Pedro Américo retratando o Grito do Ipiranga, instalou-se um enorme painel fotográfico, de dez metros de altura por 25 de largura. Nele, via-se a imagem ampliada em preto e branco de Ademar de Barros e Getúlio Vargas, juntos, trocando sorrisos e tapinhas nas costas.[1]

Por volta das sete horas, chegou o cortejo de cinquenta automóveis com placa oficial, escoltados por cavalarianos do Regimento 9 de Julho, da então Força Pública do Estado, hoje Polícia Militar. Ao som de clarins militares, Ademar desceu do carro que seguia à frente, galgou os degraus da portentosa escadaria e tomou o lugar de honra no palanque decorado com arranjos florais e girândolas de fogos de artifício. Em torno do monumento, tremulavam 21 bandeiras brasileiras, representando as vinte unidades da federação mais o Distrito Federal — a despeito de os símbolos estaduais, proibidos pelo Estado Novo, terem sido restabelecidos desde o final da ditadura.[2]

O local escolhido pelo governador de São Paulo para o evento daquela noite guardava um significado particular, proposto pelo principal conselheiro político dos Campos Elíseos, o médico Erlindo Salzano.

"O dr. Salzano é um dos homens mais influentes junto ao governador. Médium de qualidades muito gabadas, tornou-se o guia espiritual do Ademar", informou em carta a Getúlio o jornalista e advogado Oscar Pedroso Horta (futuro ministro da Justiça no governo Jânio Quadros), um dos intermediários da aliança entre PTB e PSP. "Ao que consta nos círculos mais íntimos dos Campos Elíseos, foi ele quem descobriu a reencarnação, na pessoa do governador, do espírito de d. Pedro I."[3]

O governador paulista, embora se dissesse católico fervoroso, era habitual frequentador de terreiros de candomblé e de mesas brancas em centros espíritas. Costumava consultar guias mediúnicos antes de tomar decisões administrativas, e à época do Estado Novo, quando interventor, chegara a recomendar a Getúlio os serviços de um suposto paranormal. Aos íntimos, declarava ser a reencarnação do primeiro imperador do Brasil. Os buchichos a respeito do assunto haviam extrapolado os limites dos salões governamentais e virado tema frequente, com acento irônico, nos jornais paulistas. A propósito, na cobertura da solenidade daquele dia, a *Folha da Noite* retratou Ademar na primeira página, numa charge de José Nelo Lorenzon, com espada, costeletas à d. Pedro e vestes imperiais — sob o título jocoso de "O gritinho do Ipiranga".[4]

"Acorda e levanta-te, Brasil!", discursou Ademar ao microfone, com a voz fanhosa que fazia a alegria dos imitadores de rádio. "O liberalismo político, nos seus fundamentos religiosos, filosóficos e políticos, é anticristão, materialista, antitradicional e, portanto, antinacional, corrupto, corruptor, desagregador e, em suma, meus caros patrícios, satânico", definiu o governador. "O liberalismo expulsou do Brasil o imperador d. Pedro I, que era antiliberal, e quase conseguiu retalhar a nossa pátria em republiquetas sem expressão."[5]

Ademar de Barros tinha um modo peculiar de improvisar discursos. Mesclava referências pretensamente eruditas com rompantes popularescos. Nesse dia, depois de fazer menções aos pensadores René Descartes, Martinho Lutero, Jean-Jacques Rousseau e Friedrich Hegel, afirmou não ser a favor "nem do marxismo, nem do liberalismo", para então se declarar partidário de um Estado baseado no "tomismo neoescolástico". Em seguida, emendou:

"Mas, para muitos [...], somos na melhor das hipóteses o 'demagogo', o 'homem da caixinha'. [...] Qual caixinha qual nada! O que nos diferencia é que pensamos, mas em seguida agimos, enquanto alguns pensam e ficam só pensando..."[6]

Ademar de Barros armara aquele espetáculo, de exacerbada inspiração patriótica, para anunciar que não era candidato a presidente da República. Mas, como líder político, sentia-se na obrigação de indicar um nome e um rumo aos eleitores brasileiros.

"Não quis a fatalidade ou o destino que eu mesmo pudesse, nesta hora grave e desta colina histórica, falar-te como quisera, isto é, como aquele que tendo traçado diretrizes se apresenta para executá-las sob a sua responsabilidade pessoal e imediata", observou. "Estou conformado com o destino. Entretanto, se minhas palavras atingiram o âmago dos vossos corações, [...] ouvi-me e atendei ao meu apelo. Dos nomes que se apresentam para a magistratura suprema do país, aquele que escolhi e vos apresento e recomendo, pois aceitou o nosso programa e prometeu executá-lo caso eleito com nosso apoio, é Getúlio Vargas."[7]

Aos jornalistas, Ademar elaborou uma versão menos empolada da mensagem:

"Eu seria um cretino se dissesse que não desejo ser presidente da República. Mas sinto que devo continuar nos Campos Elíseos."[8]

O governador acabara de lançar, na capital paulista, a candidatura de Getúlio a presidente da República pela coligação PTB-PSP. Muitos esperavam que o próprio candidato surgisse naquele momento do fundo do palanque e assumisse o lugar de destaque, diante do microfone, como inclusive chegaram a especular os jornais do dia. Mas ele não apareceu. Estava a muitas centenas de quilômetros dali, para frustração dos getulistas que rumaram ao Ipiranga a bordo de ônibus especiais franqueados ao público pelo governo do estado.

Getúlio Vargas continuava na Fazenda Itu, tomando chimarrão e comendo churrasco de ovelha.

"Li, com grande emoção, o notável discurso proferido no Monumento do Ipiranga", ele escreveu, em agradecimento a Ademar. "Nunca esquecerei sua nobre e corajosa atitude, que nos anima e fortalece nesta luta pela prosperidade do Brasil e felicidade do seu povo."[9]

"Não gostei e não estou entendendo coisa alguma", protestou Alzira, em carta a Getúlio. Em vez de chamá-lo de "Patrão", como de hábito, a filha resolveu dispensar-lhe dessa vez o tratamento a que só recorria quando julgava o assunto muito íntimo — ou da maior gravidade. "*Papai*, quero que te lembre bem que além de minha devoção e carinho por ti, [...] existe ainda a admiração pelas qualidades de homem público", adiantou. "Não vejas no que te escrevo a menor intenção de te magoar ou ferir, e sim o desejo de que, qualquer que seja a solução que nos reserve o futuro, tenhas as mãos limpas."[10]

Alzira estava incomodada desde o final do ano anterior, quando da visita de Ademar de Barros a São Borja. Ficara ainda mais constrangida ao tomar conhecimento de que um emissário autorizado por Ademar, Erlindo Salzano, também estivera ali, na companhia de um líder petebista, Danton Coelho, para discutir com Getúlio os detalhes de um acordo eleitoral que ela, Alzira, julgava bastante comprometedor.

"Afirma-me o Danton que o acordo será mantido em segredo até depois das eleições — e que depois haverá muito tempo para desfazer o que foi feito. Mas quem nos garante que o Ademar não será o primeiro a divulgar estes fatos?", questionava a filha. "Que confiança poderemos ter nesse homem, que não deve ter ainda esquecido que foi demitido [do cargo] de interventor de São Paulo com auras de ladrão?"[11]

Alzira temia, em especial, que a aproximação com Ademar de Barros acabasse por associar o nome do pai, de modo oblíquo, às inúmeras acusações de corrupção que pesavam contra o governador paulista. O Ministério da Fazenda, a pedido do presidente da República, elaborara um relatório que revelou um rombo orçamentário no estado avaliado em cerca de 1,4 bilhão de cruzeiros (1,39 bilhão de reais), consequência da total desorganização financeira na administração paulista.[12]

O encontro de Getúlio com Danton Coelho e Erlindo Salzano, criticado por Alzira, ocorrera em São Borja, em meados de março. Na oportunidade, o repre-

180

sentante de Ademar de Barros levara consigo duas folhas de papel datilografadas, com os itens do pacto a ser estabelecido entre as partes. Em resumo, o documento determinava que Ademar, para não ter que passar o governo paulista às mãos do vice Novelli Júnior, permaneceria nos Campos Elíseos após 2 de abril, data-limite para a desincompatibilização. Ficaria no cargo até o fim do mandato, mantendo o devido controle sobre a máquina eleitoral do estado para dar sustentação à candidatura de Getúlio no pleito marcado para 3 de outubro. Em contrapartida, Vargas firmava o compromisso de promover, a médio prazo, a fusão entre PTB e PSP, a fim de lançar Ademar de Barros como seu sucessor na eleição seguinte, prevista para 1955. O próprio Ademar ficaria responsável pela coordenação política da imaginada nova legenda, que congregaria as duas maiores expressões do chamado populismo, antes situadas em campos antagônicos.[13]

"Em uma de minhas últimas cartas, tinha te mandado prevenir contra o tal papel que o Ademar desejava que assinasses", observou Alzira. "O Salgado [Filho] ainda ignora o que se passou aí. Porém, pelos meus cálculos, não tardará a saber, de uma forma ou outra. Acredito que não lhe seja agradável a perspectiva de em futuro próximo vir a ser liderado politicamente pelo Ademar", argumentou a filha. "E o resto do partido [PTB], como encararia a hipótese de se fundir com o PSP, sob as ordens do homem que até aqui vêm considerando como rival e inimigo teu?"[14]

Getúlio, entretanto, tentou tranquilizar Alzira em relação às consequências gerais do acordo. Para não se comprometer de forma categórica, ele recorrera a um expediente no mínimo capcioso. Evitara apor sua assinatura no documento, deixando que apenas Danton e Salzano o firmassem, na condição de representantes oficiais das duas agremiações.

"Não assinei nem autorizei a assinatura dum pacto com Ademar", comunicou à filha, dando a entender que, para todos os efeitos, continuava livre para novas composições e para se esquivar de futuras cobranças.[15]

Alzira se viu obrigada a aceitar a aliança pragmática entre o pai e o governador envolvido em sucessivos escândalos financeiros. Afinal, sem o apoio de Ademar e sem o voto maciço do eleitorado paulista, qualquer candidato que pretendesse alcançar o Catete estaria com os movimentos comprometidos. Os dois reveses então recentes, nas eleições regionais de 1947, não recomendavam a tática de novo confronto com o político que, apesar das reiteradas manchetes negativas, continuava a desfrutar de enorme popularidade no estado.

"Posso perder nos gabinetes; nas ruas, jamais", vangloriava-se Ademar.[16]

As performances públicas de Ademar de Barros ajudavam a manter o arrebatamento popular em torno de sua controvertida figura. No final do ano anterior, numa inauguração no bairro do Brás, ele patrocinara uma das cenas mais histriônicas de sua administração. Ao entregar à capital paulista um viaduto sobre uma linha férrea, ligando a rua do Gasômetro ao largo da Concórdia, dispensou o tradicional corte da fita simbólica. Preferiu subir em um jipe e determinar ao motorista que avançasse, a toda velocidade, contra uma réplica em gesso da porteira de madeira antes instalada no local.

"Fé em Deus e pé na tábua!", ordenou.[17]

Era o seu lema — e a sua forma de fazer política.

"O que vai triunfar a 3 de outubro é a vontade do povo, único tribunal político a cuja sentença se devem curvar todos os cidadãos de uma democracia", discursou Getúlio, em transmissão irradiada diretamente da Fazenda Itu para o Rio de Janeiro, em 18 de junho, data da convenção nacional do PTB.[18]

"Durante estes longos trinta meses de ausência, os céus que cobrem este rincão, perdido na solidão e no silêncio, foram diariamente sulcados por aviões que me traziam a alegria de rever velhos amigos", rememorou. "Simples cidadão, sem a mínima parcela de autoridade pública, vi com prazer transporem a soleira de minha casa homens de todos os credos, de todas as regiões do país, de todas as filiações partidárias, muitos deles meus intrépidos adversários de ontem, trazendo-me, sem exceção, o conforto de uma simpatia espontânea e desinteressada."[19]

Getúlio, que desde o final de 1945 vinha reiterando à exaustão o declarado desejo de não mais retornar ao governo, precisava justificar, pela primeira vez, a mudança pública de atitude. Para tanto, alegou ter torcido para que a sucessão de Dutra houvesse sido consensual, razão pela qual apoiara a saída preconizada pela "Fórmula Jobim" — a de um candidato único, aceito por todas as correntes políticas do país. Contudo, as negociações em torno de um programa comum haviam naufragado devido à ambição e aos interesses particulares das legendas majoritárias, PSD e UDN. Tão somente após o fracasso das tentativas de união nacional teria Getúlio ficado à vontade para receber emissários do PSP e aceitar uma conversa bilateral entre as forças populistas. Apostara o tempo todo no consenso, mas a inépcia do sistema partidário de gerar a coalizão o forçara a defender uma saída acima das agremiações.[20]

Portanto, até o último momento, Getúlio continuava a afetar a postura de um líder inclinado a construir consensos e a evitar rupturas. Por consequência, para legitimar o modo personalista de fazer política, apresentava-se como representante apartidário e direto dos trabalhadores, um líder desvinculado das formas tradicionais de mediação e representação popular. Prometia assim administrar o país com o mesmo espírito de concórdia e harmonia, livre das injunções partidárias e ideológicas.[21]

"Se vencer, governarei sem ódios, prevenções ou reservas, sentimentos que nunca influíram em minhas decisões, promovendo sinceramente a conciliação entre os nossos compatriotas, estimulando a cooperação entre todas as forças da opinião pública", anunciou.[22]

Para que tal discurso fizesse sentido, Getúlio precisara esperar, pacientemente, que UDN e PSD pusessem as respectivas candidaturas na rua, descartando-se em definitivo a perspectiva do acordo interpartidário. Ainda houve uma última tentativa de setores udenistas e pessedistas de marcharem em torno de um mesmo nome, o de Afonso Pena Júnior (filho do ex-presidente Afonso Pena), hipótese sugerida pelo governador de Minas Gerais, Milton Campos. Todavia, após novas e infrutíferas rodadas de negociação, a proposta foi deixada de lado, e cada legenda decidiu enfim seguir caminho próprio.[23]

Em 12 de maio, a UDN homologara a candidatura do brigadeiro Eduardo Gomes, que assim disputaria o Catete pela segunda vez consecutiva. Três dias depois, o PSD indicara à convenção nacional o nome de um quase ilustre desconhecido, o deputado federal Cristiano Machado — solução que desagradou as alas do partido mais ligadas a Getúlio e antes propensas a apoiar Nereu Ramos. A pluralidade de candidaturas e a consequente divisão das forças majoritárias vieram ao encontro dos planos do ex-ditador: a confirmação da candidatura de Eduardo Gomes afastara a UDN da órbita do governo Dutra, que por sua vez decidiu apoiar Cristiano Machado.

O abandono do candidato pessedista por lideranças do próprio partido introduziria um neologismo na política brasileira: "cristianizar" — que passou a definir o fenômeno de uma legenda declarar apoio formal a determinado candidato, enquanto na prática seus correligionários passam a trabalhar por outro. No caso específico do PSD, o beneficiado pela cristianização, estava óbvio, seria Getúlio.

No final das contas, somados prós e contras, Alzira ficara satisfeita com o resultado das articulações pré-eleitorais.

"Nestes dois anos, com uma paciência de mandarim, temos feito e desfeito candidatos, animado e aguentado a óleo canforado os fracativos [sic] do PSD", ela comemorou, em carta ao pai, na qual dividia a estratégia em duas fases, ambas já bem-sucedidas. "Primeira parte: [...] arrancar a UDN do governo e deixá-lo sem massa de manobra. Segunda parte: entregar-te o PSD em bandeja, com Dutra, sem Dutra ou contra Dutra."[24]

Enquanto isso, os cartazes e panfletos do "Ele voltará" continuavam a inundar as ruas e praças públicas de todo o país. Nas banquinhas dos camelôs do Rio de Janeiro, a versão política de um conhecido brinquedo infantil, o João Teimoso — também chamado à época de João Paulino —, tornou-se uma das grandes sensações da temporada. Com a parte de baixo arredondada e um peso na base que o impedia de cair ou ser mantido na horizontal, o bonequinho virou febre quando passou a ser fabricado em plástico, com o rosto de Getúlio. "Sempre de pé", lia-se na inscrição do pequeno pedestal.

O brinquedo fez tanto sucesso que acabou virando tema de uma marchinha carnavalesca composta pela dupla Alberto Ribeiro e José Maria de Abreu, "João Paulino", gravada pela cantora Ademilde Fonseca, a "Rainha do Choro":

Me diga o que é que é
Que vai de cá pra lá,
De lá pra cá e fica em pé.

Gorduchinho, pequenino, quase calvo
Desta vez eu acertei no alvo:
João Paulino que balança,
Mas não cai.

Eu sou pobre, pobre, pobre,
E ele é o meu papai.[25]

Também nesse ano, João de Barro, o Braguinha, compôs com José Maria de Abreu outra marchinha antológica de Carnaval, gravada por Jorge Goulart, música que inclusive viria a ser adotada como jingle de campanha por Getúlio:

Ai, Gegê!
Ai, Gegê!
Ai, Gegê!
Que saudade que nós temos de você.

O feijão subiu de preço,
O café subiu também.
Carne-seca anda por cima
Não se passa pra ninguém.

Tudo sobe, sobe, sobe,
Todo dia no cartaz.
Só o pobre do cruzeiro
Cada dia desce mais.[26]

"O sentimento de devoção popular a ti é algo comovente e impressionante, quase assustador, pelo compromisso que isso representa para quem o conquistou", analisava Alzira. "Confesso [que] tenho pena de ti, desde já, quando fores posto frente a frente com esta multidão que hoje em dia crê em ti como em Nossa Senhora das Graças. Só que ela não é de carne e osso, não leva empurrão."[27]

Otimista, mas cautelosa, Alzira preferia não comemorar vitória antes do tempo:

"Ninguém ganha eleição com palmas, comícios e declarações de amor. É preciso organização, trabalho e dinheiro. Este último é o que menos me preocupa, porque se as coisas marcharem como espero, ele virá quase que espontaneamente", antevia. "Falta-nos o resto, que só poderemos obter através de alianças nos estados com os partidos que já estejam organizados. Nas grandes capitais, o voto é realmente livre, mas no interior a história é outra."[28]

Chegara a hora de Getúlio fazer as malas e deixar São Borja de uma vez por todas. Estava para começar a maior e mais eletrizante campanha eleitoral que um candidato a presidente da República havia protagonizado até então em toda a história brasileira.

Era 9 de agosto de 1950. Os repórteres que conseguiram vencer a aglomeração no hall de entrada e nas escadarias internas do Grande Hotel, em Porto

Alegre, ficaram impressionados com a cena testemunhada à porta do quarto 108, no primeiro andar, onde Getúlio estava hospedado. Lá dentro, o ex-presidente tentava corresponder aos cumprimentos dos admiradores que vinham saudá-lo antes do grande comício de lançamento da campanha. O quarto se tornara pequeno para tanta gente, o que deixara o ambiente abafado e o ar quase irrespirável.

"Eram abraços, sorrisos e lágrimas. Mulheres em pranto abraçavam o ex-ditador. Outras iam mais longe: ajoelhavam-se em frente ao sr. Getúlio Vargas como se fosse um deus. O senador sorria, com o seu conhecido sorriso de sempre", descreveu o correspondente do *Diário da Noite*.[29] Lá fora, milhares de manifestantes ansiavam por também entrar no prédio, forçando a porta giratória do hotel mais luxuoso e tradicional da cidade. "Não foram poucas as pessoas que tiveram de ser socorridas, feridas nessa ocasião pelos transbordamentos de entusiasmo da multidão, que, agitando lenços e bandeiras, aplaudia o chefe trabalhista", informou, por sua vez, o enviado do paulistano *Folha da Manhã*.[30]

Minutos depois, ao lado de Ademar de Barros, já no palanque armado no largo da prefeitura, Getúlio disse que, se dependesse exclusivamente de sua vontade, teria permanecido em São Borja, compelido "pela idade, pelas amarguras e pelas desilusões", entregue para sempre "à tranquilidade remansosa da vida campesina". Ao contrário disso, estava ali, em Porto Alegre, lançando-se candidato à presidência da República, mas não por uma decisão pessoal ou por algum desejo irrefreável de poder, garantiu.[31]

"Não pude resistir aos apelos que, do país inteiro, chegavam ao retiro onde me abriguei", justificou. "A princípio eram vozes humildes, dos pobres, dos desamparados, dos que se sentiam se distanciar da ação dos poderes públicos", disse. "Depois, a esses se juntou o protesto dos operários, dos trabalhadores, da classe média, do comércio, da indústria, da lavoura", argumentou. "Aqui estou, portanto, para combater convosco a boa causa, obediente, como sempre, aos mandamentos do povo."[32]

Na manhã seguinte, 10 de agosto, a comitiva do candidato Getúlio Vargas partiu em três aviões Douglas para São Paulo, onde à noite foi organizada uma enorme concentração pública no vale do Anhangabaú, tendo o governador Ademar de Barros como supremo anfitrião. Na capital paulista, registraram-se os já costumeiros choques entre getulistas e os estudantes da Faculdade de Direito — cuja fachada, no largo de São Francisco, amanhecera com a bandeira hasteada a meio pau. Em compensação, à hora do comício, todo o espaço compreendido entre a praça da Bandeira, a rua Formosa, a ladeira Dr. Falcão Filho e o viaduto do Chá ficou abarrotado de gente para aplaudir Getúlio.[33]

"Foi de São Paulo que partiu, pela voz do seu eminente governador, a iniciativa de minha candidatura", ele discursou. "Estou, portanto, mais perto de vós do que nunca."[34]

Era só o começo de uma longa jornada eleitoral. Após escala para um comício igualmente concorrido em Santos, no dia 11 de agosto, a caravana aérea desembarcou no Rio de Janeiro, no dia 12, para uma "cerimônia cívica" no estádio do Vasco da Gama. Na ocasião, Getúlio desfilou em carro aberto em torno do campo, e na sua fala firmou um compromisso com o público das arquibancadas:

"Se eu for eleito a 3 de outubro, no ato da posse o povo subirá comigo as escadarias do Catete. E comigo ficará no governo."[35]

A agenda de campanha na capital da República incluiu também um encontro insólito. Por meio de seus assessores, Getúlio pedira que fosse arranjada uma reunião secreta entre ele e o general Góes Monteiro, o grande responsável pelo golpe que demolira o Estado Novo em 1945. A conversa entre os dois se deu na residência de Danton Coelho e envolveu uma surpreendente tentativa de atrair o apoio do velho militar para a candidatura getulista. Após cinco anos sem se avistar, os desafetos se abraçaram e se trancaram, a sós, em uma saleta.[36]

No diálogo que se seguiu, Getúlio ofereceu a Góes — que era filiado ao PSD — o posto de vice-presidente na chapa da coligação PTB-PSP. O general não demonstrou maiores entusiasmos. Agradeceu o convite, mas disse estar com a saúde muito frágil para ceder a uma tentação daquele naipe. Ademais, explicou, pertencia a um partido que já tinha concorrente à presidência da República, Cristiano Machado, de cuja candidatura era inclusive um dos coordenadores. Como houvesse vazado para os jornais o murmúrio de que seria sondado a respeito, Góes até já preparara uma carta ao então presidente interino do PSD, Cirilo Júnior, comunicando-lhe que jamais aceitaria, por questões éticas, a indicação para compor uma chapa adversária. Ao dizer isso a Getúlio Vargas, Góes puxou do bolso do paletó o rascunho da dita mensagem.[37]

"Não remeta isso ainda ao destinatário", pediu Getúlio, depois de ler o papel e devolvê-lo às mãos do general. "Vou viajar para o Norte e Nordeste, em campanha eleitoral. Retorno em alguns dias. Na minha ausência, medite bem sobre a oferta que lhe faço."[38]

O encontro durou cerca de três horas. Já passava de uma da manhã quando os dois se despediram. Getúlio saiu da conversa ainda alimentando esperanças de atrair Góes Monteiro para a campanha. Até o início de setembro, prazo final para a inscrição das chapas no TSE, o general teria tempo suficiente para, talvez, mudar de ideia. O apoio do militar seria uma medida de segurança para que os quartéis se conservassem afastados do cenário político, qualquer que fosse o resultado das eleições de outubro.

As conjecturas de um golpe armado continuavam a rondar o horizonte das instituições brasileiras. Cerca de um mês antes do encontro entre Getúlio e Góes, o jornalista Carlos Lacerda lançara uma provocação histórica às Forças Armadas. "O sr. Getúlio Vargas, senador, não deve ser candidato. Candidato, não deve ser eleito. Eleito, não deve tomar posse. Empossado, devemos recorrer à revolução para impedi-lo de governar", escrevera Lacerda, nas páginas do mais novo jornal carioca, a sua *Tribuna da Imprensa* — nome derivado de sua antiga coluna no *Correio da Manhã*.[39]

As aspirações de Getúlio em relação à aliança com Góes, entretanto, esbarravam na opinião divergente do principal aliado, Ademar de Barros. O governador paulista se julgava no direito de indicar o segundo nome da chapa. No seu entender, por uma questão de coerência e justiça, o vice da coligação deveria naturalmente ser pinçado dos quadros do PSP.

"Política é negócio — toma lá, dá cá — e até hoje não levei nada nesse negócio. Se me amolarem muito, largo essa porcaria. Afinal de contas, eu me sacrifiquei para quê?", mandara perguntar Ademar a Getúlio, por meio de Ernani do Amaral Peixoto. "Quem vai mandar nisso sou eu, porque o dr. Getúlio disse que iria fundir os partidos e quem assumiria a orientação política era eu."[40]

Como primeira opção para vice, Ademar chegara a convidar o senador cearense Olavo de Oliveira, mas teve que voltar atrás quando este se indispôs com a seção do PSP no Distrito Federal, após apoiar um veto do prefeito Mendes de Morais contrário aos interesses do diretório estadual. Como alternativa imediata, Ademar impôs o nome do deputado João Café Filho, do PSP do Rio Grande do Norte, avaliado pela imprensa como um dos melhores e mais atuantes parlamentares daquela legislatura.

Entretanto, Getúlio achava a escolha contraproducente. Os militares, que já não viam sua candidatura com bons olhos, teriam um motivo a mais para justificar um movimento golpista. Tido como político de tendências esquerdistas, Café

Filho possuía um histórico considerado suspeito pelos senhores da caserna. Em 1935, o deputado potiguar se insurgira na tribuna contra a aplicação da Lei de Segurança Nacional. Em 1937, denunciara o Plano Cohen como uma tapeação militar para legitimar a ditadura do Estado Novo. Mais recentemente, posiciona-ra-se contra o cancelamento do registro do PCB e a extinção do mandato dos parlamentares comunistas. Como se não bastasse, era evangélico e defensor do divórcio, o que o deixava mal, também, com a Igreja.[41]

"Nenhum católico poderá votar no sr. Café Filho", determinou em nota oficial a Cúria Metropolitana do Rio de Janeiro, atendendo ao parecer da Liga Eleitoral Católica (LEC) — organização civil-religiosa que se arrogava o direito de vetar e aprovar candidatos.[42]

"A LEC, num facciosismo brigadeiro-integralista evidente, lançou-se em uma campanha terrível contra o Café para te atingir indiretamente", advertiu Alzira ao pai, recomendando que ele ficasse atento às possíveis consequências de ceder às exigências de Ademar de Barros.[43]

A referência ao "facciosismo brigadeiro-integralista" decorria de uma circunstância específica da corrida eleitoral: o Partido de Representação Popular (PRP), liderado por Plínio Salgado, antigo chefe dos camisas-verdes, declarara apoio ao candidato da UDN, Eduardo Gomes.

A excursão política pelo Norte e Nordeste proporcionou alguns dos momentos mais expressivos da campanha. Uma parada prévia em Minas Gerais, em 19 de agosto, no pequeno município de Pirapora, distante 340 quilômetros de Belo Horizonte, antecedeu o roteiro pelos estados do Amazonas, Pará, Maranhão, Piauí, Ceará, Rio Grande do Norte, Paraíba, Pernambuco, Alagoas, Sergipe e Bahia. Um total inicial de 23 cidades recebeu a visita do candidato, no curto intervalo entre os dias 20 e 31 de agosto, tendo sido palmilhadas localidades onde até então nenhum outro candidato a presidente da República havia posto os pés.

"Já na capital do Amazonas, pude pressentir que espécie de espetáculo me caberia testemunhar. No aeroporto, a polícia teve de dispersar o povo para permitir que o avião encontrasse espaço na pista de pouso. Depois, durante o comício, o palanque sacudia, abraçado pela multidão", descreveu o jornalista Samuel Wainer, único repórter a cobrir a viagem de ponta a ponta, a serviço dos Diários

Associados. "Eram camponeses com pés de Portinari, brasileiros descalços, gente humilde, homens sem posses que vinham saudar o 'Pai dos Pobres'."[44]

Um detalhe específico chamou a atenção de Wainer. Não importava se Getúlio estivesse a bordo de um barco singrando os rios amazônicos ou aboletado no banco de trás de um automóvel sacolejando em alguma estrada poeirenta do sertão nordestino. Mesmo nessas ocasiões, ele estava sempre bem barbeado, recendendo a água-de-colônia.[45] Nunca se deixava fotografar com o cabelo em desalinho, a aparência descuidada ou mesmo com alguma sujeirinha maculando o indefectível terno branco.

Outro pormenor ficou registrado nas fotos e filmes de campanha. Em todas as aparições públicas de Getúlio, o guarda-costas Gregório Fortunato parecia ser uma extensão da própria sombra do candidato. Difícil o flagrante colhido durante a excursão no qual não aparecesse, ao fundo, a figura do segurança grandalhão, que viria a ficar conhecido como "Anjo Negro". Gregório, com olhos atentos, estava sempre alerta a qualquer movimento suspeito. Muitas vezes, como medida adicional de proteção, subia no capô ou no para-choque traseiro do automóvel no qual trafegava o chefe, acompanhando-o ao longo do trajeto entre aeroportos, hotéis e palanques.

Getúlio Vargas levara consigo os textos de todos os discursos que pronunciaria em cada cidade, elaborados previamente por uma equipe de ghost-writers na qual pontificavam os secretários Luiz Vergara e Queiroz Júnior. Tais escritos tinham passado pelo crivo posterior de João Neves da Fontoura, investido da função de coordenador geral da campanha. Getúlio havia feito as alterações que também julgara pertinentes e, por fim, mandara para o datilógrafo passar tudo a limpo. As primeiras versões, aliás, não o haviam agradado.

"Não estou bem impressionado com o teor de alguns modelos de discursos que me foram remetidos", escrevera à filha, ainda de São Borja. "Estão muito acadêmicos, muito corretos, mas não impressionam o povo. Parece que não se destinam a ele. São mais para grã-finos. Não tocam no cerne da crise social e econômica que atravessamos."[46]

Alzira ainda tentara defender a redação proposta pela dupla Queiroz e Vergara:

"Não me parece de boa política, nem de teu feitio, atacar um governo no ocaso. O que passou, passou. Em minha opinião, o tom geral deve ser: 'Eu já fiz isto e pretendo fazer mais isto, isto e isto'. Não tomar conhecimento do período

Dutra, a não ser no tom de quem pede desculpas pela escolha errada", sugerira Alzira. "Atacar seria assustar sem proveito um bando de ratos, descer ao nível deles e até certo ponto decepcionar o povo que espera de ti uma campanha elevada, com coisas concretas e esperanças para o futuro."[47]

Getúlio, entretanto, insistira:

"Concordo que os discursos tenham um tom elevado e não de retaliação. Mas é preciso não esquecer que sou um candidato de oposição. [...] Tem de falar na carestia da vida, na inflação", lembrara. "É necessário colocar um pouco de sal e pimenta", definira. "Recebi o discurso para o Maranhão. É puramente lírico. Não trata dos problemas da terra, do que se fez, do que é preciso fazer, da política do estado."[48]

Alberto Pasqualini, responsável pela elaboração do programa do PTB, quis também dar sua contribuição, e sugerira que Getúlio reforçasse nos discursos de campanha conteúdos de ordem mais doutrinária, para reforçar as bandeiras específicas do trabalhismo.

"Dize ao Maneco que, ao passar em Porto Alegre, dê ao Pasqualini a seguinte resposta: eu não vou fazer campanha doutrinária do trabalhismo, e sim [...] campanha para vencer, com aliados que não são do partido e com o povo em geral", escrevera Getúlio à filha.[49]

De todo modo, graças à eficiente assessoria, o candidato estava devidamente instrumentalizado para falar, pelas cidades por onde passava, exatamente aquilo que as plateias locais desejavam ouvir. Numa época em que ainda não havia o que décadas mais tarde ficaria conhecido como marketing político, Getúlio prometeu, na Amazônia, melhorar a navegabilidade do transporte fluvial, amparar a cultura da borracha, promover a nacionalização e o aproveitamento racional da floresta. No Nordeste, preferiu anunciar medidas de combate à seca, construção de açudes, abertura de novas rodovias, crédito à produção agropecuária, melhorias raciais dos rebanhos bovinos, caprinos e ovinos.[50]

Feitos os ajustes que Getúlio julgara necessários, a maioria dos pronunciamentos foi prontamente aprovada pelo candidato. Ele aproveitou os dados técnicos contidos nos rascunhos iniciais, solicitou que João Neves deixasse os textos mais fluentes e, como retoque final, agregou-lhes uma generosa carga de emoção.

"O [discurso] de Belém arrancou lágrimas de todos os paraenses, machos e fêmeas, o do Maranhão foi lindamente demagógico e causou ótima impressão", escreveu a Alzira.[51]

Ao perceber que por alguma razão o documento escrito não conseguia despertar maiores reações da plateia, Getúlio recorria, aqui e ali, a pequenos improvisos. No Recife, a certa altura, dobrou as folhas de papel, colocou-as no bolso e prosseguiu:

"O que aqui está escrito é o que está escrito no meu coração. E todos vocês sabem o que está escrito no meu coração: meu amor pelo povo!"[52]

A multidão estimada em 300 mil pessoas foi ao delírio e começou a gritar, em uníssono, o nome de Getúlio. Em nova carta à filha, ele descreveu a sensação de ser aclamado por legiões imensas de admiradores, nos rincões mais distantes do país:

"Os comícios têm sido de grande concorrência, vibração e entusiasmo. Se toda essa gente fosse eleitora e pudesse votar, seria realmente uma barbada", avaliou, ao ressalvar que boa parte das populações das pequenas cidades do Norte e Nordeste era composta por analfabetos, brasileiros que à época ainda não tinham direito ao voto nem eram considerados cidadãos.[53]

Entre um comício e outro, Getúlio encontrava tempo para se permitir alguns eventuais refrigérios. Em Fortaleza, posou para os fotógrafos pela primeira vez sem paletó, em mangas de camisa, com os suspensórios à mostra e ao lado de um grupo de moças vestidas de maiô. No mesmo dia em que a imagem saiu publicada na primeira página do *Diário da Noite*, o jornal estampou ao lado, em manchete de letras descomunais, uma frase atribuída a Ademar de Barros:

A ELEIÇÃO DE VARGAS DEPENDE DO PSP[54]

O governador de São Paulo lançara ao aliado, à distância, uma espécie de ultimato. Em tom de velada ameaça, deu a entender que se Getúlio quisesse realmente ser eleito, não poderia se dar ao luxo de dispensar os votos dos paulistas — o que, em outras palavras, era um recado para que se rendesse à candidatura de Café Filho a vice.[55]

A primeira fase da campanha se encerrou em Vitória, no Espírito Santo, em 31 de agosto, sem que Getúlio houvesse ainda se pronunciado uma única vez sobre quem seria seu companheiro de chapa. Na capital capixaba, seguindo o padrão de levar às massas questões nacionais a partir de um enfoque regional, Getúlio lembrou aos eleitores que, anos antes, quando ditador, cancelara a concessão da Itabira Iron e providenciara a nacionalização da estrada de ferro ligando

Getúlio Vargas, na varanda da Fazenda Itu, interior do Rio Grande do Sul.

Getúlio, no "retiro" gaúcho, em São Borja, escreve carta à filha Alzira Vargas do Amaral Peixoto (abaixo).

Pista de pouso improvisada da Fazenda Itu: aviões e vacas soltas no pasto.

Mesmo à distância, Getúlio continuava a fazer articulações por meio de mensageiros.

Aspectos da vida em São Borja: cavalgadas diárias e chimarrão com os peões da fazenda.

Getúlio embarca em um pequeno avião, em Santos Reis.

Lançamento da candidatura do marechal Eurico Gaspar Dutra à presidência da República (acima). Apoio de Getúlio foi decisivo para a vitória, atestando que o seu isolamento político era apenas ilusório (ao lado).

Getúlio e Prestes no mesmo palanque, durante o comício de Cirilo Júnior, em São Paulo.

Getúlio e Ademar de Barros, em São Borja.

Getúlio, eleito senador, embarca para o Rio.

Ao lado, Getúlio beberica uma dose de cachaça com Danton Coelho e Ademar de Barros. Abaixo, reúne-se com políticos gaúchos; entre eles, Ernesto Dornelles e Leonel Brizola (de óculos escuros).

Acima, Getúlio conversa com a filha Alzira e o irmão Benjamin Vargas; ao lado, os petebistas Danton Coelho e João Goulart.

GETULIO -- Nunca pensei, seu Aranha, que eles se convertessem tão depressa...

• FERNANDO COSTA — Como é, "seu" Benedicto, será que vamos ter "espírito encostado"?!

Charge de políticos seguindo em romaria para a Fazenda Itu, para ouvir o grande arauto a respeito da sucessão presidencial (acima). O ex-ditador seria descrito como "um encosto" a pairar eternamente sobre as costas do presidente Dutra (charge ao lado), ou como alguém que procuraria pintar o sucessor à sua imagem e semelhança, na charge de J. Carlos (abaixo).

Pintando...

O PINTOR — Gosto de pintar retratos. Quando meus modelos posam, eu os matenho em completa imobilidade.

J. C.

Charges de 1950, publicadas antes e depois da campanha presidencial. Entre outras surpresas e reviravoltas típicas da política, Getúlio e Ademar de Barros, até então adversários, aparecem de braços dados (acima). O ex-presidente retoma a fama de "pescador de pirarucus" (ao lado). A oposição ameaça o candidato mais votado com a possibilidade de anulação do resultado das urnas e com a perspectiva de golpe (abaixo).

Cristiano Machado, candidato do PSD a presidente, em discurso de campanha.

Panfletos das candidaturas de Getúlio Vargas e de Eduardo Gomes.

Cenas da campanha eleitoral que levaria Getúlio de volta ao Catete.

Nesta página e na página ao lado, Getúlio em momentos diferentes da campanha presidencial. Gregório Fortunato, o guarda-costas, de chapéu, está sempre presente, como se fosse a sombra do candidato.

Getúlio, vitorioso, retorna ao Rio de Janeiro para tomar posse na presidência.

o vale do rio Doce a Vitória — projetos do plutocrata norte-americano Percival Farquhar então encampados pelo Estado Novo.

"A história da Companhia Vale do Rio Doce é um vigoroso atestado de que o Brasil soube manter bem alto o zelo e o orgulho nacionais, na defesa de nossa soberania e na utilização de nossos recursos naturais", ressaltou.[56]

O teor daquela fala, reforçando o mote nacionalista já recorrente nos comícios do Norte e Nordeste, passaria a dar a tônica da segunda etapa da caravana, que envolveria outra extensa agenda de viagens, dessa vez pelas regiões Centro-Oeste, Sul e Sudeste do país. Nesse meio-tempo, com a questão do vice ainda em aberto, Getúlio faria nova parada estratégica no Rio de Janeiro, com o objetivo de reencontrar Góes Monteiro.

A nova reunião com o general se deu no dia 2 de setembro, na casa de Epitácio Pessoa Cavalcanti de Albuquerque, o Epitacinho, coordenador de propaganda da campanha. Mais uma vez, Getúlio tentou aliciar o general com a proposta de fazê-lo vice da chapa — quando faltavam apenas três dias para se esgotar o prazo de inscrição no TSE. Góes, pela segunda vez, rejeitou a oferta. Disse já ter remetido à executiva nacional do PSD a carta declarando fidelidade absoluta à candidatura de Cristiano Machado.

"Essa questão está encerrada", informou Góes.[57]

Na data-limite de 5 de setembro, o PTB finalmente enviou ao TSE o registro formal da candidatura de Café Filho à vice-presidência, em coligação com o PSP. Ainda se cogitou a probabilidade de um convite de emergência a dois outros possíveis colegas de chapa. O primeiro, Oswaldo Aranha — que tinha sido ministro de Getúlio até 1943 e que, em 1947, presidira a Assembleia Geral da ONU responsável pela criação do Estado de Israel. O segundo, o empresário Euvaldo Lodi (um dos principais financiadores do caixa da campanha getulista, ao lado do banqueiro e industrial Ricardo Jafet, dono da empresa Mineração Geral do Brasil). Mas Ademar de Barros recusou-se a reexaminar o assunto.[58]

"A candidatura do Café Filho a vice-presidente será mantida, custe o que custar", rugiu, inflexível, o governador paulista.[59]

Para Getúlio, restava esperar que o resultado da última eleição do Clube Militar, realizada em 17 de maio daquele ano, houvesse alterado a relação de forças nos quartéis. A questão do petróleo monopolizara as discussões durante a disputa pela diretoria da instituição. O general Newton Estillac Leal, defensor do monopólio estatal, derrotara o colega Osvaldo Cordeiro de Farias, representante das alas do Exército favoráveis à participação do capital estrangeiro no setor. Fora uma eleição acirrada, com os nacionalistas rotulando os adversários de "entreguistas" e, em resposta, sendo classificados por estes de "comunistas".[60]

A rigor, a eleição da nova diretoria do Clube Militar significava que a corrente dita progressista das Forças Armadas ganhara poder — o que poderia sugerir um provável amortecimento do espírito golpista na caserna.

"Um golpe armado, na atual conjuntura, seria um crime monstruoso, uma traição nefanda e torpe à pátria", declarou o vencedor Estillac Leal à imprensa. "Às Forças Armadas cabe o dever de aceitar a decisão soberana das urnas como um veredicto inapelável e [...] o de garantir a autoridade do candidato legitimamente eleito, seja ele quem for."[61]

Em 17 de setembro, Getúlio Vargas ficou tão surpreso quanto desconcertado ao se deparar com o deputado Café Filho subindo no palanque montado na praça da igreja matriz de Bauru. Ninguém o alertara que o companheiro de chapa também daria o ar de sua graça no evento. A campanha atingira o clímax e, até ali, Getúlio jamais convidara o deputado potiguar para um comício.[62]

Depois de varar mais quatro estados brasileiros (Rio de Janeiro, Minas Gerais, Goiás e Mato Grosso), com direito a concentrações em outras catorze cidades, a caravana eleitoral chegara a São Paulo e já cumprira agenda em dez municípios paulistas, escoltada pelo governador Ademar de Barros. Em nenhuma dessas ocasiões Getúlio pronunciara, em seus discursos, o nome de Café Filho.[63]

Indignado, o candidato a vice decidiu forçar um encontro em Bauru, a última cidade do roteiro no estado bandeirante. Sem avisar nada a ninguém, viajara até São Paulo, e só então comunicara a Ademar que estava disposto a resolver o caso em definitivo, fosse por bem ou por mal. Sentindo-se sabotado pelo silêncio e pela indiferença do cabeça de chapa, resolvera marchar até o rompimento público, caso isso se fizesse necessário.

"Vim esclarecer definitivamente o assunto. Quero saber se afinal sou ou não candidato. [...] Desejo hoje uma palavra final", disse Café a Ademar. "A coisa se tornou, para mim, uma questão de dignidade pessoal. O que ele está fazendo comigo é intolerável."[64]

O governador paulista concordou que o desabafo era justo. Tratou de colocar Café Filho no palanque e, por consequência, forçar Getúlio Vargas a tomar uma atitude. Porém, com receio de testemunhar uma cena constrangedora, Ademar pronunciou o discurso de abertura e, antes de passar a palavra para os próximos oradores — que seriam justamente, pela ordem, Café e Getúlio —, alegou outro compromisso urgente e pediu licença para deixar o local. Os dois que se entendessem.[65]

"Getúlio não quer nem ouvir o seu nome", Ademar ainda avisou a Café Filho.[66]

Com o microfone posto à disposição, Café não fez nenhuma queixa ao tratamento que vinha recebendo da coordenação da campanha. Mas aproveitou para se defender das acusações de que seria comunista e para repudiar um manifesto que, na véspera, a Liga Eleitoral Católica divulgara contra ele.[67]

"Saibam vocês que, antes de subir nesse palanque, recebi os cumprimentos do vigário local", informou Café. "E se eu for eleito vice-presidente da República, secundarei todas as atitudes que o sr. Getúlio Vargas assumir em favor da Igreja", contemporizou.[68]

Ao receber o microfone para fazer o discurso de encerramento do comício, Getúlio recorreu às tradicionais folhas datilografadas escritas pelos assessores. No texto, como sempre, não havia nenhuma menção ao companheiro de chapa. Mas, antes de terminar a leitura, levantou os olhos do papel e, estendendo a Café Filho a mão espalmada, recomendou-o à multidão:

"Este é o meu candidato a vice."[69]

Depois desse gesto de pacificação dos espíritos, Café foi temporariamente incorporado à comitiva eleitoral — que de São Paulo seguiu em direção ao Paraná. Ele ainda chegou a participar dos comícios programados para as cidades de Londrina, Ponta Grossa e Curitiba, mas decidiu retornar para o Rio Grande do Norte ao perceber que Getúlio parecia apenas suportá-lo.

"Getúlio não confiava em Café, tinha-lhe horror físico", observaria Samuel Wainer.[70]

Assim, o vice da chapa getulista não estava mais junto ao grupo quando a caravana desceu para Santa Catarina, onde foram realizados comícios em Florianópolis, Joinville e Itajaí. A campanha, conforme inicialmente previsto, terminou no Rio Grande do Sul, onde dezesseis cidades constaram do roteiro final, entre as quais, como marco simbólico, a pequenina São Borja.

Após cruzar o Brasil ao longo de 53 dias, Getúlio havia visitado cada um dos vinte estados da federação e discursado em 54 municípios de todo o país. No caminho, pregara a nacionalização das riquezas naturais, a limitação da ingerência das empresas estrangeiras nos negócios internos e a ampliação dos direitos dos trabalhadores. Defendera a mecanização da agricultura e esposara a tese de que a propriedade da terra deveria estar subordinada ao bem-estar do homem do campo. Afirmara, também, que a liberdade política não poderia se amparar no sacrifício da igualdade social.[71]

"A campanha me revelara Vargas por inteiro. Compreendi, entre outras coisas, que conhecera o primeiro líder burguês da história do Brasil a conseguir efetiva comunicação com o povo", diria Samuel Wainer.[72]

Alguns analistas procuravam interpretar as bandeiras eleitorais do candidato da aliança PTB-PSP como sintomas do surgimento "de um novo Getúlio", um líder popular que, ao defender a "democracia socialista", superara a impetuosidade autoritária dos tenentes revolucionários de 1930 e, ao mesmo tempo, se redimira do passado pouco edificante de ditador do Estado Novo. Mas também havia os que enxergavam nele apenas a figura de um demagogo que, com singular oportunismo, aproveitara o processo de abertura democrática do país para se reinventar como chefe político, abraçando teses historicamente associadas à esquerda.

O fato é que, no decorrer do extenso percurso, Getúlio confirmara sua inegável popularidade. Em contrapartida, do ponto de vista pessoal e físico, adquirira uma bronquite aguda e graves indisposições de fígado. Para um homem de 68 anos, obeso, desacostumado a jornadas eleitorais como aquela, a campanha presidencial havia sido um rigoroso teste de resistência.

"Como vai esse corpinho de espanhola amassado e triturado pelas multidões?", indagou-lhe Alzira.[73]

"Ainda não estou curado da bronquite. Apesar desta vou resistindo aos embates duma campanha esgotante", respondeu. "Não tenho palpite seguro sobre o resultado das eleições. Sei da força popular a meu favor. Mas também avalio a capacidade de fraude, suborno e violência que os governos, ameaçados de perda das posições, são capazes de desenvolver. Por isso, minha impressão é mais pessimista do que otimista. E estou preparando o espírito para o pior."[74]

No dia 3 de outubro de 1950, exatos vinte anos depois da eclosão da Revolução de 30, Getúlio compareceu à zona eleitoral de São Borja e depositou seu voto na urna. No mesmo dia, embarcou em um pequeno avião bimotor e foi descansar na Estância São Pedro, propriedade de Batista Lusardo, no atual município gaúcho de Barra do Quaraí (e em terras então pertencentes a Uruguaiana). Dias antes, Gregório Fortunato visitara cerca de uma dezena de fazendas no estado e chegara à conclusão de que aquela apresentava as melhores condições de segurança e conforto para o recolhimento do chefe. Consultados a respeito, Lusardo e Getúlio concordaram com a sugestão. A Fazenda Itu ainda dispunha de uma estrutura precária, e Santos Reis, a estância de Protásio Vargas, deixara de ser uma opção a considerar. O irmão decidira apoiar o candidato do PSD, Cristiano Machado, em detrimento da chapa do PTB-PSP.[75]

A Estância São Pedro era enorme. Possuía até mesmo um zoológico particular. Do alto das torres que circundavam a sede, para qualquer lado que a vista alcançasse a linha do horizonte, tudo pertencia a Lusardo. Um lago artificial, no meio do jardim, abrigava a chamada Ilha dos Amores, área de lazer que ficava protegida dos raios do sol pela copa de um grande cinamomo. Era, literalmente, um cenário de cinema. A fazenda servira de locação para as gravações do filme *Caminhos do Sul*, dirigido pelo cineasta e jornalista Fernando de Barros e estrelado, no ano anterior, por uma estonteante Tônia Carrero, então no auge da beleza.[76]

Getúlio, portanto, ficaria muito bem acomodado. Um corredor natural, também sombreado de árvores, ligava a grande varanda da casa — uma construção em estilo colonial de dois pavimentos — a um prédio à parte, de linhas arquitetônicas pitorescas, que remetiam ligeiramente às de um pequeno castelo europeu. Seria ali, no "castelinho", que Getúlio ficaria hospedado até o final das apurações.

"Dona Adelaide, de banquete já estou até aqui", ele avisou à esposa do anfitrião, logo ao chegar. "Por favor, quero apenas feijão, arroz e canjica."[77]

No dia seguinte, 4 de outubro, começaram a ser abertas as urnas em todo o país. Os primeiros resultados extraoficiais, anunciados na manhã do dia 5, já davam uma larga vantagem a Getúlio, com cerca de 198 mil votos contra 82 mil do brigadeiro Eduardo Gomes — e apenas 33 mil para Cristiano Machado. A cada hora que passava, os números do mapa eleitoral eram atualizados e ampliavam a vantagem inicial.[78]

"Meu querido pai, são quatro horas da tarde do dia 5 de outubro de 1950. O resultado até este momento é o seguinte: Getúlio, 358 mil votos; Brigadeiro, 170 mil; Cristiano, 111 mil", detalhou Alzira. "Estamos ganhando espetacularmente em todos os estados do Brasil. É rara a urna aberta aonde não tens em média 60% da votação e mais rara ainda aquela em que não és o mais votado. Os resultados estão surpreendendo até os mais otimistas", comemorou a filha. "Confesso-te que até eu estou surpreendida. [...] A cidade do Rio de Janeiro está transformada em verdadeiro Carnaval. Há gente que não trabalha há dois dias para acompanhar a apuração", comunicou. "Verdadeira multidão passa as tardes festejando a vitória. Há um ambiente de libertação e de euforia que nos fazem meditar seriamente nas responsabilidades que nos aguardam."[79]

Os resultados finais apontaram a vitória de Getúlio por 3 849 040 votos — um recorde histórico até então no país — contra 2 342 384 sufrágios conferidos ao brigadeiro Eduardo Gomes. O candidato oficial do governo, Cristiano Machado, conseguira a adesão de somente 1 697 193 eleitores. O baiano João Mangabeira, concorrendo pelo pequeno Partido Socialista Brasileiro (PSB), obteve 9466 votos, número inferior ao total de cédulas brancas — 211 433 — e nulas — 145 473. A escolha do vice-presidente era desvinculada da principal, podendo o eleitor escolher o candidato de sua preferência, a despeito da coligação partidária. Café Filho também saiu vencedor ao derrotar, por uma diferença de menos de 200 mil votos, o segundo colocado, Odilon Braga, indicado pela UDN.[80]

No cômputo geral, Getúlio vencera em dezoito estados e territórios, perdendo apenas em seis unidades da federação: Minas Gerais, Pará, Maranhão, Piauí, Ceará, Acre e Amapá. Em São Paulo, obtivera os índices mais espetaculares, recebendo cerca de 920 mil sufrágios, quase um quarto de toda a sua votação nacional — o que serviu para atestar a importância da aliança com o PSP e do apoio decisivo de Ademar de Barros à candidatura.

Ademar, aliás, dera outra demonstração de força política: fizera seu sucessor no governo do estado, elegendo o correligionário Lucas Nogueira Garcez para os Campos Elíseos. Getúlio também trabalhou como cabo eleitoral, garantindo a vitória do genro, Ernani do Amaral Peixoto, para o governo do Rio de Janeiro, pelo PSD. O filho, Lutero Vargas, foi eleito deputado federal pelo Distrito Federal, concorrendo pelo PTB. Apesar de vitória tão incontestável, setores da UDN ameaçaram entrar na Justiça Eleitoral com um pedido de embargo da posse de Getúlio — agendada para 31 de janeiro —, sob o pretexto de que o vencedor da eleição presidencial não obtivera a maioria absoluta, mas "apenas" 48,73% dos votos válidos.

Como o texto constitucional não determinava a necessidade da maioria absoluta, o ministro da Guerra, Canrobert Pereira da Costa, veio a público para dizer que o governo não iria endossar a tese udenista e que, assim sendo, a posse estava garantida. Canrobert, porém, resolveu enviar ao presidente eleito um recado que, segundo ele, deveria ser entendido mais como recomendação do que como advertência: Getúlio Vargas precisaria desatar três nós górdios antes de retornar ao Catete. O primeiro seria livrar-se, o quanto antes, da companhia de Ademar de Barros. O segundo, tomar cuidado com Café Filho, pois circulariam no Exército especulações de que os comunistas tramavam um atentado contra Getúlio para conduzir o "vice vermelho" à presidência da República. O terceiro, enfim, consistiria na escolha judiciosa do futuro ministro da Guerra.[81]

"Qualquer um serve, menos um [...], o Estillac", avisara Canrobert, sugerindo que o novo presidente do Clube Militar estaria impossibilitado de exercer tais funções por ser considerado um elemento subversivo no seio das Forças Armadas.[82]

Destoando da palavra do general Canrobert, o deputado udenista Aliomar Baleeiro, principal porta-voz da tese da maioria absoluta, subiu à tribuna da Câmara para exigir que as eleições fossem anuladas. O discurso de Baleeiro alimentou as manchetes dos jornais e estabeleceu um clima de suspense. Afinal, ainda ecoava na memória de todos o axioma de Carlos Lacerda: "O senador Getúlio Vargas não deve ser candidato. Candidato, não deve ser eleito. Eleito, não deve tomar posse...".

Getúlio, na estância de Batista Lusardo, evitou dar declarações à imprensa enquanto os senhores magistrados do TSE não se pronunciassem a respeito do caso. Em carta à filha, recomendou-lhe manter idêntica cautela:

"Guarda o conselho [de] que não se deve brigar com gente que usa saia — mulheres, padres e juízes."[83]

II. O novo governo se depara com o primeiro desafio: convencer os Estados Unidos de que o ovo nasceu antes da galinha (1951)

Em 1951, os cariocas não esperaram o sábado de Carnaval para pôr o bloco na rua. A festa mais tradicional do país começou no Rio com três dias de antecedência. Ainda na tarde de quarta, 31 de janeiro, a cidade foi tomada por foliões que improvisaram charangas e batucadas em frente ao Palácio Tiradentes, sede da Câmara, onde Getúlio leria o compromisso constitucional como novo presidente da República perante o Congresso Nacional. À entrada do prédio, um séquito de piratas, bailarinas, baianas, pierrôs, colombinas e arlequins se misturava aos convidados de honra trajando casaca. Embaixadores e funcionários de 52 delegações estrangeiras se perderam no meio da massa e encontraram dificuldade para chegar ao palácio após os cordões de isolamento serem rompidos e a festa popular tomar conta do local.[1]

O *Correio da Manhã* abominou a combinação de esbórnia momesca e cerimônia política. O jornal lamentou o fato de getulistas dançarem com o pavilhão nacional, "agitando-o como se fosse estandarte de escola de samba". O *Correio*, que pela segunda vez apoiara a candidatura do brigadeiro Eduardo Gomes a presidente, criticou também o fato de camelôs profanarem o templo da democracia e "aproveitarem a oportunidade vendendo bandeirolas e distintivos verde--amarelos com retratinhos do senhor Getúlio Vargas".[2]

Às quinze horas, o presidente eleito chegou em carro aberto, saudado por uma chuva de confete e serpentina. Ao descer do automóvel, sorriu e acenou para a multidão que cantava, a uma só voz, "Retrato do velho", marchinha de Haroldo Lobo e Marino Pinto, gravada por Francisco Alves, que seria uma das músicas mais executadas nos bailes carnavalescos daquele ano:

Bota o retrato do velho outra vez,
Bota no mesmo lugar.
O sorriso do velhinho
faz a gente trabalhar.[3]

Uma semana antes, a Justiça Eleitoral negara acolhimento ao recurso da UDN em torno da necessidade da maioria absoluta. Em respeito às regras constitucionais, Getúlio e Café Filho haviam sido diplomados no sábado anterior, em sessão especial convocada pelo presidente do TSE, Álvaro Moutinho Ribeiro da Costa. A atitude resoluta dos quartéis favorecera o malogro da estratégia golpista. Seguindo o exemplo do ministro da Guerra, outros chefes do Exército haviam rejeitado a possibilidade de anulação das eleições. O comandante da 1ª Região Militar, general Euclides Zenóbio da Costa, classificara a manobra como um "sofisma irresponsável e grosseiro" para, em tom firme, garantir que as Forças Armadas jamais permitiriam "um esbulho contra a vontade do povo".[4]

A solenidade de diplomação no TSE, contudo, fora acidentada. Populares invadiram o recinto e a guarda pessoal de Getúlio, comandada por Gregório Fortunato, se excedera na tarefa de evitar a aproximação de estranhos, distribuindo empurrões a esmo e provocando confusão ainda maior. O juiz Ribeiro da Costa, depois de fazer soar as campainhas para pedir ordem, sentira-se na obrigação de transferir a sessão para uma sala menor, vetando a entrada de terceiros e deixando até mesmo jornalistas brasileiros e correspondentes internacionais do lado de fora.[5]

Para evitar a repetição dos tumultos, o cerimonial no Tiradentes foi abreviado. Não demorou mais do que quinze minutos. Após ler o juramento formal e assinar o livro de posse no plenário, Getúlio informou aos deputados e senadores que quebraria o protocolo e faria o discurso nas escadarias do palácio, onde um microfone tinha sido previamente instalado e conectado a caixas de som externas.[6]

"Ordenastes e eu obedeci", disse Getúlio, falando para o público aglomerado por vários quarteirões nas ruas contíguas. Segundo os jornais, pandeiros, surdos e tamborins foram silenciados de repente, para que o orador pudesse ser ouvido. "A minha candidatura não nasceu [...] das injunções da política ou das combinações dos partidos. Ela veio diretamente do povo, dos seus apelos e dos seus clamores", continuou. "Não venho semear ilusões, nem deveis esperar de mim os prodígios e os milagres dum messianismo retardatário", advertiu. "Estou certo da vossa ajuda e conto com a vossa cooperação, porque assim estaremos servindo não ao efêmero dum governo, mas à perenidade, à perpetuidade e à grandeza da nação brasileira."[7]

Concluído o discurso, o Carnaval recomeçou. Getúlio voltou à limusine conversível, para então ser conduzido ao Catete em apoteose, rumando pela avenida Rio Branco e pela praia do Flamengo debaixo de um aluvião de papel picado e pétalas de rosas, atirados do alto dos prédios. Gregório Fortunato, montado no para-choque traseiro do carro, orientou os demais guarda-costas a acompanhar o percurso o tempo todo ao lado do veículo, que avançou em marcha lenta, cercado pela multidão.[8]

À porta do Catete, Eurico Gaspar Dutra aguardava o sucessor, em uniforme militar de gala. A passagem da faixa presidencial ocorreu no Salão Amarelo, onde Dutra fez um pronunciamento frio, sem maiores prolegômenos, para logo depois se despedir e ir embora, em carro fechado, escoltado por batedores em motocicletas.[9]

A transição democrática, enfim, se dera sem maiores sobressaltos. Mas o autocrata de ontem era o mesmo presidente eleito de então. Após cinco anos de intervalo, Getúlio Vargas estava de volta ao Catete. Já conhecia, é claro, cada palmo dos salões e corredores do velho solar do Barão de Nova Friburgo. Os rituais e a simbologia inerentes ao poder também lhe eram familiares. Assim como fizera pela primeira vez em 1930, subiu mais uma vez as escadas atapetadas e, no andar de cima, acenou para o público de uma das janelas abertas.[10]

Era verão e fazia intenso calor no Rio de Janeiro, com temperaturas beirando os quarenta graus. Em dado momento, enquanto cumprimentava o povo com o gesto característico da mão direita maneada levemente à altura da cabeça, Getúlio sentiu-se mal, acometido por uma crise repentina de apneia. Recolheu-se a uma sala, onde precisou repousar por alguns minutos até conseguir restabelecer o fôlego. Os momentos de descanso, porém, foram breves. Ele logo foi procurado pelos assessores, pois o público, em arrebatamento, ameaçava invadir o Catete, a exemplo do que fizera no TSE.[11]

Getúlio ordenou que fosse liberado o ingresso aos jardins e à varanda interna do palácio. Milhares de pessoas, em fila interminável, tiveram o direito de apertar a mão do presidente. Muitos aproveitaram a oportunidade para lhe entregar cartas e bilhetes, com pedidos de emprego, solicitações para tratamentos de saúde ou apelos por dinheiro em espécie. Já passava das vinte horas quando os portões do palácio puderam ser finalmente fechados.[12]

"As manifestações de regozijo popular [...] alongaram-se pela noite em diferentes pontos da cidade, notadamente no Centro", informou, com evidente incômodo, o noticiário do *Correio da Manhã*. "Até altas horas da noite, mantendo a Cinelândia e a avenida Rio Branco repletas, milhares de pessoas entregaram-se a folguedos carnavalescos, cantando, dançando e pulando."[13]

Ao ver a fotografia de um expansivo Getúlio Vargas nas páginas dos jornais do dia seguinte, o tenente-coronel Siseno Sarmento, que compusera a chapa derrotada na eleição do Clube Militar encabeçada por Cordeiro de Farias, comentou:

"É bom que ele sorria agora, porque vai ter que chorar depois."[14]

No mesmo dia em que tomou posse, recebendo a maior aclamação pública a que tivera direito até então um chefe de Estado brasileiro, Getúlio surpreendeu o país ao anunciar um ministério de perfil nitidamente conservador. Depois de deixar a Estância São Pedro, permanecera alguns dias na cidade paulista de Campos do Jordão, a convite de Ademar de Barros. Lá, começara a montar o quebra-cabeça da futura equipe. Mas foi no Hotel das Paineiras, na floresta da Tijuca, aos pés do Corcovado — onde se hospedara no início de janeiro —, que Getúlio recebera interlocutores políticos e concluíra a tarefa de organizar o primeiro escalão do novo governo.[15]

O PSD recebeu não só o maior número de pastas civis — quatro, das sete existentes —, como também passou a constituir o chamado "núcleo duro" da equipe. O Ministério da Fazenda foi entregue ao empresário paulista Horácio Lafer, sócio-proprietário do grupo Klabin-Lafer, do setor de papel e celulose. A Justiça passou às mãos do mineiro Francisco Negrão de Lima, indicação pessoal do governador recém-eleito de Minas Gerais, Juscelino Kubitschek. A Educação e Saúde ficou com Ernesto Simões Filho, dono do jornal *A Tarde*, de Salvador —

homem "muito culto e muito reacionário", na definição de Samuel Wainer.[16] João Neves foi nomeado para o Ministério das Relações Exteriores — já encarregado dos preparativos para o envio da delegação brasileira à IV Reunião de Consulta dos Chanceleres Americanos, marcada para março, em Washington.[17]

Para a cota do PSP, Ademar de Barros indicou o titular da sempre cobiçada pasta da Viação e Obras Públicas: o engenheiro Álvaro Pereira de Sousa Lima, ex-secretário estadual de Obras de São Paulo. Ademar também interferiu na escolha do presidente do Banco do Brasil, Ricardo Jafet — dono do Banco Cruzeiro do Sul e da empresa Mineração Geral do Brasil —, um dos mais destacados financiadores da campanha. Logo ficariam notórios os constrangimentos entre Jafet e o ministro Lafer, ambos industriais paulistas, mas representantes de segmentos diferentes que passariam a disputar a hegemonia dos respectivos interesses de grupo. Enquanto o presidente do BB propunha uma política de expansão do crédito, o titular da Fazenda defendia um severo controle anti-inflacionário.[18] Como um era filho de libaneses, outro de judeus, instaurou-se o que se chamou de "guerra santa" no governo.[19]

"Vargas promete acabar com os exploradores do povo, mas os coloca nos pontos decisivos", criticou Lacerda, igualando um e outro.[20]

Para desencanto dos trabalhistas, o PTB, pelo qual Getúlio tinha sido eleito, recebeu apenas um único posto no primeiro escalão, o Ministério do Trabalho, oferecido a Danton Coelho, articulador político da aliança com Ademar. Danton vinha exercendo a direção do partido desde a morte de Salgado Filho em acidente aéreo ocorrido em julho do ano anterior, no início da jornada eleitoral.

Getúlio causou ainda maior espanto ao nomear, para a Agricultura, um usineiro pernambucano filiado à UDN: João Cleofas de Oliveira. Candidato derrotado ao governo de Pernambuco, Cleofas apoiara Vargas nas eleições presidenciais, enquanto o vitorioso no estado, o pessedista Agamenon Magalhães, recomendara o voto em Cristiano Machado. Tão logo foi anunciada a nomeação de um correligionário para o ministério, os udenistas se apressaram a descartar qualquer espécie de participação da legenda no novo governo, contra o qual prometiam fazer cerrada oposição.

"O Cleofas não representa a UDN, ele aceitou o ministério por uma decisão pessoal", declarou Odilon Braga, presidente da executiva nacional e vice na chapa do brigadeiro Eduardo Gomes.[21]

Carlos Lacerda foi fiel ao seu estilo, sendo mais taxativo:

"O João Cleofas é o Judas da UDN."[22]

Questionado a respeito do perfil da equipe, Getúlio se justificou. Disse que pretendia fazer um governo de união nacional. Buscava estabelecer a harmonia e o consenso acima das correntes políticas. Ademais, havia outra questão de ordem prática. Ao contrário do que ocorrera no Governo Provisório e durante o Estado Novo, teria de administrar o país com o Congresso Nacional em pleno funcionamento, o que impunha a necessidade de uma base aliada sólida.

"Durante todos os lances da minha campanha eleitoral, não deixei de salientar que os meus compromissos com o povo superavam os meus compromissos partidários", disse, na primeira entrevista coletiva. "Fui candidato do PTB e do PSP. Mas [...] os partidos que me indicaram, reunidos, só elegeram um terço do Congresso Nacional. Portanto, eu não poderia firmar o meu governo apenas nessa frágil representação parlamentar."[23]

Era uma questão de aritmética. Os dois partidos da coligação vitoriosa fizeram, juntos, 75 deputados federais (51 do PTB e 24 do PSP), numa Câmara de 304 integrantes. A UDN elegera, sozinha, 81 parlamentares, que somados aos 36 eleitos pelas legendas menores (PR, PST, PL e PTN, entre outros) totalizavam 117 deputados. O fiel da balança continuaria sendo o PSD, que conquistara a maior bancada, com 112 representantes. Daí a presença majoritária da agremiação no ministério e o convite para que a liderança do governo na Câmara fosse exercida por um pessedista, o mineiro Gustavo Capanema — ex-ministro da Educação de Getúlio, intelectual respeitado, com livre trânsito entre próceres da UDN, amigo de Afonso Arinos, líder da minoria.[24]

A título de compensação pela equipe conservadora na esfera civil, Getúlio cometeu uma ousadia calculada ao nomear, para o Ministério da Guerra, o general Estillac Leal, presidente do Clube Militar, expoente da ala nacionalista do Exército, frequentemente acusado de "comunista" pelos pares de caserna. Fiel à conduta de dar com uma mão para tirar com a outra, o presidente entronizou o general Góes Monteiro na chefia do Estado-Maior das Forças Armadas. Porém, mesmo a nomeação de Góes gerou controvérsia nos círculos militares, pois muitos colegas de farda o julgavam anacrônico demais para a missão de reaparelhar e adequar os quartéis brasileiros à moderna doutrina militar norte-americana, a grande vitoriosa nos campos de batalha da Segunda Guerra.[25]

O escolhido para a pasta da Aeronáutica também provocou mal-estar na respectiva corporação. Getúlio nomeou para o cargo o tenente-coronel Nero

Moura, seu ex-piloto, atropelando assim dezenas de oficiais brigadeiros. O fato de Nero ser considerado herói de guerra — com destacada atuação no comando do 1º Grupo de Aviação Grupo de Caça da Força Aérea Brasileira — garantiu-lhe o apoio necessário na base da tropa para assumir a função. O convidado para o Ministério da Marinha, o contra-almirante Renato de Almeida Guillobel, seria o único a permanecer na equipe ministerial até o último dia de Getúlio no Catete. Todos os demais titulares de primeira hora, civis e militares, pediriam demissão ou seriam exonerados ao longo do mandato, uns mais cedo, outros mais tarde.

A propósito, em um "sincericídio" pouco usual a um chefe do Executivo com tamanha cancha política, Getúlio afirmou à imprensa, ao tomar posse, que montara um "ministério de experiência". A expressão denotava que a equipe tinha caráter provisório, de simples avaliação. Quando publicada em letra de fôrma no dia seguinte, a declaração provocou constrangimentos entre os ministros, que se sentiram desautorizados e ameaçados de demissão, logo de saída, pelo próprio presidente da República.

Mesmo pessoas do círculo privado de Getúlio estranharam a gafe, que não condizia com a conduta de um homem acostumado a medir cautelosamente o peso de cada palavra.

"Todo ministro é provisório, todo ministério é de experiência. No momento em que o ministro falha, ele sai. Mas isso não se diz, não tem a menor necessidade", avaliou mais tarde o genro, Ernani. "Acho que o presidente estava um pouco desabituado dessas pequenas nuances da política, que têm grande importância."[26]

Luiz Vergara, ex-secretário de gabinete durante o Estado Novo, também interpretou a indiscrição como um sintoma de que o antigo chefe retornara ao poder com a guarda baixa, sem os devidos "controles de autovigilância e contenção de linguagem" que lhe eram característicos.[27]

"Ao assumir o governo em 1951, Getúlio Vargas não era mais o mesmo homem de 1930. Em 1945, já mostrava aos que com ele trabalhavam mais intimamente evidentes sinais de desgaste", escreveu Vergara, em suas memórias. "Nos cinco anos em que permaneceu afastado das agitações da vida pública, de 1945 a 1950, ele conseguiu retemperar-se. Mas foi uma recuperação parcial, embora aparentemente satisfatória. Leve-se ainda em conta a ação negativa do avanço da idade, de um começo de envelhecimento que nele não chegava a impressionar, por causa do seu temperamento excepcional."[28]

De acordo com Vergara, a necessidade de organizar um ministério sob as contingências próprias da democracia — atento à correlação de forças políticas e à construção de uma maioria folgada no parlamento — era uma novidade para a qual o ex-ditador não estaria bastante aparelhado:

"Para um homem que se habituara a exercer as funções de chefe de governo com ampla liberdade de ação, isso equivalia a sentir-se coagido, freado, jungido à rotina administrativa", admitia o ex-secretário.[29]

Getúlio, contudo, ainda conservava alguns truques de prestidigitador político. Sem fazer alarme, reservou uma das salas do primeiro piso do Catete para abrigar uma equipe paralela ao "ministério dos tubarões" — como alguns apelidaram a equipe de governo, por reunir representantes dos empresários, banqueiros e usineiros. Logo nos primeiros dias de mandato, o presidente convocou o advogado e economista baiano Rômulo de Almeida, diretor da Confederação Nacional da Indústria (CNI), para incumbi-lo de uma importante tarefa, a ser desempenhada longe dos holofotes da imprensa e sem qualquer cobertura da publicidade oficial.[30]

Cabia a Almeida compor uma Assessoria Econômica, ligada diretamente à Secretaria da Presidência, para elaborar estudos e projetos de infraestrutura em áreas consideradas estratégicas, como energia, transporte e industrialização. O órgão constituiria, por assim dizer, um segundo coração do governo. Seus integrantes teriam franco acesso ao gabinete presidencial e direito a despachos diários com Getúlio, logo na primeira hora da manhã.[31]

"Quase ninguém sabia da existência da Assessoria Econômica", recordaria mais tarde Rômulo de Almeida, que à época recebeu carta branca para arregimentar auxiliares baseando-se na competência técnica, livre das injunções político-partidárias, mas desde que imprimisse uma marca nacionalista ao time.[32]

Almeida foi orientado a recrutar colaboradores nos próprios quadros federais, para evitar encargos ao gabinete e para não despertar a curiosidade pública, neutralizando possíveis críticas por parte da imprensa. Necessitava, portanto, requisitar funcionários de outras repartições do governo, em sistema de empréstimo, como facultava a legislação. Para ocupar o lugar de "segundo homem" da Assessoria Econômica, convidou o sociólogo Jesus Soares Pereira, considerado de tendência esquerdista, ex-integrante do Conselho Federal de Comércio Exterior e então diretor da Divisão de Estudos de Economia Florestal. Para se somar à equipe, escalou um especialista em assuntos de política externa, Cleanto de Paiva Leite, funcionário de carreira do Departamento Administrativo do Serviço Público (Dasp). Ao trio, logo se juntou um pequeno e seleto grupo versado nas áreas de planejamento, gestão pública, política industrial, energia elétrica e recursos naturais. Um time de notáveis que incluía Inácio Rangel, João Neiva de Figueiredo, Ottolmy Strauch, Saldanha da Gama e Tomás Pompeu Acióli Borges — apelidados por Getúlio de "boêmios cívicos", pelo fato de manterem a luz da sala acesa até altas horas da noite, trabalhando madrugada adentro.[33]

"A Assessoria foi uma solução informal e muito imaginativa do presidente Getúlio Vargas para escapar do cerco político ao qual ele tinha sido obrigado na escolha dos ministros", definiu Cleanto Leite.[34]

A primeira missão confiada ao grupo foi elaborar a mensagem presidencial a ser remetida ao Congresso na abertura dos trabalhos legislativos daquele ano, em março. Getúlio explicou a Rômulo de Almeida exatamente o que esperava do documento: um texto de caráter programático e de inspiração nacionalista, a favor da industrialização planejada, por meio da intervenção governamental. Mas tudo isso precisava ser definido de maneira habilidosa o suficiente para não alarmar a iniciativa privada e muito menos assombrar o capital estrangeiro, que deveriam ser citados como parceiros no processo de desenvolvimento econômico do país.[35]

A cautela de Getúlio era facilmente explicável. Durante a solenidade de posse, ele conversara com o magnata norte-americano Nelson Rockefeller, que viera ao Rio de Janeiro na condição de representante oficial do presidente Harry Truman e como chefe do International Development Advisory Board — órgão do governo dos Estados Unidos encarregado de implementar um grande programa de assistência técnica para a América Latina. Na oportunidade, discutiram as bases para o estabelecimento de uma comissão mista Brasil-Estados Unidos, objeto de acordo assinado entre as duas nações no final do ano anterior, ainda sob a gestão Dutra. Falando aos jornalistas, o emissário de Truman dissera que as negociações seguiam rumo promissor, mas faltava ajustar os detalhes dos futuros tratados de cooperação.

"Não podemos contar com os ovos sem ter a galinha", advertira Rockefeller.[36]

As preliminares do convênio previam o fornecimento de minerais estratégicos brasileiros aos Estados Unidos, em troca de financiamentos do Banco Internacional para a Reconstrução e Desenvolvimento (Bird) e do Export-Import Bank

(Eximbank), para a execução de um amplo programa de industrialização do país. Entre as prioridades já combinadas estavam a instalação de usinas hidrelétricas, siderúrgicas e refinarias de petróleo, a modernização portuária e a implantação de um conjunto de indústrias de base, que a médio prazo tenderiam a retirar o Brasil do estágio de país dependente, simples exportador de matérias-primas.[37]

Com a desenvoltura habitual para articular interesses contrários, Getúlio organizou a Comissão de Desenvolvimento Industrial (CDI), subordinada ao Ministério da Fazenda, com a incumbência de realizar estudos e propostas para atrair o capital privado, incluindo medidas de proteção cambial e tributária. Entre os integrantes dessa equipe destacavam-se os empresários Euvaldo Lodi e Edmundo de Macedo Soares, o oficial da Marinha Lúcio Meira (subchefe da Casa Militar da presidência) e o escritor e poeta Augusto Frederico Schmidt.

"Era um jogo de pesos e medidas, de contrabalanço, que o governo tinha de fazer [...] para poder governar", avaliava Rômulo de Almeida, da Assessoria Econômica.[38]

Além de "acender velas a Deus e ao Diabo" — como acusavam os adversários[39] —, Getúlio procurava manter acesa a chama do entusiasmo popular verificado no dia da posse. Em 18 de fevereiro, um domingo, ele compareceu ao Maracanã e discursou para um público estimado pelo *Correio da Manhã* em cerca de 155 mil pessoas, capacidade máxima do estádio. Nem mesmo a ameaça de um temporal impediu a realização da festa, que contou com o desfile de bandas militares e a apresentação de grupos artísticos, culminando com a entrada em campo da bateria e das passistas da escola de samba Império Serrano, tetracampeã do Carnaval do Rio.[40]

No encerramento do programa do dia, os times de futebol do Vasco da Gama e do América fizeram um tira-teima da última partida do campeonato carioca do ano anterior, quando os cruz-maltinos haviam se sagrado bicampeões estaduais, ao derrotar os alvirrubros por 2 a 1. Na revanche, tendo Getúlio na tribuna de honra, a nova partida terminou empatada em 1 a 1, com gols de Ademir, para o Vasco, e Maneco, para o América. Ao apostar no binômio futebol e samba como ingrediente de propaganda política, o Catete acatara sugestão de Lourival Fontes, diretor do extinto DIP e então recém-nomeado chefe do Gabinete Civil da Presidência da República.[41]

"Quero que o povo seja os olhos e os ouvidos do governo", discursou Getúlio no Maracanã, prometendo dar combate sem trégua à corrente inflacionária, erigida como "prioridade emergencial" do governo, ao lado do combate sistemático à corrupção.[42] Não por acaso, entre as primeiras medidas após a posse, ele determinou a abertura de um inquérito administrativo para investigar supostas irregularidades no Banco do Brasil entre os meses finais de 1945 e o início de 1951, ou seja, no período correspondente aos governos de José Linhares e Eurico Gaspar Dutra.[43]

"O povo será o agente fiscalizador, o supremo juiz, o tribunal inapelável não só dos meus atos e decisões, como da conduta pública e da probidade funcional dos meus auxiliares diretos", prometeu.[44]

Em abril, no encerramento da IV Reunião de Consulta dos Chanceleres Americanos, João Neves, ministro brasileiro das Relações Exteriores, foi recebido em Washington pelo presidente Harry Truman, que lhe entregou uma carta endereçada a Getúlio, em papel timbrado da Casa Branca.[45]

Nos primeiros parágrafos, Truman agradecia, em tom cortês, a presença da delegação brasileira ao encontro. Mas lembrava que, no decorrer dos debates, os Estados Unidos haviam defendido com insistência o envio de forças conjuntas da Organização dos Estados Americanos (OEA) para atuar na Guerra da Coreia — conflito então travado entre a Coreia do Norte, apoiada pela União Soviética, e a Coreia do Sul, patrocinada pelos Estados Unidos. Milhares de coreanos já haviam sido vítimas do confronto que, ao final, deixaria o saldo de mais de 1 milhão de mortos.

No contexto da guerra fria, a questão da Coreia ganhava sérios contornos de polarização ideológica. Os Estados Unidos consideravam que o mundo não estava diante de um simples confronto localizado, sem maiores repercussões para o resto do planeta. Na perspectiva do governo norte-americano, a intervenção na luta entre coreanos se fazia necessária como parte da estratégia de combate à "expansão comunista", foco das atenções de Washington desde o final da Segunda Guerra. Um tratado de aliança selado entre China e União Soviética em fevereiro de 1950 levava a Casa Branca e o Pentágono a temer um avanço do comunismo sobre a Ásia e, posteriormente, a Europa.[46]

Na reunião dos chanceleres, a representação brasileira reconheceu a relevância do assunto, mas preferiu defender a tese de que os países latino-americanos deveriam ter como preocupação básica a defesa interna contra a "ameaça vermelha". Antes de proporcionar qualquer espécie de auxílio militar a nações estrangeiras, o Brasil necessitaria receber a devida ajuda financeira (sobretudo norte--americana) para consolidar uma política efetiva de desenvolvimento econômico. Em suma, pleiteava-se para o continente algo similar ao Plano Marshall, considerado o único antídoto para neutralizar os apelos da propaganda marxista.[47]

O final da carta de Truman a Getúlio continha uma convocação explícita: "Seria de grande ajuda para o esforço das Nações Unidas, na Coreia, se o Brasil pudesse enviar uma Divisão de Infantaria para participar das operações militares conjuntas naquela área", cobrou o presidente dos Estados Unidos. "Muitas tropas americanas foram empenhadas em rude combate contra os agressores na Coreia nos últimos nove meses e têm grande necessidade de repouso, o que só será possível quando houver tropas capazes de substituí-las."[48]

Envolver o país em uma guerra do outro lado do mundo, com o envio de soldados brasileiros para um conflito que não nos dizia nenhum respeito imediato, estava longe dos planos de Getúlio — e também das Forças Armadas. Mas Truman deixara subentendido, na correspondência, que passaria a condicionar qualquer ajuda econômica ao país à correspondente expedição de tropas para combater em território coreano.

Como já fizera durante a Segunda Guerra Mundial no caso de Volta Redonda, Getúlio decidiu adiar ao máximo a resposta aos Estados Unidos para tirar o maior proveito possível da situação. Orientou o chanceler João Neves a estabelecer certos parâmetros para o início das negociações em torno de um eventual convênio militar. Como ponto de partida, Getúlio propôs a aprovação de um crédito de 300 milhões de dólares a favor do Brasil, considerado o valor mínimo para o financiamento de programas básicos de desenvolvimento. Em contrapartida, ofereceu a possibilidade de abastecer os norte-americanos com 500 mil toneladas anuais de manganês, matéria-prima indispensável para a fabricação de ligas metálicas, e uma quantidade ainda a ser estabelecida de areias monazíticas — ricas em urânio, utilizadas em usinas nucleares.[49]

João Neves, partidário de um alinhamento incondicional com os Estados Unidos, não achou prudentes os termos sugeridos, mas levou a proposta aos interlocutores. Neves julgava muito mais recomendável que Getúlio fizesse um pronunciamento público sobre o caso, posicionando-se a favor da intervenção militar na Coreia, o que no seu entender melhoraria as chances de o Brasil receber um tratamento preferencial do governo norte-americano.[50]

"Meu caro Getúlio, esta não é uma carta de ministro para presidente, mas de amigo para amigo", escreveu Neves, de Washington. "Creio não ser necessário referir-lhe a conversa com Truman, pois o essencial se encontra na carta que lhe remeti", advertiu.[51]

Ao passo que Getúlio barganhava, os Estados Unidos apertavam o cerco. Influenciado pela Casa Branca, o secretário-geral da ONU, o norueguês Trygve Halvdan Lie, enviou em 22 de junho um bilhete confidencial a João Neves, endossando e formalizando o pedido de Truman a Getúlio.

"Como secretário-geral, rogo respeitosamente ao governo de vossa excelência que dê séria consideração a este apelo, em vista da necessidade de fortalecer a ação coletiva na Coreia", dizia o texto. "Muito agradeceria a vossa excelência informar-me da decisão de seu governo e entender-se com o Comando Unido acerca de todas as providências de execução."[52]

Diante da pressão das Nações Unidas e da gravidade do momento, Getúlio resolveu apressar o retorno de João Neves e convocar uma reunião do Conselho de Segurança Nacional (CSN) — mais elevado órgão consultivo da presidência da República, com responsabilidade prevista na Constituição para assessorar o chefe de Estado nos casos de declaração de guerra, estabelecimento de paz, decretação do estado de sítio e intervenção federal.

Às quatro e meia da tarde do dia 30 de junho, Getúlio reuniu no Palácio do Catete todos os ministros civis e militares, além do chefe do Estado-Maior das Forças Armadas, Góes Monteiro, e dos respectivos chefes dos estados-maiores do Exército, Marinha e Aeronáutica. O general Ciro do Espírito Santo Cardoso, chefe da Casa Militar do governo, foi nomeado secretário da reunião, cuja ata permaneceu sob a classificação de "secreta" — assim como as demais atas do CSN entre 1934 e 1988 — até a abertura dos papéis em 2010.[53]

"Convoquei esta reunião para que os senhores tomem conhecimento e decidam a respeito de um assunto de grande significação para o Brasil no conceito internacional e cuja resolução é de transcendente importância à nação brasileira", disse Getúlio, para em seguida pedir ao general Cardoso que fizesse a leitura de algumas considerações prévias, que ajudariam o grupo a deliberar sobre a matéria. Em seu arrazoado, o secretário da reunião explicou que o Brasil, como membro da Organização das Nações Unidas e integrante da Organização dos Estados Americanos, tinha o compromisso de prestar solidariedade e auxílio — inclusive bélico —, quando solicitado a fazê-lo de acordo com os mecanismos previstos nos tratados e convenções dos quais era signatário.[54]

Na sequência, autorizado por Getúlio, João Neves deu conhecimento a todos os presentes da íntegra da nota remetida ao Itamaraty pelo secretário-geral da ONU e, ao final, recomendou que aquele Conselho tomasse decisões de acordo com os compromissos assumidos junto aos organismos internacionais.[55]

"Precisamos dar uma resposta efetiva às Nações Unidas", ponderou Neves.[56]

Getúlio pôs a palavra em aberto. Negrão de Lima, ministro da Justiça, dirigiu-se então ao general Estillac Leal, titular da pasta da Guerra, para indagar se o Brasil por acaso estaria em condições materiais de remeter tropas para a Coreia. Estillac, que como nacionalista era terminantemente contra o envio dos soldados para o exterior, alegou que o general Góes Monteiro, chefe do Estado-Maior das Forças Armadas, teria uma melhor visão do conjunto sobre as três armas e, portanto, estaria mais habilitado para discorrer a respeito.[57]

"Entre os membros da OEA, só existe uma nação com capacidade militar suficiente para enfrentar uma guerra: os Estados Unidos", opinou Góes. "O estado atual das nossas três Forças Armadas apresenta alto grau de deficiência. [...] A aviação possui número reduzido de aviões de combate, e mesmo os que existem estão obsoletos. [...] A Marinha não está em condições de proteger ao menos as nossas comunicações marítimas. O Exército [...] continua a utilizar para a instrução carros de combate, canhões e outras armas já desprezadas pelos exércitos modernos", detalhou.[58]

Segundo Góes, mesmo que os Estados Unidos fornecessem ao país armamento de ponta, não haveria tempo hábil para capacitar os soldados brasileiros a usar os novos equipamentos na Coreia. No entender do general, o governo deveria estabelecer entendimentos com os norte-americanos para a aquisição imediata de armas modernas, mas também priorizar o financiamento de projetos de infraestrutura nas áreas de transporte, energia e indústrias de base, sem as quais nenhuma nação poderia se julgar segura e independente contra ameaças comunistas, externas ou internas.[59]

"Mas o senhor considera que o Brasil está pelo menos militarmente preparado para a própria defesa, isto é, para garantir a segurança interna e a soberania nacional?", perguntou Getúlio.[60]

"Não", respondeu Góes, categórico. "Devemos falar claramente aos americanos que precisamos de meios para nosso desenvolvimento geral, porque isso é o que permitirá o nosso preparo militar", argumentou. "Esse deve ser nosso argumento básico nas negociações", sugeriu.[61]

Getúlio voltou-se então para Horácio Lafer, ministro da Fazenda, e indagou se ele teria algo a acrescentar ao debate, tomando como perspectiva o estado geral das finanças do país.

"A recomendação do Conselho de Segurança da ONU é para que cada país membro estude, 'dentro da sua capacidade', as possibilidades de seu concurso em face da situação internacional", sublinhou Lafer. "É um princípio muito sábio", disse, deixando implícito que o Brasil, debilitado economicamente, nada tinha a oferecer. De acordo com o ministro, o governo deveria centrar atenções, naquele instante, no combate à inflação. "A subida do custo de vida pode levar o país à subversão. De nada adianta trabalharmos contra a guerra da Coreia lá fora criando uma outra Coreia aqui dentro, no Brasil."[62]

O ministro da Marinha, Renato de Almeida Guillobel, resolveu entrar na discussão e fazer uma pergunta a todos, indistintamente:

"Mas, senhores, os Estados Unidos estarão dispostos a nos fornecer os meios necessários se não dermos a eles a cooperação imediata, conforme nos foi solicitado?"[63]

Getúlio achou que era a hora de ele próprio intervir:

"Essa questão pode ser perfeitamente invertida, almirante. Nós só poderemos prestar a colaboração solicitada pelos Estados Unidos, caso os Estados Unidos nos forneçam os meios necessários para tanto."[64]

Rockfeller, meses antes, dissera que o Brasil não podia contar com a cesta de ovos antes de garantir a existência da galinha. Mas, para Getúlio, era evidente que a futura galinha teria que ser gerada, necessariamente, a partir de algum ovo. Norte-americanos e brasileiros precisavam entrar em acordo a respeito de um problema insolúvel. Descobrir quem, afinal de contas, deveria nascer primeiro, ovos ou galinhas.

No início de julho, por decisão tomada durante a reunião do Conselho de Segurança Nacional, o general Góes Monteiro viajou aos Estados Unidos para negociar diretamente com o governo norte-americano os termos de um acordo militar entre os dois países. Antes de partir, recebeu orientações expressas de Getúlio: o Brasil não poderia comprometer-se a participar do esforço de guerra na Coreia sem antes resolver os gargalos que impediam o desenvolvimento econômico nacional. As prioridades brasileiras seriam, pela ordem, garantir a defesa interna, colaborar com a defesa do continente e, por fim — uma vez tendo sido encaminhadas as demandas pelo reaparelhamento do Exército e conduzidas as necessidades de infraestrutura básica do país —, preparar forças militares a serem postas à disposição da ONU.[65]

"Não nos entregaremos como cordeiros para ser imolados", deliberou Getúlio.[66]

Góes Monteiro permaneceu três meses nos Estados Unidos, entre julho e outubro, sem que as negociações tomassem rumo definido. Os norte-americanos logo perceberam que as instruções determinadas ao general pelo governo brasileiro inviabilizavam um acordo em torno do envio de tropas. Edward Miller, subsecretário de Estado para assuntos interamericanos, comunicou ao general Matthew Ridgway, comandante das forças da ONU na Coreia, que a pauta de pedidos levada por Góes apenas diminuía as chances de uma real cooperação militar por parte do Brasil.[67]

Em setembro, foi a vez de o ministro Horácio Lafer rumar para Washington. Antes, deixou nas mãos de Getúlio um grande plano organizado pela Comissão de Desenvolvimento Industrial, a ser implementado com a pretendida cooperação financeira dos norte-americanos. O Plano Nacional de Reaparelhamento Econômico — ou simplesmente Plano Lafer — previa desde projetos de criação de mais fontes de energia à introdução de técnicas de agricultura mecanizada, da modernização do sistema de transporte ferroviário à ampliação do parque industrial brasileiro. O conjunto de propostas foi submetido à análise da Comissão Mista Brasil-Estados Unidos, recém-instituída, e simultaneamente apresentado em regime de urgência pelo governo ao Congresso. Além do financiamento externo, o plano previa a criação de um fundo em moeda nacional, constituído pelo aumento de 15% no imposto de renda.[68]

"Em vez de taxar os 'tubarões', o governo vai sobretaxar os humildes com este projeto ignóbil", protestou o udenista Aliomar Baleeiro.[69]

O projeto encontrou resistência até mesmo na base aliada e, de modo mais específico, na bancada trabalhista. O deputado Joel Presídio de Figueiredo, do PTB da Bahia, subiu à tribuna para denunciar que, ao propor o aumento do imposto sobre a renda dos assalariados, o Ministério da Fazenda estaria patrocinando uma "cruel política de injustiça econômica".

O orador foi aparteado por Arnaldo Cerdeira, do PSP paulista:

"Ao combater o ministro, o nobre deputado está combatendo, indiretamente, o próprio sr. Getúlio Vargas, pois o sr. Horácio Lafer apenas executa a política financeira do eminente sr. presidente da República", observou Cerdeira, dizendo que, como integrante da maioria, fecharia a questão a favor do governo.[70]

"Não creio que um deputado macule o seu voto aprovando esse projeto. Principalmente um deputado do Partido Social Progressista, que prometeu defender o povo contra os tubarões com a bandeira do governador Ademar de Barros", insistiu o parlamentar baiano. "Esta é uma solução simplesmente imoral!", definiu. "I-mo-ral!", voltou a dizer, escandindo as sílabas.[71]

A controvérsia se dava no momento em que o "ministério da experiência" sofria a primeira baixa. O único representante do PTB na equipe de governo, Danton Coelho, depois de se indispor com outras lideranças da legenda, pedira exoneração do cargo em setembro, sendo substituído no ministério pelo correligionário Segadas Viana. O demissionário saiu alegando não concordar com as concessões que Getúlio estaria fazendo "aos sabotadores do povo" em troca da manutenção de uma maioria no parlamento. "Libertemos Getúlio!", bradara pouco antes Danton na convenção nacional do partido, conclamando os trabalhistas a desencadear uma ampla campanha por uma reforma constitucional que dilatasse os poderes do Executivo, tolhidos pela Carta de 1946.[72]

"Deixem o homem trabalhar!" — foi a frase que depois disso passou a ser ouvida nas ruas, atribuindo ao Congresso os impasses que estariam impedindo Getúlio de implementar medidas mais firmes a favor da população.[73]

Apesar do escarcéu, o aumento do imposto de renda para nutrir o Fundo de Reaparelhamento Econômico acabou por ser aprovado, o que continuou a gerar controvérsia nos meios políticos. O deputado Fernando Lobo Carneiro, do pequeno Partido Republicano Trabalhista (PRT), criticou o fato de os itens incluídos no Plano Lafer estarem condicionados à aprovação prévia dos técnicos norte-americanos da Comissão Mista. Para Lobo Carneiro, isso constituiria um flagrante atentado à soberania nacional.[74]

Depois de vencer a primeira batalha no Congresso, Getúlio enviou em dezembro um novo projeto ao Legislativo, prevendo a criação da Petróleo Brasileiro Sociedade Anônima, a Petrobrás [que anos mais tarde perderia o acento agudo, Petrobras]. A assinatura da mensagem foi feita no salão nobre do Catete, em grande estilo, com a presença de todo o ministério e representantes das Forças Armadas. De acordo com os cálculos da Assessoria Econômica, responsável pela concepção do projeto, os recursos mínimos a serem aplicados na formação da empresa corresponderiam ao triplo dos investimentos aplicados em Volta Redonda. O capital inicial, determinava a proposta remetida ao Congresso, seria de 4 bilhões de cruzeiros — cerca de 3,3 bilhões de reais.[75]

"Prossigam os estudos sem temor quanto ao vulto dos investimentos, desde que os fundamentos do programa sejam objetivos e a possibilidade de mobilizar recursos seja efetiva", determinara Getúlio.[76]

O projeto da Petrobras despertaria controvérsias infinitamente mais acaloradas que as suscitadas pelo Plano Lafer. Os nacionalistas o rotularam de "entreguista". Isso porque, em vez de estabelecer o monopólio estatal sobre a exploração do produto, a proposta original do governo previa a criação de uma empresa de economia mista — com a União detendo 51% das ações —, abrindo-se espaço para o capital privado e permitindo que 10% do controle acionário ficasse nas mãos de estrangeiros.[77]

O Centro de Estudos e Defesa do Petróleo e da Economia Nacional (Cedpen) — sempre reunido em torno da divisa "O petróleo é nosso" — considerou que Getúlio, pressionado pelos interesses dos Estados Unidos, havia capitulado ante os grandes trustes internacionais. A UDN, percebendo a chance de provocar maiores desgastes ao Catete, abandonou a defesa histórica que sempre fizera da participação do capital privado e, numa reviravolta surpreendente, partiu em defesa apaixonada do monopólio estatal.

"Tínhamos a esperança, algo ingênua, de obter a aprovação do projeto no Congresso em menos de um ano", reconheceu Jesus Soares Pereira, o "número 2" da Assessoria Econômica.[78]

A guerra legislativa para a aprovação da Petrobras, na verdade, renderia mais de dois anos e meio de negociações, com intensa repercussão na opinião pública. A crer no depoimento do então deputado Tancredo Neves, do PSD de Minas Gerais, certa manhã Getúlio mandou chamar ao Catete alguns parlamentares da maioria — entre eles, além de Tancredo, os deputados Antônio Balbino, da Bahia, e Brochado da Rocha, do Rio Grande do Sul —, para lhes revelar um grande segredo.

Como todos ali deviam saber, salientou Getúlio, ele era francamente favorável ao monopólio estatal. Mas não incluíra tal cláusula no projeto enviado ao Congresso para evitar que os adversários rejeitassem a proposta de antemão, por mera pirraça oposicionista, arquivando-a em definitivo. Preferira deixar a questão em suspenso, na expectativa de que algum parlamentar mais neutro propusesse uma emenda alterando o texto original, dando margem para que as negociações pudessem seguir adiante.

"A malícia do presidente era realista", comentaria Tancredo. "Os parlamentares da União Democrática Nacional passaram a apoiar a tese do monopólio estatal do petróleo."[79]

Quando muitos varguistas já começavam a manifestar decepção pelo "entreguismo" do governo e pelo "favorecimento escandaloso aos tubarões", Getúlio decidiu fechar o ano de 1951 com três anúncios de grande impacto junto à opinião pública. No primeiro deles, feito no início de dezembro, comunicou à nação que estava descartado o envio de tropas para a Coreia. No segundo, informou que seria concedido um aumento para o salário mínimo da ordem de quase 300% — 380 cruzeiros para 1200 cruzeiros, no Rio de Janeiro e São Paulo —, a ser oficializado por decreto, passando a vigorar no primeiro dia de 1952. No terceiro anúncio, incluído na saudação presidencial irradiada pela *Voz do Brasil* em 31 de dezembro, Getúlio participou aos brasileiros que o governo iria impor limites às transferências de capital de empresas estrangeiras instaladas no país.[80]

"Precisamos incentivar o capital estrangeiro e assegurar-lhe o retorno dos juros, dividendos e do próprio capital, em percentagem razoável", reconheceu Getúlio. "Nunca, porém, nessa voragem de dilapidação do patrimônio nacional", disse, ao informar que durante o governo Dutra cerca de 1 bilhão de cruzeiros teriam saído do país indevidamente, por meio de brechas legais.[81]

Depois de ler o discurso de Ano-Novo pelo rádio, Getúlio foi ao Teatro Recreio, onde comemorou o Réveillon e assistiu à exibição do espetáculo de revista '*Eu quero sassaricá*', da companhia teatral de Walter Pinto, com Oscarito e Iris Delmar no elenco. O ator Pedro Dias, considerado o melhor imitador do presidente, fez uma participação extra, que arrancou gargalhadas do Getúlio Vargas original.[82]

A essa altura já estava pronto, no Catete, o decreto limitando em 8% as remessas de juros, lucros e dividendos excedentes ao exterior, documento a ser publicado em 3 de janeiro, com grande publicidade. O subsecretário de Estado norte-americano, Edward Miller, considerou que era o caso de Washington fazer um protesto formal ao Brasil e suspender todos os estudos de financiamentos para o país. O Bird e o Banco Mundial foram pressionados a fazer o mesmo.

Após manifestar sua contrariedade a João Neves durante reunião no Ministério das Relações Exteriores, o embaixador Herschel Johnson saiu do Itamaraty com uma convicção. Mister Vargas estaria, como costumam dizer os norte-americanos, *"playing with fire"* — brincando com fogo.

"Desse jeito, Vargas não conseguirá chegar ao final do governo", anteviu Herschel.[83]

12. Surge um jornal para defender Getúlio. Mas a economia patina — e a oposição corteja os quartéis (1951-2)

Foi uma revolução na imprensa brasileira. As ousadias do novo jornal que começou a circular no Rio de Janeiro em meados de 1951 começavam pelo logotipo, estampado em azul, enquanto a concorrência seguia o padrão monocromático de letras pretas sobre papel branco. Quando o Fluminense se sagrou campeão carioca daquele ano, derrotando o Bangu por 2 a 0 no Maracanã, o vespertino brindou os torcedores do clube das Laranjeiras com fotografias coloridas na primeira página. Era uma sensação e tanto, embora a *Gazeta de Notícias* e o *Jornal do Brasil* já tivessem feito experiências rudimentares com clichês em cores, sem o mesmo apuro técnico. O projeto gráfico fazia a publicação se destacar quando exposta nas bancas. O paraguaio Andrés Guevara, responsável pela identidade visual do periódico, concebeu um desenho atraente, com fotos abertas e tipologia moderna, adotando uma hierarquia ágil nos títulos, subtítulos, boxes e vinhetas. Comparada a tamanho arrojo, a paginação do vetusto *Correio da Manhã*, exemplo de diagramação sisuda e letras miúdas, mais parecia um paquiderme sobrevivente do Paleolítico.[1]

"Vou dar ao logotipo a cor de seus olhos", disse Guevara a Samuel Wainer, o dono da grande novidade, o jornal *Última Hora*.[2]

Wainer largara o emprego nos Diários Associados para se lançar a uma das empreitadas editoriais mais célebres — e polêmicas — da história do jornalismo no país. Além das inovações cosméticas, a *Última Hora* inaugurou um novo padrão no mercado. Ao romper com preconceitos e eleger o futebol, o noticiário de polícia e o cotidiano da cidade como temas dignos de manchete, inflou a circulação, alarmando a concorrência. Em três meses, a venda avulsa pulou de 8 mil para 18 mil exemplares diários. Dali a um ano, a tiragem alcançaria a marca de 140 mil exemplares, equiparando-se aos números de gigantes como *O Globo* e *Diário da Noite*.[3]

"Seu Samuel, no Brasil, jornal que consegue passar dos 15 mil exemplares já virou macho", festejou o chefe da impressão, Raimundo Português.[4]

As colunas, ao contrário da impessoalidade típica da imprensa da época, buscavam interagir com o leitor. Para abastecer a sessão "Muro das lamentações", Wainer colocou repórteres e fotógrafos nas praças públicas, colhendo queixas de populares sobre problemas nos bairros. Entre outros temas prosaicos, o buraco na avenida, o preço do leite, a falta de carne no açougue da esquina e o ônibus superlotado passaram a ser objeto de registros. Enquanto isso, a coluna "Na hora H" apresentava informações de bastidores do mundo artístico, esportivo e político, na forma de pílulas de texto, irônicas e bem-humoradas. "Na ronda das ruas" se ocupava de pequenas historietas policiais, com destaque para homicídios, atropelamentos, furtos, contos do vigário, brigas entre vizinhos e acidentes de automóvel, apresentados com linguagem objetiva e títulos curtos: "Atropelada a sexagenária", "Disse coisas feias e brigou", "Caiu do trem", "Várias navalhadas", "Alvejado por um desconhecido".[5]

"Eu tinha que descobrir que espécie de jornal, afinal, o Brasil desejava", recordaria Wainer em suas memórias.[6]

Em um país que testemunhava a formação de uma típica sociedade de massas, com o surgimento simultâneo de uma classe trabalhadora expressiva e de uma camada média urbana em ascensão, a fórmula do sucesso continha, em igual medida, ingredientes de forte apelo popular e doses generosas de sofisticação intelectual. Antônio Olinto, Edmar Morel, Francisco de Assis Barbosa, Jacinto de Thormes (pseudônimo de Maneco Müller), Mário Filho, Marques Rebelo, Moacyr Werneck, Nelson Rodrigues e Otto Lara Resende eram os craques de um elenco que viria a contar ainda com o reforço de colaboradores como Vinicius de Moraes, Stanislaw Ponte Preta, Paulo Mendes Campos, Joel Silveira, Carlos de Laet e Nelson Werneck Sodré, entre outros expoentes de primeira grandeza.

A valorização da imagem constituía outro trunfo da publicação. Dono de traço inconfundível, o cartunista e compositor Antônio Nássara — autor da marchinha "Alá-lá-ô" (em parceria com Haroldo Lobo) — era uma das vedetes da formidável equipe de ilustradores, em que despontavam também o talento de Lanfranco Vaselli (o Lan), Augusto Rodrigues e Di Cavalcanti.

Para montar uma equipe de semelhante quilate, Samuel Wainer não economizara dinheiro. Para fúria dos competidores, inflacionou o mercado ao contratar profissionais com bons salários, numa época em que o jornalismo era, muitas vezes, mero biscate ou no máximo segunda ocupação para bacharéis, literatos e funcionários públicos. Nelson Rodrigues, por exemplo, que recebia no *Globo* 3 mil cruzeiros, foi contratado para trabalhar na *Última Hora* ganhando 10 mil cruzeiros mensais.[7]

Além do grafismo inventivo, das sessões populares e da redação pontilhada de estrelas do texto, o jornal também se diferenciava por outra característica: era o único entre os grandes periódicos brasileiros a publicar manchetes sistematicamente favoráveis ao governo federal. Uma coluna específica, na página 3, "O dia do presidente", redigida pelo setorista Luís Costa, cobria a agenda de Getúlio e fornecia aos leitores notas exclusivas sobre o expediente do Catete.

Ao deixar os Associados, Wainer era um repórter em evidência, mas um assalariado como outro qualquer. Não era um barão da mídia, como Assis Chateaubriand. Também não tinha por trás de si a tradição de nenhum grupo familiar ilustre, como os Mesquita, do *Estado de S. Paulo*; os Marinho, de *O Globo*; ou os Bittencourt, do *Correio da Manhã*. Porém, a cobertura que fizera da campanha eleitoral lhe valera a gradativa proximidade com Getúlio Vargas e um apelido carinhoso, dado pelo então candidato a presidente: "Profeta" — referência ao fato de ter sido um dos poucos jornalistas a prever o resultado das urnas. Logo depois da posse, Getúlio o incentivara a fundar o próprio jornal, já prevendo as dificuldades do futuro governo com a imprensa, marcadamente udenista.[8]

Por ter que começar do zero, Samuel Wainer precisou contar com ajudas providenciais para adquirir uma massa praticamente falida. De imediato, três investidores se prontificaram a lhe emprestar os 30 milhões de cruzeiros iniciais de que precisava para assumir as dívidas que o *Diário Carioca*, de José Eduardo de Macedo Soares, acumulara junto ao Banco do Brasil e à Caixa Econômica. O empresário Euvaldo Lodi, financiador da campanha getulista, entrou com um terço do valor necessário, enquanto o banqueiro Walther Moreira Salles e o presidente do BB, Ricardo Jafet, dividiram os dois terços restantes. Wainer assumiu a sede do *Diário* — um edifício de quatro andares, na avenida Presidente Vargas — e passou a comandar a gráfica Erica, que imprimia o jornal de Macedo Soares. A *Última Hora* estreava com uma luxuosa sede própria, característica dos grandes órgãos de imprensa.[9]

Para importar equipamentos gráficos mais modernos e montar a redação que marcou época no jornalismo brasileiro, Wainer conseguiu um crédito adicional de 26 milhões, junto ao Banco do Brasil, também graças a Jafet. Por interferência de Juscelino Kubitschek, recém-eleito governador de Minas Gerais, obteve outros 3 milhões, tomados em empréstimo a um grupo de bancos mineiros. Para completar o capital, descolou dois contratos milionários de publicidade — um com a cervejaria Antarctica, outro com o Serviço Social da Indústria (Sesi) —, que lhe garantiram mais 8 milhões. Ao todo, Samuel Wainer amealhou cerca de 63 milhões de cruzeiros (53 milhões de reais) para pôr a *Última Hora* nas ruas.[10]

O comando da publicação foi confiado por Wainer a um grupo de notória tendência esquerdista — mas devidamente convertido à causa de fazer do jornal um sucesso empresarial. Nabor Caires de Brito, comunista histórico, foi nomeado secretário de redação. Paulo Silveira, irmão de Joel Silveira, assumiu a chefia de reportagem. Octávio Malta, que trabalhara com Wainer na revista *Diretrizes*, foi alçado ao posto de editor-geral. A campanha publicitária de lançamento, a cargo do superintendente João Etcheverry — um ex-participante do levante comunista de 1935 —, contou com esquetes inseridos em espetáculos de teatro de revista, centenas de cartazes espalhados pela cidade e até mesmo uma faixa gigantesca — com o nome *"Última Hora"* —, estendida no topo de um dos prédios mais altos do Flamengo. Logo nas primeiras edições, cupons promocionais podiam ser recortados pelos leitores, que passavam a concorrer a bicicletas, bolas de futebol e brinquedos. Como consequência, filas de crianças, arrastando pela mão os respectivos pais, se formavam diante da banca dos jornaleiros, fazendo disparar as vendagens.[11]

A *Última Hora* não escondia de ninguém que surgira com a função de atuar como instrumento político a favor do governo — ou, nas palavras do próprio dono, para ser "uma expressão do getulismo". Sempre com o apoio do Catete, Samuel Wainer ampliou o raio de ação e, no início de 1952, lançou a edição paulista do vespertino, penetrando em uma cidadela até então dominada pelo poderio do jornal da família Mesquita e do *Diário de São Paulo*, de Assis Chateaubriand.

"São Paulo não é a boca do leão?", perguntou-lhe Getúlio.[12]

Por sugestão do presidente, Wainer procurou mais uma vez Ricardo Jafet, dono do *Jornal de Notícias*, diário que vinha sofrendo quedas vertiginosas de circulação na capital bandeirante. Jafet topou repassar o negócio deficitário para a *Última Hora*, entregando-o a quem realmente entendia do ramo. Entretanto, dessa vez o presidente do Banco do Brasil não poderia emprestar dinheiro oficial para uma transação da qual era parte diretamente interessada. Por isso, Getúlio orientou Wainer a procurar o milionário paulista Francisco Matarazzo, que estava de passagem pelo Rio, hospedado no Hotel Excelsior, na avenida Atlântica.[13]

"Passou por aqui, agora há pouco, um tubarão que parece gostar muito de jornal. Procura o Benjamin. Ele te dirá onde encontrá-lo", soprou Getúlio.[14]

Wainer localizou Bejo em Copacabana, sentado a uma das mesas da boate Vogue — templo da noite carioca, ponto de encontro de políticos e gente endinheirada, que frequentava o local para se divertir, torrar dinheiro e assistir aos shows de Ângela Maria, Aracy de Almeida, Dolores Duran, Jorge Goulart, Linda Batista e Silvio Caldas. Por meio dele, foi ao Hotel Excelsior, onde falou com Matarazzo. Arqui-inimigo de Assis Chateaubriand, ele exultou ante a ideia de financiar um jornalista atrevido o suficiente para desafiar o "lazarento" — como costumava se referir a Chatô. Assim, em março de 1952, começou a circular a versão paulistana da *Última Hora*, com seu peculiar logotipo azul.[15]

"São Paulo se ressentia da falta de notícias federais", escreveu Wainer em suas recordações do período. "Os industriais paulistas, os homens do comércio, os donos da terra precisavam saber o que se passava no Catete. E todos eles sabiam que nenhum outro jornal tinha tão franco acesso ao centro do poder quanto a *Última Hora*."[16]

Wainer desfrutava de tanto prestígio junto ao governo que se gabava de adentrar ao gabinete de autoridades da República quando bem entendesse, sem necessitar de aviso prévio.

"Eu entrava na sala do presidente do Banco do Brasil sem ter pedido audiência e sem bater à porta", vangloriava-se. "E quem entrava sem se fazer anunciar no gabinete do Banco do Brasil, naturalmente, não tinha ido lá para conversar amenidades; sempre saía com os bolsos cheios de dinheiro", admitia.[17]

Em retribuição às vantagens obtidas por Wainer, o Catete sentia-se no consequente direito de pautar a *Última Hora* e de interferir na linha editorial da publicação. Getúlio continuava a manter o hábito de ler os principais jornais do dia, recortando as notícias que lhe chamavam a atenção para depois remetê-las aos assessores e ministros, acompanhadas de breves bilhetinhos.

"Dizer ao Wainer que o número do jornal dele, que li hoje, só tratava de esporte", queixou-se Getúlio em um desses lembretes, encaminhado a Lourival Fontes. "Nada havia ali para alertar o povo e o Congresso [...], a fim de desfazer a acusação de que o governo está parado", cobrou. Em outra ocasião, escreveu: "A *Última Hora* de hoje está boa. Mas na coluna 'O dia do presidente' tem uma notícia inverídica. Diz lá que o Ademar convidou-se para vir almoçar no Catete. Não é exato, ele foi convidado", corrigiu. "O fato não tem muita importância, pode ser levado à conta de blague. Referindo-se, porém, às coisas passadas junto a mim, pode dar a aparência de hostilidade de minha parte. E isso não é verdadeiro, nem conveniente."[18]

Os humores de Getúlio se alteravam de modo abrupto quando ele se deparava com anúncios de empresas e instituições ligadas ao governo estampados nas páginas dos jornais oposicionistas. "Veja esse anúncio. O BB paga os jornais que me hostilizam? Ou isso muda ou substituirei os responsáveis pela falta de lealdade", advertiu, em outro bilhete a Lourival. "Aí está um jornal com ataque pessoal a mim e anúncios do Banco do Brasil. Belo exemplo de cooperação dos órgãos do governo."[19]

Quando as críticas da imprensa resvalavam para o insulto — o que se tornaria cada vez mais frequente a partir daquele ano de 1952 —, as anotações presidenciais subiam algumas oitavas acima do tom costumeiro.

"Não será o caso do Paulo Silveira [redator da *Última Hora*] começar o trabalho, desmascarando os dois velhos veados metidos a conspiradores?", escreveu Getúlio, a respeito de uma dupla não identificada de articulistas. "Estranhei a nota do *Correio da Manhã*. Provavelmente, eles confundem a verdade com as más intenções de que estão possuídos. Quem será este f. da p. [sic]?", indagou, de outra feita, cobrando providências para que fosse descoberto o autor de uma notícia sem assinatura, que julgara maldosa.[20]

O ministro da Guerra, general Estillac Leal, ficou furioso quando soube que o Itamaraty havia conduzido, à sua revelia e sem o seu devido conhecimento, as negociações para a assinatura de um acordo de assistência militar entre Estados Unidos e Brasil. As conversas em torno do assunto transcorreram em segredo, conduzidas pelo ministro do Exterior, João Neves da Fontoura, e o embaixador Herschel Johnson, sob a supervisão de Góes Monteiro. A rigor, o acordo representava um ressarcimento arrancado pelos norte-americanos ao fato de Getúlio ter se recusado a enviar soldados à guerra da Coreia.[21]

Além de se sentir desautorizado e vítima de sabotagem política, Estillac considerou desastrosas as concessões feitas por Neves a Johnson. O general entendia que o governo brasileiro, depois de falar grosso na questão da remessa dos juros ao exterior, afinara ante pressões de idêntica gravidade e, assim, cometera um crime de lesa-pátria.

Pelos termos acertados, o Brasil se comprometia a não transferir para qualquer outra nação, sem o prévio consentimento dos Estados Unidos, a posse de todo material estratégico que fosse objeto do acordo. Na prática, isso significava que o manganês e as areias monazíticas extraídos do solo brasileiro — alvos prioritários do interesse norte-americano — não poderiam ser negociados com os demais países sem a devida licença de Washington.[22] A Casa Branca agia movida pelos imperativos da corrida armamentista e pela notícia de que sua grande inimiga, a União Soviética, detonara sua terceira bomba atômica em áreas restritas de teste. O Itamaraty, por sua vez, no entender de Estillac Leal, agira pela mais pura subserviência.[23]

O dispositivo contrariava inclusive as recomendações do Conselho Nacional de Pesquisas (CNPq), autarquia vinculada à presidência da República e criada por lei federal em janeiro de 1951 — a "Lei Áurea da pesquisa no Brasil", na definição do almirante Álvaro Alberto da Motta e Silva, presidente da entidade. O CNPq propunha que qualquer negociação envolvendo o setor de minérios atômicos fosse baseada numa política de troca de tecnologia. O fornecimento de minerais estratégicos deveria obedecer, por esse raciocínio, a compensações específicas, entre as quais se destacavam os estudos para o desenvolvimento de um programa nuclear brasileiro, o que significaria a instalação de reatores no país, a produção nacional de urânio enriquecido e o necessário intercâmbio de cientistas e técnicos especializados. O acordo assinado com os Estados Unidos, contudo, não previra absolutamente nenhuma dessas operações. Restringira-se a estabelecer, numa formulação um tanto quanto vaga, que os norte-americanos se obrigavam a uma contrapartida em "equipamentos, materiais, serviços ou outra espécie de assistência militar".[24]

Uma das cláusulas determinava ainda que os prejuízos financeiros decorren-

226

tes de possíveis contestações jurídicas interpostas por pessoas, grupos ou instituições nacionais — "que impeça[m] ou dificulte[m] a sua livre e imediata disposição" — deveriam ser arcados pelo próprio governo brasileiro, sem nenhum ônus para os Estados Unidos.[25] Para completar, o arcabouço legal do convênio se amparava em duas leis estadunidenses, o Mutual Defense and Assistance Act (Lei de Assistência e Defesa Mútua) e o Mutual Security Act (Lei de Segurança Mútua), o que provocou ainda maior indignação dos setores nacionalistas.[26]

"Pela primeira vez em nossa história, depois que nos libertamos de Portugal, leis não elaboradas por nossos deputados, nem por governos nossos, terão vigência dentro de nossas fronteiras", denunciou o magistrado, jornalista, escritor e militante nacionalista Osny Duarte Pereira, em conferência pronunciada na Associação Brasileira de Imprensa.[27]

Para remover do caminho os senões apontados pelo CNPq, Getúlio despachou o almirante Álvaro Alberto para uma missão no exterior. Em paralelo, o vice-presidente da autarquia, coronel Armando Dubois Ferreira, convocou uma reunião extraordinária, em 16 de janeiro de 1952, para aprovar o acordo, alegando "motivos superiores". Cerca de um mês depois, em 21 de fevereiro, seguindo sugestão de João Neves, o governo federal instituiu a Comissão de Exportação de Materiais Estratégicos (Ceme), o que significou o esvaziamento das atribuições do CNPq para o setor. Foi então liberada a remessa de 5 mil toneladas de monazita aos norte-americanos, a preço de mercado e em troca de posterior ajuda financeira e militar.[28]

"O urânio é o ouro deste século", comentou João Neves.[29]

O Acordo Militar, segundo o ministro das Relações Exteriores, funcionaria como uma espécie de caução para os subsequentes financiamentos propostos à Comissão Mista Brasil-Estados Unidos, orçados até aquele momento em 500 milhões de dólares.[30]

Porém, o resultado mais imediato da assinatura do acordo — que precisava ainda passar pelo crivo do Congresso — foi o pedido de demissão de Estillac Leal, em 26 de março. Com a saída do general, a corrente nacionalista das Forças Armadas passou a não acreditar nas intenções de Getúlio e a se afastar, paulatinamente, da órbita do presidente.[31]

"Considero minha personalidade deslocada no seio do atual governo e, por esta razão, deixei o Ministério da Guerra", explicou um magoado Estillac Leal aos jornalistas.[32]

A nomeação do general Ciro do Espírito Santo Cardoso para ocupar o lugar vago demonstrava que Getúlio, depois de se ver abandonado pela chamada "esquerda militar", começava a buscar arriscada sustentação no flanco oposto. O general Cardoso, anticomunista declarado, manifestava aberta simpatia pela ala mais ortodoxa dos quartéis, então reunida em torno do movimento autointitulado "Cruzada Democrática", gestado no seio da Escola Superior de Guerra (ESG). Comandada pelo general Cordeiro de Farias — oficial que em 1945 participara ativamente da derrubada de Getúlio —, a ESG era inspirada no modelo norte-americano do National War College e, portanto, defensora do alinhamento político, econômico e ideológico do Brasil com os Estados Unidos.

"A situação é grave, ou melhor, gravíssima", dizia um informe, com carimbo de "secreto", recebido por Getúlio cinco dias antes da exoneração de Estillac Leal. A frase era atribuída a Cordeiro de Farias. "O Exército está completamente dividido, o povo inteiramente desiludido e o partido político do governo é uma anarquia completa. Aonde iremos parar?", perguntara Cordeiro, em conversa com colegas, interceptada por um informante do Gabinete Militar. "A desunião do Exército é decorrente da absoluta displicência do general Estillac. [...] O ministro da Guerra não tem capacidade para o cargo, pois é incapaz de se demorar pensando em qualquer problema. [...] O general Estillac não pode continuar como ministro", sentenciara Cordeiro.[33]

A escolha de Estillac e de Nero Moura para o ministério seria "a prova incontestável do espírito de vindita" de Getúlio, segundo o comandante da ESG. "Em consequência disso, o presidente não pode contar com nenhum general de prestígio real, o mesmo sucedendo com relação à Aeronáutica. E em um país como o nosso, ninguém pode governar sem o apoio das Forças Armadas." Segundo a avaliação de Cordeiro de Farias, "deve haver alguém fomentando a desordem, junto ao presidente, porque este, com a experiência que tem, não iria lançar a nação nesta confusão. O presidente deve estar muito cansado ou muito doente, para não ver a situação para a qual o país está sendo levado".[34]

As palavras do comandante da Escola Superior de Guerra não disfarçavam o sentido implícito de ameaça. Os militares estariam atentos, segundo ele, e prontos para intervir, caso assim julgassem necessário. "O grupo de generais a que eu pertenço está isolado, mas vigilante. Não cuidamos de política nem conspiramos. Ou melhor, conspiramos, mas a favor da ordem e da legalidade", advertira Cordeiro, referindo-se ao pessoal da ESG. Era, mais uma vez, a velha cantilena de que para "garantir a manutenção das instituições", paradoxalmente, a hipótese de um golpe militar não estaria descartada.[35]

A Cruzada Democrática se impôs como força majoritária no Exército durante a nova eleição para o Clube Militar, realizada em 21 de maio. A chapa nacionalista encabeçada pelos generais Estillac Leal e Horta Barbosa, que representava a situação, foi derrotada pela chapa adversária, capitaneada pelos generais Alcides Gonçalves Etchegoyen e Nelson de Melo, entusiastas do alinhamento total com os norte-americanos. Por 8288 sufrágios, contra 4489, o Clube Militar voltava às mãos "dos que se batem por estreita colaboração política e econômica com os Estados Unidos, em defesa do Hemisfério Ocidental, e por medidas enérgicas contra os comunistas do Brasil", noticiou o *New York Times*.[36]

A menção a "medidas enérgicas contra comunistas" não significava simples figura de retórica. Durante a campanha para a renovação da diretoria do Clube Militar, o novo ministro da Guerra, Ciro do Espírito Santo Cardoso, assistiu em silenciosa cumplicidade a uma série de transferências, para guarnições longínquas, de oficiais que haviam declarado voto em Estillac. Após a vitória de Etchegoyen, em nome do "combate ao comunismo", as represálias se intensificaram. Foram instaurados inquéritos policiais-militares em todo o país e dezenas de oficiais seriam detidos, postos em regime de incomunicabilidade, sob a acusação comum de "subversão".[37]

"A nação tem o direito de saber que crimes praticaram os oficiais atualmente presos e por que sofrem eles as duras contingências de um regime de exceção em plena vigência das garantias constitucionais", protestou o jornalista Rafael Corrêa de Oliveira, no *Diário de Notícias*.[38]

Getúlio decidiu encarregar o deputado José Cândido Ferraz — da UDN do Piauí — de uma missão ultrassecreta. Ele deveria ir ao encontro de Eduardo Gomes para sondar as predisposições do brigadeiro em relação a uma possível aliança programática — ou pragmática, talvez fosse melhor dizer — entre setores udenistas e o governo federal. O Catete enviara ao Congresso um conjunto de novas medidas e, por esse motivo, precisava reconstruir o quanto antes a base aliada. A composição da maioria ficara abalada após as defecções em torno da questão do petróleo e, também, do acordo militar com os Estados Unidos, que contara com a oposição tenaz do PTB. Muitos deputados e senadores governistas prometiam não aprovar o convênio de cooperação com os norte-americanos, em tramitação no parlamento.[39]

Cândido Ferraz — que em 1950 combinara com Alzira a histórica entrevista de Getúlio aos Diários Associados, realizada por Samuel Wainer em São Borja — aceitou prontamente a incumbência. Ao todo, o deputado piauiense manteve três encontros reservados com Eduardo Gomes. Entre uma ocasião e outra, remeteu ao Catete relatórios minuciosos sobre o conteúdo das conversas. Os documentos ficaram arquivados nos papéis do ex-presidente e servem para revelar, no conjunto, a elasticidade das negociações e o limite político a que Getúlio se permitiu naquele momento de crise de governabilidade.[40]

O primeiro encontro entre Ferraz e Gomes durou três horas e ocorreu na tarde de 1º de agosto. O emissário ouviu mais do que falou. O brigadeiro tomou a iniciativa do diálogo e sugeriu que, antes de qualquer entendimento, o presidente precisaria adotar certas medidas preliminares — "atitudes capazes de inspirar confiança". Isso seria necessário, argumentou o militar, para desarmar prevenções de setores mais radicais da UDN e como demonstração de que Getúlio estaria realmente disposto a promover um novo arranjo político para garantir sustentação ao governo.[41]

"Parece-me que o presidente não tem dado mostras de querer, na realidade, alterar o seu chamado 'ministério de experiência'; [...] apenas ampliar o mercado de novas esperanças e fazer receosos os atuais ministros", considerou Gomes. "Já é tempo de cuidar de atrair para tais funções [...] homens de autoridade moral e intelectual [...] capazes de conversarem e serem ouvidos pela UDN", disse. "Isso seria o primeiro dos passos preliminares."[42]

No desenrolar do encontro, o brigadeiro dedicou-se a analisar a situação específica das pastas militares. Elogiou a troca de comando no Ministério da Guerra e disse não ter nada contra o almirante Guillobel, o discreto titular da Marinha. Mas considerava que a Aeronáutica, sob o comando de Nero Moura, estaria mergulhada no caos.[43]

"Na Aeronáutica, tudo vai mal. A aviação está desaparecendo e a disciplina nunca esteve tão comprometida", avaliou.[44]

Por fim, Eduardo Gomes aconselhava o Catete a afastar do horizonte político as possibilidades de Ademar de Barros vir a ser o futuro presidente da República.

"Isso é uma preocupação de salvação nacional", definiu. "Com Ademar, talvez o próprio regime esteja ameaçado." Se ele ganhasse as futuras eleições para prefeito e governador de São Paulo, "tudo estaria perdido".[45]

Após encaminhar a Getúlio o resumo da primeira abordagem, Cândido Ferraz foi aconselhado a voltar a se reunir com Eduardo Gomes na semana seguinte. Dessa feita, deveria avançar um pouco o sinal e insinuar que o presidente estaria inclinado a convidar o próprio brigadeiro para substituir Nero Moura.[46]

"Em nenhuma hipótese poderei ser ministro", declinou, entretanto, Eduardo Gomes. "Que diriam os meus amigos e companheiros de vida militar?", inquiriu. "Por certo, me julgariam um egoísta, que cuidou apenas de tirar proveito pessoal. A esta altura de minha vida, não tenho o direito de trocar meu conceito perante os meus companheiros de farda por qualquer posição que me exponha a um juízo duvidoso."[47]

Gomes recusou, com a mesma veemência, a sugestão para ir tratar do assunto pessoalmente com Getúlio, com mais "profundidade", em local a ser combinado e mediante certas reservas, a fim de que nada vazasse antes de acertados os detalhes finais de um acordo.

"Não acredito que isso, no momento, seja oportuno", afirmou o brigadeiro. "E se tivermos que nos encontrar, que seja às claras. Fardar-me-ei e irei ao Catete".[48]

Comunicado do ocorrido, Getúlio considerou que era o caso de aumentar a oferta. Orientou Cândido Ferraz a acenar, no terceiro encontro, com a possibilidade de o governo entregar, além da Aeronáutica, mais dois ministérios à UDN: o da Fazenda, a ser ocupado por Oswaldo Aranha, e o das Relações Exteriores, a ser entregue ao deputado Prado Kelly. Como um bônus tentador, Getúlio oferecia ainda aos udenistas a presidência da futura Petrobras, que nesse caso ficaria reservada para o general Juarez Távora, principal rival da corrente nacionalista do Exército.[49]

"Não há clima para uma participação oficial da UDN no governo", esquivou--se mais uma vez Eduardo Gomes, embora reconhecesse que a presidência da Petrobras era algo que interessava à legenda. "Mas se o presidente quer mesmo efetivar a reforma do ministério, deveria então nomear logo uns dois ou três elementos de sua confiança, antes de buscar os quadros da UDN, para depois, através de qualquer deles, com a autoridade da nova investidura, promover contatos para a escolha dos demais", propôs.[50]

A bancada udenista chegou a apoiar alguns projetos pontuais do Executivo remetidos ao Congresso. Em junho, ajudara a aprovar a lei que possibilitou a criação do Banco Nacional de Desenvolvimento Econômico (BNDE). Gestado no âmbito da Comissão Mista Brasil-Estados Unidos, o BNDE (mais tarde BNDES) surgia com a dupla função de elaborar análises de grandes projetos estratégicos e de atuar como indutor da política de industrialização.[51] Até mesmo jornais oposicionistas, como o *Correio da Manhã*, fizeram campanha a favor da aprovação do projeto, oficialmente de autoria do senador udenista Ferreira de Sousa, relator da comissão de finanças e líder do partido no Palácio Monroe.[52]

Getúlio, entretanto, não encontrou a mesma boa vontade em relação a outras mensagens presidenciais idealizadas pelos "boêmios cívicos" da Assessoria Econômica. O Plano do Carvão Nacional, remetido ao Congresso no ano anterior — e que previa investimentos de 955 milhões para um setor vital à indústria siderúrgica —, arrastou-se em tramitação lenta, obstruído pelos oposicionistas. Projetos de cunho social, sobretudo, sofreram forte resistência da UDN, mas também entre os aliados. As diretrizes traçadas pela Comissão Nacional de Política Agrária, instalada por Getúlio para estudar mecanismos de redistribuição de terras públicas e latifúndios improdutivos, foram torpedeadas pelos ruralistas e pelos representantes das federações estaduais de agricultura, muitos abrigados no PSD. O Serviço Social Rural (SSR), concebido para fornecer assistência técnica e incentivar cooperativas junto ao homem do campo, também caiu no buraco negro das comissões internas.[53]

No final das contas, as tentativas de aproximação com lideranças udenistas resultaram mais em prejuízo do que em vantagens para Getúlio. As bancadas do PSD e do PTB se sentiram atraiçoadas, enquanto setores da UDN, entendendo que havia um processo de cooptação em curso, radicalizaram a retórica oposicionista. Em vez de mirar o governo no plano institucional, os ataques passaram a se centrar cada vez mais na figura do presidente, personificado como alvo prioritário a ser combatido.

Surgia assim a "Banda de Música da UDN", grupo parlamentar que ficou conhecido com esse nome pelo fato de causar bastante rumor durante as sessões do Congresso, orquestrando apartes em plenário. Afonso Arinos, Adauto Lúcio Cardoso, Aliomar Baleeiro, Bilac Pinto, José Bonifácio Lafayette de Andrada, entre outros, eram os principais integrantes dessa verdadeira fanfarra política.

"No parlamento, não existe cadeira reservada, mas era hábito alguns se sentarem nas duas primeiras filas. E os microfones de aparte estão justamente à frente da primeira fila", recordaria anos mais tarde o deputado João Agripino, um dos fundadores da UDN. Era ali, nas poltronas situadas defronte à tribuna, que se posicionava a Banda de Música. O propósito era "criar confusão, perturbar, obstruir e tirar o orador de sua fleuma", admitiria Agripino. "O objetivo era exatamente evitar que pudesse haver um volume maior de 'chapas-brancas', como chamávamos os colegas que vinham frequentando o governo e pleiteando seus favores."[54]

A nomeação do jornalista Maciel Filho — um dos embaixadores do "triunvirato" getulista nos tempos de retiro em São Borja — para o cargo de diretor-superintendente do BNDE foi motivo de muitas cornetadas da Banda de Música. O amigo do presidente foi acusado de aparelhar e imprimir caráter político à instituição, em detrimento das decisões baseadas em critérios técnicos. O economista Roberto Campos, destacado pela Comissão Mista Brasil-Estados Unidos para organizar o Departamento Econômico do banco, estranhou quando a chefia geral da casa foi entregue a Maciel, que não tinha formação específica na área. Malgrado a ausência de currículo, Maciel acumulou o comando do BNDE com a direção executiva da Superintendência da Moeda e do Crédito (Sumoc), órgão que antecedeu a criação do Banco Central.

"Nem mesmo o princípio do concurso público de provas e títulos parecia importante para Maciel Filho", escreveu Roberto Campos em suas memórias, *Lanterna na popa*. "Dizia-nos que concordava em que o recrutamento fosse mantido à base de concurso, para cerca de 80% do pessoal. Mas seria necessário que lhe reservássemos uma cota de apadrinhamento de 20%."[55]

De acordo com Campos, Maciel tinha uma explicação para o percentual de afilhados:

"Isso é a necessária e inevitável taxa de meretrício político".[56]

Com dificuldades na articulação parlamentar, o governo caminhava para o isolamento político. Mostrava-se incapaz de estabelecer um controle efetivo sobre o voto dos aliados, ao mesmo tempo que testemunhava o acirramento progressivo da oposição. Como agravante, via os adversários se aproximarem a passos largos dos quartéis, gerando uma fusão de interesses potencialmente explosiva. O deputado José Cândido Ferraz, após as intermediações frustradas junto ao brigadeiro Eduardo Gomes, passou a advertir Getúlio do perigo à vista: os udenistas estavam cortejando os generais, oferecendo-lhes almoços e banquetes frequentes. Não precisava de muito esforço dedutivo para intuir que a conspiração constava do cardápio principal.

"Nunca foram tão íntimas e interpenetradas as relações entre congressistas e militares", observou Ferraz, em carta a Getúlio. "Se não forem tomadas medidas imediatas, se não puder fazer sentir que o presidente tem um rumo e tem um plano político que inspire confiança, as dificuldades surgirão a galope no curso dos meses próximos, com os políticos e os militares de mãos dadas."[57]

Uma sucessão de episódios ocorridos no início do segundo semestre daquele ano de 1952 só ajudou a agravar o quadro para Getúlio. Em julho, a polícia política do Distrito Federal tentou impedir, pelo uso da força, a realização da III Convenção Nacional de Defesa do Petróleo — convocada pelos nacionalistas do Cedpen. A proibição visava evitar constrangimentos ao secretário de Estado norte-americano Dean Acheson, então em visita ao Brasil para inspecionar os trabalhos da Comissão Mista.[58]

"Fora, Acheson! *Go home!*", dizia a pichação no granito da sede da Associação Brasileira de Imprensa, onde o norte-americano concedeu entrevista coletiva. Colados por todos os muros da capital, os cartazes do evento em defesa do monopólio estatal retratavam a multinacional Standard Oil como uma mão de garras afiadas, prestes a se apoderar de um barril da Petrobras. O departamento de polícia do Distrito Federal classificou as hostilidades a Acheson como "um acinte ao ilustre hóspede". Getúlio, por seu turno, acusou a UDN e os comunistas de estarem mancomunados na tática comum de desmoralizar o governo.[59]

Em agosto, a própria honra familiar do presidente da República foi alvo de execração. A primeira-dama, Darcy Vargas, estava em Paris com a filha Alzira, convidada especial de uma festa a ser realizada no castelo do estilista francês Jacques Fath, uma das sumidades do mundo da moda à época. O "baile de Corbeville", na verdade, tinha sido patrocinado por Assis Chateaubriand, que em uma de suas célebres excentricidades teria desejado, segundo suas próprias palavras, "apresentar à alta sociedade do Velho Mundo o Brasil verdadeiro, [...] um Brasil de mestiços autênticos, mulatos inzoneiros, índios e negros a promover a vasta experiência de cruzamentos que empreendemos no trópico." Tudo não passava, porém, de um grande golpe de publicidade para promover os negócios de um amigo e anunciante de Chatô, Joaquim Guilherme da Silveira, dono da fábrica de tecidos Bangu. Desavisadas, Darcy e Alzira se envolveram em um regabofe quase surrealista, tratado pela imprensa brasileira com tintas de escândalo.[60]

Chatô fretou dois aviões Constellation da Panair do Brasil para os convidados e mais um voo extra abarrotado de músicos, cantores do rádio, sambistas e dançarinos de frevo. A Orquestra Tabajara abriu a noite, após uma queima espetaculosa de fogos. Ademilde Fonseca, Elizeth Cardoso e Jamelão antecederam o grupo de vinte passistas caracterizadas de baianas. Na sequência, quatro negros vestidos de escravos entraram conduzindo uma liteira que trazia, entre almofadas, devidamente fantasiada de senhora de engenho, a bela Aimée, a "Bem-Amada" de Getúlio, então esposa do milionário norte-americano Rodman Arturo de Heeren.[61]

Os 3 mil convidados — entre os quais os astros de cinema Clark Gable, Orson Welles, Ginger Rogers, Danny Kaye, Paulette Goddard, Jean-Louis Barrault e Claudette Colbert — se esbaldaram na madrugada parisiense, embalados ao som de sambas, baiões, frevos e xaxados. De calça preta de veludo colada ao corpo, nu da cintura para cima, Jacques Fath disse que aquele baile era uma releitura chique do dionisíaco Carnaval carioca — e aproveitou para anunciar que em sua próxima coleção utilizaria os tecidos da Bangu.[62]

Nas fotos publicadas no Brasil, o estilista aparecia, com aspecto de fauno e de quem se excedera nas taças de champanhe, bem ao lado de uma sorridente Darcy Vargas. "Foram 1400 garrafas de uísque, 2 mil de espumantes, conhaques, licores e cem litros de cachaça especialmente transportada do Brasil, que transformaram a festa numa completa loucura", noticiou a revista *Manchete*.[63] "Foi com estupefação que os franceses — tão familiarizados, entretanto, com toda a sorte de exotismos — contemplaram a orgia em que se converteu a festa", completou o *Estado de S. Paulo*.[64]

"A bacanal de Corbeville", definiu a *Tribuna da Imprensa*, de Carlos Lacerda. "Os telegramas que hoje descrevem a farra em Paris, com a indulgente presença da mulher do presidente da República e de sua encantadora filha, ultrapassam todas as medidas e constituem uma afronta às dificuldades com que luta o povo francês e a desgraça que aflige o povo brasileiro", dizia o jornal. "O Pai dos Pobres não é capaz de explicar com que dólares foram custeados esses aviões especiais, essas cabaças e inúbias, esses pássaros tropicais, essa revoada de aventureiros e aventureiras que se transportaram a Paris para participar da dispendiosa bagunça no castelo de um novo-rico."[65]

Mal haviam cessado os ecos do escândalo, Carlos Lacerda passou da condição de dono de jornal à categoria de notícia. Em setembro, após denunciar na *Tribuna da Imprensa* um conluio entre policiais corruptos e cafetões que controlavam o negócio da prostituição no Rio de Janeiro, Lacerda foi intimado a depor no inquérito instaurado para apurar o caso. Em resposta ao oficial de justiça que lhe entregara a intimação, disse que jamais participaria de "uma comédia". Tudo o que tinha a declarar a respeito já estava publicado nas páginas do seu jornal.

"Só vou à delegacia preso", telegrafou Lacerda ao próprio ministro da Justiça, Negrão de Lima.[66]

O juiz encarregado do caso decidiu, de fato, mandar prender o jornalista com base na Lei de Segurança Nacional.

"Fico honrado por ser detido por uma lei fascista do Estado Novo", declarou Lacerda, que recebeu a imediata solidariedade de representantes de partidos políticos, entidades de classe, advogados, magistrados, populares, artistas, escritores e intelectuais — entre eles Carlos Drummond de Andrade e Manuel Bandeira.

O jurista Sobral Pinto deu entrada em um habeas corpus no Supremo Tribunal Federal e Carlos Lacerda foi posto em liberdade. Mas o novo estrago para a imagem do governo — e, por extensão, de Getúlio — já estava feito.[67]

À maré de contratempos se somava o pífio desempenho da economia brasileira. Naquele ano, a inflação bateu a marca dos 12,7% — contra os 12,3% do ano anterior, mantendo o viés de alta. A balança comercial sofreu queda drástica, caindo de um superávit de 418 milhões de dólares, registrado em 1950, para um déficit de 280 milhões de dólares ao final de 1952.[68]

"O custo de vida disparou no rodopio da espiral inflacionária. As promessas de campanha, que arrastaram multidões fantásticas por todo o país, não puderam ser cumpridas, desmanchando esperanças no caldo azedo da decepção", analisou, retrospectivamente, o jornalista Villas-Bôas Corrêa, que à época era repórter do *Diário de Notícias*.[69] "A impopularidade corroeu, lentamente, dia a dia, o carisma do bruxo das manobras diabólicas, o sedutor que envolvia os adversários e os atraía com a mesma fria habilidade com que derrubava os amigos que se atravessavam no caminho de seus planos."[70]

O cenário parecia tão desolador para o Catete que jornais e revistas já começavam a se lançar em especulações em torno da sucessão presidencial, com três anos de antecedência. Na mesma edição na qual noticiou o polêmico baile do castelo de Corbeville, a *Manchete* destacou na capa uma fotografia de Getúlio, sentado em seu gabinete, por trás do birô de trabalho, sozinho, fumando o inseparável charuto. "A luta secreta pela sucessão", dizia a chamada principal.[71] "Quando Getúlio virar as costas, quem ocupará o seu lugar?", indagava a abertura da matéria, ilustrada com uma foto de página inteira do presidente caminhando sozinho por uma das alamedas dos jardins do palácio, com as mãos às costas, como costumava fazer quando preocupado.[72]

A reportagem, assinada pelo jornalista Hélio Fernandes, apontava sete possíveis candidatos. Ademar de Barros era tido como nome certo para a disputa. Eduardo Gomes, citado como uma possibilidade sempre presente. Os governadores de Minas Gerais e São Paulo, Juscelino Kubitschek e Nogueira Garcez — pela expressão eleitoral dos respectivos estados — também estavam na lista. O vice-presidente Café Filho aparecia como provável competidor — indicado por Ademar, caso as pressões militares para que o "homem da caixinha" não se candidatasse se mostrassem insuperáveis. Dutra, cortejado pela UDN, começava a aparecer em algumas bolsas de apostas. Por último, Ernani do Amaral Peixoto, governador do Distrito Federal, era visto como uma opção a não ser descartada. Embora inelegível por ser genro de Getúlio — a lei vetava a candidatura de parentes e contraparentes do chefe do Executivo —, havia boatos de que o governo pretendia patrocinar uma reforma constitucional para remover o obstáculo.

"Em três anos, muita coisa pode acontecer", sugeria o texto de *Manchete*.[73]

"Muita coisa", menos uma reeleição de Getúlio, considerava a revista. O presidente jamais conseguiria reformar a Constituição em benefício próprio. Estava sem base legislativa e sem apoio militar para ousar semelhante aventura. Além disso, aos setenta anos, parecia velho e cansado. "Ele já foi Maquiavel e Santo Agostinho. Agora é apenas um homem que desejaria morar na fronteira. Mas que tem que ficar na cidade, preso a compromissos e situações", escreveu Hélio Fernandes.[74]

O jornalista estava bem informado. Com efeito, numa de suas visitas habituais ao Catete, o ex-secretário Luiz Vergara notou certa expressão de cansaço desenhada no rosto do antigo chefe — que se confessou exausto e enojado de tudo ao redor.

"Por que não vai embora?", perguntou Vergara.[75]

Getúlio o fitou em silêncio, com ar de surpresa.

"O senhor já trabalhou demais. Se acha que sua permanência no governo está se tornando improdutiva, para que se sacrificar assim?", insistiu o ex-auxiliar. "Não fale nada a ninguém e apronte as malas. Tome um avião dizendo que vai passar um fim de semana em Itu. Lá chegando, não volte. Mande a sua renúncia e acabou-se."[76]

Getúlio sorriu.

Depois de uma de suas pausas características, comentou:

"Há ainda uma coisa que eu preciso fazer..."[77]

13. O presidente leva um tombo no palácio. De perna e braço quebrados, cai em depressão (1953)

Após concluir os despachos do dia, Getúlio dirigiu-se aos seus aposentos, no terceiro piso do Catete. Desde que retornara ao poder, passara a morar no prédio que servia de sede ao governo, não mais utilizando a antiga residência oficial, o Palácio Guanabara. A caminho da escada que levava ao setor privativo, Getúlio escorregou no assoalho de madeira recém-encerado e levou um tombo. Caiu com o peso do corpo sobre o cotovelo e a coxa direita. Os funcionários que correram para socorrê-lo constataram que o presidente, contorcendo-se em dores, não conseguia mover o braço ou mesmo se levantar sozinho.[1]

Conduzido pelos seguranças ao andar superior e posto na cama, Getúlio aguardou a chegada do filho Lutero, médico ortopedista, que fora chamado ao palácio com urgência, pelo telefone. Minutos depois, uma ambulância transportou o acidentado até a Casa de Saúde Santa Therezinha, na Tijuca, onde foram feitas as necessárias radiografias. O exame, supervisionado por Lutero, constatou duas fraturas. Uma, no úmero; outra, no mesmo fêmur que recebera a peça de platina após o acidente automobilístico de 1942. A nova reconsolidação dos ossos exigiria a imobilização completa do braço e da perna por meio de talas e ataduras, além do auxílio de equipamentos de tração. Getúlio teria que sair de circulação, pelo menos, por um mês inteiro.[2]

Não poderia haver momento mais inadequado para isso. Era 11 de maio de 1953 e o país vivia um instante de alta voltagem política. No final de março, 300 mil trabalhadores haviam cruzado os braços em São Paulo, em protesto contra a inflação e por melhores salários. O movimento, iniciado pelos funcionários das indústrias têxteis, conquistou a adesão de outras categorias profissionais. Metalúrgicos, carpinteiros, vidreiros e gráficos engrossaram os piquetes nas portas das fábricas paulistas. A Delegacia Regional do Trabalho tirou da gaveta uma lei assinada pelo ex-presidente Dutra — que criminalizava a greve em serviços considerados essenciais — e decretou a ilegalidade da paralisação. Os sindicalistas convocaram uma grande marcha na praça da Sé, a "Passeata da Panela Vazia", que terminou de forma violenta, após os excessos habituais da polícia e a prisão de centenas de pessoas.[3]

Segadas Viana, ministro do Trabalho, endureceu o discurso. Ameaçou enquadrar os grevistas na Lei de Segurança Nacional e recriminou a direção dos sindicatos por não conseguir controlar os respectivos filiados. Mais uma vez, a consequência da tática repressiva foi a radicalização do litígio. Os manifestantes decidiram somar forças em um Comitê Intersindical de Greve — protótipo de central operária, composto por representantes de todas as categorias envolvidas —, unificando as bandeiras de luta.[4]

Depois de extenuantes rodadas de negociação, a justiça trabalhista enfim conseguira intermediar um acordo na queda de braço entre patrões e empregados, chegando ao índice de 32% de aumento (os grevistas inicialmente pediam entre 50% e 60%, enquanto os empregadores ofereciam 20%). A relativa vitória da "Greve dos 300 mil" serviu de exemplo a outras entidades sindicais, que passaram a pressionar o patronato por reajustes similares.[5]

Com Getúlio já preso ao leito de enfermo, os marítimos do cais do porto do Rio de Janeiro também se declararam em estado de greve. Por consequência, o abastecimento de alimentos e combustível na capital do país ficou comprometido. A cidade corria o risco de parar, sitiada pela falta de comida e gasolina.[6]

Ao mesmo tempo, um novo fenômeno político despontava em São Paulo, avançando sobre o eleitorado de Ademar e Getúlio. A surpreendente vitória do ex-vereador e então deputado estadual Jânio Quadros na disputa pela prefeitura da capital paulista, em março, foi interpretada como o surgimento de um terceiro vetor do populismo no país. Com o slogan "O tostão contra o milhão", baseado em uma modesta estrutura partidária — a coligação entre os pequenos Partido

Democrata Cristão (PDC) e Partido Socialista Brasileiro (PSB) —, Jânio empolgara o paulistano empunhando uma vassoura e prometendo varrer a corrupção da vida pública. Com suas olheiras profundas, a aparência descabelada, certo ar de maluco e o discurso recheado de mesóclises, ele obtivera dois terços dos votos, impondo uma derrota inquestionável ao médico Francisco Antônio Cardoso, professor da USP, apoiado por Ademar de Barros e Getúlio Vargas.[7]

"Derrotei, de uma vez só, Getúlio e Ademar", declarou Jânio à imprensa. "Com minha eleição, o povo sentenciou estes senhores. Vejo da parte deles, agora, um medo incoercível. E eles não sobreviverão, de fato, se não se adaptarem aos novos métodos de governo."[8]

Com o braço e a perna imobilizados, Getúlio acompanhava a marcha dos acontecimentos em estado de torpor. A versão oficial, divulgada nas páginas da *Última Hora*, era a de que, apesar do "pequeno acidente doméstico", ele estaria bem, cumprindo a agenda de compromissos oficiais com o bom humor e afinco de sempre. "O presidente está trabalhando normalmente. Ainda ontem, só deixou o gabinete por volta de meia-noite", garantia o jornal de Samuel Wainer. "Ele continua assinando com a mão direita. Apesar de enfaixado o braço e amparado no aparelho, não quis aceitar o ócio de uma inatividade forçada."[9]

A verdade, porém, era outra. Seis dias após o tombo de Getúlio, Ernani do Amaral Peixoto chegou de uma viagem aos Estados Unidos e encontrou o sogro de pijama, solitário e deprimido, ainda grogue pelas altas doses de sedativo ministradas na veia. Os corredores do palácio, de costume abarrotados de visitantes, estavam vazios e silenciosos.[10]

"Fui visitá-lo e fiquei impressionado com o isolamento dele dentro do Catete", revelou o genro, anos depois, em entrevista. "Ele tinha tomado uma injeção, falou comigo ligeiramente. Voltei à noite, para jantar com ele no quarto. Ele estava sozinho, com o enfermeiro."[11]

Ernani não trazia boas-novas. Viajara na companhia de Alzira para uma audiência com Dwight David Eisenhower — o republicano que vencera as eleições norte-americanas e tomara posse na Casa Branca em janeiro, sucedendo ao democrata Harry Truman. O convite original previa que o próprio Getúlio Vargas fosse a Washington trocar ideias com Eisenhower a respeito do futuro das relações entre os dois países. Mas Getúlio, que pouco pusera os pés fora do Brasil — com exceção das visitas que fizera a Buenos Aires, Montevidéu e Assunção —, decidira enviar a filha e o genro como representantes.[12]

Eisenhower, constatou Ernani, estabelecera novas coordenadas para a política externa dos Estados Unidos em relação à América Latina. No caso brasileiro, os planos de cooperação econômica, consubstanciados na Comissão Mista, estavam com os dias contados. A prática de financiamentos de governo a governo, iniciada pela estratégia da "boa vizinhança" de Roosevelt durante a Segunda Guerra Mundial, cedera lugar a outra fase, caracterizada pelo incentivo a investimentos e aportes de grandes capitais privados.[13] Para o Brasil, isso significava um alarmante contratempo, uma vez que o decreto de Getúlio limitando a remessa de lucros provocara a desconfiança geral dos investidores internacionais. Tal fenômeno se agravara pela forma como o projeto da Petrobras vinha tramitando no Congresso. Após a apresentação de sucessivas emendas e de um substitutivo do deputado Eusébio Rocha (PTB-SP), que contou com o devido apoio da UDN, o texto final caminhava para a aprovação de uma empresa petrolífera genuinamente nacional, com controle acionário da União. Era tudo o que não interessava às gigantes norte-americanas do setor, como a Standard Oil.[14]

Depois de fazer para Getúlio o relatório verbal da viagem, Ernani percebeu que a conversa deixara o sogro ainda mais abatido do que antes.

"Reduza férias. Volte imediatamente. Seu pai precisa de você", telegrafou Ernani a Alzira, que emendara a ida a Washington com uma viagem de turismo ao México e Peru.[15]

A filha fez as malas e voltou ao Rio poucos dias depois, às pressas. Levou um choque ao reencontrar Getúlio estatelado na cama.

"Ele atravessava uma grave crise de depressão quando cheguei. Traumatizado, dolorido física e moralmente, pensava em renunciar, passando o governo a Café Filho", escreveria Alzira, ao recordar aqueles dias de angústia e tensão. "O gigante, o mágico, estava imobilizado dentro das complicadas talas armadas por meu irmão Lutero para salvar-lhe as articulações. As dores, as preocupações, a insônia tinham-no tornado irritadiço e derrotista", detalhou. "Seu mal chamava-se solidão. Recusava-se a receber visitas, mas sentia falta de calor humano. Concertamos então um plano de mantê-lo ocupado e acompanhado, sobretudo à noite, quando a insônia o fazia mergulhar em soturnas meditações."[16]

Alzira Vargas logo percebeu que um dos maiores motivos de aflição para o pai, além da progressiva falta de controle do governo na esfera sindical e dos sucessivos entreveros na área militar, era a escalada de manchetes escandalosas da *Tribuna da Imprensa*, de Carlos Lacerda, contra a *Última Hora*, de Samuel Wainer. A guerra declarada entre os dois jornais, que logo evoluiria para uma crise de governo, arrebentara uma semana antes da chegada de Alzira.

Em 20 de maio, a *Tribuna* publicou uma foto de Wainer, de smoking e com um copo de uísque na mão, sob a seguinte manchete:

ESBANJAVAM DINHEIRO DO BANCO DO BRASIL[17]

O jornal trazia uma entrevista com o ex-deputado Herófilo Azambuja, apresentado aos leitores como interventor da instituição financeira junto à gráfica Erica, editora do vespertino de logotipo azul. De acordo com as afirmações do entrevistado ao repórter Natalício Norberto, o governo decretara intervenção na empresa por falta de pagamento de certos empréstimos milionários, concedidos por vias transversas e até então desconhecidos da opinião pública.[18]

Wainer reagiu no dia seguinte, publicando na primeira página da *Última Hora* uma declaração do presidente interino do Banco do Brasil, general Anápio Gomes, que assumira o cargo em janeiro, substituindo Ricardo Jafet (após este ter se incompatibilizado de vez com o ministro da Fazenda, Horácio Lafer).

"Isto é um verdadeiro absurdo. Bastaria que a direção daquele jornal me telefonasse para que eu desmentisse desde logo a notícia", disse o general Anápio ao repórter destacado por Wainer para ouvi-lo. "Escreva o que vou ditar, esta é a minha informação oficial: A notícia divulgada pela *Tribuna da Imprensa* não tem o menor fundamento. Nem a diretoria, nem a presidência do Banco do Brasil jamais cogitaram de tal medida [a intervenção]."[19]

Como complemento à matéria principal, Wainer publicou o fac-símile de um telegrama da Western, assinado pelo próprio Herófilo Azambuja, o pretenso interventor.

"Jamais dei entrevistas àquele jornal", dizia a mensagem. "Nem fiz declarações, a quem quer que fosse, sobre tal assunto."[20]

O desmentido foi mais além. Samuel Wainer, em gesto surpreendente, contratou o autor da entrevista suspeita, Natalício Norberto, que passou a alegar ter sido coagido por Lacerda e pela chefia de redação da *Tribuna* a assinar uma matéria recheada de lorotas. Haviam mexido no seu texto, acrescentado trechos fantasiosos, colocado palavras na boca do entrevistado, declarou Norberto. Além disso, afirmou o jornalista, fizera a matéria pelo telefone. Do outro lado da linha bem poderia estar qualquer outra pessoa, se passando por Azambuja. Tudo poderia ter sido, portanto, uma grande armação.[21]

DESMASCARADA PELO SEU PRÓPRIO REPÓRTER A *TRIBUNA DA IMPRENSA* — foi a manchete da *Última Hora*.[22]

Em bilhete a Getúlio, Samuel Wainer comemorou: "Pelo que o senhor verá, pegamos o mentiroso com a boca na botija e, como sempre, transformamos uma aparente derrota em mais uma espetacular vitória", avaliou. "Peço muito que o senhor não deixe de passar a vista pela primeira página de nosso jornal."[23]

Lacerda jamais engoliria calado semelhante desmoralização pública. Pôs seus melhores repórteres em campo e passou a abastecer de informações o deputado Armando Falcão (PSD-CE), que logo foi à tribuna tratar do assunto. Se a intervenção federal no jornal ainda não ocorrera, ela deveria ocorrer o quanto antes, esbravejou Falcão. Pois enquanto Getúlio forrava os bolsos do amigo Wainer de dinheiro público, contrapôs, o Nordeste se encontrava completamente à míngua, submetido às agruras da seca. O deputado comunicou ao plenário que passaria a recolher assinaturas entre os colegas com o objetivo de pedir a instalação de uma Comissão Parlamentar de Inquérito (CPI) para investigar as suspeitas de favorecimentos do Banco do Brasil à *Última Hora*.[24]

Wainer, de novo, contra-atacou. Um de seus sócios na gráfica Erica era o engenheiro e empresário Luís Fernando Bocaiuva Cunha, o "Baby Bocaiuva", genro do baiano Ernesto Simões, ministro da Educação. Por meio da influência política do sogro, Bocaiuva não teve dificuldades em conseguir que um parlamentar da bancada da Bahia apresentasse à mesa da Câmara o requerimento para a abertura de uma CPI paralela, que pretendia estender as investigações a todos os empréstimos concedidos pelo banco, nos anos anteriores, a qualquer órgão de imprensa do país.[25]

"Uma investigação de tal natureza só seria admissível para todos, e não apenas para um só jornal", justificou o deputado Oliveira Brito (PSD-BA), autor do requerimento.[26]

"O rato caiu na sua própria armadilha", festejou de novo Samuel Wainer, em outra mensagem a Getúlio. "Já liquidamos o Lacerda no campo jornalístico, agora pretendemos dar-lhe um nocaute no campo parlamentar."[27]

Ao passo que as duas CPIS simultâneas eram aprovadas e devidamente instaladas, o deputado udenista Heitor Beltrão, do Distrito Federal, cuidou de aumentar a marola. Procurou os parlamentares da oposição, um a um, para convencê-los a desfechar um ataque frontal a Getúlio. Caso ficasse comprovado que o presidente cometera crime de responsabilidade, a UDN daria início a um processo automático de impeachment. Conforme previa a Constituição, como Vargas já ultrapassara a primeira metade do mandato, se ele e Café Filho fossem afastados do governo, no lugar de nova eleição direta, o sucessor deveria ser escolhido pelo Congresso.[28]

Enquanto o país entrava em um estágio de curto-circuito político, Getúlio continuava alheado de tudo. Preocupada com os desdobramentos da ofensiva oposicionista, Alzira foi até o quarto do pai e procurou injetar-lhe alguma dose de entusiasmo. Conhecendo-o tão bem, calculou que a única maneira de reanimá-lo seria cutucando-lhe os brios.

"Patrão, o senhor quebrou a cabeça também? Ou ela ainda funciona?", provocou a filha.[29]

Em 8 de junho, Getúlio fez sua primeira aparição pública após o acidente. De uma das sacadas do Catete, acenou para os milhares de fiéis que passaram em frente ao palácio acompanhando a procissão em homenagem à Nossa Senhora de Fátima — cuja imagem peregrina estava rodando o mundo e se encontrava no Rio. Na véspera, o presidente se libertara das talas e ataduras, embora ainda mantivesse uma atitude reservada, não se deixando fotografar de perto e evitando o contato com repórteres. Na primeira página da *Última Hora*, a foto exclusiva da saudação de Getúlio aos devotos de Fátima fora tomada a longuíssima distância, com a romaria em primeiro plano, tornando-se impossível perceber, na imagem, se ele estava apoiado em alguém ou com uma provável bengala.[30]

Ainda que o corpo não estivesse perfeitamente em forma, a cabeça respondera à provocação de Alzira. A primeira providência tomada por Getúlio antes mesmo de levantar da cama foi iniciar uma ampla reforma na equipe de governo, pondo fim ao tal "ministério da experiência". A CPI da *Última Hora* vinha rendendo manchetes negativas diárias ao governo, e a agitação em torno do assunto tomara conta da pauta do Congresso. Diante das circunstâncias, o presidente procurou abrandar a oposição, fazendo uma segunda tentativa de atraí-la para a órbita do Catete — ou, quando menos, de dividi-la. Na nova repartição de cargos, a UDN não só manteve a pasta da Agricultura, que continuou com o pernambucano João Cleofas, como ganhou mais três ministérios: a Viação e Obras Públicas, entregue a José Américo de Almeida; as Relações Exteriores, oferecida a Vicente Rao; e a Fazenda, confiada a Oswaldo Aranha. Todos eles, ex-ministros da primeira fase da chamada "Era Vargas".[31]

Afonso Arinos, um dos principais solistas da Banda de Música udenista, apressou-se a anunciar que Américo, Rao e Aranha não eram representantes do partido — dos quais inclusive ficariam temporariamente afastados —, mas apenas representantes de si mesmos. A afirmação levou o vice-líder da maioria na Câmara, o petebista Sebastião Vieira Lins, a comentar em tom de gracejo:

"É fácil extinguir a UDN. Basta ir nomeando os udenistas para o governo que eles vão saindo automaticamente da legenda. Assim, um dia o partido acaba."[32]

Na reforma do ministério, a Justiça permaneceu com o PSD mineiro, mas passou das mãos do experiente Francisco Negrão de Lima para os cuidados de um deputado baixinho e discreto, que no primeiro mandato federal já começava a cultivar a aura de exímio negociador: Tancredo Neves. A Educação prosseguiu com o PSD da Bahia, porém não mais comandada por Simões Filho, e sim pelo deputado Antônio Balbino, outro estreante no Congresso. Uma nova pasta, a da Saúde, desmembrada da Educação em dezembro, ficaria com o médico Miguel Couto Filho, filiado ao PSD — totalizando assim três pastas para a legenda, contra as quatro ofertadas à UDN. Para contrabalançar a equipe, manter o PTB no primeiro escalão e ao mesmo tempo tentar recuperar a confiança do operariado, Getúlio entregou o Ministério do Trabalho ao novo presidente do partido, João Goulart, que desde quando assumira a cadeira de deputado federal, em 1951, vinha se mostrando um interlocutor privilegiado do movimento sindical.[33]

As pastas militares, por precaução, permaneceram inalteradas. Na área civil, ao combinar políticos experientes com nomes em ascensão no cenário nacional — compensando o conservadorismo da média do grupo com a nomeação de Jango —, Getúlio fazia a última aposta na retórica do consenso e na imagem de uma gestão aberta às diferenças, supostamente acima das ideologias e dos partidos.[34]

Dias antes do anúncio das mudanças, um magoado Simões Filho procurou Getúlio no Catete para questionar a inclusão de mais três udenistas na equipe e para indagar sobre os motivos pelos quais seria substituído, na Educação, por um neófito como Antônio Balbino.

"É verdade, presidente, que vossa excelência está oferecendo nossos cargos a novos amigos que virão ocupá-los?", perguntou Simões.

"É. E que cargo vocês queriam que lhes oferecesse, o meu?", rebateu Getúlio.[35]

Centenas de curiosos se plantaram diante do televisor instalado pelos Diários Associados nas escadarias externas do Teatro Municipal do Rio de Janeiro. Sintonizado na TV Tupi, canal 6 — então única emissora da capital da República —, o aparelho transmitia uma fala de Carlos Lacerda explicando ao público, de forma didática, o escândalo dos empréstimos do Banco do Brasil à *Última Hora*. Como a televisão ainda era uma novidade restrita a pouquíssimos lares brasileiros, Chatô, o dono do conglomerado de imprensa ao qual pertencia a Tupi, costumava colocar aparelhos ligados em espaços públicos e nas vitrines das lojas de eletrodomésticos com o objetivo de atrair o interesse de possíveis compradores. Mas daquela vez não se tratava de propaganda comercial. O televisor exposto na rua fazia parte da estratégia política de mirar em Samuel Wainer para, por tabela, acertar Getúlio.[36]

Roberto Marinho já pusera os microfones da Rádio Globo à disposição de Carlos Lacerda, ampliando o alcance das denúncias da *Tribuna da Imprensa*. Chatô passava a fazer o mesmo com as câmeras da Tupi. O programa diário, que ia ao ar pontualmente às 22 horas, estreou com duração de cinco minutos, mas teve o tempo ampliado à proporção que foi conquistando audiência. Em poucos dias, não havia mais horário fixo na grade para terminar. A atração quase sempre se estendia além da meia-noite, não raro enveredando madrugada adentro.[37]

Munido de giz e quadro-negro, Carlos Lacerda, com seu reconhecido poder de oratória, traçava gráficos para demonstrar as "ligações perigosas" entre Samuel Wainer e integrantes da cúpula do governo. Sobre a mesa, o telefone recebia ligações dos telespectadores, que podiam fazer comentários ou pedir esclarecimentos sobre um ou outro ponto da exposição. Certa noite, quando alguém ligou para indagar qual interesse público haveria, afinal de contas, em uma briga entre dois proprietários de jornal, Lacerda explicitou seus objetivos. Desenhou na lousa um sistema solar e comparou:

"Digamos que este pontinho aqui seja um satélite, a *Última Hora*. Estou falando daqui para depois chegar até ali", disse, traçando uma seta que apontava para o que seria um planeta, identificado como o Banco do Brasil. "E daqui, vou chegar até ali", prosseguiu, indicando então o Sol, no interior do qual escrevera o nome "Getúlio Vargas".[38]

As aparições noturnas de Lacerda na televisão orientavam no dia seguinte os debates da CPI da *Última Hora*, que recebiam cobertura maciça da imprensa. Enquanto isso, a CPI paralela caía no vazio pela ausência de divulgação — e pela patente falta de interesse dos parlamentares em confrontar os grandes veículos. Se checassem as planilhas dos débitos oficiais dos principais jornais do país, os congressistas saberiam que os Diários Associados, de Chatô, deviam ao governo cerca 103 milhões de cruzeiros (72,4 milhões de reais) em empréstimos vencidos, enquanto as empresas de Roberto Marinho — rádio e jornal *O Globo* — deviam um total de 53 milhões de cruzeiros (37,2 milhões de reais) aos cofres públicos. A própria *Tribuna da Imprensa* também estava na lista de devedores, com 2 milhões de cruzeiros (1,4 milhão de reais) de débitos a vencer.[39]

"O grande crime de que estamos sendo acusados é o de sermos amigos do presidente Vargas", defendeu-se Wainer, ao depor na CPI.[40]

Na ocasião, ele disse estranhar que o escritório de advocacia Momsen, Leonardos & Cia., que prestava assistência jurídica a empresas norte-americanas instaladas no Brasil — entre elas a Standard Oil —, fosse o mesmo a fornecer orientação jurídica aos udenistas com assento na comissão. Os deputados consideraram a insinuação um insulto e, em represália, cobraram de Wainer a identidade dos investidores privados que haviam financiado a *Última Hora*. Como ele alegou sigilo profissional e se negou a revelar os nomes de Walther Moreira Salles, Ricardo Jafet, Euvaldo Lodi e Francisco Matarazzo, recebeu voz de prisão por desacato e foi submetido, por ordem judicial, a quinze dias de cadeia. Seria solto por meio de habeas corpus, mas retornaria ao xadrez para cumprir a pena logo depois, por decisão unânime do STF.[41]

Samuel Wainer percebeu o cerco se fechar mais ainda quando os principais jornais dos Diários Associados, em um furo de reportagem, afirmaram em manchete que o dono da *Última Hora* não havia nascido no Brasil. Seus pais, Haim e Dovra Wainer, judeus da região da Bessarábia — território romeno, então ocupado pela União Soviética —, haviam declarado ao serviço de imigração ter chegado ao país, respectivamente, em 1920 e 1915. Como Samuel Wainer nascera antes disso, em 1912, ele não poderia, portanto, ser brasileiro, ao contrário do que diziam seus documentos de identidade. Por conseguinte, como a Constituição proibia estrangeiros de serem donos de veículos de comunicação, a *Última Hora* estaria em situação flagrantemente irregular.[42]

A denúncia foi explorada à exaustão por Carlos Lacerda no programa da Tupi e nas páginas da *Tribuna da Imprensa*. Como se não bastassem as acusações de que o jornal de Wainer era um "antro de comunistas" — Armando Falcão chegara a pedir à Justiça, no início da CPI, as fichas de antecedentes políticos e ideológicos dos diretores da *Última Hora*[43] —, a nova informação reforçava o boato de que o jornalista seria um pretenso agente subversivo, nascido na União Soviética, posto pelo Kremlin a serviço de Getúlio no Brasil. Lacerda seguiu na investigação e levantou a ficha escolar de Samuel Wainer no Colégio Pedro II. Nela, havia a confirmação de que Wainer seria mesmo bessarabiano, natural da aldeia de Edenitz, ao norte da atual Moldávia.

"Meu pai considerava os filhos como da mesma nacionalidade dele, pois pretendia voltar para a Europa, o que nunca pôde fazer", justificou o irmão mais velho de Samuel, Artur Wainer, que à época fornecera à escola os dados para a matrícula.[44]

Ameaçado de perder a *Última Hora* sob a acusação de falsa nacionalidade, Wainer teve novos dissabores quando a CPI descobriu que ele repassara o controle acionário da Rádio Clube — comprada ao empresário Hugo Borghi — para o nome de um "laranja", o escritor Marques Rebelo, colunista do jornal. Borghi, em apuros com a própria montanha de dívidas junto ao Banco do Brasil, convencera Samuel Wainer a receber a emissora em troca dos débitos da rádio junto à instituição financeira, que eram da ordem de 27 milhões de cruzeiros. Para camuflar a operação, que era ilegal, Wainer usou Rebelo como testa de ferro.[45] Quando a manobra foi exposta na CPI, Getúlio não teve alternativa a não ser assinar um decreto cassando a concessão da Rádio Clube, uma vez que a transferência do controle de emissoras de rádio não podia ser feita sem a devida autorização do governo — detalhe jurídico para o qual Wainer não dera a necessária atenção.

"Perdi o controle da Rádio Clube, mas não me livrei da dívida junto ao Banco do Brasil; foi um golpe duríssimo", recordou Wainer, em suas memórias.[46]

Na tentativa de evitar também a perda do jornal, Wainer publicou, na edição de 18 de julho, duas certidões expedidas pelo arquivo do Departamento Nacional de Imigração. Os documentos atestavam que Haim e Dovra Wainer haviam desembarcado no Brasil, do vapor *Canárias*, em 5 de janeiro de 1905 — ou seja, sete anos antes do nascimento do filho, Samuel.

"Chega ao fim a grande chantagem", disse em manchete a *Última Hora*. "Com as certidões que publicamos ao lado, [...] repetimos o que dissemos desde o primeiro momento: o sr. Samuel Wainer é bem brasileiro."[47]

Carlos Lacerda, contudo, não se convenceu da autenticidade dos papéis. Estranhou que o nome do pai de Samuel Wainer aparecesse no documento já com a grafia em português, Jayme, adotado por Haim somente depois de se radicar no país. A *Tribuna da Imprensa* solicitou então o acesso à lista original de desembarque dos passageiros do *Canárias*, mas o pedido foi solenemente ignorado pelo Departamento de Imigração. Acompanhado do deputado Armando Falcão e do repórter David Nasser, de *O Cruzeiro*, o próprio Lacerda foi até a repartição e exigiu pôr os olhos nos formulários que, para todos os efeitos, eram públicos. Teve, é claro, de ser atendido.[48]

Depois de submeter os documentos a um grafologista, a *Tribuna* chegou à conclusão de que eles haviam sido adulterados. Como o serviço de imigração era subordinado ao Ministério do Trabalho, Carlos Lacerda ligou os pontos e decidiu incluir um novo alvo para os seus torpedos na tevê.[49]

"Acuso publicamente o sr. João Goulart de ser o principal responsável pela grosseira falsificação do documento expedido pelo Departamento Nacional de Imigração", disse Lacerda, apontando o dedo para a câmera.[50]

Para Getúlio, não era difícil compreender os verdadeiros motivos pelos quais Jango entrara na berlinda. Com poucos dias no cargo, o jovem ministro do Trabalho, de 34 anos, já demarcara posições e impusera um novo estilo à pasta, reaproximando o governo das classes operárias. Seu antecessor, Segadas Viana, depois de ter ameaçado enquadrar os 300 mil grevistas de São Paulo na Lei de Segurança Nacional, dera nova demonstração de intransigência ao propor que os marítimos do Rio, que estavam de braços cruzados, fossem punidos com base em um decreto que remontava à Segunda Guerra Mundial. Pelo dispositivo, a Marinha mercante poderia ser convocada como reserva da Marinha de guerra e, nesse caso, a recusa ao trabalho seria punida como crime de deserção.[51]

João Goulart, ao assumir o posto, abandonou tal linha de pensamento e estabeleceu negociações imediatas com os grevistas. Em dez dias, conseguiu chegar a uma solução conciliatória. Praticamente todos os 25 itens da pauta de reivindicação dos marítimos foram atendidos, incluindo o abono salarial, o recebimento integral das férias, o pagamento dos dias parados e a ausência de punição aos grevistas. O patronato, em geral, ficou alarmado. Interpretou a ingerência do ministro como um incentivo para que outras categorias também lançassem mão de paralisações como instrumento de pressão política.[52]

"Enquanto eu for ministro, o Ministério do Trabalho será uma trincheira dos trabalhadores", prometeu Goulart, logo ao tomar posse.[53]

Jango acabou com a exigência do atestado ideológico aos sindicalistas e instituiu a rotina de receber operários em audiências públicas na sede do ministério. Presidiu o I Congresso Brasileiro da Previdência Social, que reuniu no Rio de Janeiro 1200 líderes trabalhistas e dirigentes sindicais de todo o país para discutir a participação dos trabalhadores na gestão dos institutos de previdência. Em ofício enviado aos sindicatos, pediu ainda que as diretorias das entidades auxiliassem os fiscais do ministério, que entraram em diligências para averiguar o cumprimento efetivo da CLT por parte das empresas.[54]

"O ministro João Goulart tem uma sensibilidade à flor da pele para compreender e sentir, como poucos, as necessidades e os problemas dos trabalhadores", disse Getúlio, quando uma comissão de marítimos foi ao Catete agradecer a intermediação do governo na resolução do conflito. "Naquilo que ele vos disser, estará me representando. Podem confiar nele, como se fosse em mim."[55]

Se os sindicalistas interpretaram a frase como um recado positivo, os conservadores encontraram ali o pretexto para encurralar Jango. A arregimentação política em torno do Congresso Brasileiro de Previdência Social foi classificada, por Carlos Lacerda, como ensaio para uma consequente orquestração de greves e outras perturbações da ordem pública — nos mesmos moldes dos episódios que antecederam a subida de Juan Domingo Perón ao poder na Argentina. O fantasma de uma "república sindicalista" ganhava corpo à proporção que o Ministério do Trabalho conquistava a simpatia das entidades operárias.[56]

"João Goulart tenta criar no Brasil uma nova CGT", comparou Lacerda, em alusão à argentina Confederação Geral do Trabalho. "O ministro prepara um golpe peronista", acusou, textualmente, na *Tribuna da Imprensa*. "Não se trata do fechamento do Congresso, como em 1937, e sim de sua dominação pela massa de manobra de um sindicalismo dirigido por pelegos, visando reformar a Constituição e estabelecer uma ditadura no país."[57]

Pela lógica de Lacerda, Getúlio estaria se utilizando da popularidade de Jango junto aos trabalhadores para incitar greves, dispor operários contra patrões e levar o país ao caos deliberado. De acordo com o raciocínio, em um passo seguinte, o governo federal moldaria um novo partido, seguindo os contornos do Movimento Justicialista, de Perón. O objetivo final seria estabelecer uma maioria parlamentar bastante sólida, capaz de alterar o texto constitucional, ampliar os poderes do Executivo e impor um regime de exceção, mantendo-se todas as aparências da democracia representativa.[58]

A versão de Lacerda foi prontamente endossada pelo conjunto da imprensa. Em editoriais sucessivos, o *Correio da Manhã* passou a definir Jango como "a ponta de lança peronista no Brasil".[59] "Jogando com as massas operárias menos esclarecidas, tanto Prestes como o novo ministro do sr. Getúlio Vargas procuram atingir o mesmo objetivo, isto é: o extermínio, no Brasil, do regime representativo", acusou o *Correio*. "Por que o ministro do Trabalho acirra a luta de classes? [...] Não se trata, é claro, de um ato irrefletido. [...] Para isso, só há uma explicação: a preparação de um golpe peronista, a fim de sufocar as liberdades democráticas."[60]

Em charge publicada na primeira página, *O Globo* retratou Getúlio oferecendo flores para uma senhora com ares de matrona, a Constituição personificada. "Eu sei, meu velho, que você já não está na idade de fazer certas coisas, mas o que é certo é que ninguém mais acredita que você me seja fiel", dizia a mulher.[61] Na capital paulista, *O Estado de S. Paulo* reverberava o mesmo refrão. "Do Rio, chegam notícias de que alguma coisa existe contrária ao sossego público. Perturbações desse sossego só podem vir ou dos comunistas ou do governo. Este e aqueles são os únicos inimigos da ordem pública", inferia o jornal.[62]

Os boatos de golpe suscitaram um clima generalizado de intranquilidade. O *New York Times*, repercutindo o noticiário nacional, tratou do assunto com apreensão. "Seja qual for a situação no Brasil, o informe sobre um plano para possível golpe de Estado, publicado por jornais conservadores responsáveis do Rio de Janeiro, não pode ser passado por alto", dizia o texto, republicado por *O Globo* e pelo *Correio da Manhã*. "Segundo nos foi transmitido por Sam Brewer [correspondente do *NYT* no Rio], insinuou-se que o presidente Vargas não veria com maus olhos a ideia de um tipo de governo peronista", ecoou o jornal nova-iorquino. "O fato de um ministro do Trabalho [...] utilizar sua influência para inclinar o movimento trabalhista brasileiro para o agrupamento de trabalhadores latino-americanos, controlado pelos peronistas, seria uma traição ao seu país."[63]

Os rumores que chegavam aos Estados Unidos coincidiam com o momento em que o irmão do presidente norte-americano, Milton Eisenhower, retornava de uma viagem pela América Latina, onde visitara dez países, inclusive o Brasil. No Rio de Janeiro, ele foi recebido em audiência por Getúlio no Catete, quando confirmou ao presidente brasileiro que a Casa Branca decidira encerrar, unilateralmente, os trabalhos da Comissão Mista. Embora o representante de Washington tenha garantido o contrário aos jornalistas brasileiros, a maior parte dos projetos do Plano de Reaparelhamento Econômico aprovados pela comissão — envolvendo obras nas áreas de ferrovias, estradas de rodagem, instalações portuárias, navegação costeira, energia elétrica, agricultura e metalurgia — não receberia, durante o governo Vargas, os empréstimos prometidos pelo Bird e pelo Eximbank.[64]

"Como vai o braço?", perguntou Milton Eisenhower a Getúlio durante a conversa, que teve Alzira como intérprete.[65]

"Vai bem. Passei hoje por um teste definitivo. Apertei a mão de centenas de pessoas e nada senti, apesar do calor de certos cumprimentos", respondeu Getúlio, mencionando a recepção que o governo brasileiro preparara para o visitante estrangeiro.[66]

Em seu livro *The Wine Is Bitter* [O vinho é amargo], publicado em 1963, Milton Eisenhower descreveria o presidente brasileiro como "um homem baixo, velhusco, de olhar inquieto".[67]

"Sua filha, simpática e viva, estava sempre a seu lado, e logo cheguei à conclusão de que Vargas não estava muito bem."

Tancredo Neves, novo ministro da Justiça, convocou uma entrevista coletiva para garantir que não havia nenhuma espécie de golpe em preparo.[68]

"O presidente está no firme propósito de fazer cumprir a Constituição", anunciou.

"E qual a opinião de vossa excelência sobre os comentários recentes do *New York Times*?", quis saber um dos repórteres.

"Isso é consequência do clima de agitação que está se criando no país e que inclusive já está prejudicando o Brasil no exterior", respondeu.

"O senhor tem conhecimento de rumores da fundação de um órgão no Brasil semelhante ao CGT da Argentina?"

"A pergunta está prejudicada pela declaração inicial, isto é, de que o presidente da República faz questão de cumprir a Constituição", objetou Tancredo.

"O governo está interessado na movimentação de massas sindicais para fundar o Partido Sindicalista Brasileiro?"

"O governo não cogita fundar qualquer novo partido e muito menos o senhor presidente da República. Peço aos jornalistas que não encaminhem a entrevista desse modo."

"E quanto ao sr. João Goulart? O que ele pensará de tudo isso?", perguntou alguém.

"O sr. João Goulart é um ministro consciente das suas responsabilidades e líder de um partido, o PTB, que é um dos sustentáculos da democracia", encerrou Tancredo.[69]

De acordo com o *Correio da Manhã*, "ninguém se convenceu muito da resposta". Portanto, quanto mais o governo se preocupava em afirmar o contrário, mais os boatos ganhavam corpo e voltavam a sustentar as manchetes. Diante disso, o chefe do Gabinete Militar da Presidência da República, general Agnaldo Caiado de Castro, que havia substituído o general Ciro Cardoso, decidira vir a público para afirmar que tudo aquilo não passava de mera especulação.[70]

"Tanto para cumprir quanto para fazer cumprir a Constituição, sua excelência conta com a esmagadora maioria das Forças Armadas e com todos os brasileiros que amam sinceramente o regime", disse Caiado. "Não vejo ambiente para golpe de qualquer natureza, venham de onde vierem. Ademais, o presidente da República conta com elementos para esmagar qualquer tentativa nesse sentido."[71]

O general, na verdade, enviara um recado aos oposicionistas. Ninguém se atrevesse a pregar um "contragolpe preventivo", ou seja, a brusca interrupção do mandato de Getúlio, diante da simples suspeita de que o país estaria prestes a se converter em uma "república sindicalista" — o mesmo pretexto que seria utilizado anos depois, em 1964, para depor João Goulart da presidência da República.

Para tentar restaurar a credibilidade do governo, repelir a onda de boatos e atestar que já estava restabelecido das consequências do acidente, Getúlio convocou uma reunião ministerial na tarde de 7 de agosto de 1953. Após a realização do encontro, uma nota oficial distribuída aos jornais, redigida por Tancredo Neves e Lourival Fontes, certificou à opinião pública que o governo repudiaria, de modo veemente, todas as tentativas de desestabilização do regime.

"Reafirmou o presidente da República o seu solene propósito de manter a ordem e salvaguardar os princípios constitucionais, defendendo a integridade de nossas instituições democráticas contra as insinuações tendenciosas dos que assim comprometem, através de um alarmismo totalmente destituído de fundamento, até mesmo o crédito e a dignidade do nosso país no exterior."[72]

Enquanto Getúlio comandava a reunião ministerial, uma série de acontecimentos simultâneos refletia a atmosfera de radicalização política. Policiais foram chamados para resguardar a sede da *Tribuna da Imprensa*, que estaria na iminência de ser depredada por um grupo de participantes do Congresso Brasileiro de Previdência Social. Um repórter da *Tribuna*, Newton Carlos, destacado para cobrir o evento, fora reconhecido pelos líderes sindicais, que o teriam hostilizado e em seguida prometido incendiar o prédio do jornal oposicionista, na rua do Lavradio.[73]

No plenário da Câmara, o deputado Armando Falcão afirmava que, na madrugada anterior, dois desconhecidos teriam entrado no apartamento onde morara e exigido que um funcionário do prédio revelasse o novo endereço do parlamentar. Segundo Falcão, os invasores deveriam ser, obviamente, elementos ligados ao governo.

"Se o Executivo quiser cumprir sua obrigação, sabe muito bem o que deve fazer", disse o deputado. "No Ceará, minha família é conhecida pela valentia. Se eu tiver de me defender, estarei armado. E não atirarei apenas para ferir", advertiu.[74]

Carlos Lacerda, que naquele exato momento falava ao microfone da Rádio Globo, disse estar sendo ameaçado de morte, e por isso exigia garantias de vida ao ministro da Justiça. O jornalista informou que também passara a andar armado — e reagiria, sem hesitação, a qualquer atentado do qual porventura viesse a ser alvo.

"Se algo acontecer à minha pessoa, saibam todos aqueles que me ouvem que o governo do sr. Getúlio Dornelles Vargas terá sido o único responsável", pressagiou Lacerda.[75]

14. "Por acaso eu sou um leproso?", indagou Perón, após Getúlio recusar os convites para encontrá-lo (1953)

Para muitos, foi difícil acreditar que se tratava de uma simples coincidência. Em dois dias consecutivos, duas aeronaves Douglas C-47 da FAB, ambas pertencentes à frota presidencial, sofreram inusitados acidentes. No dia 12 de setembro de 1953, ao aterrissar no Aeroporto Santos Dumont, o primeiro avião apresentou defeitos no sistema de frenagem e, após percorrer toda a pista sem conseguir parar, despencou ao final da cabeceira para mergulhar de bico nas águas da baía da Guanabara. O motor, a parte dianteira da fuselagem e as duas asas submergiram por completo. Apenas a cauda ficou acima da superfície, inclinada para cima. Felizmente, não havia passageiros a bordo. Depois de algum esforço, piloto (major-aviador Hernani Hilário Fittipaldi, também ajudante de ordens do presidente) e copiloto (major-aviador Celso Macedo) conseguiram sair ilesos.[1]

Devido a isso, Getúlio precisou embarcar em um avião reserva, no dia seguinte, para a Fazenda Itu, numa viagem de férias. O voo direto até São Borja transcorreu sem problemas. Mas, no momento da aterrissagem, o major-aviador Hernani Fittipaldi foi obrigado a fazer uma manobra de emergência. O avião desceu em velocidade acima do normal e, como a pista era curta, quase descambou coxilha abaixo. Não havia espaço suficiente para arremeter e a alternativa foi travar a roda direita e ao mesmo tempo acelerar o motor esquerdo, fazendo o aparelho derrapar para o lado, numa guinada popularmente conhecida como "cavalo de pau". O piloto atribuiria o incidente a um forte vento de cauda, que exigiu o pouso em circunstâncias atípicas.[2]

"Disseram-me que eu não devia viajar no dia 13, mas eu quis fazer mais um teste da sorte", comentou Getúlio ao desembarcar, procurando demonstrar tranquilidade e bom humor, ao mesmo tempo em que se refazia do susto.[3]

No Rio de Janeiro, o percalço em São Borja foi minimizado por uma nota oficial do Ministério da Aeronáutica. Tudo não teria passado de um pequeno desarranjo em uma das rodas do trem de pouso, segundo o comunicado. "O aparelho desceu normalmente", assegurava o informe, que não conseguiu impedir o surgimento das inevitáveis teorias conspiratórias. Por medida de segurança, um terceiro avião foi enviado à Fazenda Itu, para ficar à disposição do presidente.[4]

A própria partida de Getúlio rumo ao interior do Rio Grande do Sul já provocara toda sorte de ilações. Na versão oficial, a ida para São Borja serviria como um breve período de repouso do presidente. Durante dez dias, ele iria apenas campear, tomar chimarrão e assar churrasco. Depois de mais de um ano e meio de trabalho ininterrupto, mesmo um chefe de Estado teria direito a uma merecida folga. Entretanto, houve quem interpretasse a viagem como uma estratégia dos assessores para afastá-lo momentaneamente do núcleo dos escândalos políticos.

O segundo semestre começara com um vendaval de novas denúncias contra o governo. Além da CPI da *Última Hora*, que continuava a colher depoimentos no Congresso, a Carteira de Exportação e Importação (Cexim) do Banco do Brasil passou a ser uma central geradora de notícias negativas. A rigor, a Cexim tinha como função expedir licenças prévias de importação, priorizando itens de primeira necessidade em detrimento de bens supérfluos. Visava-se, em tese, evitar os desequilíbrios na balança comercial e a chamada "farra dos importados" registrada durante o governo Dutra. Na prática, contudo, tal sistema havia se transformado em um explícito balcão de negócios, propiciando uma porta aberta para o tráfico de influências. Virou regra a cobrança de propinas para a emissão das guias de importação, bem como se tornaram públicos os favorecimentos a aliados políticos do governo. Transações licenciadas sob o carimbo de "produto prioritário" — como trigo, remédios e maquinário industrial — serviam de camuflagem para contrabandos de artigos de luxo. Em vez de controlar as compras ao exterior, a Cexim abriu as comportas e fez as importações saltarem de 900 milhões de dólares anuais para quase o dobro disso, entre 1951 e 1952.[5]

As denúncias no setor envolviam gente muito próxima ao Catete. Foi um próprio parlamentar da base aliada, Napoleão de Alencastro Guimarães (PTB-DF), quem subiu à tribuna do Senado e comentou as notícias sobre irregularidades nas licenças de importação destinadas à compra de dois automóveis por parte do serviço de transportes da presidência da República. Em substituição aos Cadillac então em uso, o palácio encomendara à britânica Rolls-Royce uma limusine fechada e outra conversível com capota de lona (esta última serve até hoje ao Palácio do Planalto, sendo utilizada em solenidades especiais, como as posses de presidentes e as comemorações do Dia da Pátria, em Brasília). Porém, a firma importadora, a Companhia Comercial de Motores e Veículos, aproveitou a ocasião para trazer de cambulhada outros dois luxuosos Rolls-Royce, posteriormente vendidos a particulares.[6]

"Pergunto, senhores senadores: é para esse objetivo que existe a licença prévia?", indignou-se Alencastro Guimarães. "É para esse fim que se fazem restrições de importação e exportação? É para isso que se impõem vexames de toda natureza a quem trabalha, a quem produz, a quem importa, a quem paga impostos?"[7]

Revelada a operação, o importador tentou justificar que as duas limusines e os dois outros sedans teriam sido despachados na Inglaterra para permitir ao governo brasileiro maior possibilidade de escolha entre os modelos disponíveis. Mas a explicação não era sequer plausível. Os dois Rolls-Royce encomendados pelo Catete possuíam carrocerias com características específicas. Entre outros detalhes, o governo solicitara à fabricante o reforço de chapas de aço no para-choque traseiro e nos estribos laterais — para suportar o peso dos guarda-costas —, além da instalação de pequenos mastros para o uso de bandeiras oficiais nos para-lamas dianteiros. Tais detalhes não constavam dos outros dois veículos, um preto e outro cinza, faturados respectivamente em nome da Imobiliária Santa Therezinha, empresa pertencente à família Maluf, e do magnata Antônio Joaquim Peixoto de Castro, dono de uma das maiores fortunas do país à época.[8]

A cada dia pipocavam escândalos, uns maiores, outros menores, nos mais diversos setores da administração pública — fato que levou Carlos Lacerda a cunhar a expressão "mar de lama" para definir o fenômeno. Segundo os oposicionistas, a corrupção se tornara endêmica no país. As denúncias envolviam de irregularidades na concessão das loterias federais a compras de locomotivas para a Central do Brasil sem licitação. Um caso sucedia o outro, em um encadeamento permanente de revelações comprometedoras. Numa semana, levantavam-se suspeitas sobre o sumiço de milhares de sacas de arroz dos armazéns reguladores do governo. Em outra, questionava-se a compra de toneladas de carne uruguaia a preços superiores aos do mercado internacional. Até mesmo a doação feita por Getúlio de um carro de corrida ao piloto Chico Landi — primeiro automobilista brasileiro a disputar uma prova internacional de Fórmula 1 — entrou no rol das acusações. Nesse caso, alegou-se malversação de recursos públicos, pois a conta acabou sendo espetada no Banco do Brasil.[9]

Ante a soma de escândalos, a oposição se dizia estarrecida. O discurso em defesa da moralidade pública logo daria origem a iniciativas como o Movimento Cívico de Recuperação Nacional, instituído em São Paulo pelos estudantes da Faculdade de Direito, com o apoio decisivo de políticos como Carlos Lacerda, Jânio Quadros e Otávio Mangabeira. No Rio de Janeiro, organizou-se a Aliança Popular contra o Roubo e o Golpe, com imediata adesão de filiados da UDN. Mas nenhum desses grupos que se arvoravam como defensores da moral e dos bons costumes políticos ganhou tamanha notoriedade quanto o Clube da Lanterna, idealizado por Lacerda e presidido pelo jornalista Amaral Neto — futuro apresentador do programa *Amaral Netto, o Repórter*, espécie de porta-voz informal do regime militar instaurado após 1964.[10]

O Clube da Lanterna — cujo slogan se dizia "Pela democracia, contra a corrupção" — recebera tal nome em referência ao símbolo da *Tribuna da Imprensa*, uma lanterna estampada no cabeçalho do jornal, a representação da "luz da verdade", segundo o fundador Carlos Lacerda. O rival Samuel Wainer, contudo, preferia atribuir a insígnia a uma metáfora futebolística, já que a *Tribuna*, apesar do estardalhaço em torno de seus editoriais e reportagens, continuava sendo o "lanterninha" em termos de circulação e números de exemplares vendidos no Rio de Janeiro.[11]

Se Getúlio decidira viajar a São Borja para sair do foco central das denúncias, o estratagema falhou. Em 17 de setembro, véspera do sétimo aniversário da Constituição, o *Diário da Noite* estampou na primeira página, com letras que tomavam quase um terço de toda a mancha tipográfica, a manchete acusatória:

A AUSÊNCIA

DE VARGAS[12]

O título vinha ilustrado por uma foto de Getúlio em São Borja, de botas, bombachas e faca em punho, debruçado sobre um fogo de chão onde era assado um típico churrasco gaúcho. "Nos círculos políticos, comentava-se a coincidência realmente impressionante: todos os dias 18 de setembro, em que representantes de todas as correntes celebram a data da Carta Magna, há sempre um grande ausente, o sr. Getúlio Vargas", dizia o texto, assinado pelo jornalista Nertan Macedo. "Estamos, pois, diante de um caso típico de alergia constitucional."[13]

A insinuação estava relacionada a uma nova suspeita. Getúlio teria ido ao interior do Rio Grande com um objetivo inconfessado: cruzar a fronteira do Brasil com a Argentina para, em algum lugar no limite entre os dois países, manter um encontro secreto com Juan Domingo Perón.

Quando se soube que a viagem de férias incluíra uma ida à Estância São Pedro, a suntuosa propriedade de Batista Lusardo, em Uruguaiana, tal suposição ganhou ainda mais força. Lusardo, nomeado pela terceira vez embaixador na Argentina, orgulhava-se de ser amigo íntimo de Perón. Ao retornar ao posto, em 1951, tivera a honra de ser recebido no aeroporto de Buenos Aires pelo próprio presidente argentino, que quebrou o protocolo diplomático e foi aguardá-lo ao pé da escada do avião.

"*Mi querido Embajador!*", dissera Perón, dando-lhe um abraço apertado.[14]

O presidente Juan Domingo Perón já fizera pelo menos meia dúzia de tentativas de conversar com o colega brasileiro Getúlio Vargas, que sempre arranjava uma forma de se esquivar do assunto. Na maioria dos casos, Lusardo trabalhara para intermediar o encontro, seguidamente procrastinado pelo presidente brasileiro. As iniciativas, todas frustradas até aquele momento, datavam de algum tempo. Ainda em agosto de 1945 — antes do fim do Estado Novo, portanto —, o então vice-presidente e ministro da Guerra argentino manifestara pela primeira vez tal interesse a Lusardo.[15]

"Mais adiante, pode ser; é um caso a ser examinado", protelara Getúlio, mudando de conversa.[16]

Outros emissários também haviam feito contatos no mesmo sentido. João Goulart, que no final de 1950 estivera em Buenos Aires negociando a importação de carne, voltara ao Brasil como portador de uma proposta de Perón para que o então presidente eleito Getúlio Vargas o encontrasse em uma embarcação no rio

Uruguai, diante da Estância São Pedro, em caráter reservado. De novo, a sugestão foi ignorada. Dias depois, o próprio vice-presidente da Argentina, Hortensio Quijano, estivera em Uruguaiana, com idêntico propósito.[17]

"Seu Lusardo, o chefão da Argentina insiste num encontro comigo antes que eu vá para o Rio", comentou Getúlio.[18]

Ao ser questionado por qual motivo vinha evitando a reunião, Getúlio deu uma resposta lacônica: "Ah, seu Lusardo, com esses milicos não se brinca..."[19]

O interlocutor ficou na dúvida se Getúlio aludira ao próprio Perón, que era militar, ou aos generais brasileiros, que entendiam as ações políticas do presidente da Argentina como uma ameaça constante à paz continental. O fato é que, mesmo depois de tomar posse, passado o perigo da impugnação eleitoral, Getúlio continuou evitando todas as possibilidades de confabular com o argentino.[20]

No início daquele ano de 1953, Lusardo lhe comunicara, pela enésima vez, que Juan Domingo Perón seguia firme no interesse de agendar, enfim, o almejado encontro. O argentino estava com viagem marcada para Santiago, onde iria discutir com o colega chileno, Carlos Ibáñez, a adoção de medidas econômicas bilaterais entre os dois países. Perón, contudo, desejava tratar previamente com Getúlio sobre o estabelecimento de um programa comum entre as três nações, para que juntas formassem um bloco continental alternativo à polarização mundial entre Estados Unidos e União Soviética.[21]

"Manifestou o presidente Perón que ele fizera" questão que seu amigo, o presidente Vargas, fosse o primeiro a saber da ida dele ao Chile", comunicou Lusardo em carta a Getúlio, após o Catete não ter providenciado nenhum retorno oficial sobre o assunto. "Pediu-me que lhe desse a conhecer essas suas reflexões e que, se possível, o meu presidente lhe dissesse o que pensa de tudo isso."[22]

Após o lembrete, Getúlio liberou Perón para seguir as negociações com Ibáñez, prometendo encontrá-lo no momento oportuno. Na viagem à capital chilena, o argentino não viu problemas então em anunciar, publicamente, os preparativos para a revitalização do chamado "Pacto ABC" — sigla formada pelas iniciais de Argentina, Brasil e Chile. Retomava-se assim uma antiga ideia do barão do Rio Branco, celebrada em tratado triplo de aproximação em 1915, tornado letra morta pelos desdobramentos geopolíticos da Primeira Guerra Mundial.[23]

O discurso de Perón em Santiago foi largamente divulgado pelas agências de notícias internacionais. Mas a possibilidade de um "pacto entre três caudilhos" seria recebida com alarme por setores do Congresso e pela maioria da imprensa brasileira. O projeto peronista de formar um bloco político e econômico no Cone Sul passou a ser classificado, sobretudo pelos udenistas, como uma versão latina e mal-ajambrada do *Anschluss* nazista — a anexação militar da Áustria pela Alemanha de Hitler em 1938. Cogitava-se que, ao propor o projeto de integração, Perón estaria, na verdade, dissimulando a intenção de controlar, hegemonicamente, a América Latina.

"O general Perón não parece ter nenhum receio de que, em vez de ele englobar o Brasil, os 50 milhões de brasileiros saibam defender-se", protestou o *Correio da Manhã*, em editorial. "Está claro que o presidente da República Argentina confia na força para realizar a operação da qual os seus conselheiros alemães bem sabem o nome técnico: *Anschluss*", sustentou o *Correio*. "Nossa resposta é quase monossilábica: não, não, nunca."[24]

Na ocasião, o ministro das Relações Exteriores ainda era João Neves da Fontoura, que repeliu energicamente as palavras do presidente argentino. Em nota oficial, Neves afirmou que o país não teria nenhum interesse em abandonar o arco maior da aliança pan-americana, capitaneada pelos Estados Unidos, para aderir a um bloco regional alternativo, "subordinado à Argentina". De acordo com o Itamaraty, Perón não estava autorizado, de modo algum, a falar pelo Brasil.[25]

"Tenho impressão de que a maluquice é tamanha que se destrói por si mesma, inclusive porque os chilenos são muito ciosos de sua soberania e, no fundo, historicamente nunca gostaram dos argentinos", escreveu João Neves a Getúlio. "De qualquer forma, a coisa é grave como sintoma da megalomania do Perón e do seu desejo de dominar o continente."[26]

Restaria a desconfiança histórica de que Getúlio estivesse, como de hábito, fazendo jogo duplo. Pusera Perón indefinidamente em banho-maria, evitando um desgaste frontal com o país vizinho, ao passo que autorizava o Itamaraty a desmentir qualquer acordo de cooperação política com Buenos Aires.[27]

Na volta de Santiago, Perón mandou chamar Lusardo à Casa Rosada. Disse estar contrariado pelo fato de que no Brasil, inclusive nos círculos oficiais diplomáticos, tivessem lido em suas palavras certos intuitos bélicos e imperialistas, quando apenas propugnava uma aliança estratégica, por meio de parcerias aduaneiras e de tratados de cooperação política — um embrião do que mais tarde viria a ser batizado de Mercosul. Ademais, dizia não entender por que Getúlio continuava a evitá-lo, recusando-se a discutir a questão de forma transparente.

"Por acaso eu sou um leproso?", questionara Perón a Lusardo, que repassou tais insatisfações ao Catete.[28]

Ainda assim, Getúlio continuou postergando o caso. Em vez de acatar as sugestões de Perón, mandou um emissário informal a Buenos Aires — o jornalista Geraldo Rocha, seu amigo, diretor da revista *O Mundo Ilustrado* —, que foi mensageiro de um pedido de desculpas pelo incidente diplomático provocado por João Neves. Rocha ficou encarregado de explicar que a conjuntura política no Brasil atingira níveis críticos de tensão. O Catete vinha sofrendo pressões de todos os lados: das Forças Armadas, do Congresso, da imprensa, de Eisenhower. Havia seca no Nordeste e geadas no Sul, com inevitáveis reflexos na economia. Qualquer passo em falso serviria de pretexto para os que pregavam a tese do "golpe preventivo". Um encontro entre os dois, naquelas circunstâncias, poderia ser o estopim de uma crise de consequências imprevisíveis.[29]

"Recebi sua mensagem por intermédio do amigo Geraldo Rocha. Muito agradeço suas amáveis lembranças", escreveu Perón, mais sereno, a Getúlio. "O que ele me disse aclara para mim uma situação confusa referente aos últimos acontecimentos, pois era difícil para mim relacionar sua opinião sobre minha viagem ao Chile com as declarações do ministro das Relações Exteriores do Brasil e o ataque sistemático da imprensa de seu país", respondeu. "[Agora] me dou conta da difícil situação política em que você está envolvido. [...] Só desejo reafirmar que sigo leal e sinceramente na posição de sempre. [...] Estou, como sempre, às suas ordens. [...] Receba uma saudação afetuosa de seu amigo, Juan Perón."[30]

Apesar do clima temporariamente mais amistoso entre os dois chefes de Estado, não existe nenhuma evidência concreta de que Getúlio, naquelas férias de dez dias em São Borja, tenha aproveitado a ocasião para finalmente estabelecer algum contato direto com Perón. Não há registros disso nas centenas de milhares de páginas do acervo pessoal de Vargas, bem como se desconhecem provas documentais oriundas de qualquer outra fonte confiável. Mas a simples presença do presidente em uma zona de fronteira com a Argentina foi o bastante para que brotassem as mais variadas especulações a respeito.

Quando Getúlio retornou ao Rio de Janeiro, em 23 de setembro, a oposição dava como certa a versão de que ele fora combinar os termos de uma aliança militar e política com as forças peronistas — o que só aumentou a estridência das críticas e denúncias contra o governo. De forma reativa, o presidente afastou Batista Lusardo do posto de embaixador, nomeando Orlando Leite Ribeiro para o cargo. A partir desse momento as avaliações que chegavam à Casa Rosada sobre a situação objetiva do Catete já não eram muito animadoras. Os observadores da embaixada platina no Brasil descreviam Getúlio como um governante encurralado entre as paredes do próprio palácio.

"As verdadeiras funções dirigentes [no Brasil] vêm sendo exercidas pelo parlamento e pela imprensa", dizia um relatório secreto do embaixador argentino Juan Cookes aos superiores.[31] "O estado de saúde do presidente tem gerado muitos comentários. Embora não se possa falar em decadência senil, é evidente que ele está longe de ter a agilidade mental de há alguns anos", afirmava outro comunicado da embaixada. "Durante uma entrevista que tivemos com o presidente Vargas, em determinado momento ele perguntou ao diretor do Departamento Econômico do Itamaraty, embaixador Décio Moura, 'que cota de farinha de trigo se importava, atualmente, dos Estados Unidos'. Com seriedade e pouca habilidade, o citado funcionário respondeu: 'Mas, senhor presidente, v. exa. acabou de assinar, há poucos dias, um decreto proibindo a sua importação'."[32]

Quando dissera a Luiz Vergara que ainda tinha algo de muito importante a fazer à frente do governo, Getúlio estava se referindo àquilo. Rodeado por todos os assessores, sentado à mesa negra de jacarandá do gabinete de despachos, molhou a pena no tinteiro e assinou a lei nº 2004, de 3 de outubro de 1953. Depois de 22 meses de tramitação na Câmara e no Senado, justamente quando o governo se via imerso em uma aguda crise política, estava criada, em caráter oficial, a maior empresa nacional de todos os tempos, a Petróleo Brasileiro S.A. — Petrobras.[33]

A data não fora escolhida por acaso. O simbolismo estava evidente. Getúlio fizera coincidir a sanção do projeto, aprovado em definitivo e remetido pelo Congresso no final de setembro, com o aniversário do estopim da Revolução de 1930. Após a solenidade, ele falou ao microfone instalado no palácio, pronunciando um discurso que seria retransmitido para todo o país, pela *Voz do Brasil*.

"Ultrapassada a primeira metade do meu mandato presidencial, conforta-me verificar que, apesar de tantos obstáculos, o meu governo apresenta um acervo considerável de serviços e realizações", disse.[34]

Getúlio passou em revista algumas das ações desenvolvimentistas implementadas ou continuadas a partir de sua volta ao governo, em 1951. Entre outras medidas, citou o avanço na construção da usina de Paulo Afonso; os trabalhos da refinaria de Cubatão; a segunda usina siderúrgica de Volta Redonda; a ampliação da Vale do Rio Doce; a reestruturação da Fábrica Nacional de Motores (FNM); a fundação do Banco Nacional de Desenvolvimento Econômico (BNDE) e do Banco do Nordeste do Brasil (BNB); além dos estudos para o estabelecimento de um Plano Nacional de Eletrificação — responsável pelo projeto da futura Eletrobras.[35]

Sintomaticamente, a *Última Hora* foi o único jornal a dar destaque positivo na primeira página para a assinatura da lei que criava a gigante estatal do petróleo. VENCEU O POVO, dizia o título, acompanhado da foto de Getúlio. "A sanção presidencial ao projeto da Petrobras — ato da mais transcendente importância histórica — não conseguiu despertar o silêncio tumular de certa imprensa, porta-voz dos inimigos do Brasil e da sua soberania", criticava o texto.[36] Na realidade, os outros jornais não haviam ignorado a informação, mas apenas reservado para ela um espaço menor, nas páginas internas. A escassez do noticiário, porém, era inversamente proporcional ao espaço concedido ao tema nos editoriais e comentários assinados, sempre ácidos.

No *Diário da Noite*, Assis Chateaubriand escreveu o artigo "Capricho caro", reprovando a opção brasileira pelo monopólio nacional. "Os americanos do Norte não tiveram até hoje um só dos seus governos que se submetesse à tentação de nacionalizar a pesquisa ou a indústria de petróleo; assim como os canadenses", comparou Chatô. "Se essa lição parte das duas nações melhor administradas na terra, por que fomos adotar aqui um sistema peculiar a xenófobos de países atrasados, inferiores?"[37]

O *Correio da Manhã* classificou a Petrobras como uma "aventura de nacionalistas rasteiros" que defendiam "monstruosidades como o monopólio estatal petrolífero". "Já não dispomos de tempo para experiências que estão sempre sujeitas a fracassar", argumentou o *Correio*, que comparava o Brasil a uma casa entregue ao fogo. "Que diríamos de um indivíduo que, diante de sua residência em chamas, passasse a exigir carteiras de identidade e atestados de boa conduta dos transeuntes que se prontificassem a ajudá-lo a debelar o incêndio?", indagava.[38]

"Esse projeto não constitui apenas um entrave à solução do problema do petróleo; significa fechar as portas ao capital estrangeiro", declarou aos Diários Associados o deputado udenista Plínio Pompeu, que seguia o mesmo raciocínio e discordava do apoio de seu partido à aprovação da matéria. "[A Petrobras] é um convite para que se retirem do Brasil os que colaboram conosco. A culpa é do governo, que não teve coragem de resistir à onda comunista e nos deu esse projeto horrível que aí está", avaliou o político. "O nacionalismo tacanho levará ao fracasso, dentro de um ano, no máximo, a exploração de petróleo no Brasil."[39]

Para os opositores, na busca de argumentos para levar a Petrobras ao pelourinho, valia até mesmo elogiar Juan Domingo Perón, que acabara de franquear, na Argentina, a exploração do setor às empresas multinacionais. "Perón aguardava apenas que a Petrobras fosse aprovada, fechando hermeticamente o Brasil à ajuda financeira americana ou de outra origem qualquer, para escancarar sabiamente o seu país à entrada de capitais para o petróleo", sublinhou o jornalista e escritor liberal Austregésilo de Athayde. "Chegou para a Argentina a hora de fazer bons negócios."[40]

Quanto ao Brasil, nas palavras de Chatô, restaria apenas "pagar caro por esse nacionalismo desatinado".[41]

Nas charges das revistas satíricas, o ministro Oswaldo Aranha passou a ser retratado como um mágico que tentava levantar, em vão, um defunto — a moeda nacional, o cruzeiro.[42] A inflação continuava fora de controle. O déficit público e os atrasados comerciais também não paravam de inflar, batendo recordes históricos.

Uma semana depois da assinatura da lei da Petrobras, o governo anunciou uma última cartada para evitar o colapso geral da economia. O chamado "Plano Aranha" receitava uma série de medidas administrativas que, em síntese, buscavam agilizar os mecanismos fiscais, lubrificar a máquina arrecadadora, controlar a crise cambial e conter a espiral inflacionária. A Cexim e as licenças prévias, reconhecidas como fonte inesgotável de corrupção, foram extintas. Um complexo sistema de taxas múltiplas de câmbio começou a ser posto em prática, visando proteger a indústria nacional e gerar novas fontes de recursos para o governo.[43] Com o intuito de traduzir o economês, Oswaldo Aranha comparou a situação do país à de um chefe de família cuja conta no armazém da esquina se tornara impagável.

"Vendo-se em perigo, convoca todos os membros da família para trabalhar mais, a fim de cobrir as despesas", ilustrou.[44]

De imediato, a execução do pacote econômico — elogiado à época por um dos principais economistas liberais do país, Eugênio Gudin[45] — se refletiu no comportamento positivo da balança comercial. O déficit de 21 milhões de dólares registrado entre janeiro e junho de 1953 deu lugar a um superávit de 241 milhões no segundo semestre.[46] Porém, em reunião ministerial, Oswaldo Aranha reconheceu que os frutos do plano de estabilização haviam ficado muito aquém do planejado.

"A conjuntura interna se agravou sob muitos aspectos, pois não foi possível deter a inflação, suas consequências, desequilíbrios e malefícios", dizia o relatório entregue por Aranha ao presidente da República. "Os seis primeiros meses de minha administração não produziram os resultados mínimos que eu poderia esperar e foram de redução do poder de compra do cruzeiro, interna e externamente, de elevação do custo de vida, de expansão dos meios de pagamento e de desequilíbrio geral, sobretudo de custos, preços, inversões e salários."[47]

Os gastos públicos seguiam elevados e a inflação, ao final daquele ano, atingiria o índice alarmante de 21% — o que representava um aumento de 73% sobre os números de 1952. O fato gerava pressões dos sindicalistas por novos aumentos salariais, o que angustiava o ministro da Fazenda e o colocava em cabo de guerra com o titular da pasta do Trabalho, João Goulart, defensor de reajustes reais do salário mínimo.[48]

Novas greves se sucederam pelo país inteiro, e os presidentes dos sindicatos dos metalúrgicos, gráficos, estivadores, borracheiros e empregados das indústrias de bebidas do Rio de Janeiro articularam a Frente dos Trabalhadores Brasileiros, sob forte influência do clandestino Partido Comunista.[49] No dia 12 de novembro, o jornal *Imprensa Popular*, ligado ao PCB, convocou os cariocas para um grande "Comício contra a carestia" e contra "a quadrilha do governo Vargas".[50]

"A experiência já demonstrou que quando se trata da defesa dos interesses nacionais, e não de meras negociatas, o sr. Vargas só se mexe empurrado pelo povo", disse Luís Carlos Prestes, em entrevista à publicação. "É indispensável que o povo unido imponha sua vontade ao governo. Trata-se de defender os interesses da esmagadora maioria da nação."[51]

A notícia boa, para Getúlio, era que a CPI da *Última Hora*, após cinco meses de interrogatórios, não conseguira levantar nenhuma prova de que ele houvesse cometido, pessoalmente, qualquer crime de responsabilidade no caso. O relatório final da comissão parlamentar de inquérito concluíra que Samuel Wainer obtivera vantagens financeiras e inúmeras facilidades nos meios oficiais, mas esse favoritismo teria partido de amigos e prepostos do governo, não diretamente do presidente da República.[52]

"Dúvida não há quanto à simpatia pessoal de que gozava o senhor Samuel Wainer por parte do presidente Getúlio Vargas e ainda goza por parte de pessoas ligadas pelo sangue ou por amizade íntima ao chefe da nação", afirmava o relatório. Contudo, o único ato pessoal em favor do jornalista, segundo as conclusões da CPI, fora uma carta escrita por Getúlio saudando o surgimento da publicação, em 1951, estampada no primeiro número da *Última Hora*. O episódio, a rigor, não configurava nenhum crime.[53]

Ao mesmo tempo, a CPI apontou que o Banco do Brasil, na gestão de Ricardo Jafet, fornecera empréstimos milionários a Wainer sem as devidas garantias contábeis. "Impressiona também o fato de tantos homens de grandes negócios, sempre tão ciosos das garantias e dos lucros na aplicação do seu dinheiro, [...] terem com uma magnanimidade sem par e um desinteresse absoluto por garantias e lucros fornecido vultosíssimos recursos pecuniários ao jornalista pobre, que apresentava como credencial única a sua inegável capacidade profissional e a prestigiosa apresentação pública do presidente Vargas, na carta já aludida."[54]

Lutero, o filho mais velho de Getúlio, foi apontado junto com Euvaldo Lodi como principal intermediário da relação entre Wainer e os investidores privados. "Inquiridos pela comissão, tanto o deputado Lutero Vargas e o deputado Euvaldo Lodi quanto os senhores Francisco Matarazzo, Walther Moreira Salles, Ricardo Jafet e Samuel Wainer negaram firme e expressamente qualquer ordem, pedido ou insinuação direta do presidente Getúlio Vargas em favor do fundador da *Última Hora*."

A CPI decidiu encaminhar cópias do relatório final, "para as providências cabíveis", ao Palácio do Catete, ao procurador-geral da República e à diretoria do Banco do Brasil. A Justiça Criminal do Distrito Federal recebeu a íntegra dos documentos, incluindo-se as transcrições dos depoimentos das 27 testemunhas ouvidas pelos parlamentares, "para processo e julgamento dos responsáveis pelas faltas verificadas".[55]

Ao receber a papelada, Getúlio determinou que as dívidas da *Última Hora* que estivessem em aberto fossem executadas pelo Banco do Brasil em 24 horas, sob pena de o jornal ser fechado, no caso de descumprimento da ordem. Desesperado, Samuel Wainer conseguiu que Bejo Vargas convencesse o irmão a negociar um prazo maior, de oito dias, para conseguir honrar o pagamento.[56]

Em agosto, o jornalista transferira oficialmente a direção da empresa para

Baby Bocaiuva, nome ao qual viria se somar o de Danton Coelho, com o objetivo de contornar a polêmica relacionada à sua nacionalidade estrangeira. Abaixo do logotipo, Bocaiuva constava como diretor-responsável, e Danton como diretor-presidente. Mas Wainer continuava a ser o proprietário de fato do jornal, e teve ele próprio de recorrer a amigos para amealhar o valor correspondente aos títulos já vencidos, que totalizavam 2,5 milhões de cruzeiros — os títulos a vencer seriam posteriormente renegociados. A quantia foi paga com dinheiro em espécie, entregue diretamente no gabinete do novo presidente do Banco do Brasil, Marcos Sousa Dantas.

"A situação tinha uma grande carga de dramaticidade, mas não deixava de ser ridícula: dois ou três funcionários foram convocados para contar, uma a uma, as cédulas que eu levara — era um monte de dinheiro", recordou Wainer em suas memórias.[57]

No tradicional discurso de final de ano, transmitido pelo rádio em 31 de dezembro, Getúlio previu que o Brasil, em 1954, encerraria de vez o "ciclo das grandes provações".

"No pórtico deste Ano-Novo, sinto a alma plena de confiança e de otimismo", disse, ao anunciar que o início do funcionamento da Petrobras e a execução do Plano Nacional de Eletrificação transformariam a estrutura econômica e a própria fisionomia do país, "abrindo um novo e portentoso ciclo de prosperidade".

"Tranquilos, confiantes, de ânimo forte, aguardemos os acontecimentos que o Ano-Novo nos reserva, na certeza de que só poderão contribuir para o progresso do Brasil, para o desenvolvimento de suas instituições políticas e para a felicidade e o bem-estar de seu povo", previu. "Enquanto a recuperação material do país oferece perspectivas tão animadoras, não descura o governo de satisfazer às necessidades mais prementes dos que se dedicam ao trabalho produtivo", prosseguiu, para então informar que o governo iniciara um levantamento geral do custo de vida em todo o país, no intuito de obter os números que serviriam de base para o reajustamento do novo salário mínimo.

"Devemos confiar em que os empregadores, beneficiados por fartos lucros, compreenderão a necessidade de proporcionar aos empregados uma remuneração mais compensadora, capaz de assegurar o sustento do seu lar, a educação dos seus filhos, a tranquilidade e o conforto de suas famílias", concluiu.[58]

Sem o saber, Getúlio acabara de dar a senha para os opositores fazerem de 1954 — "os dias novos que vamos viver" —, na verdade, os últimos dias de seu governo. E, por consequência, de sua vida.

15. Coronéis lançam um manifesto contra o governo e deputados votam o impeachment de Getúlio (1954)

"O feitiço se voltou contra o feiticeiro", relatou o informante do Catete, encarregado de monitorar o grande comício pelo aumento do salário mínimo ocorrido na esplanada do Castelo, em 28 de janeiro de 1954, uma quinta-feira. Patrocinado pelo Ministério do Trabalho, o evento chapa-branca teve o sentido original invertido. As lideranças comunistas monopolizaram o palanque e a militância de esquerda vaiou os oradores favoráveis ao governo. O que era para ser uma festa virou protesto. "Um movimento, financiado pelo fundo sindical, vem, no fim, se transformar em uma manifestação de desagrado ao presidente Vargas", informou o relatório apresentado a Getúlio.[1]

Os sindicalistas haviam expandido a pauta original da concentração popular. Exigiram, além de uma elevação de 100% do salário mínimo, o congelamento dos preços dos artigos de primeira necessidade retroativo a junho do ano anterior. Faixas e cartazes pediam a regulamentação de direitos trabalhistas que continuavam à espera de leis específicas, como a participação dos empregados nos lucros das empresas e a estabilidade funcional. Categorias que estavam de braços cruzados aproveitaram a oportunidade para angariar recursos para o fundo de greve. Uma bandeira, sustentada na horizontal pelas quatro pontas como se fosse uma rede de pesca, recolheu cédulas e moedas atiradas pelo público. Simpatizantes de

Getúlio ainda tentaram distribuir panfletos e santinhos com o retrato de Jango, mas foram rechaçados pelos companheiros, que fizeram papel picado dos impressos governistas.[2]

"Só com o povo lutando nas ruas é que o Brasil será salvo da ruína total", discursou o deputado socialista Breno da Silveira, um dos mais aplaudidos da noite.[3]

O jornal *Imprensa Popular* celebrou o episódio como "uma vitória dos trabalhadores e uma derrota da política demagógica do governo Varga.". A matéria de primeira página da folha comunista trazia a seguinte avaliação: "A massa demonstrou, da maneira mais vigorosa, seu repúdio à política do ministro João Goulart, que tenta iludir os trabalhadores com migalhas, procurando, assim, desviar sua atenção das lutas por melhores condições de existência. Ontem, ficou demonstrado que os trabalhadores encostam os demagogos à parede".[4]

Os manifestantes decidiram ir ao Catete em comissão na manhã seguinte, para apresentar ao presidente da República um documento contendo as reivindicações. Para sua surpresa, encontraram a porta do palácio aberta. Getúlio mandou dizer-lhes que, por uma questão de princípio, tendia a considerar "justos os reclamos da classe trabalhadora", e por esse motivo se comprometia a estudar os itens propostos. Porém, não atendeu pessoalmente ao grupo, alegando conflitos de agenda. Encarregou o chefe do Gabinete Civil, Lourival Fontes, de recepcionar os visitantes.[5]

No sábado à tarde, dia 30 de janeiro, Getúlio viajou a Petrópolis, para desfrutar da temporada serrana de cada início de ano, na residência oficial de verão. Foi de lá, do Palácio Rio Negro, que pronunciou na segunda-feira, 1º de fevereiro, o discurso comemorativo do terceiro aniversário do governo. A fala, retransmitida para todas as emissoras do país por meio da *Voz do Brasil*, foi marcada por forte acento nacionalista. Getúlio voltou a justificar a política de restrição à remessa de lucros e reafirmou o compromisso de promover a independência nacional nos setores estratégicos do petróleo, da siderurgia e da energia elétrica. Não esqueceu, ao final, de mandar uma sinalização positiva à classe operária.

"Não tenho a menor dúvida de que feri muitos interesses em cheio", disse, referindo-se à questão dos repasses ao exterior. "Estancadas as sangrias mais profundas que determinavam o esgotamento da energia do trabalho brasileiro, podíamos melhor seguir o caminho dos nossos destinos", argumentou. "Não é mais possível manter uma sociedade dividida entre o pequeno grupo do capital, que tudo tem, e a massa imensa do trabalho, a que tudo falta. Não é mais possível admitir a penúria no meio da opulência, a escassez no meio da abundância."[6]

Dali a dez dias, milhares de trabalhadores da região de Petrópolis e delegados sindicais do Distrito Federal organizaram uma manifestação diante da fachada do Rio Negro. De óculos escuros, Getúlio apareceu na sacada do pavimento superior para saudar a multidão. Contudo, quem falou em seu lugar foi o ministro do Trabalho, João Goulart, que subira à serra no dia anterior.

"Posso assegurar que dentro de muito breve submeterei à decisão do presidente da República a minuta do decreto que fixará os novos níveis de salário mínimo em todo o país", declarou Jango, sem detalhar qual seria o percentual do reajuste. "Espera-se que a medida seja decretada dentro de duas semanas."[7]

Naquela mesma tarde, a edição vespertina de *O Globo* revelou a existência de um movimento de inquietação nos quartéis.[8] A notícia foi confirmada 24 horas depois pelo *Correio da Manhã*, que deu mais informações sobre o caso. O general Ciro do Espírito Santo Cardoso teria convocado em seu gabinete uma reunião do alto-comando das Forças Armadas, após ser comunicado sobre a circulação de um manifesto contra o governo assinado por quase noventa oficiais superiores que serviam em organismos e unidades sediadas no Rio de Janeiro. O vazamento da informação arrastou um enxame de jornalistas para os calcanhares do ministro da Guerra.[9]

Questionado pelos repórteres, o general Ciro Cardoso minimizou o episódio e assegurou que o manifesto, até então mantido em segredo, não representava nenhum ato de indisciplina contra a autoridade do supremo chefe das Forças Armadas — o presidente da República. Ao contrário, tratava-se de um memorando de rotina, estritamente relacionado a questões internas à caserna, e portanto desprovido de qualquer sentido político. Os signatários teriam apenas solicitado a atenção do Catete, a título de colaboração, para a necessidade urgente do reaparelhamento material dos quartéis.[10]

"Não deve haver maior exploração em torno do assunto, que não se reveste do caráter que lhe querem atribuir", descartou o militar.[11]

Em Petrópolis, a assessoria da presidência disse não ter tomado ainda conhecimento oficial do assunto, e garantiu que Getúlio, indiferente à celeuma, seguia despachando normalmente no Rio Negro. Até que recebesse o ministro da Guerra em uma próxima audiência, nada haveria a acrescentar. As evasivas geraram especulações sobre o verdadeiro conteúdo da mensagem dos militares. À direita e à esquerda, as suposições eram as mais variadas, mas convergiam para uma única direção: por certo, as Forças Armadas teriam lançado um ultimato a Getúlio. De acordo com o *Diário da Noite*, de Assis Chateaubriand, o texto deveria conter uma necessária advertência da parte do Exército contra "os manejos sindicalistas do ministro do Trabalho". Enquanto isso, a *Imprensa Popular* chegava à conclusão de que o manifesto seria, no fundo, "um reflexo do descontentamento generalizado contra a catastrófica política de Vargas".[12]

Em 20 de fevereiro, a íntegra do chamado "Memorial dos Coronéis", enfim, veio a público. Ao contrário do que jurara o ministro da Guerra, o conteúdo era explosivo. Dirigido ao alto-comando, o texto discernia no cenário político nacional um "perigoso ambiente de intranquilidade" e vaticinava a ocorrência imediata de "graves tensões".[13]

"Prenuncia-se indisfarçável crise de autoridade, capaz de solapar a coesão da classe militar, deixando-a inerme às manobras divisionistas dos eternos promotores da desordem e usufrutuários da intranquilidade pública", dizia o texto. "Com o comunismo solerte sempre à espreita, serão os próprios quadros institucionais da nação ameaçados, talvez, de subversão violenta." Depois de denunciar "a inadequação e precariedade das instalações militares" e a existência de um "equipamento bélico em grande parte obsoleto", o manifesto mencionava "o clima de negociatas, desfalques e malversação de verbas que, infelizmente, vem nos últimos tempos envolvendo o país".[14]

No antepenúltimo parágrafo, lia-se uma advertência clara ao governo: "A elevação do salário mínimo que, nos grandes centros do país, quase atingirá o dos vencimentos máximos de um graduado resultará, por certo, se não corrigida de alguma forma, em aberrante subversão de todos os valores profissionais". Por fim, o lembrete, com nuances de ameaça: "Ante a gravidade da situação que se está a criar para breve, impõe-se alerta corajoso, pois não se poderá prever que grau de dissociação serão capazes de gerar, no organismo militar, as causas múltiplas de tensões que, dia a dia, se acumulam".[15]

Seguiam-se a assinatura de 82 coronéis e tenentes-coronéis, entre os quais se destacavam os nomes de Adalberto Pereira dos Santos, Alfredo Souto Malan, Amaury Kruel, Antônio Carlos Muricy, Euler Bentes Monteiro, Golbery do Couto e Silva, Jurandir Bizarria Mamede, Silvio Coelho Frota e Sizeno Sarmento — todos futuros participantes do golpe militar que deporia Jango exatos dez anos depois, em 1964.[16]

A repercussão, como não poderia deixar de ser, foi estrondosa. Na Câmara, o deputado Armando Falcão aplaudiu a iniciativa, classificando-a como "um documento elevado e impessoal, que não é contra ninguém, mas a favor do Brasil". Federações patronais seguiram-lhe o exemplo e publicaram entusiasmadas notas de apoio na imprensa. Em São Paulo, ao anunciar que a bancada do PSP passaria a adotar uma atitude de independência em relação ao governo federal, Ademar de Barros distanciou-se de Getúlio e definiu o "Memorial dos Coronéis" como "um gesto de coragem cívica".[17] Uma autointitulada Cruzada Brasileira Anticomunista também divulgou moção de apoio "ao gesto patriótico e dignificante de numerosos oficiais superiores [...] contra a calamitosa situação do país".[18]

Para o governo, em última análise, o memorial representava uma inadmissível quebra de hierarquia, uma afronta à presidência da República. Ao saber do conteúdo do texto pelos jornais, Getúlio convocou o general Ciro do Espírito Santo Cardoso imediatamente a Petrópolis. Queixou-se por não ter sido comunicado, com a devida antecedência, a respeito da gravidade do texto e do clima de rebelião que grassava na caserna.[19]

"O senhor, ao invés de me ajudar, está me criando dificuldades", disse-lhe Getúlio.[20]

A frase, para bom entendedor, valia por uma carta de demissão. Encerrada a audiência, o general Cardoso não podia mais se considerar o titular da pasta da Guerra. Pela avaliação do governo, ele não tivera pulso para segurar a tropa, tolerando que a indisciplina tomasse conta do ambiente. Pela versão oficial, contudo, o próprio ministro entregara o cargo ao presidente da República. Quando Cardoso retornou ao Rio de Janeiro, os repórteres setoristas do ministério lhe pediram maiores explicações sobre sua brusca saída do governo. O general, porém, silenciou. Esvaziou as gavetas, limpou a mesa e deixou o lugar livre para o futuro substituto.[21]

"De ânimo sereno e consciência tranquila, deixo a pasta da Guerra após uma luta de quase dois anos", falou, na solenidade que marcou seu desligamento da função.[22]

Dadas as circunstâncias, restavam poucas opções disponíveis para Getúlio preencher o posto. Desde as últimas eleições do Clube Militar, os sucessivos IPMS haviam produzido um expurgo quase total dos nacionalistas no topo da corporação. Ademais, não convinha a um governo imerso em grave crise de autoridade testar os limites da prudência e nomear, para a pasta da Guerra, outro oficial que não estivesse apto a exercer o completo domínio sobre os subordinados. Informes confidenciais recebidos pelo Catete davam conta de que os generais Cordeiro de Farias, Canrobert da Costa, Góes Monteiro e Juarez Távora, entre outros colegas de equivalente coturno, haviam se solidarizado com os coronéis e manifestado, em círculos reservados, idêntico repúdio ao aumento do salário mínimo.[23]

A alternativa encontrada por Getúlio Vargas foi confiar o cargo ao general Zenóbio da Costa, então comandante da Zona Militar Leste, sediada na capital da República. Embora houvesse apoiado a chapa da Cruzada Democrática e denunciado frequentemente a presença de "comunistas" no Exército, o general Zenóbio cultivava a imagem de sóbrio legalista — em 1950, após as eleições presidenciais, defendera a posse de Getúlio, contrariando a tese golpista da maioria absoluta.[24]

Entre outras tarefas inerentes ao posto, Zenóbio passaria a ficar encarregado da organização de um dispositivo militar minimamente confiável, a fim de que o presidente conseguisse, pelo menos, completar o período de um ano e nove meses que lhe restava de governo. Pela nova configuração, o general nacionalista Estillac Leal foi convidado para assumir o comando da Zona Militar Centro, sediada em São Paulo, e o general Odílio Denys — oficial que se opusera à derrubada de Getúlio em 1945 —, nomeado para o comando da Zona Militar Leste, no lugar do próprio Zenóbio.[25]

"É duvidoso que Getúlio se mantenha na cadeira de presidente até o término do mandato presidencial", considerava, no entanto, a revista norte-americana *Current History*, especializada em política externa.[26]

Getúlio sabia que era imprescindível acalmar os quartéis, o quanto antes. Viu-se obrigado a ceder aos militares e, a contragosto, assinar a demissão de João Goulart. O ministro do Trabalho foi exonerado no mesmo dia em que apresentou ao chefe de governo, em Petrópolis, dois importantes documentos: o primeiro, um anteprojeto que estendia a legislação social aos trabalhadores rurais; o segundo, a minuta do decreto estabelecendo o aumento do salário mínimo em 100%, conforme exigiam os sindicalistas. Mas a destituição punha em dúvida o encaminhamento que Getúlio daria aos papéis.[27]

"[João Goulart] está agora reduzido a pequenas proporções", festejou o *Correio da Manhã*. "Sem o poder de intimidação e de corrupção que o cargo lhe garantia, sem as polpudas verbas do imposto sindical, sem as comodidades fartas dos cofres dos institutos, enfim, sem a máquina eleitoral de que usou e abusou, ele é hoje, afinal, apenas — e por enquanto — o ex-ministro, um presidente primário desse desmoralizado PTB."[28]

As duas mudanças ministeriais, na Guerra e no Trabalho, foram interpretadas como um sintoma indiscutível de fraqueza política. Para os observadores, Getúlio perdera o controle da situação e tivera que fazer concessões à oposição civil e ao setor militar, retrocedendo em terrenos considerados estratégicos para o governo.[29]

Até certo ponto, isso era verdade. Mas tais análises deixavam de levar em consideração o fato de que Getúlio não nomeara um substituto para Jango, mas apenas entregara a pasta, em regime de interinidade, a um burocrata da casa, Hugo de Faria. Na prática, a estrutura do Ministério do Trabalho permaneceu a mesma. Goulart manteve livre trânsito entre as lideranças sindicais ligadas ao governo e seguiu tendo acesso direto ao interino, com quem passou a jantar, com frequência, no Hotel Regente, onde ficava hospedado. Restrito aos bastidores, o ex-ministro ficou à vontade para persistir nas articulações de sempre, agora com a vantagem de estar imune aos bombardeios decorrentes de uma maior exposição pública.[30]

Outro detalhe chamava a atenção dos que circulavam pelos salões governamentais. Getúlio não mandara arquivar a minuta do salário mínimo, elaborada por Jango. Em vez de esquecê-la no fundo de uma gaveta qualquer, deixou-a à mão, aguardando o momento propício para remetê-la aos datilógrafos do Catete.

Gente que gozava da intimidade palaciana chegou a imaginar que o Manifesto dos Coronéis pudesse ter sido obra do próprio presidente, como parte de um plano maquiavélico para tirar Jango temporariamente da linha de tiro e fazê-lo cair de pé, cacifado como líder das massas trabalhadoras e, quem sabe, possível candidato à sucessão.[31]

Em uma anedota corrente à época, contava-se que o udenista Otávio Mangabeira chegara à conclusão de que os próximos passos contra Getúlio Vargas precisariam ser traçados, dali por diante, em regime de rigoroso segredo.

"Por quê?", teria lhe perguntado alguém.

"Porque, senão, o Getúlio adere…"[32]

A saída de João Goulart do ministério não rendeu um único minuto de trégua para o governo. Ao contrário, sem ter mais como atirar contra aquele que nos últimos meses se tornara seu alvo preferencial, as oposições voltaram a concentrar fogo, diretamente, na figura do presidente da República. Apenas duas semanas depois da demissão de Jango, Carlos Lacerda revelou, na *Tribuna da Imprensa*, a transcrição de um discurso que teria sido pronunciado por Juan Domingo Perón em novembro do ano anterior, em Buenos Aires, aos oficiais da Escola Superior de Guerra da Argentina. Na ocasião, segundo a versão do texto divulgada por Lacerda, Perón expusera aos militares de seu país todos os detalhes dos entendimentos para a formação do malfadado Pacto ABC. A cópia do discurso chegara às mãos do jornalista na forma de uma brochura, impressa por exilados argentinos em Montevidéu. Para a oposição, aquela seria a prova cabal de que Getúlio realmente cogitara submeter o Brasil ao domínio político e militar do peronismo, endossando uma "integração sul-americana num arquipélago de repúblicas sindicalistas contra os Estados Unidos" — segundo a definição de Carlos Lacerda.[33]

"Nós estamos ameaçados de que um dia os países superiores e superindustrializados, que não dispõem de alimentos nem de matéria-prima, mas que têm extraordinário poder, usem esse poder para nos despojar dos elementos de que dispomos em abundância", teria dito Perón no discurso. "Penso que o ano 2000 nos surpreenderá unidos ou dominados", prosseguira, referindo-se à América Latina.[34]

> A luta do futuro será econômica; a história demonstra que nenhum país se impôs nesse campo, nem em nenhuma outra luta, se não tem uma completa união econômica. A Argentina, sozinha, não tem unidade econômica; o Brasil, sozinho, também não; o Chile, idem. Mas estes três países, unidos, formam potencialmente a unidade econômica mais extraordinária do mundo. Não há dúvida de que, realizada esta união, os demais países sul-americanos entrarão em sua órbita. Durante os seis anos do meu primeiro governo [1946-52], conversei com os que iam ser presidentes nos dois países que mais nos interessavam: Getúlio Vargas e o general Ibáñez. Vargas demonstrou estar total e absolutamente de acordo com a ideia e prometeu realizá-la assim que assumisse o governo. Ibáñez disse exatamente a mesma coisa e assumiu o compromisso de proceder da mesma maneira.[35]

Os principais jornais do Rio e de São Paulo repercutiram o furo da *Tribuna da Imprensa*, reservando ao assunto, durante semanas a fio, o tratamento de grande escândalo. O *Correio da Manhã* exigiu, em editorial, que Getúlio Vargas fizesse um pronunciamento público, para dar explicações à nação: "O que o Brasil todo em suspenso há mais de 24 horas está esperando é uma palavra que exima [o presidente] de qualquer responsabilidade nesse torpe, revoltante e desaforado sonho de submissão do Brasil à liderança de Perón".[36] No *Diário da Noite*, o jornalista Nertan Macedo também protestou, em sua coluna política: "Perón pode fazer lá suas bobagens, porque é um bobo; nós, porém, temos uma linha de conduta externa que não pode ficar à mercê das bobagens dele".[37]

No Congresso, a reação não foi menos indignada. O deputado Bilac Pinto, da Banda de Música udenista, sugeriu a instauração de uma nova CPI, dessa vez para investigar as relações perigosas entre Getúlio e Perón. Aliomar Baleeiro e Odilon Braga, também da UDN, acusaram o presidente de "alta traição" e exigiram a formação de uma comissão intrapartidária para estudar as bases legais para a abertura de um processo de impeachment.[38]

O que todo o escarcéu em torno do tema parecia querer ignorar é que, no próprio discurso aos militares argentinos, Juan Domingo Perón criticara duramente Getúlio por este não ter aderido às intenções do Pacto ABC. Depois de relatar as várias tentativas frustradas de encontro com o colega brasileiro, Perón explicara aos oficiais o motivo por que decidira assinar um acordo bilateral apenas com o presidente chileno, general Carlos Ibáñez:

"O general foi mais decidido, porque os generais somos mais decididos do que os políticos", justificara. "Senhores, eu queria contar-lhes isto — estes fatos que provavelmente ninguém mais conhece, a não ser os ministros e eu —, porque eu não quero entrar na história como um cretino que pôde realizar esta união e não realizou. Quero que as pessoas pensem, no futuro, que se houve cretinos, não fui o único."[39]

A representação diplomática argentina no Rio de Janeiro garantiu que o discurso era uma grosseira falsificação e que, portanto, Perón jamais pronunciara tais palavras. Mas uma carta "pessoal e secreta" do embaixador brasileiro em Buenos Aires, Orlando Leite Ribeiro, endereçada a Getúlio, atestava exatamente o contrário. Recebido em audiência na Casa Rosada, Leite Ribeiro tratou de informar ao Catete o que ouvira, de viva voz, e da própria boca do presidente do país vizinho.

"Pela conversa demorada de hoje, posso afirmar [...] que o discurso em questão foi feito pelo general, e talvez por ele próprio mandado difundir", informou o diplomata. "[Ele se] aproveitou da ingenuidade dos exilados argentinos e de nossa desgraçada oposição, que fez exatamente o que ele desejava: a maior divulgação do seu discurso, sem a responsabilidade da Secretaria de Informações."[40]

O Itamaraty divulgou uma nota oficial concisa e informou que o presidente da República não comentaria o assunto.

> Em face das declarações evidentemente inverossímeis, atribuídas ao presidente Perón, divulgadas e comentadas pela imprensa desta capital, resolveu o Itamaraty informar, a fim de esclarecer a opinião pública, que o senhor presidente Vargas ainda não teve a oportunidade, que sempre desejou, de manter conversações ou entendimentos diretos com o presidente da nação argentina, pois ambos os chefes de Estado nem sequer, como insinuam aquelas versões, se encontraram ou se conhecem pessoalmente.[41]

Apesar do desmentido, a polêmica tomou ainda maior proporção quando, em 3 de abril, João Neves da Fontoura, ex-ministro das Relações Exteriores, publicou no *Globo* um depoimento bombástico, no qual acusava Getúlio de ter, de fato, tramado um acordo secreto com Perón. Embora afirmasse não ter provas documentais a respeito, João Neves sugeriu que a tese da integração econômica, proposta pela Argentina, encobriria na verdade o desejo inconfessado de se criar uma Confederação Latino-Americana, com sede política em Buenos Aires.[42]

"Desde o primeiro dia da atual administração brasileira, o general Perón constituiu sempre um problema inquietante para a nossa política externa", escreveu Neves. "Sua excelência sempre se julgou estranhamente autorizado a opinar nos assuntos mais íntimos do Brasil, com o ouvido colado à fechadura da fronteira, escutando os menores rumores de nossa intimidade."[43]

Getúlio permaneceu em silêncio, mas Lourival Fontes partiu em sua defesa. No dia 5 de abril, o chefe do Gabinete Civil concedeu entrevista ao mesmo jornal *O Globo* — por iniciativa própria, segundo alegou, e supostamente sem avisar ao presidente da República. "Não me encontro com o presidente Vargas desde a publicação do depoimento de João Neves. Não vou avistá-lo senão depois da publicação desta entrevista", garantiu. "É a primeira vez que trato de um assunto de governo sem sua audiência prévia. Mas o faço por um dever de justiça."[44]

"Caso se admita a veracidade do documento, que diz nele o presidente Perón? Que depositava esperanças em Vargas, mas que este, chegando ao governo e alegando não existir receptividade na opinião pública, nas forças políticas e no

Congresso, evitara qualquer entendimento", argumentou Lourival. "Este é o maior louvor que se poderia fazer ao sr. Getúlio Vargas, isto é, a um presidente constitucional. Mesmo se alguma coisa tivesse prometido, o que não fez, curvara-se diante da opinião nacional."[45]

Nenhum repórter conseguiria mais chegar perto de Getúlio. Entre idas e vindas do Rio a Petrópolis, entre subidas e descidas da serra, ele se enclausurou ora no Catete, ora no Rio Negro. Nada de entrevistas dali por diante, determinou. Mantivessem a imprensa à distância, deixassem-no em paz. Em crônica memorável, o jornalista Joel Silveira, então batendo ponto na *Revista da Semana*, recordaria a tarde em que, após reiterada insistência, naquele tenso mês de abril de 1954, convenceu Lourival Fontes a lhe conseguir alguns poucos instantes de conversa com o presidente da República. Não se tratava de uma demanda de trabalho, prometeu Silveira, apelidado por Chatô de "A Víbora", por causa de sua já conhecida malícia. Queria fazer a Getúlio apenas "um pedido de ordem pessoal", alegou.

"Não é entrevista?", perguntou-lhe Lourival.

"Não, em absoluto", negaceou Joel. "Nada de entrevista. Eu sei perfeitamente que o presidente não iria me dizer coisa alguma, agora que está mais calado do que nunca..."

"Vou ver o que posso fazer. Mas você tem que me dar alguns dias."

"Sem dúvida, não é urgente."

Quatro dias depois, a secretária do Gabinete Civil, Lurdes Lessa, ligou para o jornalista.

"O patrão espera você amanhã, às cinco e meia da tarde."

"Qual patrão, o Lourival?"

"Não, o patrão propriamente dito".

Era a primeira vez que eu via Vargas assim tão de perto. "Como é pequeno", pensei, enquanto estirava a mão ao encontro da que ele me estendia — uma mão delicada, quase feminina, de unhas bem tratadas.

"Muito prazer em conhecê-lo, dr. Silveira. Não o imaginava tão moço."

E o meio sorriso abria-se na fisionomia tão conhecida, mostrando um pouco dos dentes muito brancos.

Brancura, ou melhor, limpeza, tal a impressão que tive de Getúlio Vargas naquela primeira vez, que seria também a última, que eu me encontrava com ele para um diálogo que havia imaginado pudesse se prolongar por uma hora, talvez mais, mas que iria demorar apenas alguns minutos, dez ou quinze, não mais. Terno de linho de uma alvura imaculada; e a camisa era também de linho e seus punhos, rigidamente engomados, sobravam além das mangas do paletó jaquetão.

[...]

"Sente-se, dr. Silveira. Estou inteiramente às suas ordens. Desculpe-me não tê-lo recebido há mais tempo. É que estas últimas semanas, o senhor deve ter sabido, foram exaustivas. Mas aqui estamos."

O sotaque bem gaúcho dava um certo encanto às palavras do homenzinho, que pareciam deslizar mansamente, uma a uma, escorregando sem pressa. E a mão que segurei por alguns segundos era leve, e só a senti no primeiro instante, quando, num gesto breve, o presidente tentou, nela, guardar a minha.

"Sente-se, dr. Silveira..." — e a mão esquerda, aberta, me indicava a cadeira de espaldar, na ponta lateral da grande mesa que parecia tomar toda a sala: uma mesa negra, oblonga, rodeada de cadeiras estofadas, de longos encostos ovoides. Sentado numa delas, de espaldar ainda mais alto, na cabeceira, à minha direita, Getúlio Vargas parecia ainda menor; e mais realçada se fazia, dentro da moldura de jacarandá e contrastando com o acolchoado do encosto, de tons sombrios, a asséptica figura do homem pequeno que — eu adivinhava — procurava tornar o mais informal possível aquele encontro.

[...]

"Presidente, não quero tomar o tempo de vossa excelência" — por que presidente da República tem de ser excelência? Serão todos obrigatoriamente excelentes? —, "que sei precioso. Estou aqui como jornalista, trouxe um questionário" — tirei o papel do bolso, fiz uma menção de entregá-lo — "gostaria que vossa excelência respondesse a algumas perguntas..."

Na fisionomia louçã e sorridente começava agora a se estampar o terrível desastre. Os olhos de sua excelência incendiaram num segundo; uma nuvem sombria, de um cinzento bilioso, escondeu o róseo das faces; a mão pequena repeliu a folha de papel como se quisesse afastar para o mais distante possível algo extremamente repugnante; e a voz mansa se encrespou, tornou-se rascante, dura e fria como gelo; dura e fria e cortante me bateu no rosto e nos ouvidos com toda a fúria de uma incontida chicotada.

Sem me olhar, Getúlio disse, quase sibilante:

"O senhor deixe o papel com o dr. Lourival. Ele lhe telefonará depois."

E o homenzinho levantou-se, esmagou no cinzeiro de cristal o que restava do charuto, e desapareceu por uma porta ao lado, que bateu com força. Nem ao menos me estirou a mão. Apenas a chicotada, e como doeu! E como ainda dói![46]

Enquanto o caso Perón continuava a render editoriais inflamados e manchetes arrebatadas, o cada vez mais ensimesmado Getúlio Vargas remeteu ao Congresso dois novos projetos de iniciativa do Executivo. O primeiro propunha a extensão dos benefícios das leis sociais ao homem do campo, prevendo a jornada média de oito horas, a proteção ao trabalho da mulher e a permissão para que os agricultores pudessem se filiar ao Instituto de Aposentadoria e Pensão dos Industriários (IAPI). O segundo, anunciado desde o ano anterior, propunha a criação da Eletrobras.[47]

Getúlio, contudo, não veria a aprovação de nenhum deles. A pauta do Congresso estava emperrada. Apenas as articulações em torno do pedido de impeachment do presidente caminhavam com alguma celeridade. Embora a maioria dos parlamentares, mesmo na UDN, considerasse não existir sustentação legal para um requerimento em tal sentido, o deputado Aliomar Baleeiro insistia em levar a matéria adiante.

"Ou acabamos com o governo do sr. Getúlio Vargas ou ele acabará com tudo que há de honrado e digno neste país", discursou o deputado, na tribuna da Câmara.[48]

Afonso Arinos, correligionário de Baleeiro, era um dos udenistas que não acreditavam na viabilidade do estratagema. Jurista, professor catedrático de direito constitucional, ele tentou explicar aos colegas que poderiam incorrer em perigosa armadilha. Se propusessem o impeachment sem bases razoáveis e fossem consequentemente derrotados em plenário, fariam despertar um efeito contrário ao desejado. Getúlio sairia do entrevero fortalecido. Melhor deixar o governo sangrar aos poucos, em praça pública, do que transformar o presidente em um possível mártir.[49]

Mas havia controvérsias entre os oposicionistas. O brigadeiro Eduardo Gomes, eterno pretendente ao Catete, procurou o deputado e professor Afonso Arinos para tentar convencê-lo a encaminhar, ele próprio, do alto de toda a sua autoridade jurídica, o requerimento pedindo o impedimento do presidente da República.[50]

"Brigadeiro, isso é completamente impossível. Esse recurso nunca deu resultado, mesmo quando era recomendável. Todas as tentativas feitas durante a história republicana fracassaram", contestou Arinos. "Não há justificativa nenhuma para o que o senhor está querendo que eu faça. O senhor está me mandando chefiar uma aventura destinada ao fracasso."[51]

Eduardo Gomes insistiu. Afonso Arinos não estaria entendendo o ponto a que ele queria chegar. Se Getúlio se safasse de um processo de impeachment no Congresso, tanto melhor. Talvez o presidente até ganhasse alguns dividendos políticos momentâneos. Mas, no final das contas, a derrota da oposição deixaria os quartéis livres para agir.

"Isso é necessário para que se forme, no meio militar, a consciência de que não há solução legal", sugeriu o brigadeiro.[52]

Pelo raciocínio assumido por Eduardo Gomes, uma vez esgotados os recursos pelas vias institucionais, só haveria uma forma de afastar Getúlio Vargas de uma vez por todas do Catete, como eles tanto desejavam — o golpe armado.

"Aí, entendi o jogo", disse Arinos, ao relembrar o diálogo, anos mais tarde.[53]

Se ainda faltava um pretexto definitivo, Getúlio Vargas o forneceu aos golpistas em 1º de maio. Ao contrário do que sempre fizera desde sua chegada ao poder, naquele ano de 1954 ele decidiu não comparecer às comemorações públicas pelo Dia do Trabalho. As tradicionais cerimônias cívicas em estádios de futebol não contariam, dessa vez, com a sua presença. Às sete horas da noite, os brasileiros estavam todos de ouvido colado ao rádio, ansiosos para saber qual seria o percentual do aumento do salário mínimo a ser decretado, naquela data simbólica, pela presidência da República. País afora, alto-falantes instalados em praças e logradouros de maior afluência de pedestres também transmitiriam a *Voz do Brasil* ao vivo. Quando o programa entrou no ar, o locutor confirmou que o presidente, conforme anunciado, faria o seu pronunciamento à nação diretamente de Petrópolis, do Palácio Rio Negro.

"Trabalhadores do Brasil!", iniciou Getúlio, com seu clássico bordão. "Preferi dirigir-me a todos aqui desta sala de trabalho para vos levar, no recesso dos lares, onde mais prementes se fazem sentir as vossas necessidades, ou nas concentrações de praça pública onde vos reunis agora para ouvir a minha palavra, a boa-nova de que o governo vos fez justiça, atendendo aos vossos reclamos, aos vossos desejos e às vossas legítimas reivindicações."[54]

Getúlio acabava de dizer que o salário mínimo estava oficialmente elevado em 100%, passando de 1,2 para 2,4 mil cruzeiros (634 para 1268 reais).

"Para chegarmos ao feliz resultado que hoje se concretiza, muito contribuiu a ação dos sindicatos de trabalhadores de todo o país, ao reivindicar, usando dos seus direitos, uma remuneração mínima indispensável para satisfazer as suas necessidades de alimentação, habitação, vestuário, higiene e transporte", prosseguiu. "Nesta campanha em que estivemos juntos e em que juntos partilhamos a alegria da vitória, é justo ressaltar a participação destacada do ex-ministro do Trabalho, João Goulart."[55]

Antes de terminar, Getúlio lançou uma conclamação aos trabalhadores:

"Não tendes armas, nem tesouros, nem contais com as influências ocultas que movem os grandes interesses. Para vencer os obstáculos e reduzir as resistências, é preciso unir-vos e organizar-vos. União e organização devem ser o vosso lema", propôs. "Há um direito de que ninguém vos pode privar, o direito do voto. [...] Como cidadãos, a vossa vontade pesará nas urnas. Como classe, podeis imprimir ao vosso sufrágio a força decisória do número. Constituís a maioria. Hoje, estais com o governo. Amanhã, sereis o governo."[56]

Aquele discurso histórico selou o destino de Getúlio Vargas. Nas semanas anteriores, ele conduzira uma série de reuniões entre os auxiliares diretos para avaliar o impacto político, social e econômico da medida. Oswaldo Aranha, ministro da Fazenda, tinha manifestado opinião frontalmente contrária à duplicação do salário mínimo, por julgar que comprometeria todo o minucioso trabalho de estabilização desenvolvido pela pasta. O presidente do Banco do Brasil, Marcos de Souza Dantas, um dos principais assistentes de Aranha e idealizador do plano de recuperação da economia, também desaconselhara o presidente a tomar semelhante decisão. Contudo, foram votos vencidos.[57]

"Foi uma medida demagógica e antieconômica", avaliou o deputado Armando Falcão, em discurso na Câmara. "As consequências do ato do presidente da República são imprevisíveis", advertiu. "O presidente da República afrontou [...] os próprios coronéis autores do memorial. [...] E essa afronta estará demonstrando que o sr. Getúlio Vargas não está interessado num 'governo de paz'."[58]

A repercussão na imprensa manteve estreita identidade com as declarações dos oposicionistas. "A inquietação em todo o país, consequente à decretação do novo salário mínimo, está criando situações que deveriam levar o presidente da República a meditar seriamente na execução do seu ato", considerou o *Correio da Manhã*. Depois de ouvir as representações patronais, o jornal previu uma onda avassaladora de demissões e falências, algo que em poucos meses deveria levar o Brasil à completa ruína. "Ontem, nesta capital, os boatos fervilhavam, inclusive a respeito de reuniões de altas patentes militares para estudo da situação criada não só pelo aumento do salário-base como pelo teor do discurso com que o sr. Getúlio Vargas enunciou a decretação da providência, de caráter evidentemente demagógico."[59]

A diretoria da Federação das Indústrias do Rio de Janeiro comunicou que entraria com um recurso na Justiça, arguindo a inconstitucionalidade da medida. No entender da entidade, uma lei sobre o salário mínimo deveria ter sido elaborada e aprovada pelo Congresso, e não imposta por uma decisão do Executivo. A Associação Comercial de Minas Gerais, por meio de seus representantes legais, declarou que o decreto de Getúlio era "um engodo aos trabalhadores, [que] traz no seu bojo o propósito de comprar consciências para a próxima campanha eleitoral".[60]

Transcorridas apenas 48 horas do anúncio do aumento, a oposição protocolou na Câmara dos Deputados o pedido de impeachment contra o presidente da República, atendendo a uma denúncia de Wilson Leite Passos, cidadão que se autoqualificava líder estudantil e fora um dos fundadores da UDN, além de organizador do Movimento Nacional Popular Pró-Eduardo Gomes em 1950. O denunciante — futuro vereador do Rio de Janeiro, autor de um projeto conhecido como "Lei da Eugenia" (pelo qual pretendia criar incentivos fiscais para famílias com pais e filhos sadios, em detrimento das que tivessem algum doente incurável ou portadores de doença física e mental) —, acusava Getúlio Vargas de "traição à pátria" e de crimes de responsabilidade por má execução orçamentária e improbidade administrativa.[61]

O relator do processo, deputado Vieira Lins (PTB-PR), pediu o arquivamento da denúncia, por julgá-la "inteiramente gratuita e descabida, se não injuriosa ao chefe do Poder Executivo". Apesar do parecer negativo, o caso precisou ser submetido ao plenário, que teria de decidir a questão, voto a voto.[62]

"O afastamento do sr. Getúlio Vargas da presidência da República será a única maneira de se evitar que o país ingresse num novo ciclo revolucionário, será o único caminho legal para evitar a subversão violenta da ordem contra nós", defendeu o deputado paulista Castilho Cabral, vice-presidente do PSP.[63]

À medida que se aproximava a data para a votação do impeachment, Carlos Lacerda aumentava a estridência dos ataques contra Getúlio, reservando-lhe os adjetivos e epítetos mais demolidores: "protetor de ladrões", "caudilho e golpista", "desonrado e inepto", "corruptor e abjeto", "protetor da impunidade dos negocistas".[64] Os surtos verbais também se dirigiram a Oswaldo Aranha, cotado como um dos prováveis candidatos à sucessão e chamado, pelo jornalista, de "mentiroso" e "ladrão".[65]

Euclides Aranha, filho do ministro da Fazenda, tomou as dores do pai. Certa noite, ao encontrar Lacerda sentado a uma das mesas do restaurante Bife de Ouro, no Copacabana Palace, dirigiu-lhe uma série de palavrões cabeludos e, segundo testemunhas, o ameaçou com um revólver. Ao levantar para devolver as ofensas, Carlos Lacerda recebeu um soco no rosto. Enquanto tentava encontrar os óculos que haviam caído ao chão, tomou a arma de Euclides e tentou revidar a agressão, mas a briga foi apartada pelos demais clientes.[66]

A tensão política chegara ao paroxismo. Não demorou muito e um grupo de dez jovens oficiais da Aeronáutica resolveu, por decisão espontânea, dar cobertura ao jornalista, que continuava a se dizer ameaçado de morte. Aonde quer que fosse, Carlos Lacerda passou a contar com a escolta de pelo menos um oficial armado, fazendo-lhe as vezes de guarda-costas.[67]

A força aérea, sob a influência do brigadeiro Eduardo Gomes, havia se transformado em uma espécie de quartel-general rebelde. Um oficial-aviador, amigo íntimo de Luiz Vergara, resolveu advertir o ex-secretário de Getúlio a respeito dos complôs que se tramavam no interior da corporação. Vergara, que estava de partida para a Itália — onde iria assumir uma missão diplomática junto à embaixada brasileira em Roma —, achou que era o caso de repassar as informações que recebera, antes de viajar, ao presidente da República. Correu ao Catete e, utilizando do prestígio que desfrutava pelos anos de serviço dedicados ao palácio, conseguiu ser anunciado.[68]

"O que é que aconteceu? Adiaste a partida?", indagou Getúlio, ao vê-lo entrar no gabinete.[69]

Em suas memórias, Vergara reconstituiu a cena, em minuciosa narrativa.

"O presidente [...] estava sentado na sua cadeira junto à mesa da sala de despachos. Estranhou a minha presença e fez-me sinal para que me sentasse na cadeira próxima", recordou. "Não lhe vi no rosto o costumeiro sorriso. Evidentemente estava pensando, ao léu, nas preocupações que deviam encher-lhe a cabeça. Procurei ser breve e expliquei o motivo da inesperada visita. Relatei-lhe a minha conversa dessa tarde com o referido coronel aviador. Escutou-me calmamente."

De acordo com Vergara, depois de ouvir o relato, Getúlio comentou:

"Fizeste bem em trazer isso ao meu conhecimento. Vejo confirmadas, com pormenores, informações que tenho recebido de outras fontes."

"Mas, presidente, então o senhor já sabia da existência desse complô?", admirou-se o ex-secretário. "Mas o seu ministro da Aeronáutica, o que é que está fazendo?"

Getúlio teria feito uma pausa, contraído o cenho e, por fim, suspirado:

"O ministro parece ausente de tudo, falhou."

"Mas, se é assim, por que não o substitui? Mande-o embora e ponha outro no seu lugar. Esta situação não pode continuar..."

Getúlio fez outra pausa. Dessa vez, o suspiro foi seguido apenas de novo silêncio.

"Bem, presidente, o momento me parece muito grave", disse Vergara, retomando a palavra. "Se acha que lhe posso ser ainda útil para alguma coisa, ficarei no Rio. Não haverá dificuldades. Basta mandar instruções ao Itamaraty para suspender a minha partida até segunda ordem."

A resposta de Getúlio foi levantar repentinamente da cadeira — como sempre fazia quando queria sinalizar aos auxiliares que a conversa não lhe interessava e a audiência estava encerrada. Deu a volta em torno da mesa e, tentando ao máximo aparentar tranquilidade, pôs a mão no ombro de Luiz Vergara e recomendou:

"Não te preocupes. Vai-te embora, e cuida da tua vida..."

Foi a última vez que os dois amigos se viram.[70]

Em 23 de maio, o jornalista Nestor Moreira, um repórter policial veterano e boêmio de *A Noite*, morreu depois de ser barbaramente espancado nas dependências do 2º Distrito Policial, em Copacabana. Após sair de uma boate na madrugada, ele decidira prestar queixa contra um motorista de táxi que, segundo alegou, tentara enganá-lo no preço da corrida. Como as reportagens de Moreira costumavam aborrecer policiais envolvidos em atos de suborno e arbitrariedade, foi saudado na delegacia, pelos plantonistas da madrugada, com um festival de chutes, murros e golpes de cacetete. Levado ao Hospital Miguel Couto entre a vida e a morte, acabou não resistindo, depois de mais de uma semana de agonia. A autópsia apontou uma série de hemorragias internas, provocadas pela ruptura dos rins, o esmagamento do fígado e a protrusão dos pulmões.[71]

O caso provocou intenso debate na imprensa sobre a institucionalização da violência policial. Os jornais oposicionistas aproveitaram a oportunidade para tratar o caso como um crime político. Equipararam a morte de Moreira ao histórico de brutalidades promovido pelo aparato repressivo do Estado Novo.

"Nestor Moreira era, como a maior parte dos que vivem nesta cidade, um homem pacífico e desarmado, sensível e confiante, trabalhador e alegre — e era pobre", ressaltou o editorial do *Correio da Manhã*. "Foi espancado e ficou inconsciente durante onze dias, pelo azar de ser um habitante do Distrito Federal, num governo de violência e de corrupção como o do sr. Getúlio Vargas, a fonte do crime de que sucumbiu o repórter na madrugada de ontem."[72]

Uma grande consternação coletiva envolveu o velório do jornalista. Cerca de 200 mil pessoas compareceram ao cemitério para assistir ao sepultamento de Moreira, no São João Batista. O jogo de futebol entre Flamengo e América, marcado para o Maracanã naquela noite, foi cancelado. Um minuto de silêncio antecedeu as sessões de cinema na cidade. Nas faculdades, os estudantes fizeram atos de protesto e não compareceram às aulas. O estoque de coroas mortuárias nas funerárias cariocas foi insuficiente para dar conta dos milhares de encomendas. No Congresso, Afonso Arinos exigiu a abertura de mais uma CPI, para investigar a truculência policial.[73]

Tancredo Neves, ministro da Justiça, prometeu amparar a família de Nestor Moreira e garantiu que o governo faria tudo o que estivesse ao alcance da lei para punir exemplarmente os responsáveis pelo crime. O presidente Getúlio Vargas, por meio da assessoria do palácio, classificou o assassinato do jornalista como um "fato monstruoso".[74]

"Será feita justiça", assegurou o presidente.[75]

Carlos Lacerda, mais do que ninguém, buscou capitalizar o episódio. Fez um discurso violento à beira do túmulo, cobrou a demissão do chefe de polícia e, em editorial, disse que, se havia algo de monstruoso em toda aquela história, o tal "monstro" seria o próprio Getúlio.

A presença de Lacerda no cemitério, vestido de preto e com ar soturno, rendeu uma imagem histórica nas páginas da *Última Hora*. Samuel Wainer encomendou ao desenhista Lan uma charge em que o dono da *Tribuna da Imprensa* aparecia retratado como uma ave agourenta, de penugem escura, vertendo lágrimas sobre o caixão de Nestor Moreira. "O Corvo", definia o texto que acompanhava a figura, cunhando o apelido do qual jamais Carlos Lacerda conseguiria se desvencilhar.[76]

"O Corvo fingiu misturar-se à massa popular que acompanhava o enterro. Cercou com tarjas negras o seu pasquim, açodou-se nos apelos às missas e funerais, soltou seus habituais gritos histéricos", escreveu Wainer. "O Corvo, porém, podia enganar o povo, não os verdadeiros jornalistas que sempre estiveram ao lado de Moreira em vida e nos momentos de sua agonia. Estes sabiam muito bem quais eram os desígnios do Corvo, estes sabiam que ele sempre fora um inimigo da classe pela qual Moreira tombou."[77]

Quatro dias depois da primeira publicação da charge, a *Última Hora* resolveu estampar novamente uma caricatura na qual a cabeça de Carlos Lacerda aparecia encimando o corpo de uma ave de mau agouro. Dessa vez, para sugerir que o "Corvo" estaria prestes a ser engaiolado: Lutero Vargas apresentara na justiça uma queixa-crime contra o jornalista, abrindo um processo penal por injúria e difamação. Por várias vezes, Lacerda já chamara Lutero de "o filho rico do pai dos pobres", "degenerado", "meliante" e "ladrão", acusando-o de ter amealhado um patrimônio incompatível com o exercício honesto da medicina.[78]

Com o propósito de provocar Carlos Lacerda e arrastá-lo ao ridículo, o advogado de Lutero Vargas, Alfredo Tranjan, solicitou que a Justiça procedesse a um exame prévio de sanidade mental do "Louco do Lavradio" — outro apelido que Samuel Wainer impingira ao concorrente (a sede da *Tribuna* ficava à rua do Lavradio, 98).

"É muito provável que os peritos [...] solicitem a internação de Lacerda por trinta dias, a fim de poderem examinar mais de perto as suas reações psíquicas", tripudiou a *Última Hora*.[79]

Na lista de testemunhas arroladas para depor a respeito da alegada loucura de Carlos Lacerda, Tranjan incluiu o nome do jornalista e advogado Sobral Pinto — um dos fundadores da *Tribuna da Imprensa*, já afastado do jornal, por divergências editoriais com o proprietário. O austero dr. Sobral, antivarguista assumido, não achou graça da piada. Resolveu escrever a Lutero para avisar que, por maiores que fossem as suas discrepâncias com Lacerda, jamais compactuaria com aquela "indignidade humana". Uma cópia da mensagem caiu nas mãos de Lacerda, que não teve dúvidas em publicá-la no jornal, com o devido destaque. "Se houvesse resquício de decência nesta terra", dizia Sobral Pinto na carta, "o escândalo financeiro da *Última Hora* teria determinado a queda do sr. Getúlio Vargas."[80]

Naquele jogo de vale-tudo, pontuado por golpes baixos de ambas as partes, Lutero Vargas resolveu desencavar um episódio escandaloso do passado de Sobral Pinto. Em 1928, o então jovem procurador do Distrito Federal se envolvera em um caso de adultério com a mulher do ex-diretor geral dos Correios e Telégrafos, seu amigo e protetor, Paulo Gomide. O marido traído encontrou um bilhete de amor endereçado à esposa e foi tomar satisfações com o autor, aplicando-lhe uma série de chicotadas no meio da rua, em frente à Livraria Católica. Envergonhado, Sobral solicitou demissão do cargo, rompeu o romance proibido e foi pedir a remissão dos pecados ao arcebispo coadjutor d. Sebastião Leme — que o aconselhou a ler as *Confissões*, de Santo Agostinho, e o perdoou.[81]

"Quem, dizendo-se católico, apostólico e romano, ou, o que é mais importante, aparecendo como líder religioso, conspurca o lar alheio, furtando a esposa do homem que o amparou na vida; quem, colhido em flagrante, é chicoteado em pleno centro do Rio de Janeiro pelo amigo traído, deveria ser mais cioso da dignidade humana", disse Lutero, em resposta que seguiu com cópia para Samuel Wainer — e, claro, foi reproduzida com estardalhaço na *Última Hora*.[82]

No dia 16 de junho, a Câmara dos Deputados finalmente se reuniu em plenário para votar o impeachment de Getúlio. Houve uma batalha prévia de discursos, na qual não faltaram ataques de parte a parte entre governistas e oposição. O líder da maioria, Gustavo Capanema, chamou a atenção dos colegas para uma entrevista concedida pelo udenista Odilon Braga, poucos dias antes, à *Tribuna da Imprensa*. Braga declarara que, caso o Congresso não aprovasse o afastamento do presidente da República, os parlamentares estariam renunciando ao seu dever cívico, deixando à nação, como última esperança, "somente o socorro das Forças Armadas".[83]

"Diante dessas palavras, pode-se ter dúvida sobre o sentido do convite que o ilustre líder democrático faz às Forças Armadas para que 'libertem a nação' do sr. Getúlio Vargas?", indagou Capanema.[84]

Afonso Arinos pediu um aparte.

"O que o sr. Odilon Braga procurou dizer é que existe, de fato, na maneira de ver e no pensamento de todas as forças democráticas do país, não uma atitude de ataque e agressão ao governo, mas uma atitude de defesa e vigilância", alegou Arinos. "Atitude que se justifica no caso de o governo, como pode perfeitamente acontecer e como é do passado do senhor presidente da República, tentar rasgar a Constituição para reimplantar a ditadura", completou o deputado, mantendo viva a tese do "golpe preventivo".[85]

Posto em votação, o pedido de impeachment foi fragorosamente derrotado, como já era esperado. Um total de 136 parlamentares votou contra. Apenas 35, a maioria deles udenistas, se disseram a favor do afastamento de Getúlio Vargas da presidência da República. Em sua declaração de voto, o deputado Armando Falcão reconheceu que o processo carecia de fundamentação jurídica.[86]

"Quase no fim de uma administração sem unidade, improfícua e propositadamente agitada, talvez até interessasse ao sr. Getúlio Vargas ser retirado agora do governo", argumentou Falcão. "Quanto a nós, preferimos policiá-lo do Congresso a transformá-lo de novo no ídolo de São Borja."[87]

A comemoração, no Catete, foi discreta. Getúlio cumpriu expediente normal, mantendo inalterada a agenda de audiências com os ministros e auxiliares diretos.[88] Como se quisesse demonstrar desassombro, três dias depois, em 19 de junho, aceitou o convite para um almoço na residência de Amaury Kruel, no Alto da Boa Vista, ao qual compareceram numerosas altas patentes do Exército para homenagear o militar que fora promovido e se tornara o mais jovem general brasileiro.[89]

"Como chefe do governo e, portanto, constitucionalmente chefe das Forças Armadas, eu me orgulho de vós, da vossa lealdade, da vossa disciplina e da vossa integração nos princípios que juntos devemos defender", disse, à hora do brinde. "A inconsciência e a audácia de alguns chegam ao ponto de instigar ao povo, pelo rádio e pela imprensa, a depor o governo. Que povo? O que me elegeu e bem os conhece? Com que meios? Com os das Forças Armadas, que devem defender a Constituição e a pátria?", indagou. "A minha serenidade não significa receio, nem a minha tolerância deve ser considerada tibieza", advertiu. "Falei-vos como chefe", reiterou, como se estivesse não apenas fazendo um lembrete, mas lançando um aviso.[90]

"Nas circunstâncias, só poderia falar como convidado", rebateu no dia seguinte o *Correio da Manhã*, ao argumentar que Getúlio não teria autoridade para evocar a defesa da Constituição, já que não assinara a que estava em vigor, depois de ter rasgado outras duas anteriores. "Ninguém pode esquecer que o sr. Getúlio Vargas [...] já abateu a legalidade democrática e submeteu o país, durante oito anos, a um sistema discricionário em proveito pessoal", recordou o jornal. "Todos estão lembrados disso. É preciso que, de sua parte, também não se esqueça o sr. Getúlio Vargas", insistiu o *Correio*. "Não esqueça que foi um ditador, que traiu compromissos, que sufocou as instituições políticas, [...] e que tudo isso, por força dos precedentes, não poderá, jamais, deixar de contribuir para o descrédito das suas palavras e juramentos de fidelidade ao regime."[91]

O presidente, que vinha evitando aparições em público, decidiu comparecer à tribuna de honra do Hipódromo da Gávea, em 1º de agosto, para prestigiar o Grande Prêmio Brasil de turfe, realizado anualmente. Como de hábito, as cadeiras sociais do jóquei acolhiam uma plateia que parecia bem mais preocupada em se exibir do que em assistir a uma corrida de cavalos. Os homens, de traje a rigor, suavam dentro das casacas escuras. As mulheres desfilavam chapéus, vestidos de gala e estolas de pele, alheias ao calor carioca. Os figurinos femininos, notaram os colunistas sociais, pareciam bem mais esmerados naquele ano, muito provavelmente por causa da presença de um espectador ilustre, o banqueiro Guy de Rothschild, que viera ao Brasil especialmente para assistir à prova.[92]

Os guichês de apostas — que nesse dia bateram o recorde histórico de 34 milhões de cruzeiros (17 milhões de reais) — apontavam o tríplice-coroado Quiproquó, montado pelo chileno Juan Marchant, como a grande barbada. O puro-sangue Yorick, pertencente ao próprio Rothschild e cavalgado pelo francês P. Blanc, também constava entre os favoritos. Mas aquela seria uma tarde de grandes surpresas. Ao final dos 3 mil metros, Quiproquó terminou apenas em um acanhado décimo lugar. Yorick, em quinto.[93]

Para Getúlio, o resultado foi ainda mais catastrófico.

Ele calculara que a reaparição pública — em um evento que sempre despertava grande interesse da imprensa — iria pôr fim aos boatos de que estivesse decrépito, sem condições físicas e mentais de administrar o país. Pretendera mostrar que continuava firme e saudável, com as rédeas do governo nas mãos. Ao chegar ao local, contudo, recebeu uma vaia desconcertante. Quando o cavalo El Aragonés fez uma arrancada espetacular e ultrapassou todos os adversários para cruzar em primeiro lugar o disco final, ele não estava mais no jóquei. Fora embora antes do início da prova principal. Não esperara sequer a disputa de uma segunda corrida, o Grande Prêmio Getúlio Vargas.[94]

Ser apupado por uma plateia de senhores encasacados e madames com roupa de festa poderia significar até um elogio, pelo menos para um chefe de governo que fazia da classe trabalhadora o seu principal esteio político. Contudo, Getúlio já devia saber que o episódio seria um deleite para os adversários.

"O presidente da República, que nos tempos do Estado Novo fazia entrada triunfal no Jockey Club, percorrendo de automóvel a pista para receber as ovações de todos os setores do público, entrou discretamente, dirigindo-se sem escalas à tribuna de honra", notou o *Diário Carioca*. "O movimento dos fotógrafos e cinegrafistas chamou a atenção para a sua presença; e o sr. Getúlio, animado, acenou para a multidão, recebendo aquela resposta estrepitosa e constrangedora."[95]

Um desconforto e tanto, sem dúvida.

Mas nada comparado às desilusões e tragédias que estavam reservadas para Getúlio nos próximos dias daquele sinistro mês de agosto de 1954.

16. "Estes tiros me atingiram pelas costas", diz Getúlio, ao saber do atentado a Carlos Lacerda (1954)

Quando Getúlio foi acordado pelos secretários do palácio naquele 5 de agosto de 1954, quinta-feira, os jornais já traziam a trágica notícia em manchete. Nos primeiros minutos da madrugada, o jornalista Carlos Lacerda sofrera um atentado à bala, em frente à sua residência, no edifício Albervânia, à rua Tonelero, 180, em Copacabana. O *Correio da Manhã* trazia na primeira página duas fotos de Lacerda. Numa delas, ele aparecia amparado por amigos, no Hospital Miguel Couto, a caminho da sala de radiografia. Na outra, era retratado já sobre a mesa do raio X, com o pé esquerdo enfaixado. O texto informava que o jornalista levara um tiro. Seu filho, Sérgio Lacerda, quinze anos, que o acompanhava, escapara ileso. O major Rubens Florentino Vaz — um dos jovens oficiais da Aeronáutica que haviam passado a escoltar o dono da *Tribuna da Imprensa* por medida de segurança — tivera menos sorte. Fora atingido por dois balaços, um nas costas, outro no peito, e morrera a caminho do pronto-socorro. No *Diário Carioca*, a foto do cadáver ilustrava a matéria.[1]

As primeiras informações ainda eram vagas, mas especulava-se que seriam três os pistoleiros, segundo as declarações iniciais de Lacerda. Um dos agressores teria disparado também contra um guarda municipal, Sálvio Romeiro, que trabalhava como vigilante noturno e estava de serviço na vizinhança. Ao ouvir os estampidos, o guarda correra em direção ao local. Ao chegar à esquina da rua Paula Freitas com a Tonelero, deparou-se com um homem de paletó cinza, correndo com um revólver na mão. Romeiro gritou para ele parar, mas o sujeito apontou a arma e acertou-lhe um tiro na perna. Caído, o vigilante viu quando o matador embarcou em um Studebaker preto, que saiu em alta velocidade pela rua. Mesmo ferido, ainda teve condições de sacar o próprio revólver, disparar contra o carro e anotar a placa: 5-60-21.[2]

Um golpe de sorte pusera o jornalista Armando Nogueira, do *Diário Carioca*, em plena cena do crime. Ele morava no número 186 da Tonelero e se encontrava a poucos passos do drama, conversando com dois colegas de redação que lhe haviam dado uma carona para casa.[3]

"Eu vi o jornalista Carlos Lacerda desviar-se de seis tiros de revólver à porta de seu edifício, na rua Tonelero", narrou Nogueira, em um texto que precisou ser escrito às pressas, a tempo de sair na primeira edição do dia. "Carlos Lacerda acabara de se despedir de um amigo — o major Vaz — e já ia entrando em casa quando um homem magro, moreno, meia altura e trajando terno cinza surgiu por trás de um carro e, de cócoras, disparou toda a carga do revólver, quase à queima-roupa. Lacerda foi acertado no pé esquerdo; o major, atingido no peito, morreu pouco depois."[4]

Carlos Lacerda deu uns saltos na direção da garagem, sacou do revólver e respondeu com outros seis tiros, enquanto o capanga corria feito um louco até dobrar a esquina da rua Paula Freitas.

Eu estava a uns cinco metros do tiroteio. Acabava de saltar do carro de meu colega Deodato Maia, que viajava com outro colega, o Otávio Bonfim. Eles dois ainda viram o capanga dobrar a esquina da rua Paula Freitas.

O atentado durou dois minutos (era meia-noite e quarenta e cinco). Nosso carro parou à porta do meu edifício, o Otávio Bonfim nos mostrou: "Olha ali o Carlos Lacerda".

Carlos Lacerda, rindo, despedia-se do amigo, o major Vaz, e ainda meio de banda, caminhava para o portão de edifício. Teria sido morto se tivesse tomado a escada central de entrada e não a rampa de acesso a automóveis. Isto porque o capanga surgia precisamente de trás do carrinho (que me pareceu ser o do major) que estava estacionado exatamente na frente do edifício de Carlos Lacerda. Pois foi isso que aconteceu ao major Vaz, que ficou parado ao lado de seu carro, por conseguinte, na trajetória ideal das balas.

[...]

Lacerda entrou no edifício, o major ficou estirado junto ao meio-fio e nós — os três repórteres do *Diário Carioca* — rodamos até o botequim para telefonar para o jornal e a polícia. Pelo fato de termos arrancado o carro, com velocidade, chegou-se a suspeitar — pessoas que chegaram em seguida e o próprio filho de Carlos Lacerda — tivesse o atentado partido do Chrysler de Deodato, principalmente porque eu, no momento do tiroteio, estava fora do carro, conversando com os dois colegas, já também na despedida.

[...]

Dois minutos depois do tiroteio, meu colega Deodato correu até o corpo do major Vaz, que já agonizava, com a camisa toda ensanguentada. Logo atrás, vindo de dentro de seu edifício, chegava Carlos Lacerda que, ao reconhecer o amigo, quis carregá-lo nos braços. Deodato, então, ponderou talvez fosse melhor não levá-lo dali, para que a polícia fizesse a perícia.

"Meu Deus, meu amigo Vaz está morto" — gritou Lacerda.[5]

Ao ler as terríveis notícias, Getúlio mandou chamar Lourival Fontes ao Catete. Queria saber se ele tinha outros detalhes do caso. As informações do chefe do Gabinete Civil da Presidência, contudo, se limitavam ao que estava publicado nos jornais da manhã.[6]

"Não sei de outros pormenores, mas acho que convém estar prevenido, porque possivelmente vão tentar envolver o Lutero nos acontecimentos", disse Lourival, aludindo ao processo judicial por injúria e difamação movido pelo filho do presidente contra o jornalista.

"Mas como envolver o Lutero, se ele está procurando uma reparação pelos meios judiciários?", indagou Getúlio, parecendo surpreso.

"Presidente, o senhor está apresentando uma razão lógica e eu estou apresentando um motivo de exploração política."

Quando Getúlio pediu-lhe uma sugestão do que fazer a respeito, Lourival recomendou:

"A primeira providência deve ser o sacrifício do chefe de polícia, embora tenha a certeza de que ele é inocente no caso", disse, referindo-se a Armando de Morais Âncora, desafeto histórico de Lacerda. "Deve ser substituído por um magistrado acima de qualquer contestação, ou por um militar que, sendo seu amigo, mereça o respeito e a confiança dos adversários."

"Bem, vou pensar."

"Mas, presidente, pense depressa", retrucou Lourival, que antes de se despedir ainda ouviu Getúlio murmurar:

"Meu pior inimigo não poderia ter engendrado nada mais grave contra o governo."[7]

Tão logo Lourival Fontes saiu, o presidente determinou que Gregório Fortunato fosse trazido imediatamente à sua presença. Enquanto cerca de quinhentas pessoas protestavam em frente ao palácio do governo exigindo a punição do assassino, Getúlio inquiriu o chefe de sua segurança pessoal.[8]

"Algum homem da guarda está envolvido nesse crime?", interrogou, com o cenho fechado e a voz austera.[9]

"Tenho a guarda nas mãos; não acredito numa traição dessas", respondeu Gregório, sem demonstrar hesitação.[10]

Às oito horas da manhã, Tancredo Neves chegou ao Catete. Assim como Lourival, o ministro da Justiça manifestou receio quanto à exploração política do episódio.[11]

"Estes tiros me ferem pelas costas", desabou Getúlio.[12]

Ouvido pelos jornalistas após retornar ao ministério, Tancredo assegurou que todas as providências seriam tomadas para a completa e imediata elucidação do crime.

"É óbvio que os autores dos lutuosos acontecimentos desta noite não poderão ficar impunes pelo que representa esta agressão à sensibilidade e à cultura de nossa gente", afirmou.[13] "O governo é, sem dúvida, o principal interessado na apuração das responsabilidades", garantiu.[14]

Os temores palacianos se avolumaram quando as edições vespertinas dos jornais começaram a trazer novas revelações ao público. O motorista do automóvel cuja placa fora anotada pelo vigilante ferido se apresentara na delegacia ainda na madrugada, por volta das três da manhã. Nelson Raimundo Correia, chofer de praça, contou à polícia que o carro prestava serviço de táxi e, naquela madrugada, um homem que ele nunca vira antes o havia contratado para ir até Copacabana. Ao chegar próximo à casa de Lacerda, o passageiro desceu e pediu que o aguardasse. Depois de poucos minutos, retornou correndo ao veículo e, com a arma em punho, mandou que pisasse fundo no acelerador e saísse o mais depressa possível do local.[15]

A polícia não pareceu muito convencida da história. Um detalhe, aliás, chamou a atenção dos investigadores. O motorista dissera fazer ponto na rua Silveira Martins, bem ao lado do Palácio do Catete. Por via das dúvidas, Nelson Raimundo foi enviado ao quartel da Polícia Militar, à rua Frei Caneca, na condição de detido, para ficar disponível a novas averiguações.[16]

Nas páginas da *Tribuna da Imprensa*, Lacerda apontou o dedo para o alvo inevitável:

> Rubens Florentino Vaz, herói do Correio Nacional, pai de quatro crianças, caiu esta noite ao meu lado.
>
> [...]
>
> Os que não cedem à corrupção caem sob a ação da violência.
>
> Temos dito isto. Há neste país quem não saiba que a corrupção do governo Vargas gera o terror do seu bando?
>
> Dia após dia, noite após noite, a ronda da violência faz o cerco aos que não cedem à coação do dinheiro.
>
> Hoje, que mais posso dizer? A visão de Rubens Vaz, na rua, com duas balas à queima-roupa; a viagem interminável que fiz com ele até o hospital, vendo-o morrer nos meus braços, impedem-me de analisar a frio, neste momento, a hedionda emboscada desta noite.
>
> Mas, perante Deus, acuso um só homem como responsável por esse crime. É o protetor dos ladrões, cuja impunidade lhes dá audácia para atos como o dessa noite.
>
> Este homem chama-se Getúlio Vargas.
>
> Ele é o responsável intelectual por esse crime. Foi a sua proteção, foi a covardia dos que acobertaram os crimes dos seus asseclas que armou de audácia os bandidos.
>
> Assim como a corrupção gera a violência, a impunidade estimula os criminosos.
>
> [...]
>
> Nunca houve crime tão fácil de ser descoberto. O mistério, no caso, é inadmissível. As fontes do crime estão no Catete. Seus agentes deixaram marcas: testemunhas, automóveis etc. A polícia só não terá os autores materiais do atentado se receber ordem para não fazê-lo.
>
> [...]
>
> O governo de Getúlio é, pois, além de imoral, ilegal.

É um governo de banditismo e loucura.[17]

O artigo de Lacerda tinha sido escrito no hospital, à mão, com a folha de papel sobre a perna. Na lista dos que foram visitá-lo para lhe prestar solidariedade no Miguel Couto, constava o brigadeiro Eduardo Gomes. Assediado por dezenas de repórteres e radialistas, Gomes recorreu a uma sala reservada para disparar telefonemas aos chefes militares e líderes udenistas.

"Para a honra da nação brasileira, confio em que esse crime não ficará impune", declarou o brigadeiro ao *Globo*.[18]

Em poucos minutos, correligionários e homens de uniforme acorreram ao hospital e, após estarem com Carlos Lacerda, engrossaram o coro das declarações acusatórias ao governo.

"O atentado contra Lacerda, que o feriu e roubou a vida de um democrata, é bem um ato de verdadeiro gangsterismo", definiu o vereador Mário Martins, secretário da UDN do Distrito Federal. "Os requintes de covardia mostram que não é apenas o braço do assassino que devemos punir, mas também aqueles que, por detrás, concertaram esse crime como mandantes."

O titular da Delegacia de Polícia de Copacabana, Jorge Pastor, ficou encarregado das primeiras investigações. Como prova de que pretendia dar ao inquérito um encaminhamento o mais imparcial possível, o Ministério da Justiça permitiu que as sindicâncias fossem acompanhadas por um oficial militar, o coronel João Adil de Oliveira, chefe do serviço reservado da Aeronáutica. Ele passou a atuar em parceria com o promotor público João Batista Cordeiro Guerra — futuro ministro do Supremo Tribunal Federal. Atendendo à sugestão de Lourival Fontes, Getúlio decidiu afastar Morais Âncora da chefia de polícia e nomear para o cargo o coronel Paulo Francisco Torres, ex-expedicionário da FEB e então comandante do 3º Regimento de Infantaria, sediado em Niterói, como garantia adicional de isenção. Para a maior parte da imprensa, porém, o caso já estava previamente elucidado.

"O país já sabe quem responde pelo crime. É o sr. Getúlio Vargas, presidente da República", denunciou José Eduardo de Macedo Soares, em editorial assinado na primeira página do *Diário Carioca*.[19]

Na madrugada do dia 7 para 8 de agosto, sábado para domingo, as suspeitas que ligavam o Catete à cena do crime foram corroboradas quando o motorista Nelson Raimundo, que continuava preso no quartel da Polícia Militar, resolveu falar um pouco mais do muito que sabia. Confessou aos interrogadores que levara duas pessoas, e não apenas uma, até a rua Tonelero, na noite fatídica do atentado a Lacerda. Uma delas, continuou sustentando, não sabia de quem se tratava. Mas a outra, admitiu, ele conhecia muito bem. Já o transportara em várias outras situações. Era Climério Euribes de Almeida, integrante da guarda pessoal do presidente da República — e, logo se saberia, compadre de Gregório Fortunato.[20]

O coronel Adil de Oliveira achou que era o caso de telefonar imediatamente para o ministro da Aeronáutica, Nero Moura, e revelar a ele o conteúdo da confissão de Nelson Raimundo. Apesar do horário — já passava de uma da manhã —, Moura rumou para o quartel da PM. Lá encontrou, além do próprio Adil, o promotor Cordeiro Guerra e o brigadeiro Eduardo Gomes, que já haviam ouvido o rolo de fita com a gravação do depoimento do motorista incriminando Climério. O promotor sugeriu que, como amigo e auxiliar da mais absoluta confiança do presidente, Nero Moura deveria ir ao Catete dar voz de prisão ao acusado e trazê-lo para os devidos interrogatórios.[21]

"Isso é assunto do Ministério da Justiça", ponderou Moura, que decidiu ligar para a casa de Tancredo Neves e tirá-lo da cama.[22]

Era uma noite chuvosa, e quando Tancredo chegou ao quartel, às duas da manhã, divisou à distância um homem de capa, descendo do alto da escadaria externa do prédio. A pouca luminosidade impediu que identificasse o vulto, embora lhe tenha parecido que o desconhecido intentou retroceder ao vê-lo. Após um breve instante de suposto embaraço, o sujeito recompôs o passo e seguiu firme. Ao se cruzarem no meio dos degraus, Tancredo percebeu que o indivíduo misterioso era, na verdade, o brigadeiro Eduardo Gomes. Estranhou encontrá-lo ali, àquela hora — o fato só poderia significar que um militar oficialmente alheio às investigações soubera da explosiva confissão do motorista antes mesmo do ministro da Justiça e do próprio presidente da República.[23]

Tancredo entrou no quartel, ouviu a mencionada fita e, ato contínuo, correu ao telefone. Ligou para a casa do general Caiado de Castro e avisou que estava se dirigindo, naquele momento, ao Catete. Iria acompanhado de Nero Moura, do coronel Adil de Oliveira, do promotor Cordeiro Guerra e do delegado Jorge Pastor. Sugeriu que o general encontrasse todos eles no palácio, dali a poucos minutos. O caso era gravíssimo, adiantou.

"Tem gente da guarda metida nisso...", informou a Caiado. "Um cidadão chamado Climério."[24]

Os que estavam ao lado do ministro e ouviam metade da conversa acharam uma imprudência ele ter dado por telefone — e antecipadamente — aquela informação reservada. De alguma forma isso poderia alarmar os possíveis responsáveis e permitir a fuga do suspeito.

"Bom, é o chefe da Casa Militar da Presidência da República. Eu não posso negar a ele uma informação dessa natureza", defendeu-se Tancredo. "E, depois, que mal há que ele saiba o nome, se aqui já esteve o brigadeiro Eduardo Gomes, que não tem nada com os acontecimentos e está informado de tudo?"[25]

No Gabinete Militar do Catete, Caiado de Castro ouviu o relato do grupo e mandou chamar Gregório Fortunato. Da mesma forma que Getúlio fizera cerca de 72 horas antes, o general o interpelou a respeito do alegado envolvimento de algum elemento da guarda pessoal no atentado da Tonelero. O "Anjo Negro", como era conhecido, negou pela segunda vez sua participação — ou de qualquer outro guarda-costas sob seu comando. Quanto a Climério, não estava no palácio naquela noite.[26]

Quando a polícia bateu à porta da casa do suspeito, no bairro do Méier, o homem também já havia desaparecido. Nos instantes seguintes, teve início uma das mais espetaculares caçadas humanas até então vistas no país.[27] Às três da manhã, a chefia de polícia divulgou uma nota oficial à imprensa, comunicando o conteúdo do depoimento do motorista Nelson Raimundo e informando que determinara a realização de várias diligências para capturar Climério.[28] Cerca de duzentos homens armados, dezenas de viaturas militares e até mesmo helicópteros foram mobilizados para a operação. As buscas se estenderam por quatro estados brasileiros: Rio de Janeiro, São Paulo, Paraná e Rio Grande do Sul.[29]

Os jornais puseram seus repórteres na rua e trataram de levantar a vida pregressa de Climério Euribes. Na foto publicada por todos os periódicos, o rosto coberto de cicatrizes de varíola dava um aspecto soturno ao suspeito. O *Diário da Noite* descreveu o foragido como um antigo contrabandista de casacos de pele e lingerie que atuava na fronteira gaúcha com a Argentina. Nascido e criado em São Borja, fizera parte do batalhão provisório comandado por Benjamin Vargas durante os combates à revolução paulista de 1932. Em 1944, supostamente a mando de Bejo, participara do sequestro do jornalista Hélio Moniz Sodré, primo e ex-marido de Niomar Moniz Sodré — a articulista do *Correio da Manhã* que

302

deixara o marido para viver com o dono do jornal, Paulo Bittencourt. Além de compadre de Gregório, descobriu-se que Climério era afilhado de Lutero, o que indiretamente implicava o primogênito do presidente no caso.[30]

"Entre outros crimes apontados como de sua autoria, consta o assassinato do próprio sogro e, ainda recentemente, uma ameaça de morte ao bicheiro dono dos pontos situados no cruzamento das ruas Cachambi, Getúlio Vargas e São Miguel, no Méier", informou o *Diário*. O mesmo jornal publicou no alto da primeira página a foto de um homem identificado como Climério ao lado de Getúlio, para atestar a proximidade entre o principal suspeito na morte do major Vaz e o presidente da República.[31] A informação, porém, era falsa. O senhor que aparecia na imagem distribuída para todo o país pela agência de notícias Meridional, dos Diários Associados, não era Climério Euribes de Almeida, mas sim o deputado estadual Rodrigo Magalhães dos Santos, do PTB gaúcho.[32]

Às oito horas, um dos ajudantes de ordens do palácio, major José Henrique Accioly, recebeu do presidente a incumbência de localizar pelo telefone Benjamin Vargas, que estava em Petrópolis. O recado era para que descesse ao Rio naquela mesma manhã. Getúlio desejava conversar com ele a respeito de Climério.[33]

Ao saber da missão do major Accioly, Gregório Fortunato chamou um motorista do palácio e, sem avisar nada a ninguém, disparou rumo à cidade serrana, com o objetivo de encontrar Benjamin no meio do caminho. Estacionou no início da subida da serra e ficou esperando que o automóvel de Bejo chegasse ao local. Os dois veículos pararam no acostamento, um ao lado do outro, às margens da Rio-Petrópolis.

A conversa entre Gregório Fortunato e Benjamin Vargas teria duas versões distintas. Na primeira, exposta por Bejo durante o inquérito que apurou a morte do major Vaz, Gregório teria se queixado das desconfianças de que vinha sendo alvo — e da forma áspera como estaria sendo tratado por todos no palácio, inclusive por Getúlio, a quem sempre fora tão devotado. Na segunda, incluída no relatório do inquérito pelo coronel José Adil de Oliveira, o chefe da guarda pessoal teria desmoronado emocionalmente e confessado que ele próprio mandara matar Lacerda.[34]

O fato é que os dois, Bejo e Gregório, voltaram juntos ao Catete, no mesmo automóvel. De acordo com o que Benjamin Vargas declarou nos autos do processo, ao chegar ao palácio, subiu direto ao terceiro andar para falar com o irmão.

"Já soubeste o que houve?", perguntou Getúlio, citando o fato de o motorista Nelson Raimundo ter apontado o nome de Climério.

Bejo respondeu que sim. Gregório Fortunato havia lhe contado a respeito.

"Tu falaste com o Gregório aí embaixo?"

"Não, soube durante a viagem."

"Que viagem?"

"A viagem de Petrópolis para cá. O senhor não mandou ele me chamar?"

"Não mandei o Gregório te chamar em Petrópolis; mandei que o major Accioly fizesse isso, e pelo telefone."[35]

Impaciente, Getúlio sugeriu que o irmão fosse averiguar o que estava havendo, enquanto orientou Caiado de Castro a proibir que Gregório Fortunato deixasse novamente as dependências do palácio, sob qualquer pretexto. Ele deveria ficar sob rígida vigilância, em seu quarto, até que tudo se esclarecesse. A guarda pessoal seria extinta, por decisão irrevogável, determinou. E o novo chefe de polícia, coronel Paulo Torres, deveria comunicar à imprensa que o governo determinara a mais severa apuração do atentado.

"As ordens do presidente são para que se apontem os responsáveis pelo crime, doa a quem doer", declarou Torres.[36]

Alzira, que passara a madrugada anterior em claro por causa da morte da sogra, vítima de um infarto, também fora mandada chamar às pressas ao Catete. Nos originais datilografados e corrigidos a lápis do segundo volume de suas memórias — que jamais seria publicado —, ela rememorou aquele dia de tensão:

> Mais ou menos por volta de cinco horas da manhã, sou procurada por um portador urgente do Palácio do Catete. Entregou-me um bilhete. Dizia: "O autor do crime da Tonelero foi descoberto e pertence à guarda do palácio". [...] Pouco depois, um telefonema: o ministro da Justiça procurava por mim. Queria saber onde estava meu irmão, Lutero. Fora acusado de ser um dos mandantes do atentado. Encontrei Lutero. Pedi-lhe que entrasse em contato com o ministro imediatamente. Dentro em pouco começariam as últimas cerimônias fúnebres e eu precisava de todas minhas energias. Novos recados, todos cientificando-me que precisavam de mim. Mandei ao Catete dois portadores para que me informassem. Sempre a mesma resposta: "Venha". Não aguentei mais. Chorava de dor, de impotência em ajudar, de cansaço, de exaustão, enfim. Há vinte e quatro horas, não dormia. Quando cheguei finalmente à minha casa, todos os telefones me chamavam. Pedi misericórdia:

Não posso mais. Venha, venha, venha, o presidente está só. Precisa de sua presença. Outro comprimido para não dormir. Não fui vê-lo logo. Quis primeiro saber por que ajudantes de ordens, oficiais de gabinete, empregados de confiança de tantos anos me chamavam com tanta insistência. Contaram-me todo o drama da madrugada. Reuniões, falatórios, discussões, suspeitas, confissões, investigações. Acordaram meu pai. [...]

Ciente de tudo, fui vê-lo. Eram quase duas horas da tarde e ainda não havia almoçado. Estava nervoso, irritado e preocupado. Perguntou-me se queria almoçar. Respondi-lhe: não. [...] Vim apenas para vê-lo e saber o que há e se posso ajudá-lo em alguma coisa. Desci com ele para a sala de almoço no segundo andar. Lá estavam Oswaldo Aranha, meu tio Benjamin Vargas e os ajudantes de ordens. Quando terminaram de almoçar, bateu carinhosamente no meu rosto e me disse: Realmente eu preciso de ti, mas não no estado de cansaço em que estás... Vai dormir e volta quando estiveres repousada. Fui para casa e apesar de todas as pílulas, dormi. Acordei às sete horas desse mesmo dia e voltei. Deixara meu marido repousando, pois sua dor devia ser maior do que a minha. Nesse dia, nada lhe disse. Começaram a acontecer dentro do Palácio do Catete fatos os mais incríveis. Ninguém mais mandava em nada. Todos desconfiavam de todos.[37]

No final da tarde, Getúlio recebeu Nero Moura e Zenóbio da Costa em audiência. O ministro da Aeronáutica fez um relato arrasador do cenário. A Força Aérea estava em estado de sublevação. Os majores, revoltados, não obedeciam mais aos superiores. Haviam municiado e colocado aviões na pista, deixando-os em estado de prontidão, para a eventualidade de uma ação armada contra o palácio. Zenóbio da Costa, ministro da Guerra, acusou o colega de frouxidão e disse que, no lugar dele, mandaria todos os amotinados para a cadeia.[38]

Às dezoito horas, o coronel Adil de Oliveira também foi convocado ao Catete. Getúlio queria ouvi-lo a respeito do andamento do inquérito. Adil repassou ao presidente suas primeiras conclusões. Pelo que as investigações já o autorizavam a afirmar, não haveria dúvidas do envolvimento de Climério e, até onde a vista podia alcançar, do próprio Gregório no crime.

Segundo a narrativa que o coronel fez da reunião à Justiça, Getúlio Vargas parecia inicialmente acabrunhado durante a conversa. Mas, aos poucos, o semblante do presidente foi se convertendo em uma "fisionomia contristadora de depressão".[39]

"É um mar de lama!", deixou escapar Getúlio, repetindo o bordão que Carlos Lacerda costumava usar para atingir o governo.[40]

"Afastar-se, licenciar-se, renunciar são coisas que ocorrem nos países democráticos, que têm ocorrido muitas vezes e muitas vezes sido remédio para a solução dos problemas políticos sem remédio", discursou o deputado Afonso Arinos, no dia 9 de agosto, na tribuna da Câmara. "Há nisso, muitas vezes, um coração cansado, um cérebro desencantado, uma alma fatigada por experiências negativas."[41]

Aliomar Baleeiro também sugeriu que Getúlio renunciasse ao cargo.

"A permanência do principal suspeito, direta ou indiretamente, diante deste crime no mais alto posto do país faz com que se gere no espírito público a dúvida de que as autoridades não dispõem de todos os meios para o completo esclarecimento da verdade, sobretudo daquela que mais interessa à nação: conhecer os mandantes", disse Baleeiro.[42]

Nesse mesmo dia, o Clube da Lanterna fez uma assembleia nas dependências da Associação Brasileira de Imprensa, para analisar as implicações políticas do crime da rua Tonelero. Alto-falantes foram instalados na fachada do prédio, a Casa do Jornalista, para que os populares que se aglomeravam ao longo da rua Araújo Porto Alegre, em todo o trecho compreendido entre as ruas México e Graça Aranha, pudessem ouvir a palavra dos oradores da cerimônia, transmitida ao vivo pela Rádio Globo.[43]

O também udenista Odilon Braga, um dos escalados para falar na solenidade, apelou para que Getúlio "colocasse a mão na consciência" e renunciasse à presidência, pois só assim poderia encerrar sua vida pública com um mínimo de respeito da população.

"O sangue do bravo major Rubens Vaz selou a condenação definitiva da oligarquia Vargas", definiu Braga, que em seguida teve a voz abafada por uma salva de palmas.[44]

Enquanto isso, 3 mil oficiais do Exército, da Marinha e da Aeronáutica, reunidos em assembleia no Clube Militar, aprovaram uma moção cobrando maiores esforços na apuração do crime e a punição rigorosa dos responsáveis, fossem eles executores ou mandantes. Em resposta, para demonstrar autoridade e o necessário apoio ao governo, o ministro da Guerra, Zenóbio da Costa, declarou à imprensa que os quartéis estavam de prontidão, com as tropas a postos, aptas a conter "a agitação provocada por elementos interessados em perturbar a ordem e a tranquilidade públicas".[45]

Em simultâneo, o general Caiado de Castro, chefe do Gabinete Militar da Presidência da República, divulgava uma nota na qual informava que a guarda pessoal de Getúlio fora oficialmente extinta, por decisão do próprio presidente. O serviço de segurança do chefe da nação passaria a ser executado por homens das polícias especiais das Forças Armadas. Os elementos da guarda recém-extinta ficariam sob a responsabilidade do Conselho Nacional de Segurança e à disposição das autoridades que dirigiam o inquérito.[46]

Na madrugada de 9 para 10 de agosto, 47 integrantes da guarda pessoal — eram 83, ao todo — foram levados em um cortejo de viaturas ao quartel da Polícia Militar, para serem perfilados diante de Carlos Lacerda, que faria o reconhecimento dos suspeitos. Um forte contingente armado escoltou aquela insólita comitiva. O prédio foi inteiramente cercado por soldados de metralhadoras em punho. Em uma pequena sala, acompanhado apenas dos responsáveis pelo inquérito policial, Lacerda ficou frente a frente com os guarda-costas do presidente, que entraram em sucessivos grupos de cinco. Na parede da saleta, ironicamente, estava a fotografia oficial de Getúlio, acompanhada dos seguintes dizeres, lapidados por Lourival Fontes: "O Brasil deposita a sua fé e a sua esperança no chefe da nação".[47]

Lacerda apontou meia dúzia de prováveis implicados. Ficou acertado que os outros 36 integrantes da guarda seriam alvo de uma segunda sessão de reconhecimento no dia seguinte. Mas, antes disso, um investigador de polícia, Edson Alves Sacramento, forneceu a peça do quebra-cabeça que faltava para o inquérito policial ganhar nova direção e consistência. Sacramento contou a oficiais da Aeronáutica que, tempos antes, fora ameaçado por Climério. Este o pressionara a fazer vista grossa para um caso de assassinato envolvendo um amigo, José Antônio Soares, acusado de encomendar a morte de um desafeto a um matador de aluguel. Na ocasião, o investigador intimara o tal Soares a se apresentar à delegacia, mas o próprio Climério comparecera em seu lugar para hostilizá-lo, sugerindo que Gregório Fortunato, o chefe da guarda pessoal do presidente da República, ficaria bastante aborrecido caso a polícia incomodasse seu amigo. Os personagens dos dois casos poderiam ter alguma relação, raciocinou Sacramento.[48]

De fato, apurou-se que José Antônio Soares e Climério Euribes de Almeida haviam sido vistos juntos na tarde do dia anterior ao atentado a Lacerda.[49] Uma patrulha designada para ir à procura de Soares não o localizou em casa. Mas os investigadores não perderam a viagem. Conversaram no local com uma testemunha, um vigilante municipal, que disse ter conhecimento de vários elementos que "trabalhavam" para a dupla Soares e Climério. Entre eles, um homem que correspondia exatamente às descrições feitas por Lacerda do assassino do major Vaz. O nome dele era Alcino e morava em Caxias.[50]

Enquanto eram providenciadas diligências para a busca do novo suspeito, a oficialidade da FAB se reunia no Clube da Aeronáutica. O brigadeiro Eduardo Gomes foi instado a assumir o comando de um movimento antigovernamental e, por aclamação, declarado "chefe incontestável" da Força Aérea. Na sequência, o brigadeiro participou de uma reunião secreta com altas patentes militares. O comandante da Escola Superior de Guerra, general Juarez Távora; o chefe do Estado-Maior do Exército, general Álvaro Fiúza de Castro; e o inspetor geral do Estado-Maior da Aeronáutica, brigadeiro Ivan Carpenter Ferreira, pressionaram o ministro da Guerra, general Zenóbio da Costa, a apresentar a Getúlio a proposta de renúncia.[51]

Zenóbio se negou a dar qualquer passo nesse sentido. Prometeu defender a continuidade do mandato presidencial até o último dia estabelecido pela Constituição. Não compactuaria com golpes ou quarteladas. No mesmo dia, porém, foi procurado por Carlos Lacerda, que lhe fez idêntica sugestão, em nome da sociedade civil.

"Vim aqui propor ao senhor a deposição do presidente da República, isto é, que o senhor o convide a renunciar ou então o deponha", expôs Lacerda.

"Não posso trair o presidente. Eu sou o seu ministro da Guerra", respondeu Zenóbio.

"Ou o senhor trai o presidente ou o senhor trai o país. A decisão é sua, porque esse homem evidentemente está no chão. Eu não sei como o senhor vai se conduzir. O problema de consciência é seu", insistiu Lacerda. "Quando um presidente da República diz que debaixo do seu palácio corre um rio de lama, ele tem que sair de lá."[52]

Eram duas e meia da tarde de 11 de agosto quando um carro com a chapa oficial 9 44 79 transpôs o portão de ferro do quartel da PM. No banco de trás, sentado entre dois soldados armados de submetralhadoras, espremia-se o corpulento Gregório Fortunato. Fora chamado para dar seu primeiro depoimento no inquérito policial — e para ser acareado com Carlos Lacerda. Um batalhão de fotógrafos estava de plantão no local, aguardando-o descer do carro. Os flashes estouraram quando ele, sorrindo, entrou no prédio, escoltado pelos policiais. Apesar do semblante aberto, estava nervoso. Socava continuamente com a mão direita a palma da esquerda. O advogado de Lacerda, Adauto Lúcio Cardoso, percebendo o gesto, perguntou se aquilo por acaso era algum sinal de ameaça. Gregório respondeu que não. Era um cacoete, afirmou.[53]

O Anjo Negro permaneceu nas dependências do quartel até as oito e meia da noite. A certa altura do longo depoimento, quando posto cara a cara com Lacerda, disse estar passando mal. Aparentemente, desmaiou. Foi socorrido pelo médico da corporação e, após breve intervalo, continuou a ser ouvido pelas autoridades. Quando afinal assomou ao portão para deixar o local, foi vaiado pela multidão que se acumulava lá fora.[54]

Antes do fim do dia, o ministro Nero Moura retornou ao Catete para comunicar ao presidente que o brigadeiro Eduardo Gomes — dizendo-se descrente quanto aos rumos da investigação policial e, sobretudo, à punição dos mandantes — exigia a instauração de um IPM. Nesse caso, as apurações passariam da órbita da polícia para a esfera militar.

"Não há inconveniente nenhum", disse Getúlio a Moura.[55]

Segundo o relato que o próprio Nero Moura faria mais tarde do episódio, o presidente estaria, nessa ocasião, "acabrunhadíssimo".[56]

O estado de espírito de Getúlio e a perspectiva da instauração do IPM fizeram com que os ministros e assessores diretos do Catete sugerissem o cancelamento de um evento oficial previsto para o dia seguinte, 12 de agosto. Na agenda, constava uma ida a Belo Horizonte, onde o presidente deveria inaugurar as instalações da usina Mannesmann, subsidiária de um conglomerado alemão do setor da siderurgia e mineração.[57]

Alzira e Ernani ligaram para o governador Juscelino Kubitschek, manifestando suas apreensões quanto aos riscos envolvidos na viagem. Como o convite havia sido feito pelo governo mineiro, tentaram convencer Juscelino a telefonar para Getúlio, desobrigando-o do compromisso. Uma ausência do presidente da capital federal naquele momento poderia facilitar a eclosão de um levante dos quartéis. Juscelino reconheceu o estado geral de ameaça e preferiu entrar em contato com Tancredo Neves, seu amigo e conterrâneo, para combinarem uma desculpa de última hora. Concordaram que a inauguração deveria ser adiada, sob o pretexto de uma avaria qualquer em uma das linhas de transmissão da força da usina.[58]

"O governador está com medo de me receber?", perguntou Getúlio, desconfiado, a Tancredo.[59]

O ministro da Justiça foi obrigado a confessar o artifício. Getúlio não gostou do que ouviu. Disse que manteria a agenda e mandou o ministro confirmar a viagem a Minas Gerais.

Em Belo Horizonte, Getúlio Vargas faria a sua última aparição pública — e seu derradeiro discurso.

Às 10h20 do dia 12 de agosto, o avião presidencial aterrissou no Aeroporto da Pampulha. Getúlio estava de óculos escuros. Entrou no carro e, na companhia de Juscelino, seguiu imediatamente da pista de pouso para a cidade industrial. O governador ordenara o bloqueio de todo o trajeto até a Mannesmann, para prevenir eventuais manifestações de protesto. Policiais civis e militares estavam mobilizados para dar segurança ao presidente da República ao longo do percurso.[60]

"As injúrias que me lançam, as pedras que me atiram, a objurgatória, a mentira e a calúnia não conseguirão abater o meu ânimo, perturbar a minha serenidade, nem me afastar dos princípios de amor e humildade cristã por que norteio a minha vida e me fazem esquecer os agravos e perdoar as injustiças", discursou Getúlio, durante a solenidade de inauguração da usina. "No governo, represento o princípio da legalidade constitucional que me cabe preservar e defender", ressaltou. "Advirto aos eternos fomentadores da provocação e da desordem que saberei resistir a todas e quaisquer tentativas de perturbação da paz e da tranquilidade públicas."[61]

Mais tarde, Juscelino ofereceu um almoço a Getúlio, na pérgula da piscina do Palácio da Liberdade, com direito a trilha sonora de uma orquestra que selecionou um repertório de músicas suaves. A certa altura, o general Caiado de Castro aproximou-se do presidente e comunicou que o avião presidencial estava pronto para decolar. O chefe do Gabinete Militar recomendava que voltassem o quanto antes ao Rio. As notícias que chegavam da capital federal eram inquietantes.[62] A missa de sétimo dia celebrada na Candelária em memória do major Rubens Vaz derivara para uma série de incidentes em praça pública. Pequenos comícios pela cidade evoluíram para tumultos generalizados. A polícia entrara em ação e dispersara os manifestantes com bombas de gás lacrimogêneo.[63]

"Não sigo hoje para o Rio, general, vou pernoitar em Belo Horizonte", respondeu Getúlio, em tom sereno.[64]

Com a mudança de agenda, o almoço se estendeu até as cinco da tarde, quando só então os jornalistas puderam se aproximar para obter algumas declarações do presidente da República. Sorridente e afável, ele argumentou que não havia mais nada a acrescentar ao discurso na Mannesmann.

"Eu já disse tudo que precisava ser dito."

Quando um repórter indagou se a crise política no Rio de Janeiro significaria uma ameaça real ao regime, fez-se de desentendido:

"Qual crise?"

Perguntou-se então se ele considerava que as notícias publicadas pelos jornais cariocas estariam fora do tom e exagerando a gravidade da situação.

"Acho que sim", falou, quase monossilábico.

Quando um jornalista questionou se ele, por acaso, em algum momento, pensara em articular um novo golpe de Estado para se perpetuar no poder, Getúlio se permitiu fazer um comentário um pouco menos breve:

"Sou um presidente eleito e exercerei meu mandato até o último dia, sem um segundo a mais."

O mesmo repórter quis saber então se ele cogitava a possibilidade da renúncia.

"Não, nunca pensei nisto", disse, sorrindo.[65]

Juscelino conduziu o presidente à residência oficial, o Palácio das Mangabeiras, onde ele passaria a noite. Às dezenove horas, recebeu um grupo de trabalhadores que haviam solicitado audiência e, às vinte e uma, jantou com os diretores da Mannesmann e personalidades da política e da sociedade mineira, embalado pelo som do violão do instrumentista e compositor Dilermando Reis. Por volta da meia-noite, resolveu se recolher ao quarto que lhe fora reservado no primeiro andar.[66]

Na madrugada, Juscelino flagrou Getúlio sozinho, na biblioteca localizada no piso térreo. Ele disse estar procurando um livro para ler.

"Nunca durmo, sem antes ler um pouco", justificou.

Voltou a passar os olhos pelas lombadas na estante, tirou um romance de Eça de Queirós e, com ele debaixo do braço, deu boa-noite e dirigiu-se à escada.

"O Eça se encarregará de me fazer dormir", comentou.[67]

Mas Getúlio passaria a noite em claro. Às três da madrugada, ele chamou o mordomo do palácio e disse estar ouvindo barulhos estranhos, como se alguém estivesse arrastando móveis ou querendo forçar a entrada do prédio. O empregado explicou que estavam no alto de uma serra e por isso ali ventava bastante. O ruído era apenas o vento golpeando as janelas.[68]

Às cinco e meia da manhã, o mordomo voltou ao quarto na ponta dos pés, para saber se estava tudo bem com o presidente. Ao entreabrir a porta, viu Getúlio recostado na cama, de olhos fechados, com as mãos postas e mexendo os lábios, silenciosamente.

Parecia estar rezando.[69]

17. As Forças Armadas exigem a renúncia do presidente. "Só morto sairei do Catete", responde Getúlio (1954)

Era uma sexta-feira, 13, do mês de agosto. Quando Getúlio desceu do avião presidencial no Aeroporto Santos Dumont, vindo de Belo Horizonte, Tancredo Neves o aguardava na área de desembarque.[1] A crise se agravara de modo considerável. O tal Alcino, que a polícia procurava para os lados de Caxias como um dos possíveis implicados no atentado a Carlos Lacerda, fora preso durante a madrugada. Na verdade, ele morava em São João do Meriti, à rua Gil de Queiroz, numa modesta casinha de meia-água, de apenas três cômodos, poucos móveis e um fogão a querosene.[2]

Na primeira ida ao lugar, os investigadores não o encontraram. Provavelmente, ao constatar o escândalo em torno do caso e ver o retrato de Climério nos jornais, ele tratara de desaparecer. Quando lhe indagaram onde estaria Alcino, a esposa, Abigail, chegou a dizer que não conhecia ninguém com esse nome. Foi então levada para prestar depoimento na Base Aérea do Galeão — local que passou a servir de sede ao IPM recém-instaurado. Pouco a pouco, a mulher começou a ceder. Pediu que não a separassem dos filhos e, enfim, resolveu admitir que o marido trabalhava para Climério Euribes.[3]

Ao vasculharem a casa, os policiais e oficiais da Aeronáutica já haviam descoberto uma pista quente. Entre recibos de aluguel, uma caderneta da Caixa

Econômica e outros documentos pessoais, encontraram um cartão de visitas de um estúdio fotográfico, o Foto Levi, localizado em Rocha Miranda, subúrbio do Rio. Num canto do cartão, na perpendicular, havia uma anotação à caneta, em que se lia um nome próprio e um número de telefone: "Climério — 29-7615".[4]

Enquanto Abigail continuava detida, a casa ficou sob campana. Um policial permaneceu escondido lá dentro, na expectativa de que Alcino retornasse para apanhar algo que houvesse deixado para trás ou, quem sabe, para buscar a própria família. Por volta das cinco horas da madrugada, ele apareceu. Foi imediatamente rendido e levado ao Galeão.[5]

Depois de várias horas de interrogatório, Alcino João do Nascimento acabou por assumir a autoria do crime. Confessou ter atirado contra o major Rubens Vaz. O verdadeiro alvo, como já se imaginava, seria outro. Ele confirmou ter sido contratado para eliminar o jornalista Carlos Lacerda.

Cerca de vinte anos mais tarde, Alcino garantiria haver confessado sob tortura. Negaria, até a morte, ter trabalhado como pistoleiro profissional. Seria somente um informante, um "secreta", designado para seguir os passos de Lacerda e, depois, relatar a Climério onde e com quem o jornalista estivera. O objetivo, nesse caso, seria devassar a vida do dono da *Tribuna da Imprensa*, a fim de elaborar um dossiê detalhado o suficiente para fazê-lo calar nas críticas ao presidente. Segundo sua versão, ele recebera, pelo trabalho, uma carteira de investigador policial e um ordenado fixo. Estivera na rua Tonelero, na madrugada fatídica de 5 de agosto, cumprindo apenas esse tipo de tarefa. Aproximara-se do carro do major Rubens Vaz para anotar a placa e tentar identificar o motorista. Mas, em certo momento, fora visto pelo oficial, que desconfiou de suas intenções e tentou agarrá-lo. Seguira-se uma luta corporal e, enquanto os dois se engalfinhavam, alguém disparara duas vezes em direção ao lugar onde estavam. Um dos balaços teria atingido Vaz pelas costas, ao mesmo tempo que, para se desvencilhar do oponente, Alcino sacara o próprio revólver e dera um tiro no peito do major. Depois disso, correra para não ser atingido pelas balas que continuavam vindo em sua direção.[6]

Se a história contada mais de duas décadas depois do crime fosse de fato verdadeira, restariam algumas perguntas a serem feitas. De onde teriam partido os alegados dois primeiros disparos, quando Alcino se batia, corpo a corpo, com Rubens Vaz? Estaria presente à cena outro atirador, jamais identificado? Ou seriam aqueles os próprios tiros que Lacerda disse ter efetuado para revidar a agressão? O jornalista, inadvertidamente, apertara o gatilho enquanto os dois homens ainda se digladiavam? Sendo assim, o projétil que acertara o major pelas costas poderia ter partido da arma do próprio Lacerda? E por que o jornalista, que de início defendera a hipótese de serem três os pistoleiros — afirmando que as balas partiam de várias direções —, passou a aceitar a tese do atirador único após a prisão de Alcino?[7]

Armando Falcão, ao recordar os episódios daquela noite em seu livro de memórias — *Tudo a declarar*, publicado em 1989 —, relatou uma circunstância que não veio à tona à época do crime. Falcão encontrou Carlos Lacerda já no Miguel Couto, com o pé enfaixado, e em seguida o levou de volta para casa em um táxi. No meio do caminho, o jornalista teria explodido, em um surto de consciência. "Acho que vou enlouquecer! Foi uma enorme desgraça o que acaba de acontecer. Penso que fui eu quem matou o Vaz", teria dito Lacerda. "Dei uns tiros a esmo, já sem óculos, e tenho a impressão de que ele estava na minha frente. Que horror! Que tragédia, meu Deus!"[8]

A perícia e a autópsia indicaram que Rubens Vaz foi morto por munição de calibre 45. As balas eram tarjadas de verde, correspondentes a um tipo de revólver de uso privativo das Forças Armadas — o arsenal também utilizado pela guarda da presidência da República. Como Carlos Lacerda afirmou ter atirado com um 38 cano curto, ficava em tese eliminada a hipótese de ele ter acertado o major acidentalmente. Sabendo disso, Armando Falcão o tranquilizou.[9]

O único senão na história é que Lacerda, conforme sempre admitiu, não apresentou a própria arma à polícia. Quando o delegado de Copacabana pediu que a entregasse, recusou-se a fazê-lo. "Para que o senhor quer meu revólver, agora, já?", questionou, insinuando que talvez desejassem incriminá-lo. "Eu não lhe entrego o revólver, pois já percebi aonde o senhor quer chegar."[10] A tal arma nunca foi periciada, deixando a questão em aberto.

Seja como for, o fato é que, sob tortura ou não, após ser preso naquele 13 de agosto de 1954, Alcino assumiu a versão que passaria à posteridade como a história oficial: Climério o contratara, por intermédio de José Antônio Soares, para cometer um crime de pistolagem contra Carlos Lacerda. Quando os interrogadores quiseram saber quem seria o mandante final do atentado, Alcino respondeu que Soares e Climério nunca tinham deixado isso claro, embora houvessem falado alguma coisa a respeito, por alto:

"Pelo que me disseram, era coisa do dr. Lutero", contou ele, no Galeão.[11]

Quando estavam no bairro de Rocha Miranda para concluir as diligências, os investigadores da Aeronáutica notaram que bem em frente ao endereço do Foto Levi — rua Topázios, 123, conforme indicado no cartão encontrado na casa de Alcino — funcionava um comitê eleitoral do deputado Lutero Vargas.[12] Se não era uma prova conclusiva contra o filho do presidente, tratava-se de um indício bastante comprometedor.

Como havia muita gente presente à área de desembarque do Aeroporto Santos Dumont, a conversa entre o presidente e o ministro da Justiça enveredou por outros rumos. Em vez de falarem sobre atentados, pistoleiros e assassinatos, acharam melhor tratar de política.

"Gostei de ver o seu amigo Kubitschek", disse Getúlio. "Ele está solidamente apoiado pelo povo de Minas. Não seria a hora de nós deflagrarmos a sucessão?"

"Pois não, presidente", respondeu Tancredo, calculando que aquela talvez fosse uma boa manobra diversionista, para tirar o foco da crise e impor uma nova pauta aos jornais.

"Procure fazer uma sondagem em torno do nome do governador", sugeriu Getúlio. "Mas faça com cuidado, para que o Aranha não se aborreça."[13]

Contudo, tão logo chegou ao Catete, Getúlio mandou chamar Lutero. Queria ouvir o que ele tinha a dizer a respeito da acusação de Climério. Quando o assunto chegasse à imprensa, certamente se daria um massacre. Por muito menos o *Diário Carioca* publicara naquela manhã mais um dos furiosos editoriais de Macedo Soares, exigindo a renúncia do presidente. Uma denúncia anônima levara o vereador udenista Mário Martins a conduzir um grupo de jornalistas em caravana ao Departamento de Geografia e Estatística do Distrito Federal. Lá, os funcionários da repartição foram flagrados imprimindo cartazes e cédulas da campanha de Lutero, que se lançara candidato à reeleição (o pleito para a renovação do Congresso estava marcado para outubro).[14]

"O difícil para o sr. Getúlio Vargas não seria abandonar o governo, mas exercê-lo em meio às ruínas e à estrumeira em que o transformou", escreveu Macedo Soares, a propósito, na edição daquele dia.[15]

Antes de receber o chamado do pai e seguir ao palácio, Lutero discutira a gravidade da situação com a irmã Alzira. Mais cedo, enquanto Getúlio ainda voava de Minas para o Rio, o ministro Nero Moura ligara para comunicar a prisão de Alcino — e para alertar sobre as consequências da divulgação do depoimento do homem que confessara ter matado o major Vaz. Moura recomendou que Lutero se apresentasse espontaneamente aos responsáveis pelo IPM. Se possível, abrindo mão das imunidades parlamentares, para que não pairassem desconfianças acerca de sua disposição em provar inocência.[16]

Alzira julgou pertinente a sugestão do ministro da Aeronáutica. Mas, por via das dúvidas, achou que era o caso de fazer uma pergunta objetiva ao irmão:

"Foste tu?"

"Não", Lutero respondeu.

Alzira, ainda assim, não se satisfez.

"Mas disseste, alguma vez, alguma coisa, em algum lugar e a alguém, qualquer frase que te pudesse pôr em posição difícil?"

Lutero não entendeu o que a irmã pretendia insinuar. Alzira então explicou que vários amigos dela, incluindo colegas de Ernani, já haviam lhe sugerido que talvez fosse o caso de aplicarem um corretivo em Carlos Lacerda. Ela sempre repelira aquele tipo de abordagem. Mas talvez Lutero, ainda que sem intenção real de eliminar o jornalista, pudesse ter dado a entender a alguma pessoa que a ideia não seria de todo má.

"Por isso, eu te pergunto, mais uma vez, Lutero: não disseste nada a ninguém que pudesse ser interpretado nesse sentido?"

"Não", ele insistiu.

"Então, deves mesmo ir ao Galeão. Aguentas?"

"Aguento, eu não fiz nada."[17]

Os dois irmãos rumaram juntos ao Catete para consultar o pai, que a essa altura já mandara o ajudante de ordens em busca do filho. No palácio, Tancredo Neves havia sugerido ao presidente a mesma providência já indicada por Nero Moura: seria muito mais conveniente Lutero se apresentar de modo espontâneo às autoridades do que esperar uma intimação oficial para depor na condição de acusado.[18]

"Papai, trouxe o cordeiro de Deus que vai para o sacrifício...", brincou Alzira, tentando desanuviar o ambiente.[19]

Não consta que Getúlio tenha achado a piada engraçada. Dizia ter certeza absoluta de que um filho seu jamais poderia estar envolvido em um caso sórdido como aquele. Precisava, porém, ouvir a confirmação da própria boca de Lutero.

"O senhor bem sabe que se eu o julgasse necessário iria pessoalmente, na frente de todos, aniquilar essa pústula", disse-lhe o filho. "Não fui o mandante desse crime asqueroso", jurou.[20]

Lutero Vargas, médico ortopedista, sempre questionou até mesmo a veracidade do ferimento de Carlos Lacerda. Como especialista, ele presumia que uma lesão provocada por bala de arma 45, em um pé humano, teria feito um estrago inevitavelmente maior. Se Lacerda houvesse recebido um balaço de tal calibre naquela região, teria ficado com os ossos e tendões comprometidos de tal modo que talvez se justificasse uma possível amputação clínica.[21]

As desconfianças de Lutero a esse respeito encontrariam eco na narrativa de uma testemunha ocular da cena de sangue na rua Tonelero. O jornalista Otávio Bonfim — que acompanhava Armando Nogueira e assistira ao episódio a poucos metros de distância — disse ter visto Lacerda, depois de cessados os tiros, caminhar normalmente em direção ao corpo do major caído junto ao meio-fio. Bonfim não se lembrava de o jornalista estar sequer mancando.[22]

Um vizinho de Lacerda, Fernando Aguinaga, contou ter chegado em casa no dia do crime depois da meia-noite, após ter ido ao cinema com a mulher e um amigo. Os três teriam ficado conversando em frente ao número 186 da rua Tonelero — o apartamento de Carlos Lacerda era no número 180 — até o momento em que viram um homem atirando e depois sair correndo em direção à esquina. Instantes depois, Aguinaga teria ajudado Lacerda a socorrer o major Vaz. O jornalista estaria andando sem nenhum ferimento no pé.[23]

Mas, nesse caso, o testemunho do antigo vizinho de Lacerda, publicado em 1983 pela revista *Manchete*, contradizia o que o mesmo Aguinaga dissera ao depor na madrugada de agosto de 1954 no Distrito Policial, na rua Hilário de Gouveia, a poucos minutos da cena do crime. Na ocasião, no calor da hora, ele afirmara ter visto Lacerda manquejando, como se também tivesse sido alvejado.[24]

Entre tantas conjecturas e contradições, o próprio Carlos Lacerda ajudaria a perpetuar a dúvida ao elaborar duas versões distintas, separadas por longo espaço de tempo, sobre o instante exato em que percebeu estar ferido. Segundo contou na *Tribuna da Imprensa* logo no dia seguinte ao crime, notara a aproximação suspeita de Alcino e, após vê-lo atirar contra o major Vaz, correra para dentro da garagem do prédio, subira uma escada interna e, por fim, saíra pelo portão principal, quando então passou a revidar ao ataque. Só nesse momento teria observado que fora atingido no pé.[25]

Após 23 anos, em 1977, ao conceder uma longa entrevista ao *Jornal da Tarde*

318

e ao *Estado de S. Paulo* — publicada, em seguida, na forma de livro[26] —, Lacerda assegurou que ainda se encontrava na rua quando sentiu ter sido baleado: "O pé esquerdo pesando, uma dor violenta. Quando olhei, estava saindo sangue pelo cordão do sapato". Fizera então o percurso descrito na primeira versão: mesmo ferido, com "uma dor violenta no pé", saíra correndo para a garagem, conseguira subir uma escada interna e sair pela porta principal, a tempo de ainda atirar contra Alcino.[27]

Com mais de duas décadas de intervalo entre uma reconstituição e outra, é admissível imaginar que a memória de Lacerda o tenha atraiçoado e invertido a ordem dos acontecimentos. De todo modo, as ambiguidades e incertezas a respeito do que de fato aconteceu naquela madrugada na rua Tonelero — e, de forma específica, ao pé de Lacerda — poderiam ter ficado esclarecidas não fosse uma circunstância, no mínimo, esdrúxula. O prontuário do paciente no Miguel Couto, com os raios X e todos os outros exames médicos em anexo, sumiram misteriosamente do hospital. Nunca foram encontrados.[28]

Getúlio aconselhou Lutero a ir ao Galeão, como Nero Moura e Tancredo Neves haviam recomendado, mas devidamente acompanhado do vice-presidente da Câmara dos Deputados, Adroaldo Mesquita da Costa (PSD-RS). O filho acatou o conselho e disse que responderia às interrogações que lhe fossem feitas como "simples cidadão", não como congressista ou filho do presidente da República.[29]

Lutero saiu e voltou pouco depois. Segundo afirmou, fizeram-lhe algumas "perguntas tolas" e o liberaram em seguida. Em suas memórias, Lutero chegou a afirmar que os investigadores do IPM teriam lhe mostrado, naquela noite, um depoimento assinado por Gregório Fortunato, acusando-o de ser o mandante do crime. Em seguida, o teriam levado para uma cela onde o Anjo Negro se encontrava prisioneiro. Uma tentativa astuta, imaginou, de jogarem um contra o outro.[30] Mas tal situação, sabe-se, seria cronologicamente impossível. Em 13 de agosto, Gregório continuava no Catete — sob as ordens de Getúlio para não deixar o palácio — e ainda não havia nenhuma acusação formal contra ele para que já pudesse estar detido no Galeão.[31]

Numa história tão nebulosa, até hoje cercada de mistérios, controvérsias e interrogações, aquela imprecisão de Lutero seria apenas mais um ingrediente a confundir os que por acaso tentaram extrair uma versão única, pronta e acabada do turbilhão de episódios desencadeados pela morte do major Vaz. O que se sabe é que, na volta do Galeão, às vinte horas, Lutero Vargas leu ao microfone da Rádio Nacional um pronunciamento público, copidescado por Tancredo Neves e Ernani do Amaral Peixoto.[32]

"Nesta hora, em que a insânia de maus brasileiros, trabalhados por ódios pessoais mesquinhos, procura envolver o meu nome numa trama engendrada e urdida por eles próprios, venho diante da opinião pública denunciar essas manobras e proclamar, sem nenhum receio, que estou sendo vítima de torpe difamação", dizia o texto. "Juro, perante Deus e a nação, que nenhuma ingerência direta ou indireta e nenhuma responsabilidade, por ação ou omissão, tive no deplorável acontecimento."[33]

A estratégia de se antecipar ao noticiário surtiu efeito. No dia seguinte, 14 de agosto, os jornais deram amplo destaque à declaração de Lutero, o que ajudou a neutralizar, em parte, os ataques diretos contra ele. Afinal, mesmo naquela circunstância de radicalização política, a palavra de um deputado federal, filho do presidente da República, tendia a prevalecer sobre a de Alcino — um homem pobre, suburbano e mulato.

A defesa de Lutero, entretanto, não conseguiu tirar o governo — e sobretudo o pai, Getúlio — do foco da crise. Ainda repercutia na imprensa, com grande alarde, a assembleia extraordinária realizada pelo Clube Naval na quinta-feira, quando quinhentos sócios haviam aprovado uma moção de solidariedade aos colegas da Aeronáutica.[34] O ministro Renato Guillobel divulgara uma conclamação à tropa, exortando-a a manter a disciplina e o respeito à Constituição.[35] Apesar disso, a oficialidade da Marinha continuou com os ânimos exaltados, pedindo a renúncia do presidente.

Na tarde daquele sábado, o Clube Militar realizou sua própria assembleia, para votar um documento com o mesmo propósito, assinado por integrantes das três armas. O evento teve a adesão de cerca de 1,5 mil oficiais. Getúlio recebeu em seu gabinete um informe da assessoria resumindo os principais itens tratados na reunião. Os militares de terra, mar e ar tinham aprovado, por unanimidade, uma moção em que também se diziam solidários aos camaradas do Clube da Aeronáutica. E exigiam "a severa punição de todos os crimes de responsabilidade, de corrupção, de acobertamento e proteção de suspeitos e culpados, que já tenham sido ou venham ainda a ser postos em evidência no decurso das averiguações".[36]

Getúlio e seu inseparável charuto, durante o segundo período de governo (1951-4).

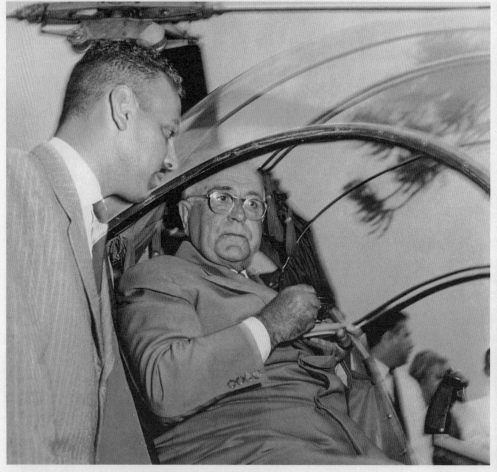
Getúlio a bordo de um helicóptero e de um caça da FAB.

O presidente com a cantora Linda Batista, a Rainha do Rádio por onze anos consecutivos.

Da direita para a esquerda: Gregório Fortunato, Getúlio Vargas e Oswaldo Aranha.

Getúlio em duas aparições públicas, recebendo as costumeiras demonstrações de simpatia popular.

Acima, com o genro Ernani do Amaral Peixoto; abaixo, com a filha Alzira e a esposa, Darcy.

No alto, à esquerda, Getúlio passa um abacaxi — a presidência da República — ao sucessor Dutra, mas o recebe ainda maior, cinco anos depois (charge da revista *O Picadeiro*). Acima e ao lado, duas ilustrações de Théo para a revista *Careta*. Getúlio como o homem que "afundou" o Brasil e como o ascensorista que não conseguiu controlar a inflação e elevou o preço dos produtos de primeira necessidade.

O pirata Getúlio Vargas enfrentando os ataques da imprensa, em charge da revista *Careta*, 1953.

Como Don Juan, apesar da idade avançada, não consegue convencer a Constituição de que lhe será sempre fiel, na charge de *O Globo*, 1953.

Acima, Getúlio com o vice-presidente Café Filho. Abaixo, no canto esquerdo, com os ministros da Aeronáutica, Nero Moura (de paletó), e da Guerra, Ciro Cardoso; no canto direito, com Ricardo Jafet, presidente do Banco do Brasil.

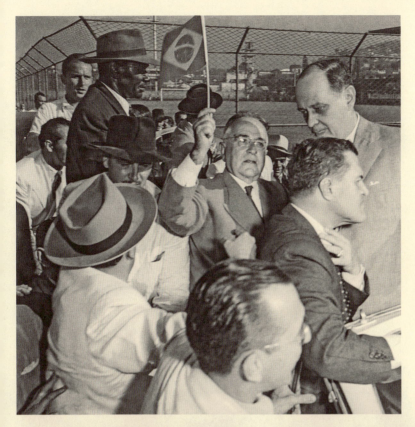

Acima, no carro presidencial, com a bandeira brasileira. Abaixo, com dois futuros presidentes da República, Tancredo Neves (esquerda) e Juscelino Kubitscheck (direita).

Samuel Wainer e Getúlio.

André Carrazzoni e Lourival Fontes.

O jornalista Assis Chateaubriand, o Chatô, dono dos Diários Associados, e Getúlio Vargas.

Acima, o jornalista Carlos Lacerda, e a caricatura célebre de Lan, que o retratou como "O Corvo", apelido dado por Samuel Wainer. Ao lado, o deputado Aliomar Baleeiro, um dos mais ferrenhos oposicionistas do governo no Congresso Nacional.

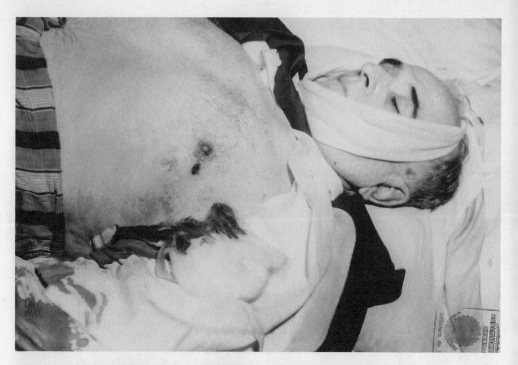

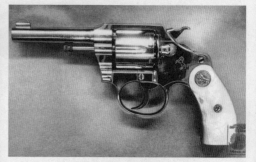

No alto, Getúlio Vargas, com o ferimento à bala no peito. Ao lado, o pijama com a perfuração provocada pelo projétil e manchado de sangue à altura do bolso esquerdo, próximo ao monograma "GV". Acima, o revólver Colt com o qual o presidente se suicidou.

Reações de indignação popular, no Rio de Janeiro e em Porto Alegre, pela notícia da morte de Getúlio.

Tancredo Neves chora diante do caixão de Getúlio (ao lado). Jango deposita um terço sobre o vidro (abaixo). Na página seguinte, populares desmaiam e se emocionam durante os funerais do presidente.

Uma multidão acompanha o cortejo fúnebre de Getúlio, na orla do Rio de Janeiro.

O pior daquele fim de semana crítico, porém, estava por vir. O subchefe da extinta guarda pessoal de Getúlio, João Valente de Souza, o segundo homem na hierarquia após Gregório Fortunato, tinha sido chamado a depor antes mesmo da instalação do IPM e seguia detido para averiguações. Questionado duramente pelos investigadores, abriu a boca. Confessou ter facilitado a fuga de Climério e Alcino, fornecendo-lhes instruções e dinheiro vivo. Isso explicava, de forma crucial, os 7 mil cruzeiros, em notas novas e numeradas em série, que tinham sido encontrados em poder de Alcino.[37]

Pressionado mais um pouco — depois surgiriam fortes suspeitas da ocorrência de sessões de tortura física e psicológica no Galeão —, Valente entregou uma informação adicional. Fora Gregório Fortunato quem lhe dera o dinheiro para ser repassado a Climério e Alcino. A ordem era para que sumissem do mapa, sem deixar rastros.[38]

Com base na confissão de João Valente, o coronel Adil de Oliveira, que assumira a presidência do IPM, podia enfim formalizar uma acusação direta contra o Anjo Negro — e pedir sua detenção. No domingo à noite, 15 de agosto, começou a circular a notícia de que Gregório dera entrada no Hospital da Marinha, após ter sido acometido de um princípio de ataque cardíaco.[39]

Na verdade, tinha sido levado preso.[40]

Quando o sol se pôs no fim da tarde de segunda-feira, 16 de agosto, as patrulhas da Aeronáutica decidiram encerrar as buscas por aquele dia e recomeçá-las somente na manhã seguinte. Dez aviões de caça, dois helicópteros, cinquenta viaturas e um total de duzentos homens, incluindo um corpo de paraquedistas, haviam fechado o cerco a Climério, no meio da mata. Depois de se esconder por algum tempo no sítio da mãe, em Jacarepaguá, o fugitivo recorrera ao casebre de taipa de um compadre, o agricultor Oscar Domingos de Souza, no alto da serra do Tinguá, em Nova Iguaçu.[41]

Na palhoça de Domingos, os policiais encontraram uma sacola com roupas, um par de óculos escuros, algumas balas de revólver e uma carteira de cigarros, pertencentes a Climério. Ao ouvir o ronco dos aviões e helicópteros, ele se embrenhara no matagal. Cães farejadores partiram em seu encalço, mas ao anoitecer a caçada teve que ser interrompida temporariamente. Fazia bastante frio na serra durante a madrugada e os policiais deduziram que o foragido não poderia ir muito longe vestido apenas com camisa e calça de brim.[42]

De manhã cedo, Climério foi avistado em um ponto distante, no alto de uma colina, adentrando um bananal. O fato serviu para delimitar ainda mais a área de buscas. Por volta das sete horas, ele se viu cercado, de cócoras, atrás de uma moita, junto a um barranco. Não apresentou resistência, embora portasse uma arma. Saiu de mãos para cima. Estava exausto e faminto. Foi levado de helicóptero, na mesma hora, para o Galeão.[43]

Interrogado, indicou a localização de 35 mil cruzeiros, em notas de quinhentos, com sequência numérica próxima às que haviam sido encontradas com Alcino. Do mesmo modo que o comparsa, confessou que o dinheiro tinha sido fornecido por Gregório Fortunato para financiar a fuga. Uma busca simultânea na casa do próprio Gregório resultou na apreensão de mais 225 mil cruzeiros. Os números das cédulas apresentavam intervalos nos quais se encaixavam perfeitamente os maços em poder de Climério e Alcino.[44]

Dois dias depois, em 19 de agosto, José Antônio Soares — apontado como o intermediário entre Climério Euribes e Alcino do Nascimento — foi capturado numa estrada no interior de Minas Gerais, quando tentava chegar de automóvel ao município de Patrocínio, no Triângulo Mineiro. Uma barreira policial parou o carro e Soares foi reconhecido, apesar de ter raspado a cabeça, tirado o bigode e estar de óculos escuros.[45]

No dia 13 de agosto, o major-aviador Hernani Fittipaldi, um dos ajudantes de ordens do presidente, estava arrumando a mesa de Getúlio quando encontrou algumas folhas de papel com anotações à mão. Ficou assustado quando leu o que estava escrito.[46]

Deixo à sanha dos meus inimigos o legado da minha morte.

Levo o pesar de não haver podido fazer, por este bom e generoso povo brasileiro e principalmente pelos mais necessitados, todo o bem que pretendia.

A mentira, a calúnia, as mais torpes invencionices foram geradas pela malignidade dos rancorosos e gratuitos inimigos numa publicidade dirigida, sistemática e escandalosa.

Acrescente-se a fraqueza de amigos que não me defenderam nas posições que ocupavam, a felonia de hipócritas e traidores a quem beneficiei com honras e mercês, à insensibilidade moral de sicários que entreguei à Justiça, contribuindo todos para criar um falso ambiente na opinião pública do país contra a minha pessoa.

Se a simples renúncia ao posto a que fui levado pelo sufrágio do povo me permitisse viver esquecido e tranquilo no chão da pátria, de bom grado renunciaria. Mas tal renúncia daria apenas ensejo para, com mais fúria, perseguirem-me e humilharem-me.

Querem destruir-me a qualquer preço. Tornei-me perigoso aos poderosos do dia e às castas privilegiadas. Velho e cansado, preferi ir prestar contas ao Senhor, não de crimes que não cometi, mas de poderosos interesses que contrariei, ora porque se opunham aos próprios interesses nacionais, ora porque exploravam, impiedosamente, aos pobres e aos humildes.

Só Deus sabe das minhas amarguras e sofrimentos.

Que o sangue dum inocente sirva para aplacar a ira dos fariseus.

Agradeço aos que de perto ou de longe me trouxeram o conforto de sua amizade.

A resposta do povo virá mais tarde...

Getúlio Vargas[47]

Fittipaldi apanhou os papéis e os entregou a Alzira. Ela leu e, segundo contou, subiu correndo ao terceiro andar do palácio, "com o coração aos saltos". O pai, imóvel, parecia ressonar tranquilo. Mesmo assim, Alzira chamou o tio Benjamin e, voltando com ele ao quarto, pediu-lhe que verificasse a respiração de Getúlio. Conferisse se o pulso e a temperatura estavam normais. Bejo atendeu ao apelo e a tranquilizou. Estava tudo bem. O homem apenas dormia.[48]

Na manhã seguinte, Alzira o interpelou, com as folhas de papel na mão:

"Então, estás querendo que nesta idade eu comece a sofrer do coração?"

"Por quê?", perguntou Getúlio.

"Que significa esse bilhete, papai?"

"Onde você encontrou isso?"

"Na tua mesa, entre os teus papéis."

"Quem manda seres bisbilhoteira?", o pai respondeu, sorrindo.

"E quem manda deixares papéis desses ao alcance de uma bisbilhoteira?"

Getúlio pegou as anotações e as guardou no bolso.

"Não é o que estás pensando, minha filha", disse, com ar severo. "Não te preocupes, foi um desabafo."[49]

***

Um caminhão com placa oficial estacionou na frente do Catete e, minutos depois, saiu de lá com dois armários de gavetões de aço recheados de documentos. Era o arquivo pessoal de Gregório, mandado confiscar pela direção do IPM. Getúlio havia determinado que nada fosse feito para impedir ou atrapalhar as investigações e, por isso, não houve nenhuma tentativa de reter o material. Tancredo, como ministro da Justiça, ponderou que aquela devassa no palácio devia ser considerada um acinte ao Poder Executivo. Mesmo assim, o presidente mandou dizer que podiam levar o que bem entendessem.[50]

Não por menos, já se falava, nos jornais, na "República do Galeão". A desenvoltura dos oficiais da Aeronáutica na investigação do atentado que vitimou o major Vaz era de tal ordem que muitos consideravam o IPM uma instância de poder superior ao Judiciário, ao Congresso e à presidência da República, todos reunidos. E Carlos Lacerda, seu porta-voz.

"Os chefes militares sabem o que fazem. Se não fazem, assumem, pela inércia, as suas responsabilidades perante o povo e diante da história, que é implacável no seu julgamento", ele escreveu, em um de seus editoriais na *Tribuna da Imprensa*. "Mas, por Deus, não se escondam por trás da Constituição. Esta não foi feita para justificar a complacência com o crime. Não se pode ao mesmo tempo servir a dois senhores: quem serve a Vargas não serve à Constituição."[51]

Os papéis de Gregório Fortunato traziam revelações catastróficas para o governo. Eles atestavam que o chefe da guarda pessoal, apesar de receber um salário de 15 mil cruzeiros (7,5 mil reais), era dono de um conjunto de bens estimado em torno de 65 milhões de cruzeiros (32,8 milhões de reais) — entre os quais se incluíam imóveis, um mercado em Copacabana e um cavalo puro-sangue.[52]

Havia provas materiais de que Gregório exercia intenso tráfico de influência nos bastidores do poder, o que incluía desde pequenos favores palacianos ao agenciamento de vultosas quantias. No arquivo, foram encontrados cartas, bilhetes e recibos trocados por ele com autoridades e lideranças empresariais do país. Entre outros ilícitos, Fortunato recebera comissões para intermediar junto ao Banco do Brasil a liberação de guias de importação, da antiga Cexim, sem a necessária cobertura cambial. Usava de sua proximidade com Getúlio para obter e distribuir benefícios políticos e financeiros.[53]

O coronel Adil de Oliveira, responsável pelo IPM, repassou à imprensa cópias de vários desses documentos, que começaram a ser divulgados com estardalhaço, a partir de 20 de agosto, na primeira página dos jornais e nos programas de Lacerda na TV Tupi. Na Câmara, o deputado Herbert Levy (UDN-SP) subiu à tribuna para comparar:

> Atente bem, nação brasileira, enquanto pela extorsão, pelo furto, pelo peculato, pelos negócios escusos realizados com o Banco do Brasil, este semianalfabeto, pelo simples fato de gozar da intimidade do presidente da República, acumulava uma fortuna de 65 milhões de cruzeiros, possuindo poderes que rivalizavam com os de um primeiro-ministro de um governo, o que ficou para a viúva do major Vaz? Uma pensão de 4 mil cruzeiros mensais.[54]

Entre os documentos pinçados das gavetas de Gregório e publicados na imprensa, nenhum produziu maior baque emocional em Getúlio do que um recibo assinado por Manuel Antônio Vargas — o Maneco, que desde a morte de Getulinho passara a ocupar o lugar de filho caçula do presidente. Em papel timbrado com o brasão da República e rabiscado à mão, o texto subscrito por Maneco atestava que ele recebera de Gregório Fortunato a quantia de 2,6 milhões de cruzeiros (1,3 milhão de reais) pela venda de uma propriedade em São Borja, a Fazenda São Manuel. Segundo uma anotação acrescida com a mesma caligrafia ao rodapé da folha, Gregório fizera ainda um pagamento adicional, pelo negócio, de mais 1,32 milhão (666 mil reais).[55]

"Não estamos mais no terreno da suspeita contra a honorabilidade do governo", analisou o *Diário Carioca*. "Não se registra mais caso isolado que poderia deixar margem a se pensar na inocência do sr. Getúlio Vargas. Trata-se de um monturo que cresceu em torno da pessoa presidencial e o suja de alto a baixo."[56]

A dedução pública, à época, foi lógica. Só havia uma maneira de alguém, ganhando o salário de chefe de guarda-costas, conseguir comprar uma fazenda de praticamente 4 milhões de cruzeiros: por meio de negociatas. Como agravante, o filho do presidente passara recibo em papel oficial do Palácio do Catete.

"Isso não pode ser verdade. Isso não tem cabimento. É só uma exploração. Esse documento é falso", disse Getúlio, terrificado, ao ver o fac-símile do recibo estampado na capa de *O Globo*.[57]

Maneco estava fora do país, passando a lua de mel em Paris. Casara em meados de julho com Vera Tavares ("bonita, simpática e elegante", segundo a definição da coluna social "Ronda da Meia-Noite", da *Última Hora*). Alzira e Jango tinham sido os padrinhos.[58] Getúlio não teve dúvidas em dar-lhe a ordem de interromper a viagem de núpcias imediatamente e retornar ao Brasil. Queria todos os esclarecimentos possíveis sobre aquela história escabrosa.[59]

Coube a Tancredo, Alzira, Ernani e Darcy a missão de ir pegar Manuel Antônio no Aeroporto do Galeão, local que estava transformado em uma espécie de quartel, por causa do IPM. "A entrada para o Galeão parecia terra inimiga até para a família do presidente da República legal e constitucionalmente eleito", escreveu Alzira, no segundo volume inédito de suas memórias. "Para que pudéssemos passar foi necessário que os ajudantes de ordens se identificassem perante os soldados que barravam a entrada. A autoridade do presidente estava diminuída pela indisciplina que haviam criado, levantado e transformado em verdadeira força."[60]

Segundo noticiou *O Globo*, a presença de Alzira no aeroporto gerou rumores de que ela teria sido denunciada como mandante do atentado a Lacerda e por isso fora chamada para depor, ao lado do marido, governador do Rio de Janeiro. O jornal cuidou de desfazer o engano em chamada de primeira página no dia seguinte, mas publicou a foto da filha e da esposa do presidente da República juntas, de braços dados — com Ernani aparecendo ao fundo, meio de costas —, sob um título dúbio: "O casal Amaral Peixoto no Galeão". Como a palavra Galeão se transformara em sinônimo de IPM, era preciso ler o texto embaixo, em letras pequenas, para se compreender que o boato era infundado.[61]

No Catete, o resto da família reunida aguardava, apreensiva, a chegada de Maneco.

Mal ele entrou, Getúlio inquiriu:

"Você vendeu a fazenda?"[62]

O filho confirmou. Sim, o recibo era autêntico. A letra era sua. Gregório lhe pagara cerca de 4 milhões de cruzeiros pela São Manuel.

Segundo as palavras de Tancredo, naquele momento Getúlio experimentou "um profundo abalo". O resto de ânimo que por acaso ainda lhe restasse se esvaiu, ao sentir a honra pessoal e familiar enxovalhada, sem que pudesse defendê-la.[63]

Nos papéis do ex-presidente, ficaria uma declaração de Maneco, escrita de próprio punho, tentando justificar a operação. Ele contraíra uma série de dívidas desde que descuidara dos negócios da fazenda em São Borja para se dedicar à política, trabalhando para a consolidação do PTB no Rio Grande do Sul. Como precisava honrar compromissos financeiros acumulados, decidira vender a propriedade. Depois de procurar vários possíveis compradores, ninguém se interessara pelo negócio. Até o momento em que Gregório Fortunato se ofereceu para adquirir a São Manuel. Quando Maneco perguntou de onde ele tiraria o dinheiro, ouviu como resposta a afirmação de que Jango, então ainda ministro do Trabalho, endossaria um empréstimo bancário no valor correspondente.[64]

Para Getúlio, nada daquilo melhorava a situação. Muito pelo contrário. Um ministro avalizara um empréstimo numa instituição financeira, em nome do guarda-costas do palácio, para ajudar a cobrir uma dívida pessoal do filho do presidente da República. Isso era o equivalente a uma confissão de culpa.

Pouco mais tarde, um desolado Getúlio Vargas mandou chamar Oswaldo Aranha ao Catete. O ministro da Fazenda — um dos únicos antigos amigos que lhe restaram na equipe e um dos últimos remanescentes da Revolução de 30 que permanecera ao seu lado depois de tantos anos de governo — atendeu prontamente ao chamado. Ao subir ao terceiro andar do palácio, Aranha encontrou o presidente debruçado na janela, de óculos escuros e fisionomia abatida. Deu-lhe a impressão de ter chorado.

"Oswaldo, está confirmado. Debaixo do Catete há um mar de lama."

"Mas, o que é isso? [...] É humano, um filho pode errar", argumentou o amigo e ministro. "Compreendo seu pesar, mas a história está cheia desses acontecimentos. Reaja, você é um homem forte, um homem poderoso, um homem que tem enfrentado e vencido tantas situações difíceis na vida. Paciência, vamos andando..."[65]

Na tarde de 21 de agosto, o vice-presidente Café Filho decidiu ir ao Catete falar com Getúlio Vargas. Queria lhe propor uma fórmula que, no seu entender, estancaria a crise institucional. Conversara previamente sobre a ideia com o líder da maioria, Gustavo Capanema, e com os ministros da Guerra, Zenóbio da Costa, e da Marinha, Renato Guillobel. Café tinha em mente convencer Getúlio a apresentarem, juntos, o pedido de dupla renúncia. Ambos abdicariam dos respectivos cargos, simultânea e espontaneamente, abrindo as chances para um governo interino, de coalizão. Em vez de assumir o presidente da Câmara, Nereu Ramos, próximo na linha sucessória, seria escolhido um nome de consenso entre governo e oposição.[66]

Ao ouvir a proposta inusitada do vice-presidente, Capanema achou-a temerária e inexequível. Reconhecia que Getúlio estava politicamente indefeso, mas deixar o país acéfalo só iria piorar a situação. Mesmo que fosse possível encontrar um substituto consensual em meio aos radicalismos do momento, isso significaria uma solução extralegal, o que exigiria uma reforma da Constituição, em regime de emergência.

"Seria o fim de tudo. Nem pense em tal coisa", desaconselhou Capanema.[67]

O almirante Guillobel, apesar de demonstrar certa simpatia pela tese, não se mostrou entusiasmado em defender a renúncia do presidente.

"Eu, seu auxiliar, nada posso fazer senão acompanhá-lo até o fim", sentenciou.[68]

Zenóbio foi ainda mais taxativo:

"Estarei do lado do presidente, haja o que houver. Não tomo parte em nenhum movimento de renúncia".[69]

Ainda assim, Café Filho insistiu em levar o assunto ao Catete. Chegando lá, procurou convencer Getúlio:

"Se eu fosse presidente, também não aceitaria uma renúncia imposta. Mas a proposta que lhe trago é diferente", disse. "Reclama-se o seu afastamento e prega-se a minha ascensão. Pois bem. Vamos sacudir a nação com um gesto: fomos eleitos juntos na mesma chapa, renunciemos agora juntos no mesmo destino. Será um fato novo, capaz de cortar a agitação."[70]

Em suas memórias, Café Filho descreveria as reações do interlocutor:

Getúlio escutou-me pendurado, pelo olhar, ao teto do palácio, numa reflexão mímica, que lhe era quase um cacoete ou uma evasão. [...] Ao aludir às buscas no Catete e à repercussão dos arquivos de Gregório ali encontrados, tinha Vargas uns silêncios consternados, numa expressiva retórica muda. Movia a cabeça, aprovando os comentários que eu fazia e ruminando a tristeza, a revolta e a vergonha que sufocava, mas deixava transparecer nos vincos do rosto. [...] A melancolia em que se encontrava Getúlio, a sua depressão, a dor moral transbordante, as palavras de desalento, tudo indicava que, por sua vontade, não permaneceria no governo. [...] Mostrara-se comovido, sobretudo ante a alusão à falta de solidariedade de muitos correligionários. Nem parecia o homem frio e insensível do retrato de tantos dos seus biógrafos e intérpretes.[71]

Ao final da conversa, Getúlio disse a Café que iria consultar alguns amigos e pensar a respeito da proposta. Depois lhe daria uma resposta definitiva. Tão logo deixou o palácio, o vice-presidente procurou estabelecer contato com o general Juarez Távora, um dos principais articuladores da oposição militar ao governo, e com o chefe do Estado-Maior das Forças Armadas, marechal Mascarenhas de Moraes. Fez questão de cientificá-los da sugestão que fizera ao presidente da República.[72]

Getúlio, por sua vez, consultou o ministro da Justiça sobre o plano de Café Filho. Tancredo, com sua típica desconfiança mineira, pressentiu o risco de uma possível arapuca. Imaginou que o vice-presidente pudesse estar fazendo, de algum modo, o jogo dos golpistas. Nesse caso, todo cuidado era pouco. Melhor ficarem atentos.[73]

Ao saber que não fora chamado para uma reunião do Alto-Comando das Forças Armadas, Nero Moura percebeu que tinha sido rifada e perdida toda a sua autoridade no meio militar. Para não deixar o governo a descoberto em um setor de extrema sensibilidade naquele instante, preferiu pedir demissão do Ministério da Aeronáutica e recomendar a Getúlio que convidasse para o seu lugar alguém que desfrutasse de indiscutível conceito entre os pares.[74]

Primeiro, Getúlio pensou no nome de Altair Rozsanyi, comandante da 5ª Zona Aérea, sediada em Porto Alegre, mas que não aceitou o encargo, pelas dificuldades notórias do momento. Depois ventilou-se o convite a um veterano da corporação, o brigadeiro Henrique Dyott Fontenelle, sessenta anos, ex-presidente do Clube da Aeronáutica que, consultado, disse encarar o desafio. Getúlio aprovou a recomendação e Nero se sentiu autorizado a contatar Fontenelle para avisá-lo que ele deveria ser nomeado para o ministério. Porém, em decisão surpreendente, Getúlio escolheu outro brigadeiro, Epaminondas Gomes dos Santos, que tinha a conveniência de ser governista e amigo do presidente, mas a desvantagem de ser inimigo mortal de Eduardo Gomes.[75]

"Deu-se a merda", telefonou Lourival Fontes a Nero Moura, prevendo o agravamento definitivo da crise militar.[76]

Com efeito, no domingo, 22 de agosto, as mais altas patentes da força aérea se reuniram em assembleia no Clube da Aeronáutica. Os oficiais encarregados das diligências do IPM haviam feito aos colegas a leitura do relatório parcial das investigações e, por fim, lançado um apelo para que os brigadeiros "assumissem a direção dos acontecimentos". Os depoimentos de Gregório Fortunato no Galeão foram um dos motivos principais da celeuma.[77]

Gregório acusou o empresário e deputado Euvaldo Lodi, ex-presidente da CNI e um dos principais financiadores da campanha presidencial de Getúlio, de tê-lo induzido a matar Carlos Lacerda. Depois, o dedo do Anjo Negro apontou na direção do general Ângelo Mendes de Morais, o ex-prefeito do Distrito Federal que Lacerda acusara, em 1947, de ter contratado cinco capangas para surrá-lo à porta da Rádio Mayrink Veiga. Chamados a depor, um e outro negaram as acusações, com veemência. Lodi chamou Gregório de "mentiroso" e Mendes de Morais disse estar sendo vítima da "maior infâmia já articulada contra um homem público no Brasil".[78]

De todo modo, a despeito de quem fosse o mandante final, o ex-chefe da guarda de Getúlio terminou assumindo a responsabilidade na intermediação do crime, após ser interrogado pelo inspetor Cecil de Macedo Borer — por sinistra ironia histórica, um dos responsáveis pelo interrogatório, em 1935, de Arthur Ernest Ewert, o comunista que enlouqueceu na cadeia após ser torturado pela polícia varguista. Posteriormente, Gregório disse terem lhe ameaçado atirar de um avião em pleno voo, caso não admitisse a culpa.[79] Carlos Lacerda, em suas recordações do período, admitiu ter mandado imprimir, a pedido dos investigadores, uma edição falsa da *Tribuna da Imprensa*, com uma manchete fictícia: "Bejo Vargas foge para Montevidéu abandonando seus amigos na hora do perigo". A intenção óbvia era fazer o prisioneiro delatar o irmão do presidente, mas Fortunato jamais apontou o nome de Benjamin como um dos possíveis envolvidos no caso.[80]

Depois de receberem o apelo para que assumissem "a direção dos acontecimentos", os brigadeiros elaboraram um manifesto exigindo a renúncia imediata de Getúlio. Por volta do meio-dia daquele domingo, o brigadeiro Eduardo Gomes, que encabeçou a lista de assinaturas, ficou encarregado de ir à casa do chefe do Estado-Maior das Forças Armadas, marechal Mascarenhas de Moraes, para que ele fosse o portador do ultimato da Aeronáutica ao presidente da República.[81]

A rua Visconde de Cairu, onde Mascarenhas morava, recebeu uma movimentação incomum de automóveis naquela tarde de 22 de agosto. Entre outros, além de Eduardo Gomes, estiveram por lá os generais Juarez Távora, Álvaro Fiúza de Castro, Canrobert Pereira da Costa, o brigadeiro Ivan Carpenter Ferreira e o almirante Saladino Coelho, numa demonstração de que a discussão extrapolava os limites estritos da força aérea. Como convidado especial de Mascarenhas, também esteve presente um dos subchefes do Estado-Maior das Forças Armadas, o general Humberto de Alencar Castello Branco — que dali a dez anos estaria investido na condição de presidente da República, por força do golpe militar de 1964.[82]

A conversa entre o grupo terminou às cinco da tarde. Às sete e meia da noite, o marechal Mascarenhas se dirigiu ao Catete para cumprir a missão que lhe fora confiada: entregar ao presidente o manifesto dos brigadeiros exigindo que abandonasse o palácio.[83] Ao chegar, deve ter notado que o chefe do gabinete militar, Caiado de Castro, já mandara cavar trincheiras nos jardins do fundo do prédio. Sobre a mesa do ajudante de ordens, havia uma metralhadora dando as boas-vindas a qualquer visitante.[84]

"Marechal, em 1945, eu estava no governo mantido pela vontade das armas. Atualmente, fui eleito pelo povo, e não posso sair daqui enxotado pelas Forças Armadas", disse-lhe Getúlio. "Não renuncio; daqui só sairei morto e o meu cadáver servirá de protesto contra essa injustiça."[85]

Era um brado de resistência. Depois de ouvir a resposta e deixar o gabinete presidencial, Mascarenhas de Moraes cruzou ao pé da escada com Café Filho. Getúlio havia mandado chamar o vice para comunicar-lhe qual tinha sido, afinal, sua decisão à proposta da dupla renúncia.[86]

"Como é, já veio assumir?", dissera-lhe Alzira, sarcástica, ao vê-lo chegar.[87]

"Não, porque estou muito cansado", queixou-se Café, desmanchado numa poltrona, enquanto aguardava a hora de ser anunciado. "Você não sabe o que estou sofrendo. Tenho sido tão solicitado que já não sei o que fazer."[88]

"Dr. Café, eu já estou tão habituada com essas vigílias cívicas que elas já não me assustam mais. Nós estamos prontos e preparados, sabemos com quem contamos. Não fique tão preocupado", replicou Alzira, deixando-o sozinho e entrando na sala do pai, na companhia de Bejo e Lutero.[89]

Café Filho permaneceu sentado, olhando para a metralhadora sobre a mesa. "Fixei o olhar nela e pus-me a meditar. Que significava tal arma, em si mesma e como símbolo, naquele instante?", escreveu ele, em suas memórias, *Do sindicato ao Catete*. "Que representava para mim, para Getúlio, para a nação? Seria um sinal de segurança do governo? Prenunciaria uma reação sangrenta? Ou teria servido apenas para me recepcionar? Estava engolfado nesses pensamentos, quando o presidente me chamou, por intermédio do ajudante de ordens. Encontrei-o só. A família saíra por outra porta. A metralhadora ficara esquecida."[90]

Foi Café Filho quem também narrou o diálogo entre os dois.

"Não renunciarei de maneira alguma. Se tentarem tomar o Catete, terão de passar sobre o meu cadáver."

Depois de tentar ponderar e persuadi-lo do contrário, Café percebeu que o presidente estava irredutível.

"Uma vez recusada em termos irrevogáveis a minha sugestão, está claro que me sinto também desobrigado de renunciar. Caso o senhor deixe desta ou daquela maneira este palácio, a minha obrigação constitucional é vir ocupá-lo."

"Compreendo muito bem a sua atitude", assentiu o presidente. "Mas daqui só me tirarão morto."

"Adeus, presidente", disse o vice.

"Até logo", respondeu Getúlio.[91]

No dia 23 de agosto, a resposta de Getúlio a Mascarenhas e Café estava estampada, em manchete, na primeira página da *Última Hora*:

SÓ MORTO SAIREI DO CATETE![92]

Na noite anterior, Maneco Vargas procurara Samuel Wainer em casa para sugerir que aquela poderia ser a senha para conter o golpe em marcha. A edição esgotou em questão de minutos.[93] Duas fotos ilustravam a matéria. Uma, de arquivo, mostrava Getúlio com ar grave — contrariando a imagem do líder sorridente. A outra, tirada durante a madrugada, exibia a fachada do Catete com as luzes internas acesas. Um sinal de que ninguém ali dormira naquela noite.[94]

Foi uma segunda-feira inteira de tensões. Tancredo Neves propôs a Getúlio que decretasse o estado de sítio e pusesse os signatários do manifesto dos brigadeiros na cadeia. Mesmo um homem moderado, conhecido pelo equilíbrio e comedimento, chegara à conclusão de que não havia outra forma de o governo se sustentar nas próximas 24 horas.[95]

"Não, o Zenóbio diz que a situação vai bem", disse o presidente, descartando a medida extrema.[96]

Getúlio ainda acreditava que o ministro da Guerra mantinha os quartéis sob o mais rigoroso controle.

"Depois do manifesto da Aeronáutica, vem o manifesto da Marinha e amanhã o senhor não se surpreenda se surgir o manifesto do Exército", anteviu Tancredo.[97]

As palavras de Tancredo foram proféticas. Naquele mesmo dia, às onze horas, a alta oficialidade da Marinha reuniu-se em assembleia e decidiu apoiar as exigências da Aeronáutica, lançando o manifesto dos almirantes.[98] À tarde, no Senado, Café Filho revelou publicamente, na tribuna, que levara até Getúlio a proposta da dupla renúncia, mas o presidente não a tivera na devida consideração. O discurso do vice mais pareceu o libelo de um oposicionista. Nele, rememorou o atentado a Lacerda e as investigações do IPM, para depois salientar que os problemas econômicos e financeiros do país se agravavam a cada dia.[99]

"Em meio a esse quadro, em que as palavras parecem impotentes para descrever uma realidade que todos veem e sentem, sobressai uma inquietação geral", discursou Café. "Governo, oposição e povo, através de todas as classes civis e militares, se mostram apreensivos e inseguros. Ninguém está seguro. A ordem e o próprio regime parecem equilibrar-se num fio, às bordas de um despenhadeiro", prosseguiu. "Não há quem não perceba que, a qualquer momento, tudo poderá precipitar-se na voragem de surpresas desagradáveis, que nem sempre dependem do controle da vontade humana."[100]

Um editorialista do *Correio da Manhã* não poderia ter feito melhor. Antes mesmo de concluída a leitura do discurso, cópias mimeografadas já circulavam, de mão em mão, pelos corredores do Senado e pelas redações dos jornais. Uma delas foi entregue a Alzira, que a levou imediatamente ao pai. Getúlio compreendeu o significado da atitude do vice-presidente, que acabara de abrir caminho para não ser derrubado junto com o titular — e herdar-lhe os respectivos despojos.[101]

Os generais também já estavam com seu manifesto pronto, redigido desde a véspera na casa de Álvaro Fiúza de Castro, chefe do Estado-Maior do Exército, com a colaboração de Alcides Etchegoyen, Canrobert Pereira da Costa, Nicanor Guimarães de Sousa e Juarez Távora. Cada um dos cinco ficou de colher naquela segunda-feira o maior número possível de assinaturas entre os colegas, com a finalidade de publicar, no dia seguinte, o texto exigindo a renúncia de Getúlio. Às onze horas da noite, já subscrita por 27 generais, uma cópia foi entregue ao ministro da Guerra, para que ele levasse o ultimato ao presidente.[102]

Era exatamente meia-noite — zero hora do dia 24 de agosto — quando Zenóbio chegou ao Catete, acompanhado de Mascarenhas de Moraes. Os dois foram comunicar a Getúlio que não havia saída à vista: o Exército iria divulgar o manifesto dali a poucas horas. Ele estava virtualmente deposto.[103]

Enquanto Getúlio recebia Zenóbio e Mascarenhas, aviões davam rasantes sobre o palácio, em sinal de ameaça. Tancredo, informado de que a situação no Exército se complicara, chegou praticamente junto com os dois militares. Como já estavam fora do horário normal de expediente, o presidente não usava paletó e gravata. Vestia calça esporte de mescla e blusão. Mas, apesar de ser noite, estava de óculos escuros.[104]

"Convocarei o ministério no decorrer do dia, para deliberação", disse ele aos visitantes.[105]

Mascarenhas ponderou que, dali por diante, cada minuto poderia ser fatal. Sugeriu que Getúlio mandasse os assessores telefonarem para os ministros, tirando-os da cama, se necessário. A reunião, aconselhou o marechal, deveria ter início imediatamente.[106]

Era meia-noite e meia quando Getúlio, enfim, deu ordem para que todos fossem chamados. Enquanto esperava a chegada dos colegas, Tancredo Neves se aproximou de Getúlio, que estava fumando o tradicional charuto.

"Presidente, como vamos conduzir a reunião ministerial? Qual deve ser a nossa posição?"

"Iremos ouvir os ministros militares e tomaremos uma decisão", respondeu o presidente, que apanhou a caneta-tinteiro sobre a mesa e a entregou a Tancredo.

"Guarde isto, como lembrança desses dias…"

O ministro o olhou com ar de surpresa.

"Não se preocupe, tudo vai acabar bem", comentou Getúlio.[107]

18. "Se algum sangue for derramado, será de um homem cansado e enojado de tudo isso" (24 de agosto de 1954)

Eram duas horas da manhã quando a reunião ministerial começou.[1]

Getúlio foi o primeiro a sentar-se, à cabeceira da mesa do salão de despachos. Havia passado no quarto e trocado de roupa. Vestia um terno cinza-azulado. Os ministros ocuparam os seus lugares, marcados por pastas de couro verde com letras gravadas em dourado indicando os respectivos ministérios. Tancredo Neves sentou imediatamente à esquerda de Getúlio. À direita, Oswaldo Aranha. José Américo de Almeida ocupou a cabeceira oposta à do presidente. Os demais integrantes da equipe se dividiram entre os dois lados do grande retângulo de madeira enverniza-da. Apenas Vicente Rao, que não se encontrava no Rio, estava ausente. Sua cadeira foi colocada à disposição do marechal Mascarenhas de Moraes, convidado a parti-cipar daquele momento histórico. Os chefes dos Gabinetes Civil e Militar também tomaram assento e esperaram o chefe da nação abrir os trabalhos.[2]

Getúlio explicou a todos por que estavam ali reunidos. Fez um breve retros-pecto das graves notícias que haviam chegado ao palácio naquela noite, dando conta do estado de conflagração das Forças Armadas. O presidente queria ouvir cada um de seus auxiliares do primeiro escalão. A partir do pensamento coletivo, estabeleceria a posição oficial do governo.[3]

José Américo, ao fazer depois a narrativa detalhada do encontro, afirmou que, nesse momento, o presidente estava "no seu natural, sem nenhuma lividez, sem a menor alteração no semblante ou na voz que refletisse um distúrbio interior."[4]

De acordo com Américo, dada a excepcionalidade da situação, a palavra do ministro da Guerra antecedeu à dos demais colegas. A reunião estava nesses instantes iniciais quando a porta se abriu violentamente, provocando o sobressalto de todos.[5]

Era Alzira que adentrava a sala, em um rompante. Não aguentara a ideia de permanecer do lado de fora, alheia aos fatos, enquanto aqueles senhores decidiam os destinos do governo — e de seu pai. Atrás dela, aproveitando a ocasião e a porta aberta, ingressaram Darcy, Lutero, Maneco, Ernani e o deputado Danton Coelho, que estava no palácio. O marechal Mascarenhas de Moraes, com sua característica rigidez militar, estranhou que uma reunião que começara "majestosa" fosse invadida por amigos e pessoas da família do presidente e, segundo ele, "gradativamente desvirtuada, tornando-se verdadeiramente teatral".[6]

Alzira postou-se junto ao espaldar da cadeira de Getúlio, à frente dos ajudantes de ordens e secretários. A mãe e os irmãos ficaram em segundo plano, um pouco mais recuados. "Na minha condição de antiga auxiliar de gabinete, fiquei obedientemente junto a meus ex-colegas de trabalho, ouvindo os debates que se travavam", ela descreveu. "Estava sendo feito o primeiro rodízio de votação sobre o que deveria deliberar o presidente da República em face dos acontecimentos. Em pé, ao lado dele, acompanhei as várias reações. Houve de tudo: honestidade, interesse, coragem, covardia, desejo de ajudar, vontade de trair, amizade e até ódios recalcados."[7]

Convidado a se pronunciar, o general Zenóbio da Costa, ministro da Guerra, disse que 37 generais já haviam assinado o manifesto de solidariedade aos brigadeiros, exigindo a renúncia do presidente da República. Ele avaliava que a maior parte das tropas do Exército não estaria disposta a se bater em armas contra os camaradas da Marinha e da Aeronáutica.[8]

"Para ressalvar futuras responsabilidades, comunico a todos os presentes que a resistência vai provocar derramamento de sangue", disse Zenóbio.[9]

Tancredo Neves, segundo consta, teria sido o segundo a falar. Argumentou que toda aquela crise político-militar era, no seu conceito, desprovida de sentido. O IPM se encontrava em pleno funcionamento e com ampla liberdade de ação, os suspeitos envolvidos diretamente no atentado a Lacerda estavam todos na cadeia e o governo não impusera nenhuma ressalva às investigações. Portanto, não haveria motivos razoáveis para as Forças Armadas continuarem naquele estado eterno de sublevação. Tancredo considerava que o Catete devia se opor às pressões dos quartéis e defender, acima de tudo, a ordem legal, mantendo preservadas as instituições.[10]

"Se aparecerem soldados para depor o presidente, a solução é resistir", indicou o ministro da Justiça.[11]

O almirante Guillobel afirmou, na sequência, que o maior problema era saber com quais forças seria organizada uma eventual resistência.

"A Marinha não pensa em levantar-se nem em depor o presidente, mas já se manifestou em favor da Aeronáutica", disse, com um semblante de desolação.[12]

O brigadeiro Epaminondas dos Santos, que não conseguira ainda sequer tomar pé da situação do ministério que acabara de lhe cair no colo, também reconheceu a total impotência diante da excitação da tropa.

"Não oculto as dificuldades em que me encontro em face da unanimidade da Aeronáutica na oposição ao governo", falou, quase como se fizesse um encabulado pedido de desculpas.[13]

Ao ouvir o diagnóstico da precariedade do apoio militar ao Catete, Getúlio ficou em silêncio. "Vi no rosto de meu pai um sorriso de indiferença, de estoicismo, diria mais, de profundo desprezo pelo que se passava", descreveu Alzira.[14] José Américo, de sua parte, percebeu que o presidente "não deblaterou, não perdeu a serenidade, não teve uma palavra de recriminação ou de estranheza".[15]

"Observei-o, lentamente, por estar à minha frente, na outra cabeceira, interessado em colher a impressão produzida por essas declarações atordoantes", recordou Américo. "Não havia a mais leve sombra de reação. Conservava o rosto imóvel, sem mostra de decepção, como se tudo corresse na medida dos seus cálculos. Tinha esse privilégio de, em qualquer circunstância, manter a mesma compostura."[16]

Os ministros civis foram sendo ouvidos, um a um. Por princípio, todos concordavam com as ponderações de Tancredo quanto à necessidade de manutenção da ordem constitucional. Porém, depois de ouvirem o relato desolador dos colegas das pastas militares, disseram-se divididos entre a fidelidade que deviam ao presidente e o receio de assumir a responsabilidade por uma derrota sangrenta. A maioria preferia deixar a decisão a critério de Getúlio. No que o chefe decidisse, estariam com ele.[17]

Chegara a vez de José Américo se pronunciar. Diante de uma crise que parecia insuperável, ele conclamou os colegas a assumir uma postura menos dúbia. Juntos, teriam que adotar uma posição firme, para ajudar o presidente a solucionar o dilema. Em vista das condições adversas na esfera militar, ele próprio sugeria que Getúlio se permitisse o desprendimento do que chamou de "grande gesto": a renúncia.[18]

Oswaldo Aranha, o último ministro a ser ouvido naquela rodada de opiniões, preferiu fazer um arrazoado de tudo o que fora dito e resumir, de maneira didática, as três únicas opções que restariam a Getúlio. A primeira: decidir pela resistência a favor da manutenção do governo a qualquer preço, inclusive sob o risco da própria vida — alternativa a que Oswaldo desde logo se declarou solidário. A segunda: após se proceder a um balanço numérico das forças leais ao governo, avaliar as possibilidades de se rechaçar, militarmente, qualquer tentativa de afronta à Constituição. A terceira, por fim, sem maiores atos de heroísmo e altivez: abraçar a alternativa da renúncia.[19]

"Mas esta seria uma decisão de foro íntimo, e em cuja apreciação não nos cabe entrar", ressalvou Oswaldo.[20]

Getúlio pediu uma breve avaliação estratégico-militar do marechal Mascarenhas. O chefe do Estado-Maior das Forças Armadas fez um retrato tão sintético quanto dramático da situação: a Aeronáutica estava amotinada sob a orientação do brigadeiro Eduardo Gomes; a Marinha, em peso, também se insurgia, e passara a exigir a renúncia presidencial; parcela considerável do Exército se encontrava em idêntico estado de insubmissão, sem que o governo pudesse contar com a totalidade de seus efetivos.[21]

Zenóbio, talvez se sentindo atingido pelo comentário, precisou defender seu senso de autoridade. Se o presidente desse as ordens necessárias, ele poria a tropa na rua e mandaria prender todo mundo. Mas, repetiu, isso só ocorreria à custa de muito derramamento de sangue.[22]

"Não pude me conter e reagi. Transformei a famosa reunião em comédia, se ela não tivesse acabado em grande tragédia", rememorou Alzira.[23]

Estimulada pelos ajudantes de ordens aflitos, angustiados e desejosos de resistir, não me contive. Batendo a mão na mesa presidencial, disse com grande espanto para todos os presentes, inclusive meu pai, que não esperava por essa minha reação: "Não é só a vida da República e a vida de meu pai que estão em jogo. A minha também está. E eu me julgo com o direito de informar aos senhores, se é que não sabem, que nós temos capacidade para resistir".[24]

Segundo José Américo, "houve um frêmito na sala".[25]

Alzira, de pé entre Getúlio e Oswaldo, dirigiu-se diretamente a Zenóbio:

"Isso não passa de uma conspiração de gabinete e não um movimento que atinja as Forças Armadas. O senhor sabe, tão bem quanto eu, que na Vila Militar nada foi alterado desde sua visita lá, hoje à tarde", disse. "E, sem a Vila, pode alguém pretender dar golpes neste país?", questionou.[26]

"Não", admitiu o general, que quis contra-argumentar, mas Alzira o cortou.[27]

Virando-se para o ministro Renato Guillobel, a filha do presidente prosseguiu:

"Almirante, a sua tropa embarcada pode fazer alguma coisa? A única força que pode influir, em terra, não são os fuzileiros navais?"[28]

Guillobel assentiu.

"Pois eles não estão interessados em marchar contra ou a favor de ninguém. Só se defenderão se forem atacados em seus quartéis e isto eu sei do próprio comandante Camargo."[29]

Alzira foi adiante, dessa vez apontando a mira para o brigadeiro Epaminondas.

"Brigadeiro, onde estão localizados os únicos aviões em condições de treinamento e de voo nesta cidade? Não é em Santa Cruz? A Base de Santa Cruz é comandada por um ex-ajudante de ordens, o coronel Pamplona. É composta pelo grupo de caça, o Senta a Pua, da Guerra, e são todos fiéis ao governo. Onde está o perigo?"[30]

Zenóbio voltou à berlinda.

"Dos treze generais — porque são somente treze, general, os signatários do manifesto —, só um tem comando de tropa e não é aqui na capital; os outros exercem funções burocráticas", disse Alzira. "Se o senhor julgar que a simples renúncia de meu pai vai trazer tranquilidade, progresso e ordem a este país, não se fala mais no assunto. Mas o senhor tem certeza?"[31]

Ninguém mais se entendeu. Todos quiseram falar ao mesmo tempo, ministros e familiares do presidente. Maneco disse que o Rio Grande do Sul apoiaria a legalidade.[32] Quando o general Caiado de Castro, chefe do Gabinete Militar da Presidência, também defendeu a opção pela resistência armada, Zenóbio esbravejou:

"Eu te dou uma tropa para comandar e você vai fazer."[33]

"Ah, pois não, aceito", devolveu Caiado.[34]

"A solução é mandar prender o Juarez e o Eduardo Gomes", propôs Guillobel.

"E por que não os prende?", questionou Zenóbio.

"Porque não disponho de tropa".[35]

Ernani do Amaral Peixoto, tentando reduzir a temperatura do debate que já descambara para o bate-boca, propôs uma fórmula contemporizadora: "Nem resistência armada, nem renúncia".[36]

Ernani sugeriu que o sogro optasse pelo meio-termo, isto é, por um pedido de licença temporária, até que tudo fosse apurado pelo IPM e o país voltasse ao curso normal. Antes que as altercações ganhassem volume de novo, Getúlio levantou da cadeira e, com voz pausada, declarou a reunião por encerrada.[37]

"Já que os senhores não decidem, eu vou decidir. Minha determinação aos ministros militares é no sentido de que mantenham a ordem e o respeito à Constituição", deliberou. "Nessas condições, estarei disposto a solicitar uma licença, até que se apurem as responsabilidades. Caso contrário, se quiserem impor a violência e chegar até o caos, daqui levarão apenas o meu cadáver."[38]

Eram 4h20 da madrugada. Getúlio saiu do salão de despachos, que ficava no segundo piso, e subiu para o quarto, no terceiro andar.

"Tinha, então, o passo firme, mas a testa franzida, a fisionomia carregada", notou José Américo.[39]

Zenóbio e Mascarenhas já estavam deixando o elevador, no térreo, quando Oswaldo Aranha mandou chamá-los de volta. Precisavam redigir e assinar uma nota coletiva, com o resumo da reunião ministerial, para que o país fosse devidamente informado da decisão tomada pelo presidente da República. Discutiriam entre si os termos adequados e Tancredo Neves se encarregaria do texto final.[40]

Às cinco e meia da manhã, a nota enfim ficou pronta:

O presidente da República reuniu hoje o ministério para exame da situação político-militar criada no país. Ouvidos os ministros, cada um de per si, foram debatidos longamente os diversos aspectos da crise e as suas graves consequências. Deliberou o presidente Getúlio Vargas, com integral solidariedade dos seus ministros, entrar em licença, passando o governo ao seu substituto legal, desde que mantida a ordem, respeitados os poderes constitucionais e honrados os compromissos solenemente assumidos perante a nação pelos oficiais-generais de nossas Forças Armadas. Em caso contrário, persistirá inabalável no seu propósito de defender as suas prerrogativas constitucionais com sacrifício, se necessário, de sua própria vida.[41]

Lutero desceu para o jardim a fim de observar os preparativos da imaginável reação. Viu então o major Ene Garcez dos Reis, chefe do pessoal do Gabinete Militar da presidência, distribuir fuzis e metralhadoras à equipe.[42] Ele próprio, Lutero, estava com o seu revólver na cintura. Bejo também. Alzira trouxera de casa uma arma dentro da bolsa.[43]

"Estamos prontos para a luta; [...] os pusilânimes e os puxa-sacos já foram embora", comunicou Lutero, subindo depois ao quarto do pai.[44]

"Não vai haver luta. Nenhum sangue será derramado aqui hoje. Se algum sangue for derramado, será de um homem cansado e enojado de tudo isso", respondeu Getúlio.[45]

Lutero saiu impressionado com a frase. Imediatamente, foi contar o que ouvira ao tio Benjamin.

"Nem pensa nisso, guri, vai descansar", tranquilizou-o Bejo. "O Getúlio nunca seria capaz de uma coisa dessas."[46]

Alzira, depois de ler a nota escrita por Tancredo, decidiu submetê-la ao pai, para que ele a revisasse, autorizando a divulgação. Quando a filha entrou no quarto, já o encontrou deitado na cama, embora ainda acordado.

"Não amola, me deixa dormir, eu não quero saber", disse Getúlio, mandando-a embora.[47]

Alzira saiu, entregou a nota aos secretários e permaneceu no corredor do terceiro andar, de plantão. Ela mesma não pretendia dormir. Estava na expectativa do resultado da reunião no Ministério do Exército convocada por Zenóbio para as sete e meia da manhã, quando ele comunicaria aos colegas a decisão do presidente de se licenciar do cargo.

Às seis horas, já com o dia claro, dois oficiais do Exército chegaram ao palácio, procurando por Bejo. Alzira, do lugar em que estava, viu quando o tio, após conversar com a dupla de militares, rumou para o quarto de Getúlio. Benjamin demorou alguns minutos lá dentro e, tão logo saiu, Alzira entrou, para sondar o que tinha acontecido.[48]

"O que há?", ela perguntou ao pai.

"Por que ainda estás acordada?"

"Não é de sua conta", ela respondeu, bancando a malcriada. "Dormirei na hora que eu quiser."

"O Bejo foi chamado ao Galeão", contou Getúlio.

"E o que o senhor disse?"

"Eu disse que se quisessem o depoimento do Bejo, que viessem buscá-lo aqui; hoje ele não pode sair."[49]

No volume inédito de memórias, Alzira narrou a sequência da última conversa travada entre pai e filha:

> Desejando animá-lo e também dar-lhe uma satisfação, contei que continuava em contato com as tropas da Vila Militar, com a base de Santa Cruz e com os fuzileiros navais, através de meus amigos.
>
> Riu-se e me chamou de "arteira".
>
> Fazia tenção de dormir. Não permiti.
>
> Continuei minha conversa.
>
> "Dentro em pouco saberei o resultado da reunião que se está realizando no Ministério da Guerra. Temos lá alguns generais de confiança. Posso me permitir ao luxo de mandar prender, enquanto tu dormes, os principais responsáveis por tudo isso? Tu aguentas a mão se eu der a ordem?"
>
> Creio que foi a última vez que ele riu, chamando-me de atrevida.
>
> Respondeu:
>
> "Está bem."[50]

Depois disso, Getúlio pediu para ficar sozinho. Antes que a filha saísse, fez-lhe uma revelação:

"Tu sabes que o Zenóbio já tinha sido convidado para ser ministro da Guerra do Café?"

"Por que é que não me disseste isso ontem? A coisa seria completamente diferente!"

"Não adiantava mais nada. Vá dormir, não me amola mais."[51]

Alzira apagou a luz e deixou o quarto.[52]

Para surpresa dela, instantes depois, quando já passava das sete da manhã, viu Getúlio sair e atravessar o corredor, arrastando os chinelos, vestido apenas com um pijama de listras verticais em tons de bordô, cinza e branco. Não estava de roupão, coisa a que jamais se permitia quando fora do quarto. Caminhando rápido — outra atitude que não lhe era costumeira —, dirigiu-se ao gabinete particular.[53]

Alzira ficou curiosa, mas enquanto o pai permanecia lá dentro, ela foi chamada ao telefone. Era o general Ciro Cardoso, com informações da reunião dos militares. As notícias não eram boas. As Forças Armadas não haviam concordado com um simples pedido de licença. Exigiam a renúncia definitiva de Getúlio.[54] De acordo com testemunhos de oficiais presentes à cena, Zenóbio dissera que o afastamento seria mera formalidade:

"Podem ficar tranquilos, ele não voltará."[55]

Enquanto isso, Carlos Lacerda era carregado em triunfo, nos braços de correligionários. Apesar de ser tão cedo, foi à casa de um casal de amigos e estourou um champanhe para comemorar a vitória.[56] Ao microfone de uma emissora de rádio, proclamou:

"Aqui estou, no dia da redenção nacional, neste dia de são Bartolomeu, para declarar que esse covarde, esse pusilânime, não está licenciado, ele está é deposto, o lugar dele é no Galeão ou no estrangeiro, e deve apodrecer na cadeia."[57]

Enquanto Alzira ainda disparava telefonemas para os seus contatos militares a fim de saber o que estava acontecendo, Getúlio retornou ao quarto, carregando um envelope.[58]

Logo foi procurado pelo irmão, que vinha abordá-lo pela segunda vez em poucas horas. O general Armando de Morais Âncora trouxera a informação de que os militares continuavam exigindo a renúncia como única solução admissível.[59]

"Então estou deposto?", perguntou Getúlio a Bejo.

"Não sei. Mas acho que é o fim."

"Vivo, eu não me entrego; vá lá embaixo esmiuçar isso com o Âncora e falar com o Caiado."[60]

Bejo desceu para o térreo, enquanto Lutero, vencido pelo sono e pelo cansaço, dormia estatelado em um sofá ao lado do quarto do pai. Alzira continuava, apreensiva, colada ao telefone.[61]

Como costumava fazer todas as manhãs, o camareiro Barbosa foi ao quarto do presidente, para lhe fazer a barba e arrumar-lhe as roupas do dia. Getúlio o dispensou. Disse que queria ficar sozinho. Ia tentar dormir.[62]

Os relógios marcavam 8h30 da manhã.

* * *

Cinco minutos depois, o barulho seco de um tiro ecoou no palácio.

Lutero levantou assustado e disparou para o quarto do pai. Abriu a porta e, logo atrás dele, Darcy e Alzira entraram correndo.[63]

Getúlio estava deitado, com meio corpo para fora da cama. No pijama listrado, em um buraco chamuscado de pólvora um pouco abaixo e à direita do monograma GV, bem à altura do coração, borbulhava uma mancha vermelha de sangue. O revólver Colt calibre 32, com cabo de madrepérola, estava caído próximo à sua mão direita.[64]

Getúlio ainda lançou um olhar indefinido pelo quarto. Era como se nos segundos que lhe restavam de vida estivesse procurando, entre os que o rodeavam, identificar a presença de alguém.[65]

Os olhos, depois de um derradeiro vaguear, permaneceram imóveis, as órbitas fixas na direção de Alzira.[66]

"Joguei-me sobre ele, numa última esperança", a filha escreveu, anos depois. "Apenas um leve sorriso me deu a impressão de que ele me havia reconhecido."[67]

Epílogo
"Saio da vida para entrar na história"

O país jamais assistira a tamanha comoção popular. Quando as emissoras de rádio começaram a noticiar o suicídio de Getúlio, uma multidão acorreu ao Catete. Calcula-se que 100 mil pessoas foram se despedir do presidente morto, enquanto grupos de getulistas mais exaltados atacaram as sedes e os carros de reportagem da *Tribuna da Imprensa* e de *O Globo*. Cerca de 3 mil populares foram atendidos, nesse dia, pelo posto médico que servia ao palácio, vítimas de desmaios, crises nervosas e ameaças de ataque cardíaco. As filas se estenderam por vários quilômetros de ruas, com homens, mulheres e crianças de todas as classes sociais.[1]

Na *Última Hora*, a manchete dizia:

MATOU-SE VARGAS!

O PRESIDENTE CUMPRIU A PALAVRA:

"SÓ MORTO SAIREI DO CATETE!"[2]

O caixão foi colocado no salão do Gabinete Militar para visitação pública até o dia seguinte, quando foi conduzido ao Santos Dumont, para o sepultamento em São Borja. O cortejo tomou toda a extensão da orla, da praia do Flamengo até os arredores do aeroporto. Antes do embarque, a família dispensou as honras militares e recusou o avião da FAB que a Aeronáutica pusera à sua disposição. Uma aeronave da Cruzeiro do Sul levou o esquife até o Rio Grande.[3]

De instante em instante, em todo o país, os locutores de rádio liam trechos da carta datilografada, encontrada em um envelope, encostada ao abajur da mesinha de cabeceira da cama de Getúlio logo após a sua morte. O presidente não sabia escrever à máquina. O esboço escrito por ele à mão fora passado a limpo — e, talvez, reescrito — pelo amigo José Soares Maciel Filho, que lhe deu a redação final.[4]

A carta, originalmente, não era para ser lida como uma mensagem de suicida, explicou Maciel, mas como o último manifesto de um chefe de governo que morreria na luta contra os militares que possivelmente invadissem o palácio. As circunstâncias lhe deram novo sentido, ainda mais trágico, justificou — muito embora os precedentes pessoais levem a crer que Getúlio sabia exatamente o significado histórico que pretendia dar ao texto.

Por causa das intervenções de Maciel, houve quem questionasse a autoria e a autenticidade do documento. Para a esmagadora maioria da população, contudo, o detalhe pouco importava. Aquele era o verdadeiro testamento político e pessoal de um homem que se matara para não passar à posteridade como um líder decaído e desonrado, alvo de um linchamento moral sem precedentes na história republicana brasileira.

Em vez de significar um gesto de fraqueza e covardia, a autoimolação de Getúlio o tornava um mártir e, para o imaginário coletivo nacional, um símbolo heroico de resistência.

> Mais uma vez as forças e os interesses contra o povo coordenaram-se e novamente se desencadeiam sobre mim.
>
> Não me acusam, me insultam, não me combatem, caluniam, e não me dão o direito de defesa. Precisam sufocar a minha voz e impedir a minha ação para que eu não continue a defender, como sempre defendi, o povo e principalmente os humildes. Sigo o destino que me é imposto. Depois de decênios de domínio e espoliação dos grupos econômicos e financeiros internacionais, fiz-me chefe de uma revolução e venci. Iniciei o trabalho de libertação e instaurei um regime de liberdade social. Tive que renunciar. Voltei ao governo nos braços do povo. A campanha subterrânea dos grupos internacionais aliou-se à dos grupos nacionais revoltados contra o regime de garantia do trabalho. A lei de lucros extraordinários foi detida no Con-

346

gresso. Contra a justiça da revisão do salário mínimo se desencadearam os ódios. Quis criar a liberdade nacional na potencialização das nossas riquezas através da Petrobras, e mal começa a funcionar, a onda de agitação se avoluma. A Eletrobras foi obstaculada até o desespero. Não querem que o trabalhador seja livre. Não querem que o povo seja independente.

Assumi o governo dentro da espiral inflacionária que destruía os valores de trabalho. Os lucros das empresas estrangeiras alcançavam até 500% ao ano. Nas declarações de valores do que importávamos existiam fraudes constatadas de mais de 100 milhões de dólares por ano. Veio a crise do café, valorizou-se o nosso principal produto. Tentamos defender seu preço e a resposta foi uma violenta pressão sobre nossa economia, a ponto de sermos obrigados a ceder.

Tenho lutado mês a mês, dia a dia, hora a hora, resistindo a uma agressão constante, incessante, tudo suportando em silêncio, tudo esquecendo, renunciando a mim mesmo, para defender o povo, que agora se queda desamparado. Nada mais vos posso dar, a não ser o meu sangue. Se as aves de rapina querem o sangue de alguém, querem continuar sugando o povo brasileiro, eu ofereço em holocausto a minha vida. Escolho este meio de estar sempre convosco. Quando vos humilharem, sentireis minha alma sofrendo a vosso lado. Quando a fome bater à vossa porta, sentireis em vosso peito a energia para a luta por vós e vossos filhos. Quando vos vilipendiarem, sentireis no meu pensamento a força para a reação. Meu sacrifício nos manterá unidos e meu nome será a vossa bandeira de luta.

Cada gota de meu sangue será uma chama imortal na vossa consciência e manterá a vibração sagrada para a resistência. Ao ódio respondo com o perdão. E aos que pensam que me derrotaram respondo com a minha vitória. Era escravo do povo e hoje me liberto para a vida eterna. Mas esse povo de quem fui escravo não mais será escravo e de ninguém. Meu sacrifício ficará para sempre em sua alma e meu sangue será o preço do seu resgate.

Lutei contra a espoliação do Brasil. Lutei contra a espoliação do povo. Tenho lutado de peito aberto. O ódio, as infâmias, a calúnia não abateram meu ânimo. Eu vos dei a minha vida. Agora ofereço a minha morte. Nada receio. Serenamente dou o primeiro passo no caminho da eternidade e saio da vida para entrar na História.[5]

A emoção coletiva em torno do suicídio de Getúlio neutralizou a possibilidade de intervenção armada. Café Filho assumiu a presidência da República na manhã daquele mesmo dia 24 de agosto, mas só prestaria o compromisso constitucional perante o Congresso em 3 de setembro, após o fim do luto oficial de oito dias no território brasileiro. As oposições e os militares foram responsabilizados, ante o julgamento popular, pela morte do presidente. No ano seguinte, Juscelino Kubistchek foi eleito presidente da República — tendo João Goulart como vice —, impondo uma derrota não só aos outros três concorrentes (general Juarez Távora, Ademar de Barros e Plínio Salgado), mas também às pressões militares que tentaram barrar sua candidatura. Carlos Lacerda ainda comandou um movimento golpista para que Juscelino não tomasse posse, pedindo a intervenção dos quartéis, mas não logrou êxito.

Em 1954, Lacerda se elegeu deputado federal e, em 1960, governador da Guanabara. Em 1964, dez anos após a morte de Getúlio, apoiou o golpe que derrubou João Goulart — o maior herdeiro político do getulismo, que por sua vez chegara à presidência em 1961, após a renúncia do sucessor de Juscelino, Jânio Quadros.

Os militares e a UDN precisaram de uma década inteira para, enfim, absorver o impacto provocado pela morte de Getúlio e conquistar o poder pelo argumento das armas. Lacerda, contudo, não compartilharia dos frutos dessa vitória. Incompatibilizou-se com o primeiro presidente do novo regime, Castello Branco, e depois de articular a própria candidatura à presidência, cortejando os militares da chamada "linha-dura", teve os direitos políticos cassados por dez anos, em 1968, após a decretação do AI-5. Morreu em 1977, aos 63 anos, quando se dedicava a atividades empresariais.[6]

Gregório Fortunato, após ficar 24 dias incomunicável na base do Galeão sendo interrogado pelos integrantes do IPM, acusou uma série de autoridades pela autoria intelectual do atentado a Lacerda e chegou a incriminar Benjamin Vargas como mandante. Gregório foi condenado a 25 anos de prisão — onze pela morte de Rubens Vaz, doze pelo atentado a Lacerda e dois pelos ferimentos no guarda municipal Sálvio Romeiro. A pena foi comutada para vinte anos pelo presidente Juscelino Kubitschek e, posteriormente, para quinze, por João Goulart. Mas o Anjo Negro morreu antes de sair da cadeia, em 1962, assassinado por um detento. Dizia estar escrevendo um livro para contar tudo o que sabia. Os originais, se existiam, nunca foram vistos.[7]

Alcino João do Nascimento pegou pena de 33 anos. Em 1975, quando completou 20 anos e oito meses de cadeia, foi posto em liberdade. Voltou a ser preso em 1980, acusado de estelionato. Sempre negou ter sido contratado para matar Lacerda. Em 2012, candidatou-se a vereador no município de Mantenópolis (Espírito Santo), pelo Partido dos Trabalhadores (PT). Recebeu apenas sete votos. Morreu em janeiro de 2014, aos 92 anos.[8]

Climério Euribes de Almeida foi condenado à mesma pena de Alcino, 33 anos. Morreu em 1975, aos 65 anos, após receber uma estocada fatal numa briga de presos.[9]

José Antônio Soares, acusado de contratar Alcino e fornecer-lhe a arma do crime — um Smith & Wesson, calibre 45 —, recebeu pena de 26 anos de detenção. Saiu da cadeia em 1975.[10]

O motorista Nelson Raimundo foi condenado a onze anos. Recebeu liberdade condicional após cumprir 7 anos. Morreu em 1979, de câncer no pulmão.[11]

João Valente de Souza, o subchefe da guarda pessoal, acusado de repassar o dinheiro entregue por Gregório a Climério e Alcino, foi condenado a dois meses de prisão e a multa de duzentos cruzeiros (69 reais).[12]

Benjamin Vargas foi citado no relatório final do IPM, mas terminou inocentado das acusações de que teria sido o mandante do crime. Aposentou-se como inspetor de diversões da prefeitura do Distrito Federal. Morreu em 1973, aos 75 anos.[13]

Lutero Vargas não foi indiciado. Reelegeu-se deputado federal nas eleições de outubro de 1954, recebendo 120 mil votos. Tornou-se presidente do diretório regional do PTB e, em 1958, concorreu ao Senado pelo Distrito Federal, mas perdeu a eleição para o antigetulista Afonso Arinos, tendo sido rotulado de "comunista" pelos adversários. Foi eleito deputado constituinte do então recém-criado estado da Guanabara em 1960. Dois anos depois, foi nomeado embaixador do Brasil em Honduras. Presidiu a Associação Cultural Getúlio Vargas, em São Borja, entidade responsável por transformar a casa onde o pai morou, no centro da cidade, em museu. Lutero morreu em Porto Alegre, em outubro de 1989, com 77 anos.[14]

Darcy Vargas foi chamada a depor no IPM, mas não seria convocada ao Galeão. Seu depoimento terminou sendo prestado na casa de uma amiga, no Flamengo, poucos dias após a morte do marido. Quando lhe perguntaram nome e estado civil, disse: "Darcy Sarmanho Vargas, viúva de Getúlio Vargas". Exigiu que o escrivão fizesse constar a frase por inteiro. Continuou trabalhando à frente de instituições filantrópicas. Morreu em 1968, aos 72 anos — a mesma idade com a qual Getúlio se matou.[15]

Alzira Vargas, depois da morte do pai, morou em Washington entre 1956 e 1959, quando o marido Ernani do Amaral Peixoto foi nomeado embaixador brasileiro nos Estados Unidos. Em 1973, doou os arquivos de Getúlio, que ela mesma começara a organizar desde a década de 1930, ao Centro de Pesquisa e Documentação de História Contemporânea do Brasil (CPDOC) da Fundação Getúlio Vargas. Morreu em 1992, com 78 anos.[16]

Maneco Vargas foi eleito prefeito de Porto Alegre em 1955. Depois abandonou a política e passou a se dedicar à vida de estancieiro, em Itaqui. Morreu em 1997, com um tiro de revólver calibre 38 no peito. Os indícios apontam para o suicídio.[17]

Conforme ficou registrado em sua carta-testamento, Getúlio Dornelles Vargas saiu da vida para entrar na História. Entretanto, as polêmicas e debates em torno do ex-presidente continuam mais vivos do que nunca. Decorridos sessenta anos da morte do chefe de governo que mais tempo passou à frente do poder republicano no país, sua figura histórica e legado continuam a ser alvo de acirradas controvérsias.

Para muitos, ele foi o grande responsável pela modernização do Brasil, ao pôr em prática um modelo nacional-desenvolvimentista capaz de direcionar, em pouco mais de duas décadas, um país agrário para o rumo efetivo da industrialização. Sob essa mesma perspectiva, a vasta legislação trabalhista, ao reconhecer como legítimas as reivindicações dos operários e demais trabalhadores urbanos, instituiu o necessário equilíbrio na relação entre patrões e empregados, superando os resquícios da escravocracia mais arcaica. A Petrobrás, a Companhia Siderúrgica Nacional, a Eletrobrás e a CLT seriam as heranças mais eloquentes do getulismo, fenômeno que teria conseguido estabelecer as bases de uma aliança singular entre capital e trabalho, possibilitando a própria gênese do capitalismo no Brasil.

Para outros, contudo, o chamado populismo varguista seria a expressão mais pronta e acabada do uso das massas como instrumento de dominação política. A

350

incorporação dos trabalhadores e das classes médias no cenário nacional teria sido apenas uma forma de legitimar o líder autoritário e personalista, dando sustentação a um projeto de poder autocrático e incompatível com a verdadeira democracia. Daí o desdém atávico de Getúlio pelo sistema representativo, pelo parlamento e — após rasgar duas Constituições e evitar assinar uma terceira — pelo ordenamento constitucional.

Amado e odiado com simultânea veemência, venerado e satanizado com idêntico ardor, Getúlio segue a dividir opiniões, provocar contendas, gerar reações passionais. Por certo, o melhor caminho para compreendê-lo, em perspectiva histórica, não é o da devoção sincera ou o da negação irrestrita. Em algum ponto equidistante entre uma e outra margem, entre a adoração e o repúdio, deve estar a melhor maneira de se perceber e decifrar o mito.

Foi com tal propósito, e com tal certeza, que esta biografia foi escrita.

Este livro

Este terceiro volume encerra o projeto de biografar Getúlio Dornelles Vargas, assumido por mim há cinco anos com a Companhia das Letras.

Durante todo esse tempo, em regime de dedicação praticamente exclusiva, procurei consultar e reunir o maior número possível de material sobre o ex-presidente. Lembro que, à época, comprei um novo computador para me servir na empreitada. Agora, ao final de tudo, o 1 terabyte de memória daquela máquina se mostrou insuficiente para suportar o volume de dados e documentos acumulados e digitalizados ao longo do percurso: fotografias, filmes, músicas, arquivos sonoros, charges, caricaturas, cartazes, panfletos, cópias de recortes de jornais e revistas, cartas, bilhetes, telegramas, memorandos, ofícios, inquéritos policiais-militares, anais parlamentares, processos judiciais, teses acadêmicas e livros eletrônicos. Mesmo com as facilidades atuais de armazenamento "em nuvem" e em drives externos, o velho PC não suportou a carga. Escrevo este texto em outro computador, enquanto providencio os backups necessários para arquivar o trabalho que me absorveu por meia década de vida.

Desde o início, contei com a interlocução de uma série de pessoas que se prontificaram a me ajudar em fases específicas da pesquisa e da redação dos três volumes. Além das que já foram citadas ao final dos dois tomos anteriores, cabe-

-me aqui acrescentar algumas outras, que me auxiliaram na última fase da obra — bem como reafirmar meus agradecimentos aos que, embora já tenham sido mencionados, merecem ser novamente nomeados, pela importância que tiveram para que esta biografia fosse, enfim, concretizada.

O primeiro deles, sem dúvida, é Luiz Schwarcz. Foi ele quem, sem jamais demonstrar nenhum indício de hesitação, acreditou e apostou na viabilidade editorial de uma obra em três volumes, assumindo os riscos de possíveis interrupções, atrasos e mesmo abandono do cronograma por mim fixado. Para Luiz, que fez questão de ler pessoalmente cada linha escrita, todo agradecimento de minha parte será insuficiente. Como se não bastasse tudo isso, sua sensibilidade e suas sugestões pontuais me ajudaram a tornar o texto final mais fluente e apurado.

Mais uma vez, sinto-me no grato dever de citar também o produtor Rodrigo Teixeira, que por meio da RT Features comprou os direitos de adaptação desta biografia para o cinema e tevê antes mesmo que eu houvesse colocado um único parágrafo no papel. Foi graças a isso, somado ao investimento inicial da editora a título de adiantamento de direitos autorais, que pude contratar pesquisadores, realizar viagens de trabalho, adquirir material bibliográfico e digitalizar todas as fontes de pesquisa que julguei necessárias.

Como das outras vezes, o riquíssimo acervo do biografado, preservado e catalogado pelo Centro de Pesquisa e Documentação de História Contemporânea do Brasil da Fundação Getúlio Vargas (CPDOC-FGV), no Rio de Janeiro, serviu de viga mestra à pesquisa. No caso deste terceiro volume, além de recorrer às demais fontes do Programa de Documentos Pessoais da instituição — que inclui os acervos de outros personagens fundamentais, como Oswaldo Aranha, Eurico Gaspar Dutra, Góes Monteiro, Nero Moura, Tancredo Neves e Juarez Távora, entre tantos outros —, um conjunto específico de papéis me foi de capital importância. No caso, as centenas de cartas trocadas entre Getúlio e a filha, Alzira Vargas do Amaral Peixoto, no período compreendido entre 1945 e 1950 — a fase do "retiro" do ex-ditador em São Borja. São 1652 páginas no total, ainda hoje praticamente desconhecidas e, em sua imensa maioria, até aqui inéditas.

Do mesmo modo, os rascunhos, esboços e folhas avulsas do segundo volume de memórias de Alzira, jamais publicado, também me ajudaram a penetrar no cotidiano e na intimidade do biografado. Foi a neta de Getúlio, Celina Vargas do Amaral Peixoto, quem me deu a dica de que ali, tanto em um quanto em outro caso, eu por certo encontraria um vasto manancial de informações e revelações íntimas, algumas das quais durante muito tempo a família, por um ou outro motivo, preservou da curiosidade pública. Celina, aliás, nunca me procurou depois disso para me questionar quanto ao uso que eu fazia das informações obtidas. No momento em que o país discute a questão das biografias não autorizadas, nenhum membro da família Vargas tentou interferir no meu trabalho ou exigir a leitura e aprovação prévia do texto.

Mais uma vez, o colega Marcello Campos, pesquisador brilhante e de faro incomum para o manuseio de arquivos, ajudou-me a garimpar informações publicadas na imprensa gaúcha durante o período em que Getúlio permaneceu em Santos Reis e na Fazenda Itu. Em Buenos Aires, Gabriela Antunes rastreou os passos do misterioso Menotti Carnicelli — o "guru" que dizia encarnar Ariel — na Argentina. Aline Guevara acessou a correspondência diplomática do Departamento de Estado norte-americano relacionada ao Brasil produzida entre 1945 e 1954. Mariano Marovatto, no Rio de Janeiro, mergulhou nos arquivos do CPDOC e da Biblioteca Nacional em busca de documentos e jornais de época.

O colega jornalista e professor Victor Gentilli leu os capítulos do livro à proporção que estavam sendo escritos, sempre dando sugestões e palpites preciosos, muitos dos quais me fizeram reescrever trechos inteiros do livro, agregando novas informações ao conteúdo.

O pesquisador e advogado Antônio Sérgio Ribeiro, como sempre, foi de uma generosidade extrema, lendo todos os capítulos, procedendo à necessária revisão histórica, apontando imprecisões no texto e sugerindo fontes alternativas de pesquisa.

Na fase de preparação de originais, Leny Cordeiro realizou mais uma vez um trabalho de ourivesaria de texto, sugerindo a alteração ocasional de palavras, supressão de eventuais cacófatos e vícios de linguagem do autor, tornando a narrativa mais coesa e coerente.

Érico Melo realizou um procedimento minucioso e impressionante de checagem, conferindo datas, grafia de nomes próprios e referências bibliográficas, além de atualizar valores monetários. O justificado rigor estabelecido por Érico, contudo, não me inibiu de atualizar a ortografia e ajustar a pontuação de determinadas citações de época, para facilitar a leitura e o entendimento para o leitor contemporâneo.

Vale dizer aqui, porém, que os prováveis erros e imprecisões que porventura tenham escapado ao texto final são todos de minha inteira responsabilidade.

Como turrão que sou, nem sempre acato os ajuizados conselhos de preparadores, checadores e revisores.

Em tempo: no caso dos nomes e sobrenomes de personagens históricos, dadas as inevitáveis divergências entre as fontes documentais, convencionou-se adotar como critério básico a padronização sugerida pelo *Dicionário histórico--biográfico brasileiro*, da Fundação Getúlio Vargas, ressalvadas as situações consagradas pelo uso. Em relação à atualização de valores, recorreu-se à ferramenta fornecida pelo site do Banco Central, sempre utilizando como parâmetro o Índice Geral de Preços — Disponibilidade Interna (IGP-DI) — tendo como data final para a base de cálculo o mês de março de 2014.

O editor Otávio Marques da Costa, meu interlocutor constante na Companhia das Letras, coordenou todas as etapas de produção gráfica e editorial deste volume. A ele, especificamente, devo, além de um merecido agradecimento, um encabulado pedido de desculpas, pelos pequenos atrasos na entrega dos originais.

Há ainda uma enorme dívida de gratidão com uma série de outras pessoas que, de um modo ou de outro, foram essenciais à realização deste terceiro e último volume da biografia de Getúlio.

O meu obrigado a Agostinho Gósson, Alberto Dines, Alceu Nunes, Alcinéa Negreiros, Alexandrino Alencar, Ana Laura Souza, Anita Leocádia Prestes, Beth Jaguaribe, Boris Fausto, Clara Dias, Clarissa Barreto, Cláudia Albuquerque, Daniel Motta, Denísio Pinheiro, Diana Passy, Edson Rossi, Euardo Escorel, Eduardo Freire, Edvaldo Filho, Eliade de Melo Sabio, Eliane Trombini, Erica Fujito, Fernanda Belo, Fernando Henrique Cardoso, Fernando Morais, Floriano Martins, Freitas Filho, Gerlane Garcia, Gilmar de Carvalho, Gunter Axt, Heloísa Starling, Joana Fernandes, João Baptista da Costa Aguiar, Iberê Athayde Teixeira, João Jardim, João Neves da Fontoura Neto, Joca Reiners Terron, José Augusto Bezerra, José Chrispiniano, Jorge Ferreira, Juliana Vector, Karine Moura Vieira, Kelsen Bravos, Laura Colucci, Laurentino Gomes, Luciana Arakaki, Luciano Cavalcante, Lucila Lombardi, Luiz Inácio Lula da Silva, Marcelo Levy, Marilu Teófilo, Maria Celina D'Araújo, Mário Magalhães, Marta Garcia, Matinas Suzuki Jr., Marcos Lira, Max Santos, Mônica Bergamo, Murillo de Aragão, Neide Oliveira, Paula Borghi, Pablo Uchoa, Paulo Linhares, Paulo Mota, Paulo Roberto Pepe, Pedro Cezar Dutra Fonseca, Priscilla Iagi, Rafael Oliveira, Régis Freitas, Rejane Garcia, Renata Megale, Renato Parada, Reynaldo de Barros, Ricardo Kotscho, Rosane

Garcia, Sandro Fortunato, Sergio Picciarelli, Sthevo Damasceno, Tasso Jereissati, Tom Hennigan, Valéria Lira, Vessillo Monte e Xico Sá.

Este livro foi escrito para meus filhos, Ícaro, Nara, Emília e Alice.

Também para Darcy, minha mãe. E para Bob Lira (*in memoriam*).

E, como os dois anteriores, dedicados especialmente à minha mulher, Adriana, por toda a quantidade de beleza e paixão que ela pôs em minha vida.

São Paulo, outono de 2014.

Fontes

ARQUIVOS

Arquivo Antônio Sérgio Ribeiro. São Paulo, SP
Arquivo da Assembleia Legislativa do Estado do Rio Grande do Sul. Porto Alegre, RS
Arquivo do Estado do Rio de Janeiro. Rio de Janeiro, RJ
Arquivo do Ministerio de las Relaciones Exteriores y Culto. Buenos Aires, Argentina
Arquivo Edgard Leuenroth, da Universidade de Campinas. Campinas, SP
Arquivo Histórico de Porto Alegre Moisés Velhinho. Porto Alegre, RS
Arquivo Histórico do Exército. Rio de Janeiro, RJ
Arquivo Histórico do Itamaraty. Rio de Janeiro, RJ, e Brasília, DF
Arquivo Nacional. Rio de Janeiro, RJ
Arquivo pessoal de Celina Vargas do Amaral Peixoto. Rio de Janeiro, RJ
Arquivo Público de São Paulo. São Paulo, SP
Arquivo Público do Estado do Rio Grande do Sul. Porto Alegre, RS
Arquivo Público Mineiro. Belo Horizonte, MG
Arquivo Sandro Fortunato, RN
Biblioteca Getúlio Vargas. São Borja, RS
Biblioteca Nacional. Rio de Janeiro, RJ
Biblioteca Nacional de la República Argentina, Buenos Aires, Argentina
Biblioteca Pública do Estado do Rio Grande do Sul. Porto Alegre, RS
Centro de Pesquisa e Documentação de História Contemporânea do Brasil da Fundação Getúlio
    Vargas (CPDOC-FGV). Rio de Janeiro, RJ
Cinemateca Brasileira. São Paulo, SP

Foreign Office. Londres, Inglaterra

Instituto Histórico e Geográfico do Rio Grande do Sul. Porto Alegre, RS

Museu da Comunicação José Hipólito da Costa. Porto Alegre, RS

Museu da República. Rio de Janeiro, RJ

Museu Getúlio Vargas. São Borja, RS

National Archives and Records Administration. Washington, Estados Unidos

ARQUIVOS ELETRÔNICOS

INTERNET

Anais da Câmara Federal (http://www2.camara.gov.br/)

Center for Research Libraries (CRL): Brazilian Government Documents (http://www.crl.edu/brazil)

Centro de Pesquisa e Documentação de História Contemporânea do Brasil (CPDOC). Fundação Getúlio Vargas (http:// www.cpdoc.fgv.br/)

Coleção das Leis da República Federativa do Brasil (http://www2.camara.gov.br/atividade-legis-lativa/legislacao/publicacoes/republica)

Fundação Biblioteca Nacional (http://bndigital.bn.br/)

SciElo – Brazil – Scientific Eletronic Library Online (http://www.scielo.br/scielo.php?lng=en)

CD-ROM

BONAVIDES, Paulo; AMARAL, Roberto. *Textos políticos da História do Brasil*. Brasília: Senado Federal, 2002.

Dicionário Histórico-Biográfico Brasileiro. CPDOC/FGV. CD-ROM

OBRAS CONSULTADAS

ABRANCHES, Sérgio. *O processo legislativo: Conflito e conciliação na política brasileira*. Brasília: UnB, 1973.

ABREU, Marcelo de Paiva. *A ordem do progresso: Cem anos de política econômica republicana*. Rio de Janeiro: Campus, 1990.

AGUIAR, Ronaldo Conde. *Vitória na derrota: A morte de Getúlio Vargas*. Rio de Janeiro: Casa da Palavra, 2004.

ALMEIDA, José Américo de. *Ocasos de sangue*. Rio de Janeiro: José Olympio, 1954.

ALMEIDA, Hamilton. *Sob os olhos de Perón: O Brasil de Vargas e as relações com a Argentina*. Rio de Janeiro: Record, 2005.

ALMEIDA, Paulo Renan. *Perón – Vargas – Ibáñez – Pacto ABC: Raízes do Mercosul*. Porto Alegre: EDPUCRS, 1998.

ALVES, Vagner Camilo. *Da Itália à Coreia: Decisões sobre ir ou não à guerra*. Belo Horizonte: UFMG; Rio de Janeiro: Iuperj, 2007.

AMARAL PEIXOTO, Alzira Vargas do. *Getúlio Vargas, meu pai*. Rio de Janeiro/Porto Alegre/São Paulo: Globo, 1960.

ANTUNES, Delson. *Fora do sério: Um panorama do teatro de revista no Brasil*. Rio de Janeiro: Funarte, 2004.

ARAÚJO, Rubens Vidal. *Os Vargas*. Porto Alegre: Globo, 1985.

ARAÚJO, Rubens Vidal. *Os Vargas*. Vol. 2. Porto Alegre, s/d.

ARRIGHI, Jean Michel, OEA: *Organização dos Estados Americanos*. São Paulo: Manole, 2004.

AUGUSTO, Sérgio. *Este mundo é um pandeiro: A chanchada de Getúlio a JK*. São Paulo: Companhia das Letras, 1989.

AURÉLIO, Daniel Rodrigues. *Dossiê Getúlio Vargas*. São Paulo: Universo dos Livros, 2009.

AXT, Gunter (org.). *As guerras dos gaúchos*. Porto Alegre: Nova Prova, 2008.

_____; BARROS FILHO, Omar L.; SEELIG, Ricardo Vaz; BOJUNGA, Sylvia (orgs.). *Reflexões sobre a Era Vargas*. Porto Alegre: Procuradoria Geral de Justiça, Memorial do Ministério Público, 2005.

BALDESSARINI, Hugo. *Crônica de uma época (de 1850 ao atentado de Carlos Lacerda. Getúlio Vargas e o crime de Toneleros)*. São Paulo: Companhia Editora Nacional, 1980.

BANDEIRA, Moniz. *Relações Brasil-Estados Unidos no contexto da globalização*. 2 vols. São Paulo: Senac, 1997.

BASBAUM, Leôncio. *História sincera da República*. 3 vols. São Paulo: Alfa-Ômega, 1976.

BASTOS, Pedro Paulo Zahluth; FONSECA, Pedro Cezar Dutra. *A Era Vargas: Desenvolvimentismo, economia e sociedade*. São Paulo: Unesp, 2012.

BAUM, Ana (org.). *Vargas, agosto de 54: A história contada pelas ondas do rádio*. Rio de Janeiro: Garamond, 2004.

BERSON, Theodore Michael. *A Political Biography of Dr. Oswaldo Aranha*. Nova York: New York University, 1971. Tese de doutorado.

BOJUNGA, Claudio. JK: *O artista do impossível*. Rio de Janeiro: Objetiva, 2001.

BOTELHO, André; SCHWARCZ, Lilia Moritz. *Um enigma chamado Brasil: 29 intérpretes e um país*. São Paulo: Companhia das Letras, 2009.

BOURNE, Richard. *Getúlio Vargas: A esfinge dos pampas*. São Paulo: Geração Editorial, 2012.

BRANDI, Paulo: *Vargas: Da vida para a história*. Rio de Janeiro: Zahar, 1983.

BRITO, Chermont. *Vida luminosa de dona Darcy Vargas*. Rio de Janeiro: LBA, 1984.

BUARQUE DE HOLLANDA, Sérgio (superv.). *Grandes personagens da nossa história*. São Paulo: Abril Cultural, 1973.

CAFÉ FILHO. *Do sindicato ao Catete: Memórias políticas e confissões humanas*. Rio de Janeiro: José Olympio, 1966.

CAGGIANI, Ivo. *Flores da Cunha*. Porto Alegre: Martins Livreiro, 1996.

CALDAS, Breno. *Meio século de Correio do Povo: Glória e agonia de um grande jornal*. Porto Alegre: L&PM, 1987.

CALLADO, Ana Arruda. *Darcy: A outra face de Vargas*. Rio de Janeiro: Batel/ Biblioteca Nacional, 2011.

CAMARGO, Aspásia; HIPPOLITO, Lucia; D'ARAÚJO, Maria Celina Soares; FLASKMAN, Dora ROCHA. *Artes da política: Diálogo com Amaral Peixoto*. Rio de Janeiro: Nova Fronteira, 1986.

_____; GÓES, Walder de. *Meio século de combate: Diálogo com Cordeiro de Farias*. Rio de Janeiro: Nova Fronteira, 1981.

CAMPOS, Reynaldo Pompeu. *Repressão judicial no Estado Novo: Esquerda e direita no banco dos réus*. Rio de Janeiro: Achiamé, 1982.

_____; ARAÚJO, João Hermes Pereira de; SIMONSEN, Mário Henrique. *Oswaldo Aranha: A estrela da revolução*. São Paulo: Mandarim, 1966.

CAMPOS, Roberto. *A lanterna na popa: Memórias*. Rio de Janeiro: Topbooks, 1994.

CANTON, Olides. *Getúlio Vargas: Depoimento de um filho*. Porto Alegre: Est, 2004.

CARNEIRO, Glauco. *História das revoluções brasileiras*. 2 vols. Rio de Janeiro: O Cruzeiro, 1965.

_____. *Lusardo: O último caudilho*. 2 vols. Rio de Janeiro: Nova Fronteira, 1977.

_____; FONTES, Lourival. *A face final de Vargas: Os bilhetes de Getúlio*. Rio de Janeiro: O Cruzeiro, 1966.

CARONE, Edgard. *A Quarta República (1945-1964)*. Rio de Janeiro/São Paulo: Difel, 1980.

CARRAZZONI, André. *Depoimentos: Da ideologia à ação revolucionária*. Rio de Janeiro: Schmidt, 1932.

_____. *Getúlio Vargas*. Rio de Janeiro: José Olympio, 1939.

CARVALHO, Luiz Maklouf. *Cobras criadas*. São Paulo: Senac, 2001.

CASTRO, Celso. *A invenção do Exército brasileiro*. Rio de Janeiro: Zahar, 2002.

_____. *O espírito militar*. Rio de Janeiro: Zahar, 1990.

CASTRO, Ruy. *O anjo pornográfico: A vida de Nelson Rodrigues*. São Paulo: Companhia das Letras, 1992.

CAVALCANTE, Paulo. *O caso eu conto como foi: Da Coluna Prestes à queda de Arraes*. São Paulo: Alfa-Ômega, 1978.

CÉSAR, Afonso. *Agosto: A tragédia e a farsa*. Brasília: Alhambra, 1993.

CHACON, Vamireh. *História dos partidos brasileiros*. Brasília: UnB, 1981.

CHAGAS, Carlos. *O Brasil sem retoques: 1808-1964*. Vol. 1. *A história contada por jornais e jornalistas*. Rio de Janeiro: Record, 2001.

CHAGAS, Paulo Pinheiro. *O brigadeiro da libertação*. Rio de Janeiro: Zélio Valverde, 1945.

CHATEAUBRIAND, Assis. *O pensamento de Assis Chateaubriand*. 27 vols. Brasília: Fundação Assis Chateaubriand, 1998.

COLVERO, Ronaldo Bernardino; RIBAS, Vinicius de Lara. *Getúlio Vargas e o Ministério do Trabalho: A atuação de João Goulart*. Jundiaí: Paco, 2012.

CONFALONIERI, Orestes. *Perón contra Perón*. Buenos Aires: Antygua, 1956.

CONY, Carlos Heitor. *Quem matou Vargas*. São Paulo: Planeta, 2004.

CORRÊA, Villas-Boas. *Conversa com a memória: A história de meio século de jornalismo político*. Rio de Janeiro: Objetiva, 2002.

CORTÉS, Carlos E. *Política gaúcha (1930-1964)*. Porto Alegre: PUC-RS, 2007.

COSTA, Cecília. *Diário Carioca: O jornal que mudou a imprensa brasileira*. Rio de Janeiro: Fundação Biblioteca Nacional, 2011.

COTRIM, Márcio. *O pulo do gato 3: O berço de palavras e expressões populares*. São Paulo: Geração Editorial, 2009.

COUTINHO, Lourival. *O general Góes depõe...* Rio de Janeiro: Coelho Branco, 1956.

COUTO, Ronaldo Costa. *Brasília Kubitschek de Oliveira*. Rio de Janeiro: Record, 2006.

CRUZ, Adelina Novaes e; COSTA, Celia Maria Leite; D'ARAÚJO, Maria Celina Soares; SILVA, Suely Braga da (orgs.). *Impasse na democracia brasileira (1951-1955): Coletânea de documentos*. Rio de Janeiro: Fundação Getúlio Vargas, 1983.

CUNHA, Vasco Leitão. *Diplomacia em alto-mar: Depoimento ao CPDOC*. Rio de Janeiro: FGV, 1994.

D'ARAÚJO, Maria Celina (org.). *As instituições brasileiras da era Vargas*. Rio de Janeiro: UERJ-FGV, 1999.

_____. (org.). *Getúlio Vargas*. Série Perfis Parlamentares. Brasília: Câmara dos Deputados, 2011.

_____. *O segundo governo Vargas (1951-1954): Democracia, partidos e crise política*. Rio de Janeiro: Zahar, 1982.

DEAN, Warren. *A industrialização de São Paulo*. 4ª ed. Rio de Janeiro: Bertrand, 1991.

DELGADO, Lucília de Almeida Neves; SILVA, Vera Alice Cardoso. *Tancredo Neves: A trajetória de um liberal*. 2ª ed. Petrópolis: Vozes; Belo Horizonte: UFMG, 1985.

DENYS, Odílio. *Ciclo revolucionário brasileiro*. Rio de Janeiro: Biblioteca do Exército, 1993.

DORNELLES, Mozart. *1930-1992: Política, políticos e militares*. Barbacena: Centro Gráfico, s/d.

DULLES, John W. F. *Carlos Lacerda: A vida de um lutador*. 4ª ed. Vol. 1. Rio de Janeiro: Nova Fronteira, 1992.

_____. *Getúlio Vargas: Biografia política*. Rio de Janeiro: Renes, 1967.

_____. *Sobral Pinto: A consciência do Brasil — A cruzada contra o regime Vargas (1930-1945)*. Rio de Janeiro: Nova Fronteira, 2001.

ELLIS, Alfredo. *A nossa guerra: Estudo de síntese crítica político-militar*. São Paulo: Piratininga, 1933.

FABRÍCIO, José de Araújo. "Os Vargas: Uma estirpe faialense no Rio Grande do Sul". *Revista do IHGRS*, vols. 123 e 124, Porto Alegre, 1986, 1992.

FALCÃO, Armando. *Tudo a declarar*. Rio de Janeiro: Nova Fronteira, 1989.

FAORO, Raymundo. *Os donos do poder: Formação do patronato político brasileiro*. 3ª ed. São Paulo: Globo, 2001.

FAUSTO, Boris. *Getúlio Vargas*. São Paulo: Companhia das Letras, 2008.

_____. *História concisa do Brasil*. São Paulo: Edusp/Imprensa Oficial, 2001.

_____. *História do Brasil*. São Paulo: Edusp/FDE, 2001.

_____. (dir.). *História geral da civilização brasileira: Período republicano*. 4 vols. São Paulo: Difel, 1984.

FERREIRA, Jorge. *João Goulart: Uma biografia*. Rio de Janeiro: Civilização Brasileira, 2011.

_____. *O imaginário trabalhista: Getulismo, PTB e cultura política popular (1945-1964)*. Rio de Janeiro: Civilização Brasileira, 2005.

_____. DELGADO, Lucilia de Almeida Neves (orgs.). *O Brasil republicano. O tempo do nacional-estatismo*. Rio de Janeiro: Civilização Brasileira, 2007.

FERREIRA, Manoel Rodrigues. *A evolução do sistema eleitoral brasileiro*. Brasília: Senado Federal, 2001.

FERREIRA, Oliveiros S. *Vida e morte do partido fardado*. São Paulo: Senac, 2000.

FIGUEIREDO, Lucas. *O ministério do silêncio: A história do serviço secreto brasileiro de Washington Luís a Lula (1927-2005)*. Rio de Janeiro: Record, 2005.

FLORINDO, Marcos Tarcísio. *O serviço reservado da Delegacia de Ordem Política e Social de São Paulo na era Vargas*. São Paulo: Unesp, 2006.

FONSECA, Pedro Cezar Dutra. *Vargas: O capitalismo em construção*. São Paulo: Brasiliense, 1989.

FRANCO, Afonso Arinos de Melo. *Curso de direito constitucional brasileiro*. 2 vols. Rio de Janeiro: Forense, 1958.

_____. *Um estadista da República: Afrânio de Melo Franco e seu tempo*. Rio de Janeiro: Nova Aguilar, 1976.

FRANCO, Sérgio da Costa. *Dicionário político do Rio Grande do Sul (1821-1937)*. Porto Alegre: Suliani Letra & Vida, 2010.

FRISCHAUER, Paul. *Presidente Vargas*. São Paulo: Companhia Editora Nacional, 1944.

FURTADO, Celso. *Formação econômica do Brasil*. 29ª ed. São Paulo: Companhia Editora Nacional, 1998.

GAULD, Charles A. *Farquhar: O último titã — um empreendedor norte-americano na América Latina*. São Paulo: Cultura, 2006.

GOMES, Angela Maria de Castro (org.). *A invenção do trabalhismo*. 3ª ed. Rio de Janeiro: FGV, 2005.

_____. (org). *Escrita de si, escrita da História*. Rio de Janeiro: FGV, 2004.

GUEIROS, J. A. *Juracy Magalhães: O último tenente*. Rio de Janeiro: Record, 1996.

HARTMANN, Ivar. *Getúlio Vargas*. 2ª ed. Porto Alegre: Tchê, 1984.

HAYES, Robert A. *Nação armada: A mística militar brasileira*. Rio de Janeiro: Biblioteca do Exército, 1991.

HENRIQUES, Afonso. *Ascensão e queda de Getúlio Vargas*. 3 vols. Rio de Janeiro/São Paulo: Record, 1977.

HENTSCHKE, Jens R. *Vargas and Brazil: New Perspectives*. Nova York: Palgrave Macmillan, 2006.

HILTON, Stanley. *Oswaldo Aranha: Uma biografia*. Rio de Janeiro: Objetiva, 1994.

JORGE, Fernando. *Getúlio Vargas e o seu tempo*. 2 vols. São Paulo: T. A. Queiroz, 1994.

KEITH, Henry Hunt. *Soldados salvadores*. Rio de Janeiro: Biblioteca do Exército, 1989.

KOIFMAN, Fábio. *Presidentes do Brasil*. São Paulo: Cultura, 2002.

KWAK, Gabriel. *O trevo e a vassoura: Os destinos de Jânio Quadros e Adhemar de Barros*. Rio de Janeiro: A Girafa, 2006.

LACERDA, Carlos. *Depoimento*. Rio de Janeiro: Nova Fronteira, 1987.

_____. *Rosas e pedras do meu caminho*. Brasília: UnB, 2001.

LACERDA, Cláudio. *Uma crise de agosto: O atentado da rua Toneleros*. Rio de Janeiro: Nova Fronteira, 1994.

LAMOUNIER, Bolívar. *Getúlio*. São Paulo: Nova Cultural, 1988.

LARRAQUY, Marcelo. *López Rega: La biografia*. Buenos Aires: Sudamericana, 2004.

LAURENZA, Ana Maria de Abreu. *Lacerda x Wainer: O Corvo e o Bessarabiano*. São Paulo: Senac, 1998.

LEITE, Mauro Renault; NOVELLI JÚNIOR. *Marechal Eurico Gaspar Dutra: O dever da verdade*. Rio de Janeiro: Nova Fronteira, 1983.

LEVINE, Robert M. *Pai dos pobres? O Brasil e a era Vargas*. São Paulo: Companhia das Letras, 2001.

LIMA, Marcos Costa (org.). *Os boêmios cívicos: A assessoria econômico-política de Vargas (1951-54)*. Rio de Janeiro: E-papers; Centro Internacional Celso Furtado de Políticas para o Desenvolvimento, 2013.

LIMA, Valentina da Rocha. *Getúlio: Uma história oral*. 2ª ed. Rio de Janeiro: Record, 1986.

_____; RAMOS, Plínio de Abreu. *Tancredo fala de Getúlio*. Porto Alegre: L&PM, 1986.

LIMONCIC, Flávio; MARTINHO, Francisco Carlos Palomares (orgs.). *Os intelectuais do antiliberalismo: Projetos e políticas para outras modernidades*. Rio de Janeiro: Civilização Brasileira, 2010.

LINS DE BARROS, João Alberto. *A marcha da Coluna*. Rio de Janeiro: Biblioteca do Exército, 1997.

LIRA NETO. *Castello: A marcha para a ditadura*. São Paulo: Contexto, 2004.

_____. *Getúlio: Dos anos de formação à conquista do poder (1882-1930)*. São Paulo: Companhia das Letras, 2012.

_____. *Getúlio: Do governo provisório à ditadura do Estado Novo (1930-1945)*. São Paulo: Companhia das Letras, 2013.

LOUZEIRO, José. *O anjo da fidelidade: A história sincera de Gregório Fortunato*. Rio de Janeiro: Francisco Alves, 2000.

LUSTOSA, Isabel. *Histórias de presidentes: A República do Catete*. Petrópolis: Vozes, 1989.

MAGALHÃES, João Batista. *A evolução militar do Brasil*. Rio de Janeiro: Biblioteca do Exército, 1998.

MAGALHÃES, Mário. *Marighella: O guerrilheiro que incendiou o mundo*. São Paulo: Companhia das Letras, 2012.

MAGALHÃES JR., R. *Getúlio. Pró e contra: O julgamento da história*. São Paulo: Melhoramentos, 1976.

MALTA, Octávio. *Os "tenentes" na revolução brasileira*. Rio de Janeiro: Civilização Brasileira, 1969.

MCCANN, Frank D. *Soldados da Pátria: História do Exército Brasileiro, 1889-1937*. São Paulo: Companhia das Letras, 2007.

MELO FILHO, Murilo. *Testemunho político*. São Paulo: Elevação, 1999.

MENDONÇA, Marina Gusmão de. *O demolidor de presidentes*. 2ª ed. São Paulo: Códex, 2002.

MOISÉS, José Álvaro. "A greve dos 300 mil e as comissões de empresa". Caderno Cedec, nº 2, 1977.

MORAES, Dênis de; VIANA, Francisco. *Prestes: Lutas e autocríticas*. Petrópolis, 1982.

MORAES, Mascarenhas de. *Memórias*. 2 vols. Rio de Janeiro: Biblioteca do Exército, 1984.

MORAIS, Fernando. *Chatô: O rei do Brasil*. São Paulo: Companhia das Letras, 1994.

MOREL, Edmar. *Histórias de um repórter*. Rio de Janeiro: Record, 1999.

MOTTA, Marly Silva da. "Os 'boêmios cívicos' da Assessoria Econômica: Saber técnico e decisão política no governo Vargas (1951-54)". Em *História Oral: História, cultura e poder*. Trabalho apresentado no VI Encontro Regional no Sudeste de História Oral da ANPUH. Juiz de Fora (MG), 2005.

MOURA, Nero. *Um voo na história*. Rio de Janeiro: Fundação Getúlio Vargas, 1996.

NABUCO, Carolina. *A vida de Virgílio de Melo Franco*. Rio de Janeiro: José Olympio, 1962.

NASCIMENTO, Alcino João do; DÓRIA, Palmério; SANTOS, Joel Rufino dos; ALMEIDA FILHO, Hamilton. *Mataram o presidente!* São Paulo: Alga-Ômega, 1978.

NASSER, David. *Eu fui guarda-costas de Getúlio*. Rio de Janeiro: O Cruzeiro, 1947.

_____. *O Anjo Negro de Getúlio Vargas*. Rio de Janeiro: O Cruzeiro, 1966.

_____. *Falta alguém em Nuremberg*. Rio de Janeiro: O Cruzeiro, 1966.

NEGRÃO, Lísias Nogueira. *Entre a cruz e a encruzilhada*. São Paulo: Edusp, 1996.

NERY, Sebastião. *Folclore político*. São Paulo: Geração Editorial, 2002.

NOGUEIRA, Octaviano. *A Constituinte de 1946: Getúlio, o sujeito oculto*. São Paulo: Martins Fontes, 2005.

NUNES, Zeno Cardoso; NUNES, Rui Cardoso. *Dicionário de regionalismos do Rio Grande do Sul*. Porto Alegre: Martins Livreiro, 2010.

O'DONNELL, F. Talaia. *Oswaldo Aranha*. Porto Alegre: Sulina, 1980.

ORICO, Oswaldo. *O feiticeiro de São Borja*. Rio de Janeiro: Edição do autor, 1976.

PAIVA, Salvyano Cavalcante de. *Viva o rebolado! Vida e morte do teatro de revista brasileiro*. Rio de Janeiro: Nova Fronteira, 1991.

PERDIGÃO, João; CORRADI, Euler. *O rei da roleta: A incrível vida de Joaquim Rola*. Rio de Janeiro: Casa da Palavra, 2012.

PILAGALLO, Oscar. *História da imprensa paulista: Jornalismo e poder de d. Pedro I a Dilma*. São Paulo: Três Estrelas, 2012.

_____. *O Brasil em sobressalto*. São Paulo: Publifolha, 2002.

PORTO, Walter Costa. *O voto no Brasil*. Rio de Janeiro: Topbooks, 1989.

PORTO ALEGRE, Apolinário. *Popularium sul-rio-grandense: Estudo de filologia e folclore*. Porto Alegre: UFRGS/Instituto Estadual do Livro, 1982.

QUEIROZ JÚNIOR. *Memórias sobre Getúlio*. Rio de Janeiro: Copac, 1957.

_____. *222 anedotas de Getúlio Vargas*. 2ª ed. Rio de Janeiro: Companhia Brasileira de Artes Gráficas, 1955.

RIBEIRO, José Augusto. *A era Vargas*. 3 vols. Rio de Janeiro: Casa Jorge Editorial, 2001.

ROSE, R. S. *Uma das coisas esquecidas: Getúlio Vargas e o controle social no Brasil (1930-1954)*. São Paulo: Companhia das Letras, 2001.

RUSSOMANO, Vitor. *Adagiário gaúcho*. Porto Alegre: Livraria do Globo, 1938.

SALONE, Roberto Aldo. *Irredutivelmente liberal: Política e cultura na trajetória de Júlio de Mesquita Filho*. São Paulo: Albatroz, 2009.

SANDER, Roberto. *O crime que abalou a República: Violência, conspiração e impunidade no crepúsculo da era Vargas*. Rio de Janeiro: Maquinária, 2010.

SANDES, Noé Freire. *O tempo revolucionário e outros tempos: O jornalista Costa Rego e a representação do passado (1930-1937)*. Goiânia: UFG, 2012.

SANDRONI, Cícero; SANDRONI, Laura Constância A. de A. *Austregésilo de Athayde: O século de um liberal*. Rio de Janeiro: Agir, 1998.

SANTOS, Renata Belzunces dos. *A assessoria econômica da Presidência da República: Contribuição para a interpretação do segundo governo Getúlio Vargas (1951-1954)*. Campinas, Universidade Estadual de Campinas, 2007. Dissertação de mestrado.

SCHWARTZMAN, Simon; BOMENY, Maria Helena Bousquet; COSTA, Vanda Maria Ribeiro. *Tempos de Capanema*. São Paulo: Paz e Terra; Rio de Janeiro: FGV, 2000.

SEVERIANO, Jaime. *Getúlio Vargas e a música popular*. Rio de Janeiro: FGV, 1983.

SILVA, Edmundo de Macedo Soares e. *Um construtor de nosso tempo: Depoimento ao CPDOC-FGV*. Rio de Janeiro: Fundação CSN, 1998.

SILVA, Hélio. *1945: Por que depuseram Vargas*. Rio de Janeiro: Civilização Brasileira, 1976.

_____. *1945: Um tiro no coração*. Rio de Janeiro: Civilização Brasileira, 1978.

SILVA, Juremir Machado da. *Getúlio*. Rio de Janeiro: BestBolso, 2008.

SILVEIRA, Joel. *A feijoada que derrubou o governo*. São Paulo: Companhia das Letras, 2004.

_____. *A milésima segunda noite da avenida Paulista*. São Paulo: Companhia das Letras, 2003.

SIQUEIRA, Magno Bissoli. *Samba e identidade nacional: Das origens à era Vargas*. São Paulo: Unesp, 2012.

SKIDMORE, Thomas. *Brasil: De Getúlio a Castello*. 7ª ed. Rio de Janeiro: Paz e Terra, 1982.

_____. *Brasil: De Getúlio a Tancredo*. 12ª ed. São Paulo: Paz e Terra, 2000.

_____. *Uma história do Brasil*. São Paulo: Paz e Terra, 1998.

SODRÉ, Nelson Werneck. *História da imprensa no Brasil*. Rio de Janeiro: Civilização Brasileira, 1966.

_____. *História militar do Brasil*. Rio de Janeiro: Civilização Brasileira, 1968.

_____. *Memórias de um soldado*. Rio de Janeiro: Civilização Brasileira, 1967.

SOUZA, Leal de. *Getúlio Vargas*. Rio de Janeiro: Gráfica Olímpica, 1940.

SPALDING, Walter. *Construtores do Rio Grande*. 3 vols. Porto Alegre: Sulina, 1969.

STEPAN, Alfred. *Os militares na política*. Rio de Janeiro: Artenova, 1971.

TÁVORA, Juarez. *Uma vida e muitas lutas*. 2 vols. Rio de Janeiro: José Olympio, 1973.

TEIXEIRA, Iberê Athayde. *Os ossos do presidente: A vida e a morte de Getúlio Vargas*. Santo Ângelo: Ediuri, 2012.

VALADARES, Benedito. *Tempos idos e vividos*. Rio de Janeiro: Civilização Brasileira, 2006.

VARGAS, Alzira. *Getúlio Vargas, meu pai*. Porto Alegre: Globo, 1960.

VARGAS, Getúlio. *A campanha presidencial*. Rio de Janeiro: José Olympio, 1951.

_____. *A política trabalhista no Brasil*. Rio de Janeiro: José Olympio, 1952.

_____. *A emancipação nacional*. Agência Nacional, 1954.

VARGAS, Lutero. *Getúlio Vargas: A revolução inacabada*. Rio de Janeiro: edição do autor, 1988.

VERGARA, Luiz. *Fui secretário de Getúlio Vargas*. Porto Alegre: Globo, 1960.

VIDAL, Barros. *Getúlio Vargas: Um destino a serviço do Brasil*. Rio de Janeiro: Gráfica Olímpica, 1945.

VILLA, Marco Antônio. *A história das Constituições brasileiras: 200 anos de luta contra o arbítrio*. São Paulo: Leya, 2011.

WAINER, Samuel. *Minha razão de viver: Memórias de um repórter*. 11ª ed. Rio de Janeiro: Record, 1988.

WEFFORT, Francisco. *O populismo na política brasileira*. São Paulo: Paz e Terra, 1980.

JORNAIS E REVISTAS — TÍTULOS E PROCEDÊNCIA DOS ARQUIVOS CONSULTADOS

A Noite (RJ) — Biblioteca Nacional e Arquivo Antônio Sérgio Ribeiro
Careta (RJ) — Biblioteca Nacional e coleção do autor
Correio da Manhã (RJ) — Biblioteca Nacional e Arquivo Antônio Sérgio Ribeiro
Correio do Povo (RS) — Biblioteca Nacional e Museu da Comunicação Hipólito da Costa
Diário Carioca (RJ) – Biblioteca Nacional
Diário da Noite (SP) — Biblioteca Nacional
Diário de Notícias (RJ) — Biblioteca Nacional
Diário de Notícias (RS) — Museu da Comunicação Hipólito da Costa
Fatos & Fotos (RJ) — Coleção do autor
Folha da Manhã (SP) — Biblioteca Nacional e Acervo *Folha de S.Paulo*
Folha da Noite (SP) — Biblioteca Nacional e Acervo *Folha de S.Paulo*
Folha da Tarde (RS) — Museu da Comunicação Hipólito da Costa
Jornal do Brasil (RJ) — Biblioteca Nacional
Jornal do Commercio (RJ) — Biblioteca Nacional
Manchete (RJ) — Biblioteca Nacional e Arquivo Antônio Sérgio Ribeiro
O Cruzeiro (RJ) — Arquivo Antônio Sérgio Ribeiro
O Estado de S. Paulo (SP) — Arquivo Público de São Paulo
O Globo (RJ) — Biblioteca Nacional
O Jornal (RJ) — Biblioteca Nacional
O Malho (RJ) — Biblioteca Nacional e coleção do autor
O Mundo Ilustrado (RJ) — Coleção do autor
Revista do Globo (RS) — Museu da Comunicação Hipólito da Costa e coleção do autor
Revista do Rádio (RJ) — Coleção do autor
The New York Times (EUA) — http://spiderbites.nytimes.com/
Tribuna da Imprensa (RJ) — Biblioteca Nacional
Tribuna Popular (RJ) — Biblioteca Nacional
Última Hora (RJ) — Biblioteca Nacional

Notas

1. "TALVEZ SÓ COM MEU SACRIFÍCIO EM CONSIGA LIBERTAR-ME DAS MESQUINHARIAS", ESCREVEU GETÚLIO EM SÃO BORJA (1945) [pp. 11-5]

1. Em um anúncio da Abbott, publicado entre as décadas de 1940 e 1950, o fabricante prometia que os efeitos benéficos da medicação poderiam ser sentidos pelo usuário já no primeiro dia de tratamento. Para visualizar o anúncio, visitar o seguinte endereço eletrônico: http://www.decodog.com/inven/MD/md28133.jpg.

2. O pedido de Getúlio foi respondido de forma positiva em carta de Alzira a ele, escrita em 9 de janeiro de 1946. Arquivo CPDOC-FGV (Documento AVAP vpu 1946.01.02).

3. Informações obtidas no conjunto de cartas trocadas entre Getúlio e a filha, reunidas pelo Centro de Pesquisa e Documentação de História Contemporânea do Brasil (CPDOC), da Fundação Getúlio Vargas, no acervo relativo a Alzira Vargas do Amaral Peixoto e sob única referência. Arquivo CPDOC-FGV (Documento AVAP vpu 1946.01.02).

4. Uma excelente análise dos textos em que Getúlio sugere a hipótese de suicídio foi feita por Maria Celina D'Araújo: "Getúlio Vargas, cartas testamentos como testemunhos do poder". Em Ângela de Castro Gomes, *Escrita de si, escrita da História*, pp. 295-306.

5. Getúlio Vargas, *Diário*, vol. 1, pp. 4-5.

6. Bilhete escrito por Getúlio Vargas. 10 de julho de 1932. Arquivo CPDOC-FGV (Documento GV c 1932.07.10/7). Ver também Lira Neto, *Getúlio (1930-1945): Do Governo Provisório à ditadura do Estado Novo*, p. 105.

7. Getúlio Vargas, op. cit., vol. 2, p. 454. Ver também Lira Neto, op. cit., p. 403.

8. "Carta-testamento de Getúlio Vargas expondo os motivos que o levariam a cometer suicí-

dio, em decorrência da tentativa de um golpe militar", 13 de abril de 1945. Arquivo CPDOC-FGV (Documento GV c 1945.04.13/2. Ver também Lira Neto, op. cit., pp. 466-8.

9. Rubens Vidal de Araújo, *Os Vargas*, p. 193. Ver também Lira Neto, op. cit., pp. 492.

10. "Notas de Getúlio Vargas sobre sua deposição do Governo, a campanha difamatória de que foi vítima, analisando as candidaturas para a Presidência da República e sua situação como cidadão". Arquivo CPDOC-FGV (Documento GV c 1945.11.00/2).

2. "SE FOR JORNALISTA, MANDO ENFORCAR", DIZIA GETÚLIO, A PROPÓSITO DOS AVIÕES QUE DESCIAM EM SANTOS REIS (1945) [pp. 16-35]

1. O episódio foi reconstituído a partir das matérias publicadas pelos jornais gaúchos *Correio do Povo* e *Folha da Tarde*, nas edições de 1º a 8 de novembro de 1945.

2. Para a chegada de Getúlio a São Borja, ver *Folha da Tarde*, 1º de novembro de 1945.

3. Carta de Getúlio Vargas a João Neves da Fontoura. 18 de novembro de 1945. Arquivo CPDOC--FGV (Documento GV c 1945.11.14).

4. Para a descrição detalhada de Santos Reis, ver *O Globo*, 5 de novembro de 1945.

5. Para as desavenças entre Protásio e Maneco, ver conjunto de cartas reunidas no arquivo de Alzira Vargas do Amaral Peixoto, no CPDOC-FGV. "Correspondência sobre questões políticas e familiares, mantida entre Manuel Antonio Sarmanho Vargas (Maneco) e Alzira Vargas do Amaral Peixoto durante o período de 'exílio' de Getúlio Vargas em São Borja (RS)". Documento AVAP vpu e 1946.01.01.

6. Bilhete de Dinarte Dornelles a Getúlio Vargas tratando da nota oficial do PSD e da candidatura de Walter Jobim ao Governo do Rio Grande do Sul, 3 de novembro de 1945. Arquivo CPDOC-FGV (Documento GV c 1945.11.03/2).

7. *Folha da Tarde*, 1º de novembro de 1945.

8. Decreto-lei nº 8063, de 10 de outubro de 1945.

9. *A Manhã*, 2 de novembro de 1945.

10. Carta de Protásio Dornelles Vargas a Getúlio Vargas, 21 de novembro de 1945. Arquivo CPDOC-FGV (Documento GV c 1945.11.21).

11. *Diário da Noite*, 3 de novembro de 1945.

12. Nota, proclamações e mensagens de Getúlio Vargas ao povo gaúcho e brasileiro comunicando sua renúncia, suas preocupações para com os trabalhadores e razões de seu afastamento. Arquivo CPDOC-FGV (Documento GV c 1945.10.29/2).

13. *Folha da Tarde*, 1º de novembro de 1945.

14. Idem.

15. O diálogo foi parafraseado a partir do conteúdo da reportagem escrita pelo enviado da *Folha da Tarde* a São Borja, citada nas duas notas anteriores.

16. *Folha da Tarde*, 1º de novembro de 1945.

17. *Correio da Manhã*, 31 de outubro de 1945.

18. *Folha da Tarde*, 1º de novembro de 1945.

19. Para a companhia constante do gato angorá durante os passeios de Getúlio em Santos Reis e para a quantidade de charutos fumados durante o dia, ver *O Globo*, 5 de novembro de 1945.

20. *Folha da Tarde*, 1º de novembro de 1945.

21. Idem.

22. Idem.

23. Os acontecimentos descritos no parágrafo foram reconstituídos com base no noticiário dos jornais gaúchos, especialmente a *Folha da Tarde* e o *Correio do Povo*, nas edições de 29 de outubro a 5 de novembro de 1945.

24. *Folha da Tarde*, 1º de novembro de 1945.

25. Idem.

26. *O Globo*, 5 de novembro de 1945.

27. Para a rotina de Getúlio no retiro de São Borja, Armando Pacheco, *Getúlio me disse...*, pp. 64-5.

28. Para os companheiros de cavalgada nesse dia específico, *Diário da Noite*, 8 de novembro de 1945.

29. Jorge Ferreira, *João Goulart: Uma biografia*, pp. 25-46. A atualização de valores foi feita com base na correção pelo IGP-DI, de acordo com a ferramenta eletrônica fornecida pelo site oficial do Banco Central.

30. Telegrama de João Goulart a Getúlio Vargas, 27 de outubro de 1946. Arquivo CPDOC-FGV (Documento GV c 1946.10.27/2). Ver também Jorge Ferreira, op. cit., pp. 25-46.

31. Para as divisões interna do PTB, conferir verbete "Partido Trabalhista Brasileiro", *Dicionário histórico-biográfico brasileiro*.

32. Carta de Getúlio a Protásio Dornelles Vargas, sem data. Arquivo CPDOC-FGV (Documento GV c 1945.11.13/2).

33. *Diário da Noite*, 8 de novembro de 1945.

34. Idem.

35. As reportagens citadas e o perfil de Edmar Morel foram referenciados com base na autobiografia *Histórias de um repórter*.

36. Idem.

37. *O pensamento de Assis Chateaubriand: Artigos publicados em 1945* (vol. 22), pp. 957-61.

38. *Diário da Noite*, 8 de novembro de 1945. O episódio, com algumas variações em relação ao texto da reportagem original, também está contado por Edmar Morel em *Histórias de um repórter*, pp. 138-46.

39. Idem.

40. *Diário da Noite*, 8 de novembro de 1945.

41. Idem.

42. *Diário da Noite*, 5 de novembro de 1945.

43. Idem.

44. *Diário da Noite*, 5 de novembro de 1945.

45. Idem.

46. *Correio do Povo*, 6 de novembro de 1945.

47. Idem.

48. *O Globo*, 5 de novembro de 1945.

49. *Diário da Noite*, 6 de novembro de 1945.

50. *O Globo*, 5 de novembro de 1945.

51. *Revista do Globo*, edição especial, agosto de 1950. "Subsídios para as memórias de Getúlio Vargas".

52. *Jornal do Brasil*, 9 de novembro de 1945.

53. Carta de Protásio Vargas a Getúlio, 13 de novembro de 1945. Arquivo CPDOC-FGV (Documento GV c 1945.11.13/2).

54. Carta de João Neves da Fontoura a Protásio Vargas, 14 de novembro de 1945. Arquivo CPDOC-FGV (Documento GV c 1945.11.14).

55. Jorge Ferreira, *O imaginário trabalhista: Getulismo, PTB e cultura política popular — 1945-1964*, p. 70.

56. Idem.

57. Márcio Cotrim, *O pulo do gato 3: o berço de palavras e expressões populares*, p. 21.

58. *Correio da Manhã*, 11 de novembro de 1945.

59. *Diário da Noite*, 11 de novembro de 1945.

60. *O Globo*, 4 de novembro de 1945.

61. Jorge Ferreira, op. cit., p. 70.

62. Para a íntegra da fala de Dutra, ver Mauro Renault Leite e Novelli Júnior, *Dutra: O dever da verdade*, pp. 748-50.

63. Idem.

64. Carta de Augusto do Amaral Peixoto ao irmão, Ernani. Arquivo CPDOC-FGV (Documento GV c 1945.11.09/1).

65. Carta de João Neves da Fontoura a Getúlio Vargas, 14 de novembro de 1945. Arquivo CPDOC-FGV (Documento GV c 1945.11.14).

66. Carta de Manuel do Nascimento Vargas Neto a Getúlio Vargas, 5 de novembro de 1945. Arquivo CPDOC-FGV (Documento GV c 1945.11.05).

67. Idem.

68. Idem.

69. Para os respectivos perfis dos integrantes do ministério de José Linhares, conferir verbetes específicos do *Dicionário histórico-biográfico brasileiro*.

70. Isabel Lustosa, *Histórias de presidentes: A República do Catete*, p. 115.

71. Carta de João Neves da Fontoura a Protásio Vargas, 14 de novembro de 1945. Arquivo CPDOC-FGV (Documento GV c 1945.11.14).

72. Carta de Napoleão de Alencastro Guimarães a Getúlio Vargas, 8 de novembro de 1945. Arquivo CPDOC-FGV (Documento GV c 1945.11.08/1).

73. Carta de Getúlio Vargas a João Neves, 18 de novembro de 1945. Arquivo CPDOC-FGV (Documento GV c 1945.11.14).

74. *Diário da Noite*, 10 de novembro de 1945.

75. Maria Celina D'Araújo, *Sindicatos, carisma & poder: O PTB de 1945-65*, p. 28. Angela de Castro Gomes, *A invenção do trabalhismo*, p. 289.

76. Citado originalmente por Jorge Ferreira, op. cit., p. 78.

77. Carta de Jarbas de Leri Santos a Getúlio Vargas, 19 de novembro de 1945. Arquivo CPDOC-FGV (Documento GV c 1945.11.12).

78. *Diário Carioca*, 23 e 24 de novembro de 1945.

79. Carta de Benjamin Vargas a Getúlio, 19 de novembro de 1945. Arquivo CPDOC-FGV (Documento GV c 1945.11.12).

80. *Diário Carioca*, 11 de novembro de 1945.

81. *Diário da Noite*, 17 de novembro de 1945.

82. Idem.

83. Jorge Ferreira, *O imaginário trabalhista: Getulismo, PTB e cultura política popular — 1945-1964*, p. 78.

84. Carta de Napoleão de Alencastro Guimarães a Getúlio Vargas, 19 de novembro de 1945. Arquivo CPDOC-FGV (Documento GV c 1945.11.19/1).

85. Idem.

86. Alzira Vargas do Amaral Peixoto, "Vida de Getúlio: Itu, a meta dos candidatos". *Fatos & Fotos*, 7 de setembro de 1963.

87. Idem.

3. GETÚLIO DETONA UMA "BOMBA ATÔMICA". CANDIDATURA DO BRIGADEIRO VIVE SEUS DIAS DE HIROSHIMA (1945) [pp. 36-56]

1. O episódio foi reconstituído com base nas informações publicadas à época pelo noticiário dos seguintes jornais: *Correio da Manhã, A Manhã, A Noite, Diário Carioca, Diário da Noite, O Globo* e *Jornal do Brasil*.

2. Idem.

3. "Mensagem de Getúlio Vargas ao Partido Trabalhista Brasileiro concitando-o à união em torno dos postulados da Revolução de 1930". Arquivo CPDOC-FGV (Documento GV c 1945.11.10/2).

4. *Folha da Tarde*, 13 de novembro de 1945.

5. *Diário Carioca*, 15 de novembro de 1945.

6. *Diário da Noite*, 14 de novembro de 1945.

7. *Diário da Noite*, 6 de novembro de 1945.

8. *Diário da Noite*, 16 de novembro de 1945.

9. *Jornal do Brasil*, 13 de novembro de 1945.

10. *Folha da Tarde*, 15 de novembro de 1945.

11. *Correio da Manhã*, 27 de novembro de 1945.

12. *Correio da Manhã*, 17 de novembro de 1945.

13. Idem.

14. Idem.

15. Idem.

16. Idem.

17. Idem. Para a informação de que Segadas Viana e Baeta Neves eram partidários da candidatura de Eduardo Gomes, ver depoimento de Alzira Vargas do Amaral Peixoto ao programa de História Oral do CPDOC da FGV. Documento datilografado. Arquivo CPDOC-FGV.

18. *Correio da Manhã*, 17 de novembro de 1945.

19. *Diário Carioca*, 15 de novembro de 1945.

20. Carta de Napoleão de Alencastro Guimarães a Getúlio Vargas, 19 de novembro de 1945. Arquivo CPDOC-FGV (Documento GV c 1945.11.19/1).

21. Correspondência de João Neves, Segadas Viana, Baeta Neves e outros a Getúlio Vargas. 12 a 20 de novembro de 1945. Arquivo CPDOC-FGV (Documento GV c 1945.11.12).

22. Carta de João Neves a Getúlio Vargas, 24 de novembro de 1945. Arquivo CPDOC-FGV (Documento GV c 1945.11.14).

23. Carta de Protásio Vargas a Getúlio Vargas, 18 de novembro de 1945. Arquivo CPDOC-FGV (Documento GV c 1945.11.18).

24. Lira Neto, *Getúlio (1930-1945): Do governo provisório à ditadura do Estado Novo*, p. 339.

25. Dênis de Moraes e Francisco Viana, *Prestes: Lutas e autocríticas*, pp. 110-1.

26. A tese de que a candidatura do PCB tenha de algum modo interferido na decisão final de Getúlio se ampara, entre outros fatores, nas afirmações de Amaral Peixoto a Aspásia Camargo, Lucia Hippolito, Maria Celina Soares D'Araújo e Dora Rocha Flaksman em *Artes da política: Diálogo com Amaral Peixoto*, pp. 294-5.

27. Carta de Getúlio Vargas a Protásio Vargas, 19 de novembro de 1945. Arquivo CPDOC-FGV (Documento GV c 1945.11.19/2).

28. Carta do Diretório Estadual do PTB (São Paulo) a Getúlio Vargas solicitando orientação para o posicionamento oficial do Partido em relação às candidaturas presidenciais, 20 de novembro de 1945. Arquivo CPDOC-FGV (Documento GV c 1945.11.20/2).

29. Ofício do Diretório Estadual do PSD (São Paulo) ao PTB de São Paulo estabelecendo as bases do acordo entre os dois partidos para as eleições de dezembro, 24 de novembro de 1945. Arquivo CPDOC-FGV (Documento GV c 1945.11.18).

30. Carta de Getúlio Vargas a Luiz Vergara, 27 de novembro de 1945. Arquivo CPDOC-FGV (Documento GV c 1945.11.24/2).

31. Paulo Pinheiro Chagas, *O brigadeiro da libertação*, pp. 231-2.

32. *Correio da Manhã*, 27 de novembro de 1945.

33. Idem.

34. Os artigos de Carlos Lacerda contra Iedo Fiúza seriam reunidos depois em livro, *O rato Fiúza*, lançado pela Editora Moderna em 1946.

35. *Diário Carioca*, 25 de novembro de 1945.

36. Idem.

37. *Diário Carioca*, 23 de novembro de 1945.

38. *Correio da Manhã*, 18 de novembro de 1945.

39. Idem.

40. *Correio da Manhã*, 25 de novembro de 1945.

41. *Correio da Manhã*, 27 de novembro de 1945.

42. *Tribuna Popular*, 29 de novembro de 1945.

43. *Correio da Manhã*, 27 de novembro de 1945.

44. *A Manhã*, 25 de novembro de 1945.

45. Verbete "Hugo Borghi", *Dicionário histórico-biográfico brasileiro*.

46. *Correio da Manhã*, 22 de novembro de 1945.

47. Idem.

48. Carlos Lacerda, *Depoimento*, pp. 71-2.

49. Idem.

50. Idem.

51. Idem.

52. Idem.

53. Para ouvir a música, acessar a seção "Som na caixa" do site do jornalista Franklin Martins: http://www.franklinmartins.com.br/som_na_caixa_gravacao.php?titulo=marmiteiro.

54. Manifesto de Getúlio Vargas aconselhando o PTB e a população brasileira a cerrar fileiras em torno da candidatura Dutra à presidência da República e expondo os motivos de tal iniciativa. Arquivo CPDOC-FGV (Documento GV c 1945.11.25).

55. *Fatos & Fotos*, 7 de novembro de 1963.

56. Telegrama de Dinarte Dornelles a Getúlio Vargas, 26 de novembro de 1945. Arquivo CPDOC-FGV (Documento GV c 1945.11.26/1).

57. Telegrama de Segadas Viana e Baeta Neves a Getúlio Vargas, 26 de novembro de 1945. Arquivo CPDOC-FGV (Documento GV c 1945.11.26/1).

58. Dênis de Moraes e Francisco Viana, *Prestes: Lutas e autocríticas*, pp. 110-1.

59. *Diário Carioca*, 27 de novembro de 1945.

60. Carta de Napoleão de Alencastro Guimarães a Getúlio Vargas, 3 de dezembro de 1945. Arquivo CPDOC-FGV (Documento GV c 1945.12.03/1).

61. *A Manhã*, 28 de novembro de 1945.

62. *Correio da Manhã*, 2 de dezembro de 1945.

63. *Correio da Manhã*, 4 de dezembro de 1945.

64. *Correio da Manhã*, 5 de dezembro de 1945.

65. *Correio da Manhã*, 6 de dezembro de 1945.

66. *A Noite*, 6 de dezembro de 1945.

67. *Correio da Manhã*, 7 de dezembro de 1945.

68. *Correio da Manhã*, 11 de dezembro de 1945.

69. Os números finais da eleição: Eurico Gaspar Dutra, 3 251 507 votos; Eduardo Gomes, 2 039 341 votos; Iedo Fiúza, 569 818 votos; Rolim Teles, 10 001 votos.

70. Esta é, por exemplo, a interpretação de Leôncio Basbaum, no terceiro volume de sua *História sincera da República*, pp. 175-8.

71. Paulo Brandi, *Vargas: Da vida para a história*, p. 199.

72. *O Estado de S. Paulo*, 12 de dezembro de 1945.

73. *Diário da Noite*, 28 de dezembro de 1945.

74. *Diário Carioca*, 12 de dezembro de 1945.

4. "ESTAREI VIVO OU MORTO PARA A VIDA PÚBLICA DO MEU PAÍS?", INDAGAVA-SE GETÚLIO (1946) [pp. 57-77]

1. Para uma excelente biografia de Joaquim Rolla, João Perdigão & Euler Corradi, *O Rei da Roleta: A incrível vida de Joaquim Rolla*.

2. Sobre a guarda pessoal de Getúlio, ver Paulo Brandi, *Vargas: Da vida para a história*, p. 131; José Louzeiro, *O anjo da fidelidade: A história sincera de Gregório Fortunato*, pp. 186-99.

3. João Perdigão; Euler Corradi, op. cit., p. 324.

4. Idem.

5. *Diário da Noite* e *O Globo*, 11 de fevereiro de 1945.

6. Idem.

7. Idem.

8. Carta de Alzira Vargas do Amaral Peixoto a Getúlio Vargas, 12 de fevereiro de 1946. Arquivo CPDOC-FGV (Documento AVAP vpu 1946.01.02).

9. *O Globo*, 12 de fevereiro de 1945.

10. Carta de Alzira Vargas do Amaral Peixoto a Getúlio Vargas, 12 de fevereiro de 1946. Arquivo CPDOC-FGV (Documento AVAP vpu 1946.01.02).

11. *Diário de Notícias*, 30 de janeiro de 1947.

12. *Diário da Noite*, 23 de maio de 1942.

13. *Diário de Notícias*, 30 de janeiro de 1947.

14. Idem.

15. Carta de Alzira Vargas do Amaral Peixoto a Getúlio Vargas, 8 de janeiro de 1946. Arquivo CPDOC-FGV (Documento AVAP vpu 1946.01.02).

16. Carta de Lutero Vargas a Getúlio Vargas, sem data. Arquivo CPDOC-FGV (Documento GV c 1946.00.00/4).

17. Carta de Alzira Vargas a Getúlio Vargas, 13 de janeiro de 1946. Arquivo CPDOC-FGV (Documento AVAP vpu 1946.01.02).

18. Carta de Alzira Vargas do Amaral Peixoto a Getúlio Vargas, 23 de janeiro de 1946. Arquivo CPDOC-FGV (Documento AVAP vpu 1946.01.02).

19. Carta de Getúlio Vargas a Alzira Vargas do Amaral Peixoto, 24 de janeiro de 1946. Arquivo CPDOC-FGV (Documento AVAP vpu 1946.01.02).

20. Afonso Henriques, *Ascensão e queda de Getúlio Vargas*, p. 362.

21. Carta de Getúlio Vargas a Alzira Vargas do Amaral Peixoto, 22 de março de 1946. Arquivo CPDOC-FGV (Documento AVAP vpu 1946.01.02).

22. Carta de Getúlio Vargas a Alzira Vargas do Amaral Peixoto, 24 de março de 1946. Arquivo CPDOC-FGV (Documento AVAP vpu 1946.01.02).

23. Carta de Alzira Vargas do Amaral Peixoto a Getúlio Vargas, 28 de março de 1946. Arquivo CPDOC-FGV (Documento AVAP vpu 1946.01.02).

24. *Correio da Manhã*, 16 de janeiro de 1946. Ver também Afonso Henriques, op. cit., pp. 356-64. Octaviano Nogueira, *A Constituinte de 1946: Getúlio, o sujeito oculto*, pp. 206-22.

25. *Correio da Manhã*, 17 de janeiro de 1946.

26. Carta de Alzira Vargas do Amaral Peixoto a Getúlio Vargas, 12 de fevereiro de 1946. Arquivo CPDOC-FGV (Documento AVAP vpu 1946.01.02).

27. Carta de Getúlio Vargas a Alzira Vargas do Amaral Peixoto, 27 de janeiro de 1946. Arquivo CPDOC-FGV (Documento AVAP vpu 1946.01.02).

28. Carta de Alzira Vargas do Amaral Peixoto a Getúlio Vargas, 12 de fevereiro de 1946. Arquivo CPDOC-FGV (Documento AVAP vpu 1946.01.02).

29. Carta de Alzira Vargas do Amaral Peixoto a Getúlio Vargas, 31 de janeiro de 1946. Arquivo CPDOC-FGV (Documento AVAP vpu 1946.01.02).

30. Carta de Getúlio Vargas a Alzira Vargas do Amaral Peixoto, 14 de janeiro de 1946. Arquivo CPDOC-FGV (Documento AVAP vpu 1946.01.02).

31. Telegrama de Artur de Sousa Costa a Getúlio Vargas, janeiro de 1946. Arquivo CPDOC-FGV (Documento AVAP vpu 1946.01.00/13).

32. Carta de Alzira Vargas do Amaral Peixoto a Getúlio Vargas, 12 de fevereiro de 1946. Arquivo CPDOC-FGV (Documento AVAP vpu 1946.01.02).

33. Carta de Alzira Vargas do Amaral Peixoto a Getúlio Vargas, 23 de janeiro de 1946. Arquivo CPDOC-FGV (Documento AVAP vpu 1946.01.02).

34. Carta de Alzira Vargas do Amaral Peixoto a Getúlio Vargas, 23 de janeiro de 1946. Arquivo CPDOC-FGV (Documento AVAP vpu 1946.01.02).

35. Idem.

36. Carta de Alzira Vargas do Amaral Peixoto a Getúlio Vargas, 13 de janeiro de 1946. Arquivo CPDOC-FGV (Documento AVAP vpu 1946.01.02).

37. Carta de Getúlio Vargas a Alzira Vargas do Amaral Peixoto, 1º de fevereiro de 1946. Arquivo CPDOC-FGV (Documento AVAP vpu 1946.01.02).

38. Carta de Cassiano Ricardo a Getúlio Vargas, 18 de janeiro de 1946. Arquivo CPDOC-FGV (Documento GV c 1946.01.18/2).

39. Carta de Getúlio Vargas a Alzira Vargas do Amaral Peixoto, 29 de janeiro de 1946. Arquivo CPDOC-FGV (Documento AVAP vpu 1946.01.02).

40. Mensagem de Getúlio Vargas aos trabalhadores de São Paulo explicando por que aceitou a senatoria pelo Rio Grande do Sul. Arquivo CPDOC-FGV (Documento AVAP vpu 1946.04.18).

41. Carta de Getúlio Vargas a Alzira Vargas do Amaral Peixoto, 5 de março de 1946. Arquivo CPDOC-FGV (Documento AVAP vpu 1946.01.02).

42. Carta de Manuel Antonio Sarmanho Vargas (Maneco) a Alzira Vargas do Amaral Peixoto, 27 de março de 1946. Arquivo CPDOC-FGV (Documento AVAP vpu 1946.01.01).

43. Carta de Alzira Vargas do Amaral Peixoto a Getúlio Vargas, 28 de março de 1946. Arquivo CPDOC-FGV (Documento AVAP vpu 1946.01.02).

44. Carta de Alzira Vargas do Amaral Peixoto a Getúlio Vargas, 13 de janeiro de 1946. Arquivo CPDOC-FGV (Documento AVAP vpu 1946.01.02).

45. Luiz Vergara, *Fui secretário de Getúlio Vargas*, pp. 191-2.

46. Idem.

47. *Correio da Manhã*, 12 de janeiro de 1946.

48. Sérgio Soares de Braga. *Quem foi quem na Assembleia Constituinte de 1946*, p. 40.

49. *Anais da Assembleia Constituinte*, vol. 1, pp. 36-7.

50. Idem.

51. *Tribuna Popular*, 20 de março de 1945.

52. Luiz Maklouf Carvalho, *Cobras criadas: David Nasser e O Cruzeiro*, p. 151.

53. Octaviano Nogueira, op. cit., 406.

54. Carta de Alzira Vargas do Amaral Peixoto a Getúlio Vargas, 28 de março de 1946. Arquivo CPDOC-FGV (Documento AVAP vpu 1946.01.02).

55. *O Cruzeiro*, 29 de junho de 1946.

56. Idem.

57. Hélio Silva, 1945, *Por que depuseram Vargas*, p. 384.

58. Carta de Alzira Vargas do Amaral Peixoto a Getúlio Vargas, 28 de março de 1946. Arquivo CPDOC-FGV (Documento AVAP vpu 1946.01.02).

59. Carta de Alzira Vargas do Amaral Peixoto a Getúlio Vargas, 14 de março de 1946. Arquivo CPDOC-FGV (Documento AVAP vpu 1946.01.02).

60. *O Cruzeiro*, 29 de junho de 1946.

61. Idem.

62. Luiz Maklouf Carvalho, op. cit., p. 152.

63. Octaviano Nogueira, op. cit., p. 407.

64. Idem, p. 410.

65. *Correio da Manhã*, 29 de junho de 1946.

66. Carta de Alzira Vargas do Amaral Peixoto a Getúlio Vargas, 28 de março de 1946. Arquivo CPDOC-FGV (Documento AVAP vpu 1946.01.02).

67. *A Noite*, 2 de maio de 1945.

68. Idem.

69. Carta de Alzira Vargas do Amaral Peixoto a Getúlio Vargas, 2 de janeiro de 1946. Arquivo CPDOC-FGV (Documento AVAP vpu 1946.01.02).

70. Carta de Alzira Vargas do Amaral Peixoto a Getúlio Vargas, 28 de março de 1946. Arquivo CPDOC-FGV (Documento AVAP vpu 1946.01.02).

71. Carta de Getúlio Vargas a Alzira Vargas do Amaral Peixoto, 22 de março de 1946. Arquivo CPDOC-FGV (Documento AVAP vpu 1946.01.02).

72. *Tribuna Popular*, 30 de abril de 1946.

73. *A Noite*, 30 de abril de 1946.

74. Carta de Alzira Vargas do Amaral Peixoto a Getúlio Vargas, 1º de maio de 1946. Arquivo CPDOC-FGV (Documento AVAP vpu 1946.01.02).

75. Carta de José de Segadas Viana a Getúlio Vargas, sem data. Arquivo CPDOC-FGV (Documento GV c 1946.01.00/8).

76. Carta de Alzira Vargas do Amaral Peixoto a Getúlio Vargas, 14 de março de 1946. Arquivo CPDOC-FGV (Documento AVAP vpu 1946.01.02).

77. Idem.

78. *Tribuna Popular*, 24 de maio de 1946.

79. *A Manhã*, 24 de maio de 1946.

80. *Voz Operária*, 24 de maio de 1950.

81. Carta de Benjamin Vargas a Getúlio Vargas, 7 de abril de 1946. Arquivo CPDOC-FGV (Documento GV c 1946.04.07/2).

82. Carta de Alzira Vargas do Amaral Peixoto a Getúlio Vargas, 5 de maio de 1946. Arquivo CPDOC-FGV (Documento AVAP vpu 1946.01.02).

83. Carta de Alzira Vargas do Amaral Peixoto a Getúlio Vargas, 30 de abril a 3 de maio de 1946. Arquivo CPDOC-FGV (Documento AVAP vpu 1946.01.02).

5. PROVOCADO, O SENADOR GETÚLIO VARGAS ROMPE O SILÊNCIO — E DESAFIA OS ADVERSÁRIOS PARA UMA BRIGA DE RUA (1946) [pp. 78-100]

1. As cenas da chegada de Getúlio ao Rio de Janeiro foram reconstituídas com base nas notícias e informações publicadas à época pelos seguintes jornais: *A Noite, Correio da Manhã, Diário Carioca, O Globo, Jornal do Brasil* e *Diário da Noite*.

2. *A Noite*, 28 de novembro de 1938.

3. Ver nota 1.

4. Idem.

5. *O Globo*, 4 de junho de 1946.

6. Carta de Getúlio Vargas a Alzira Vargas do Amaral Peixoto, sem data. Arquivo CPDOC-FGV (Documento AVAP vpu 1946.01.02).

7. Carta de Alzira Vargas do Amaral Peixoto a Getúlio Vargas, 23 de janeiro de 1946. Arquivo CPDOC-FGV (Documento AVAP vpu 1946.01.02).

8. Octaviano Nogueira, *A Constituinte de 1946. Getúlio, o sujeito oculto*, pp. 377-8.

9. Idem.

10. Entrevista de Hugo Borghi a Lucia Hippolito e Israel Beloch. Programa de História Oral do CPDOC-FGV. Documento datilografado.

11. *O Globo*, 22 de janeiro de 1946.

12. Hélio Silva, *1945: Por que depuseram Vargas*, p. 325.

13. *Correio da Manhã*, 1º de junho de 1946.

14. *Folha da Tarde*, 28 de maio de 1946.

15. Octaviano Nogueira, op. cit., pp. 360-2. *Correio da Manhã*, 5 de junho de 1946.

16. *Anais da Assembleia Nacional Constituinte*, 4 de junho de 1946. A íntegra da transcrição da sessão está disponível no seguinte endereço eletrônico: http://imagem.camara.gov.br/constituinte_principal.asp

17. Octaviano Nogueira, op. cit., pp. 360-2.

18. *Correio da Manhã*, 5 de junho de 1946. Octaviano Nogueira, op. cit., pp. 360-2.

19. *Anais da Assembleia Nacional Constituinte*, 4 de junho de 1946.

20. Idem.

21. Idem.

22. Idem.

23. *Correio da Manhã*, 5 de junho de 1946.

24. *Anais da Assembleia Nacional Constituinte*, 4 de junho de 1946.

25. *Correio da Manhã*, 5 de junho de 1946. *Anais da Assembleia Nacional Constituinte*, 4 de junho de 1946.

26. *Correio da Manhã*, 5 de junho de 1946.

27. *Anais da Assembleia Nacional Constituinte*, 4 de junho de 1946.

28. Idem.

29. Idem.

30. Idem.

31. Idem.

32. *Correio da Manhã*, 5 de junho de 1946.

33. Idem.

34. Octaviano Nogueira, op. cit., p. 375. *Correio da Manhã*, 6 de junho de 1946.

35. *Anais da Assembleia Nacional Constituinte*, 2 de agosto de 1946. Octaviano Nogueira, op. cit., pp. 135-6.

36. David Nasser, *Falta alguém em Nuremberg*, p. 5.

37. Octaviano Nogueira, op. cit., pp. 442-3.

38. *Anais da Assembleia Nacional Constituinte*, 19 de agosto de 1946.

39. Idem.

40. Idem.

41. *Correio da Manhã, Diário da Noite, O Globo* e *Jornal do Brasil*, 31 de agosto de 1946.

42. *Anais da Assembleia Nacional Constituinte*, 31 de agosto de 1946.

43. Idem.

44. Idem.

45. Idem.

46. *Correio da Manhã*, 1º de setembro de 1946.

47. *Anais da Assembleia Nacional Constituinte*, 31 de agosto de 1946.

48. *Correio da Manhã*, 1º de setembro de 1946.

49. Idem.

50. Carta de Alzira Vargas do Amaral Peixoto a Getúlio Vargas, 18 de setembro de 1946. Arquivo CPDOC-FGV (Documento AVAP vpu 1946.01.02).

51. Idem.

52. Carta de Getúlio Vargas a Alzira Vargas do Amaral Peixoto, 3 de outubro de 1946. Arquivo CPDOC-FGV (Documento AVAP vpu 1946.01.02).

53. Carta de Alzira Vargas do Amaral Peixoto a Getúlio Vargas, 14 de outubro de 1946. Arquivo CPDOC-FGV (Documento AVAP vpu 1946.01.02).

54. Idem.

55. Idem.

56. Carta de Getúlio Vargas a Alzira Vargas do Amaral Peixoto, 1º de novembro de 1946. Arquivo CPDOC-FGV (Documento AVAP vpu 1946.01.02).

57. Carta de Alzira Vargas do Amaral Peixoto a Getúlio Vargas, 17 de outubro de 1946. Arquivo CPDOC-FGV (Documento AVAP vpu 1946.01.02).

58. Carta de Alzira Vargas do Amaral Peixoto a Getúlio Vargas, 28 de outubro e 1º de novembro de 1946. Arquivo CPDOC-FGV (Documento AVAP vpu 1946.01.02).

59. Carlos E. Cortés, *Política gaúcha (1930-1964)*, pp. 188-9.

60. Idem, pp. 190-1.

61. Getúlio Vargas, *A política trabalhista no Brasil*, pp. 35-9.

62. Pedro Cezar Dutra Fonseca, op. cit., pp. 335-6.

63. Getúlio Vargas, op. cit., p. 46.

64. Idem, p. 38.

65. Sérgio Augusto, *Este mundo é um pandeiro*, pp. 48-9.

66. Cartas de Alzira Vargas do Amaral Peixoto a Getúlio Vargas, 13 e 18 de setembro de 1946. Arquivo CPDOC-FGV (Documento AVAP vpu 1946.01.02).

67. Carta de Getúlio Vargas a Alzira Vargas do Amaral Peixoto, 15 de setembro de 1946. ARQUIVO CPDOC-FGV (Documento AVAP vpu 1946.01.02).

68. Carta de Getúlio Vargas a Alzira Vargas do Amaral Peixoto, s/d. Arquivo CPDOC-FGV (Documento AVAP vpu 1946.01.02).

69. *Fatos & Fotos*, 7 de setembro de 1963.

70. Carta de Alzira Vargas do Amaral Peixoto a Getúlio Vargas, 17 de setembro de 1946. Arquivo CPDOC-FGV (Documento AVAP vpu 1946.01.02).

71. *Fatos & Fotos*, 7 de setembro de 1963.

72. Carta de Maciel Filho a Getúlio Vargas, 21 de novembro de 1946. Arquivo CPDOC-FGV (Documento GV c 1946.11.21/2).

73. Idem.

74. Isabel Lustosa, *Histórias de presidentes: A república do Catete*, pp. 118-9.

75. Verbete "Morvan Dias de Figueiredo", *Dicionário histórico-biográfico brasileiro*.

76. Carta de Alzira Vargas do Amaral Peixoto a Getúlio Vargas, 28 de outubro de 1946. Arquivo CPDOC-FGV (Documento AVAP vpu 1946.01.02).

77. Idem.

78. Carta de Alzira Vargas do Amaral Peixoto a Getúlio Vargas, 8 de novembro de 1946. Arquivo CPDOC-FGV (Documento AVAP vpu 1946.01.02).

79. Carta de Alzira Vargas do Amaral Peixoto a Getúlio Vargas, 28 de outubro de 1946. Arquivo CPDOC-FGV (Documento AVAP vpu 1946.01.02).

80. Carta de Alzira Vargas do Amaral Peixoto a Getúlio Vargas, 17 de outubro de 1946. Arquivo CPDOC-FGV (Documento AVAP vpu 1946.01.02).

81. Carta de Alzira Vargas do Amaral Peixoto a Getúlio Vargas, 9 de novembro de 1946. Arquivo CPDOC-FGV (Documento AVAP vpu 1946.01.02).

82. Carta de Getúlio Vargas a Alzira Vargas do Amaral Peixoto, 1º de novembro de 1946. Arquivo CPDOC-FGV (Documento AVAP vpu 1946.01.02).

83. Carta de Alzira Vargas do Amaral Peixoto a Getúlio Vargas, sem data. Arquivo CPDOC-FGV (Documento AVAP vpu 1946.01.02).

84. Carta de Getúlio Vargas a Alzira Vargas do Amaral Peixoto, 1º de novembro de 1946. Arquivo CPDOC-FGV (Documento AVAP vpu 1946.01.02).

85. *Folha da Tarde*, 28 de novembro de 1946.

86. Idem.

87. Getúlio Vargas, op. cit., p. 54.

88. Idem, p. 55.

89. Idem, p. 58.

90. *Correio da Manhã*, 3 de dezembro de 1946.

91. Idem.

6. UM MÍSTICO ENVIA A ALZIRA SUPOSTAS MENSAGENS DO ALÉM: "GETÚLIO SERÁ ARRASADO E SÓ DEPOIS LEVADO DE VOLTA AO PODER" (1946-7) [pp. 101-117]

1. John W. F. Dulles, *Getúlio Vargas: Biografia política*, p. 302. *A Noite*, 14 de dezembro de 1946. *Anais do Senado*, 13 de dezembro de 1946.

2. *A Noite*, 14 de dezembro de 1946.

3. *Anais do Senado*, 13 de dezembro de 1946. *A Noite*, 14 de dezembro de 1946.

4. Idem.

5. Idem.

6. Idem.

7. Idem.

8. Idem.

9. Idem.

10. Idem.

11. *A Noite*, 14 de dezembro de 1946.

12. *Anais do Senado*, 13 de dezembro de 1946.

13. John W. F. Dulles, *Getúlio Vargas: Biografia política*, p. 302.

14. Getúlio Vargas, *A política trabalhista no Brasil*, p. 134.

15. Assis Chateaubriand, *O pensamento de Assis Chateaubriand*, vol. 24, p. 53.

16. Paulo Brandi, *Vargas: Da vida para a história*, pp. 206-7.

17. Carta de Getúlio Vargas a Alzira Vargas do Amaral Peixoto, sem data. Arquivo CPDOC-FGV (Documento AVAP vpu 1946.01.02).

18. *Correio da Manhã*, 22 de janeiro de 1947.

19. *Correio da Manhã*, 23 de janeiro de 1947.

20. "Abaixo-assinado da Occulta Universitas a Getúlio Vargas solidarizando-se espiritualmente e afirmando aguardar sua volta do Rio de Janeiro". Arquivo CPDOC-FGV (Documento GV c 1948.04.13).

21. "Documentos contendo mensagens aparentemente psicografadas por 'Anael', trazendo instruções e previsões políticas dirigidas ao ex-presidente Getúlio Vargas". Arquivo CPDOC-FGV (Documento GV rem 2 1947.01.24).

22. Idem.

23. Idem.

24. "Correspondência trocada entre Alzira Vargas do Amaral Peixoto e Getúlio Vargas durante o 'exílio' deste em São Borja (RS)". Arquivo CPDOC-FGV (Documento GV vpu e 1946.01.02).

25. Idem.

26. "Documentos contendo mensagens aparentemente psicografadas por 'Anael', trazendo instruções e previsões políticas dirigidas ao ex-presidente Getúlio Vargas". Arquivo CPDOC-FGV (Documento GV rem 2 1947.01.24).

27. Idem.

28. Idem.

29. Idem.

30. Idem.

31. Idem.

32. Idem.

33. Idem.

34. Citado por Orestes D. Confalonieri, *Peron contra Peron*, pp. 270-1. Tradução do autor.

35. Idem.

36. John W. F. Dulles, op. cit., pp. 99-100.

37. Carlos Lacerda, *Depoimento*, pp. 104-5.

38. Idem.

39. Tribunal Superior Eleitoral, *Dados estatísticos — Eleições federal, estadual e municipal realizadas no Brasil a partir de 1945.*

40. John W. F. Dulles, op. cit., pp. 101-2.

41. Idem, pp. 105-6.

42. Idem, pp. 107.

43. *Correio da Manhã*, 11 de novembro de 1947.

44. John W. F. Dulles, op. cit., p. 107.

45. Idem.

46. Idem, pp. 107-8.

47. Idem, p. 108.

48. Marina Gusmão de Mendonça, *O demolidor de presidentes*, p. 96.

49. John W. F. Dulles, op. cit., pp. 112-4.

50. Idem.

51. Idem.

52. Marina Gusmão de Mendonça, op. cit., pp. 99-100.

53. Carlos Lacerda, op. cit., p. 84.

54. *Correio da Manhã*, 1º de maio de 1949.

7. MINISTRO DA GUERRA DENUNCIA COMPLÔ DE SARGENTOS PARA DEPOR DUTRA E RECOLOCAR
GETÚLIO NO CATETE (1947) [pp. 118-33]

1. Depoimento do tenente Ubiratan Tamoio da Silva. "Peças do Inquérito Policial-Militar
aberto para apurar as responsabilidades de praças do Exército Nacional envolvidos em conspiração
contra o presidente da República". Transcrito do *Diário do Congresso Nacional*, 18 de junho de 1947.

2. Idem.

3. Idem.

4. Idem.

5. Idem.

6. Idem.

7. Idem.

8. Idem.

9. Idem.

10. Relatório do tenente Pedro Ipiranga de Paula Costa. "Peças do Inquérito Policial-Militar..."
(ver nota 1).

11. Idem.

12. Idem.

13. Idem.

14. Idem.

15. *A Noite*, 29 de maio de 1947.

16. Getúlio Vargas, *A política trabalhista do Brasil*, pp. 194-5.

17. "Peças do Inquérito Policial-Militar..." (ver nota 1).

18. Depoimento do tenente Ubiratan Tamoio da Silva. "Peças do Inquérito Policial-Militar..."
(ver nota 1).

19. Idem.

20. Idem.

21. *A Noite*, 29 de maio de 1947.

22. Getúlio Vargas, op. cit., pp. 213-4.

23. *O Globo*, 29 de maio de 1947.

24. *Diário da Noite*, 29 de maio de 1947.

25. *O Globo*, 29 e 30 de maio de 1947.

26. "Peças do Inquérito Policial-Militar..." (ver nota 1).

27. *Diário Carioca*, 3 de junho de 1947.

28. Carta de José Soares Maciel Filho a Getúlio Vargas, 18 de julho a 5 de agosto de 1947. Arquivo CPDOC-FGV (Documento GV C 1947.07.18).

29. Carta de José Soares Maciel Filho a Góes Monteiro, 22 de abril de 1947. Arquivo CPDOC-FGV (Documento GV c 1947.04.22).

30. *Correio da Manhã*, 13 de abril de 1947.

31. *Correio da Manhã*, 7 de março e 8 de maio de 1947.

32. Carta de José Soares Maciel Filho a Góes Monteiro, 22 de abril de 1947. Arquivo CPDOC-FGV (Documento GV c 1947.04.22).

33. Idem.

34. Idem.

35. Idem.

36. Hélio Silva, *1945: Por que depuseram Vargas*, pp. 383-402.

37. Idem.

38. *A Noite*, 9 de maio de 1947.

39. Idem.

40. *Nosso Século*, 1945-1960, p. 27.

41. O episódio foi reconstituído com base nas notícias publicadas pelos jornais *A Manhã, A Noite, Diário Carioca, Diário da Manhã, Diário da Noite, Diário de Notícias* e *Gazeta de Notícias*, entre os dias 19 de junho e 4 de julho de 1947.

42. Idem.

43. *Anais do Senado*, 18 de junho de 1947.

44. Ver nota 43.

45. Idem.

46. Idem.

47. Idem.

48. Idem.

49. Idem.

50. Idem.

51. Idem.

52. Idem.

53. Idem.

54. Idem.

55. *Careta*, 5 de julho de 1947.

56. Lira Neto, *Getúlio (1930-1945): Do Governo Provisório à ditadura do Estado Novo*, pp. 131-8.

57. *A Noite*, 27 de junho, e *Correio da Manhã*, 28 de junho de 1947.

58. *A Noite* e *Correio da Manhã*, 4 e 5 de julho de 1947.

59. Para o perfil de Camilo Mércio, ver o verbete específico no *Dicionário histórico-biográfico brasileiro*.

60. Queiroz Júnior, *222 anedotas de Getúlio Vargas*, pp. 154-5.

61. Carta de Getúlio Vargas a Alzira Vargas do Amaral Peixoto, 11 de agosto de 1947. Arquivo CPDOC-FGV (Documento AVAP vpu e 1946.01.02).

62. Para as desavenças entre Getúlio e o irmão Protásio, ver Jorge Ferreira, *João Goulart: Uma biografia*, p. 51.

63. *Revista do Globo*. Edição especial: "Subsídios para as memórias de Getúlio Vargas", agosto de 1950.

64. Carta de Getúlio Vargas a Alzira Vargas do Amaral Peixoto, 27 de setembro de 1947. Arquivo CPDOC-FGV (Documento AVAP vpu e 1946.01.02).

65. Carta de Alzira Vargas do Amaral Peixoto a Getúlio Vargas, 12 de setembro de 1947. Arquivo CPDOC-FGV (Documento AVAP vpu e 1946.01.02).

66. Carta de Alzira Vargas do Amaral Peixoto a Getúlio Vargas, 12 de outubro de 1947. Arquivo CPDOC-FGV (Documento AVAP vpu e 1946.01.02).

67. Carta de Alzira Vargas do Amaral Peixoto a Getúlio Vargas, 17 de outubro de 1947. Arquivo CPDOC-FGV (Documento AVAP vpu e 1946.01.02).

68. Carta de Getúlio Vargas a Alzira Vargas do Amaral Peixoto, 23 de outubro de 1947. Arquivo CPDOC-FGV (Documento AVAP vpu e 1946.01.02).

69. Carta de Alzira Vargas do Amaral Peixoto a Getúlio Vargas, 17 de outubro de 1947. Arquivo CPDOC-FGV (Documento AVAP vpu e 1946.01.02).

70. Carta de José Soares Maciel a Getúlio Vargas, 23 de outubro de 1947. Arquivo CPDOC-FGV (Documento GV c 1947.10.23).

8. GETÚLIO E PRESTES SOBEM JUNTOS NO MESMO PALANQUE. COMÍCIO TERMINA COM BOMBAS E PANCADARIA (1947-8) [pp. 134-57]

1. O episódio foi reconstituído com base nas notícias publicadas à época pelos seguintes jornais: *Folha da Manhã*, *Folha da Noite*, *O Estado de S. Paulo*, *O Globo*, *O Radical*, *Jornal do Brasil*, *Diário de Notícias*, *Diário Carioca*, *O Jornal* e *Correio da Manhã*.

2. Idem.

3. Idem.

4. Idem.

5. Maria Celina Soares d'Araújo, *O segundo governo Vargas* (1951-1954), pp. 37-50.

6. *Folha da Noite*, 3 de novembro de 1947.

7. *Folha da Tarde*, 9 de janeiro de 1948.

8. Maria Celina Soares d'Araújo, op. cit.

9. *Correio da Manhã*, 6 de novembro de 1947.

10. Ver nota 1.

11. Idem.

12. Idem.

13. *A Noite*, 5 de novembro de 1947.

14. *Diário Carioca*, 6 de novembro de 1947.

15. *Folha da Manhã*, 2 de novembro de 1947.

16. *Folha da Noite*, 5 de novembro de 1947.

17. Idem.

18. *A Noite*, 6 de novembro de 1947.

19. *Diário da Noite*, 4 de novembro de 1947.

20. *Folha da Manhã* e *A Noite*, 4 a 6 de novembro de 1947.

21. *A Noite*, 6 de novembro de 1947.

22. *Folha da Manhã*, 5 de novembro de 1947.

23. *O Estado de S. Paulo*, 4 de novembro de 1947.

24. *A Noite*, 5 de novembro de 1947.

25. *Folha da Manhã* e *A Noite*, 5 a 8 de novembro de 1947.

26. *A Noite*, 6 de novembro de 1947.

27. *Diário Carioca*, 7 de novembro de 1947.

28. Ver nota 1.

29. Carta de Getúlio Vargas a Alzira Vargas do Amaral Peixoto, 27 de novembro de 1947. Arquivo CPDOC-FGV (Documento AVAP vpu 1946.01.02).

30. Maria Celina Soares d'Araújo, op. cit.

31. Carta de Getúlio Vargas a Alzira Vargas do Amaral Peixoto, 21 de novembro de 1947. Arquivo CPDOC-FGV (Documento AVAP vpu 1946.01.02).

32. Carta de Getúlio Vargas a Alzira Vargas do Amaral Peixoto, 27 de novembro de 1947. Arquivo CPDOC-FGV (Documento AVAP vpu 1946.01.02).

33. Carta de Getúlio Vargas a Alzira Vargas do Amaral Peixoto, 23 de novembro de 1947. Arquivo CPDOC-FGV (Documento AVAP vpu 1946.01.02).

34. Carta de Getúlio Vargas a Alzira Vargas do Amaral Peixoto, 27 de novembro de 1947. Arquivo CPDOC-FGV (Documento AVAP vpu 1946.01.02).

35. Paulo Brandi, *Vargas: Da vida para a história*, p. 214.

36. Para o perfil de Salgado Filho, conferir verbete específico no *Dicionário histórico-biográfico brasileiro*.

37. Carta de Salgado Filho a Getúlio Vargas, 15 de junho de 1948. Arquivo CPDOC-FGV (Documento GV c 1948.06.15).

38. Carta de Getúlio Vargas a Salgado Filho, 16 de junho de 1948. Arquivo CPDOC-FGV (Documento GV c 1948.06.16).

39. Carta de Pedroso Horta a Getúlio Vargas, 20 de janeiro de 1948. Arquivo CPDOC-FGV (Documento GV c 1948.01.20).

40. Carta de Alzira Vargas do Amaral Peixoto a Getúlio Vargas, 25 de novembro de 1947. Arquivo CPDOC-FGV (Documento AVAP vpu 1946.01.02).

41. Idem.

42. Carta de Getúlio Vargas a Alzira Vargas do Amaral Peixoto, 6 de dezembro de 1947. Arquivo CPDOC-FGV (Documento AVAP vpu 1946.01.02).

43. Carta de Alzira Vargas do Amaral Peixoto a Getúlio Vargas, 19 de fevereiro de 1947. Arquivo CPDOC-FGV (Documento AVAP vpu 1946.01.02).

44. Carta de Getúlio Vargas a Alzira Vargas do Amaral Peixoto, sem data. Arquivo CPDOC-FGV (Documento AVAP vpu 1946.01.02).

45. Carta de Alzira Vargas do Amaral Peixoto a Getúlio Vargas, 25 de novembro de 1947. Arquivo CPDOC-FGV (Documento AVAP vpu 1946.01.02).

46. *Revista do Globo*. Edição especial: "Subsídios para as memórias de Getúlio Vargas", agosto de 1950.

47. Carta de Getúlio Vargas a Alzira Vargas do Amaral Peixoto, 7 de fevereiro de 1948. Arquivo CPDOC-FGV (Documento AVAP vpu 1946.01.02).

48. Carta de Getúlio Vargas a Alzira Vargas do Amaral Peixoto, 4 de março de 1948. Arquivo CPDOC-FGV (Documento AVAP vpu 1946.01.02).

49. Carta de Alzira Vargas do Amaral Peixoto a Getúlio Vargas, 18 de março de 1948. Arquivo CPDOC-FGV (Documento AVAP vpu 1946.01.02).

50. Carta de Getúlio Vargas a Alzira Vargas do Amaral Peixoto, 7 de fevereiro de 1948. Arquivo CPDOC-FGV (Documento AVAP vpu 1946.01.02).

51. Carta de Getúlio Vargas a Alzira Vargas do Amaral Peixoto, 17 de junho de 1948. Arquivo CPDOC-FGV (Documento AVAP vpu 1946.01.02).

52. Carta de Alzira Vargas do Amaral Peixoto a Getúlio Vargas, 26 de junho de 1948. Arquivo CPDOC-FGV (Documento AVAP vpu 1946.01.02.)

53. *Fon-Fon!*, 27 de março de 1948.

54. Carta de Alzira Vargas do Amaral Peixoto a Getúlio Vargas, 3 de março de 1948. Arquivo CPDOC-FGV (Documento AVAP vpu 1946.01.02).

55. Os artigos de Chatô, de onde as aspas foram retiradas, foram publicados em *O Jornal*, entre 3 e 10 de janeiro de 1948.

56. Idem.

57. Carta de Getúlio Vargas a Alzira Vargas do Amaral Peixoto, 23 de junho de 1948. Carta de Alzira Vargas do Amaral Peixoto a Getúlio Vargas, 29 de novembro de 1948. Arquivo CPDOC-FGV (Documento AVAP vpu 1946.01.02).

58. Carta de Getúlio Vargas a Alzira Vargas do Amaral Peixoto, 23 de junho de 1948. Arquivo CPDOC-FGV (Documento AVAP vpu 1946.01.02).

59. Carta de Alzira Vargas do Amaral Peixoto a Getúlio Vargas, 5 de agosto de 1948. Arquivo CPDOC-FGV (Documento AVAP vpu 1946.01.02).

60. Idem.

61. O diagnóstico e a terapêutica estão descritos nas cartas trocadas por Getúlio e Alzira ao longo daquele ano. Arquivo CPDOC-FGV (Documento AVAP vpu 1946.01.02).

62. Carta de Getúlio Vargas a Alzira Vargas do Amaral Peixoto, 26 de maio de 1948. Arquivo CPDOC-FGV (Documento AVAP vpu 1946.01.02).

63. *Diário Carioca*, 7 de novembro de 1947.

64. Carta de Getúlio Vargas a Alzira Vargas do Amaral Peixoto, 6 de julho de 1947. Arquivo CPDOC-FGV (Documento AVAP vpu 1946.01.02).

65. Carta de Getúlio Vargas a Alzira Vargas do Amaral Peixoto, 11 de janeiro de 1949. Arquivo CPDOC-FGV (Documento AVAP vpu 1946.01.02).

66. Resolução nº 1, de 1946. Regimento Interno do Senado Federal, capítulo 3, artigo 22, parágrafo segundo.

67. Carta de Getúlio Vargas a Alzira Vargas do Amaral Peixoto, 11 de agosto de 1947. Arquivo CPDOC-FGV (Documento AVAP vpu 1946.01.02).

68. *Correio da Manhã*, 25 de setembro de 1947.

69. Carta de Getúlio Vargas a Alzira Vargas do Amaral Peixoto, 2 de janeiro de 1948. Arquivo CPDOC-FGV (Documento AVAP vpu 1946.01.02).

70. Carta de Alzira Vargas do Amaral Peixoto a Getúlio Vargas, 28 de fevereiro de 1948. Arquivo CPDOC-FGV (Documento AVAP vpu 1946.01.02).

71. *Folha da Tarde*, 9 de janeiro de 1948.

72. Idem.

73. Carta de Alzira Vargas do Amaral Peixoto a Getúlio Vargas, 4 de março de 1948. Arquivo CPDOC-FGV (Documento AVAP vpu 1946.01.02).

74. Carta de Alzira Vargas do Amaral Peixoto a Getúlio Vargas, 20 de dezembro de 1948. Arquivo CPDOC-FGV (Documento AVAP vpu 1946.01.02).

75. *Folha da Tarde*, 9 de janeiro de 1948.

76. Carta de Getúlio Vargas a Alzira Vargas do Amaral Peixoto, 7 de fevereiro de 1948. Arquivo CPDOC-FGV (Documento AVAP vpu 1946.01.02).

77. Carta de Alzira Vargas do Amaral Peixoto a Getúlio Vargas, 31 de agosto de 1948. Arquivo CPDOC-FGV (Documento AVAP vpu 1946.01.02).

78. Para o perfil de Leonel Brizola, conferir verbete específico no *Dicionário histórico-biográfico brasileiro*.

79. *Diário de Notícias*, 10 de julho de 1948.

80. *Diário de Notícias*, 15 de julho de 1948.

81. *Diário de Notícias*, 7 de setembro de 1948.

82. Carta de Alzira Vargas do Amaral Peixoto a Getúlio Vargas, 31 de agosto de 1948. Arquivo CPDOC-FGV (Documento AVAP vpu 1946.01.02).

83. Carta de Getúlio Vargas a Alzira Vargas do Amaral Peixoto, 20 de agosto de 1948. Arquivo CPDOC-FGV (Documento AVAP vpu 1946.01.02).

84. Carta de Alzira Vargas do Amaral Peixoto a Getúlio Vargas, 2 de julho de 1948. Arquivo CPDOC-FGV (Documento AVAP vpu 1946.01.02).

85. Pedro Sampaio Malan, "Relações econômicas internacionais do Brasil (1945-1954)". Em Boris Fausto, *História geral da civilização brasileira: O Brasil Republicano*, tomo 3, vol. 4, pp. 62-70.

86. Carta de Alzira Vargas do Amaral Peixoto a Getúlio Vargas, 2 de julho de 1948. Arquivo CPDOC-FGV (Documento AVAP vpu 1946.01.02).

87. Idem.

88. Carta de Alzira Vargas do Amaral Peixoto a Getúlio Vargas, 27 de julho de 1948. Arquivo CPDOC-FGV (Documento AVAP vpu 1946.01.02).

89. Carta de Alzira Vargas do Amaral Peixoto a Getúlio Vargas, 26 de junho de 1948. Arquivo CPDOC-FGV (Documento AVAP vpu 1946.01.02).

90. Assis Chateaubriand. *O pensamento de Assis Chateaubriand*, vol. 25, p. 550.

91. *Diário da Noite*, 11 a 17 de novembro de 1948.

92. *Diário da Noite*, 16 de novembro de 1948.

93. Idem.

94. Carta de Alzira Vargas do Amaral Peixoto a Getúlio Vargas, 13 de setembro de 1948. Arquivo CPDOC-FGV (Documento AVAP vpu 1946.01.02).

95. Idem.

96. Carta de Alzira Vargas do Amaral Peixoto a Getúlio Vargas, 7 de setembro de 1948. Arquivo CPDOC-FGV (Documento AVAP vpu 1946.01.02).

97. *Diário de Notícias*, 22 de janeiro de 1949.

98. Idem.

99. Carta de Getúlio Vargas a Alzira Vargas do Amaral Peixoto, 14 de novembro de 1948. Arquivo CPDOC-FGV (Documento AVAP vpu 1946.01.02).

100. Maria Celina Soares d'Araújo, op. cit., p. 63.

101. Idem, pp. 54-5.

102. Carta de Alzira Vargas do Amaral Peixoto a Getúlio Vargas, 13 de setembro de 1948. Arquivo CPDOC-FGV (Documento AVAP vpu 1946.01.02).

103. Carta de Getúlio Vargas a Alzira Vargas do Amaral Peixoto, 20 de setembro de 1948. Arquivo CPDOC-FGV (Documento AVAP vpu 1946.01.02).

104. Carta de Alzira Vargas do Amaral Peixoto a Getúlio Vargas, 27 de novembro de 1948. Arquivo CPDOC-FGV (Documento AVAP vpu 1946.01.02).

9. O REPÓRTER SAMUEL WAINER ENTREVISTA GETÚLIO: "NÃO SOU OPORTUNISTA; SOU HOMEM DE OPORTUNIDADES" (1949) [pp. 158-76]

1. *Diário de Notícias*, 3 de março de 1949.

2. Idem.

3. Para o estado físico de Getúlio, ver as cartas endereçadas por ele a Alzira entre o final de 1948 e meados de 1949. "Correspondência trocada entre Alzira Vargas do Amaral Peixoto e Getúlio Vargas durante o 'exílio' deste em São Borja (RS), em que são abordados assuntos políticos e familiares". Arquivo CPDOC-FGV (Documento AVAP vpu 1946.01.02).

4. Samuel Wainer, *Minha razão de viver: Memórias de um repórter*, p. 21.

5. *Diário de Notícias*, 3 de março de 1949.

6. Idem.

7. Idem.

8. Idem.

9. Samuel Wainer, op. cit., p. 22.

10. *Diário de Notícias*, 3 de março de 1949.

11. Idem.

12. Idem.

13. Idem.

14. *O Jornal*, 3 de março de 1949.

15. Idem.

16. Idem.

17. Carta de Alzira Vargas do Amaral Peixoto a Getúlio Vargas, 18 de fevereiro de 1949. Arquivo CPDOC-FGV (Documento AVAP vpu 1946.01.02).

18. Idem.

19. Idem.

20. Carta de Getúlio Vargas a Alzira Vargas do Amaral Peixoto, 22 de fevereiro de 1949. Arquivo CPDOC-FGV (Documento AVAP vpu 1946.01.02).

21. Carta de Getúlio Vargas a Alzira Vargas do Amaral Peixoto, 8 de março de 1949. Arquivo CPDOC-FGV (Documento AVAP vpu 1946.01.02).

22. Carta de Alzira Vargas do Amaral Peixoto a Getúlio Vargas, 22 de março de 1949. Arquivo CPDOC-FGV (Documento AVAP vpu 1946.01.02).

23. Carta de Alzira Vargas do Amaral Peixoto a Getúlio Vargas, 11 de março de 1949. Arquivo CPDOC-FGV (Documento AVAP vpu 1946.01.02).

24. Carta de Alzira Vargas do Amaral Peixoto a Getúlio Vargas, 22 de março de 1949. Arquivo CPDOC-FGV (Documento AVAP vpu 1946.01.02).

25. Idem.

26. Carta de Alzira Vargas do Amaral Peixoto a Getúlio Vargas, 11 de março de 1949. Arquivo CPDOC-FGV (Documento AVAP vpu 1946.01.02).

27. Idem.

28. Idem.

29. Carta de Getúlio Vargas a Alzira Vargas do Amaral Peixoto, 22 de março de 1949. Arquivo CPDOC-FGV (Documento AVAP vpu 1946.01.02).

30. Carta de Getúlio Vargas a Alzira Vargas do Amaral Peixoto, 6 de março de 1949. Arquivo CPDOC-FGV (Documento AVAP vpu 1946.01.02).

31. *Diário da Noite*, 9 de janeiro de 1947.

32. Idem.

33. Carta de Alzira Vargas do Amaral Peixoto a Getúlio Vargas, 9 de junho de 1949. Arquivo CPDOC-FGV (Documento AVAP vpu 1946.01.02).

34. Carta de Alzira Vargas do Amaral Peixoto a Getúlio Vargas, 22 de março de 1949. Arquivo CPDOC-FGV (Documento AVAP vpu 1946.01.02).

35. Carta de Getúlio Vargas a Alzira Vargas do Amaral Peixoto, 26 de junho de 1949. Arquivo CPDOC-FGV (Documento AVAP vpu 1946.01.02).

36. Carta de Alzira Vargas do Amaral Peixoto a Getúlio Vargas, 11 de março de 1949. Arquivo CPDOC-FGV (Documento AVAP vpu 1946.01.02).

37. Manoel José Canada. *Maria Martins: Um imaginário esquecido*. Dissertação de mestrado, pp. 143-201.

38. Idem.

39. Carta de Getúlio Vargas a Alzira Vargas do Amaral Peixoto, 22 de março de 1949. Arquivo CPDOC-FGV (Documento AVAP vpu 1946.01.02).

40. Idem.

41. Carta de Getúlio Vargas a Alzira Vargas do Amaral Peixoto, 2 de setembro de 1949. Arquivo CPDOC-FGV (Documento AVAP vpu 1946.01.02).

42. Carta de Alzira Vargas do Amaral Peixoto a Getúlio Vargas, 9 de fevereiro de 1949. Arquivo CPDOC-FGV (Documento AVAP vpu 1946.01.02).

43. Carta de Getúlio Vargas a Alzira Vargas do Amaral Peixoto, 21 de fevereiro de 1949. Arquivo CPDOC-FGV (Documento AVAP vpu 1946.01.02).

44. Samuel Wainer, op. cit., p. 27.

45. *Diário de Notícias*, 20 de abril de 1949.

46. Idem.

47. Idem.

48. Idem.

49. Idem.

50. Idem.

51. Idem.

52. *Diário de Notícias*, 9 de abril de 1949.

53. *Diário de Notícias*, 12 de abril de 1949.

54. Carta de Getúlio Vargas a Alzira Vargas do Amaral Peixoto, 28 de abril de 1949. Arquivo CPDOC-FGV (Documento AVAP vpu 1946.01.02).

55. Gabriel Kwak, *O trevo e a vassoura: Os destinos de Jânio Quadros e Ademar de Barros*, p. 261.

56. Para o perfil de Ademar de Barros, ver a obra citada na nota anterior e o verbete específico no *Dicionário histórico-biográfico brasileiro.*

57. Carta de Alzira Vargas do Amaral Peixoto a Getúlio Vargas, 7 de junho de 1949. Arquivo CPDOC-FGV (Documento AVAP vpu 1946.01.02).

58. Carta de Alzira Vargas do Amaral Peixoto a Getúlio Vargas, 1º de julho de 1949. Arquivo CPDOC-FGV (Documento AVAP vpu 1946.01.02).

59. Carta de Getúlio Vargas a Alzira Vargas do Amaral Peixoto, 8-19 de julho de 1949. Arquivo CPDOC-FGV (Documento AVAP vpu 1946.01.02).

60. Carta de Alzira Vargas do Amaral Peixoto a Getúlio Vargas, 27 de julho de 1949. Arquivo CPDOC-FGV (Documento AVAP vpu 1946.01.02).

61. Carta de Getúlio Vargas a Alzira Vargas do Amaral Peixoto, 27 de junho de 1949. Arquivo CPDOC-FGV (Documento AVAP vpu 1946.01.02).

62. Carta de Alzira Vargas do Amaral Peixoto a Getúlio Vargas, 8 de julho de 1949. Arquivo CPDOC-FGV (Documento AVAP vpu 1946.01.02).

63. Para uma excelente análise da "Fórmula Jobim", ver Maria Celina Soares D'Araújo, op. cit., pp. 56-8.

64. Carta de Alzira Vargas do Amaral Peixoto a Getúlio Vargas, 3 de julho de 1949. Arquivo CPDOC-FGV (Documento AVAP vpu 1946.01.02).

65. Carta de Alzira Vargas do Amaral Peixoto a Getúlio Vargas, 8 de julho de 1949. Arquivo CPDOC-FGV (Documento AVAP vpu 1946.01.02).

66. *Diário de Notícias*, 11 de agosto de 1949.

67. Idem.

68. Maria Celina Soares D'Araújo, op. cit., p. 65.

69. *Diário de Notícias*, 11 de agosto de 1949.

70. Idem.

71. Carta de Alzira Vargas do Amaral Peixoto a Getúlio Vargas, 18 de outubro de 1949. Arquivo CPDOC-FGV (Documento AVAP vpu 1946.01.02).

72. Carta de Alzira Vargas do Amaral Peixoto a Getúlio Vargas, 22 de outubro de 1949. Arquivo CPDOC-FGV (Documento AVAP vpu 1946.01.02).

73. Hélio Silva, *1954: Um tiro no coração*, p. 45.

74. Maria Celina Soares D'Araújo, op. cit., pp. 58-63.

75. Carta de Alzira Vargas do Amaral Peixoto a Getúlio Vargas, 26 de outubro de 1949. Arquivo CPDOC-FGV (Documento AVAP vpu 1946.01.02).

76. Maria Celina Soares D'Araújo, op. cit. pp. 83-6.

77. Carta de Getúlio Vargas a Alzira Vargas do Amaral Peixoto, 8 de outubro de 1949. Arquivo CPDOC-FGV (Documento AVAP vpu 1946.01.02).

78. Carta de Alzira Vargas do Amaral Peixoto a Getúlio Vargas, 26 de outubro de 1949. Arquivo CPDOC-FGV (Documento AVAP vpu 1946.01.02).

79. Carta de Getúlio Vargas a Alzira Vargas do Amaral Peixoto, 29 de outubro de 1949. Arquivo CPDOC-FGV (Documento AVAP vpu 1946.01.02).

80. Carta de Alzira Vargas do Amaral Peixoto a Getúlio Vargas, 26 de outubro de 1949. Arquivo CPDOC-FGV (Documento AVAP vpu 1946.01.02).

81. *Diário de Notícias*, 13 de novembro de 1949.

82. Idem.

83. Idem.

84. *Diário de Notícias*, 14 de dezembro de 1949.

85. Idem.

86. *O Jornal*, 16 de dezembro de 1949.

87. *Diário da Noite*, 14 de dezembro de 1949.

10. CANDIDATURA DE GETÚLIO É LANÇADA POR ADEMAR DE BARROS. "NÃO GOSTEI E NÃO ESTOU ENTENDENDO COISA ALGUMA", DIZ ALZIRA (1950) [pp. 177-99]

1. *Folha da Noite, Diário da Noite, Folha da Manhã, O Estado de S. Paulo*, 16 de junho de 1950.

2. Idem.

3. Carta de Oscar Pedroso Horta a Getúlio Vargas, 20 de janeiro de 1948. Arquivo CPDOC-FGV (Documento GV c 1948.01.20).

4. *Folha da Noite*, 16 de junho de 1950.

5. *Diário da Noite*, 16 de junho de 1950.

6. Idem.

7. Idem.

8. Hélio Silva, *1954: Um tiro no coração*, p. 57.

9. Carta de Getúlio Vargas a Ademar de Barros, 17 de junho de 1950. Arquivo CPDOC-FGV. (Documento GV c 1950.06.17).

10. Carta de Alzira Vargas do Amaral Peixoto a Getúlio Vargas, 22 de março de 1950. Arquivo CPDOC-FGV (Documento AVAP vpu 1946.01.02).

11. Idem.

12. Gabriel Kwak, *O trevo e a vassoura: Os destinos de Jânio Quadros e Ademar de Barros*, pp. 256-7.

13. Acordo em Santos Reis, elaborado por Erlindo Salzano e Danton Coelho, entre o representante de Ademar de Barros, Danton Coelho, e Getúlio Vargas em função das eleições presidenciais, 19 de março de 1950. Arquivo CPDOC-FGV (Documento GV c 1950.03.19).

14. Carta de Alzira Vargas do Amaral Peixoto a Getúlio Vargas, 22 de março de 1950. Arquivo CPDOC-FGV (Documento AVAP vpu 1946.01.02).

15. Carta de Getúlio Vargas a Alzira Vargas do Amaral Peixoto, 26 de março de 1950. Arquivo CPDOC-FGV (Documento AVAP vpu 1946.01.02).

16. *Nosso Século (1945-1960)*, p. 25.

17. Idem, p. 24.

18. Getúlio Vargas, *A campanha presidencial*, pp. 19-33.

19. Idem.

20. Idem.

21. Maria Celina Soares D'Araújo, *O segundo governo Vargas (1951-1954)*, pp. 81-102.

22. Ver nota 18.

23. Paulo Brandi, *Vargas: Da vida para a história*, pp. 221-2.

24. Carta de Alzira Vargas do Amaral Peixoto a Getúlio Vargas, 20 de abril de 1950. Arquivo CPDOC-FGV (Documento AVAP vpu 1946.01.02).

25. "João Paulino", marcha de Alberto Ribeiro e José Maria de Abreu. Gravação de Ademilde Fonseca e conjunto regional. Disco Continental nº 16144-a, lançado em janeiro de 1950. Citado por Jairo Severiano, *Getúlio Vargas e a música popular*, p. 46.

26. "Ai, Gegê!", marcha de João de Barro e José Maria de Abreu. Gravação de Jorge Goulart. Disco Continental nº 16172-a, lançado em março de 1950. Citado por Jairo Severiano, op. cit., p. 47.

27. Carta de Alzira Vargas do Amaral Peixoto a Getúlio Vargas, 24 de abril de 1950. Arquivo CPDOC-FGV (Documento AVAP vpu 1946.01.02).

28. Idem.

29. *Diário da Noite*, 10 de agosto de 1950.

30. *Folha da Manhã*, 10 de agosto de 1950.

31. Getúlio Vargas, op. cit., pp. 41-52.

32. Idem.

33. *Folha da Manhã*, 11 de agosto de 1950.

34. Idem.

35. Getúlio Vargas, op. cit., p. 101.

36. Lourival Coutinho, *O general Góes depõe*, pp. 494-508.

37. Idem.

38. Idem.

39. Ronaldo Conde Aguiar, *Vitória na derrota: A morte de Getúlio Vargas*, p. 51.

40. Carta de Alzira Vargas do Amaral Peixoto a Getúlio Vargas, 13 de julho de 1950. Arquivo CPDOC-FGV (Documento AVAP vpu 1946.01.02).

41. Para o perfil político de Café Filho, conferir verbete específico no *Dicionário histórico-biográfico brasileiro*, publicado pelo CPDOC-FGV.

42. *A Noite*, 28 de setembro de 1950.

43. Carta de Alzira Vargas do Amaral Peixoto a Getúlio Vargas, 28 de setembro de 1950. Arquivo CPDOC-FGV (Documento AVAP vpu 1946.01.02).

44. Samuel Wainer, *Minha razão de viver: Memórias de um repórter*, pp. 35-6.

45. Idem, pp. 36-7.

46. Carta de Getúlio Vargas a Alzira Vargas do Amaral Peixoto, 18 de julho de 1950. Arquivo CPDOC-FGV (Documento AVAP vpu 1946.01.02).

47. Carta de Alzira Vargas do Amaral Peixoto a Getúlio Vargas, 27 de junho de 1950. Arquivo CPDOC-FGV (Documento AVAP vpu 1946.01.02).

48. Carta de Getúlio Vargas a Alzira Vargas do Amaral Peixoto, 1º e 15 de julho de 1950. Arquivo CPDOC-FGV. Documento AVAP vpu 1946.01.02.

49. Carta de Getúlio Vargas a Alzira Vargas do Amaral Peixoto, 14 de julho de 1950. Arquivo CPDOC-FGV (Documento AVAP vpu 1946.01.02).

50. A íntegra dos discursos da campanha presidencial estão em Getúlio Vargas, op. cit.

51. Carta de Getúlio Vargas a Alzira Vargas do Amaral Peixoto, 23 de agosto de 1950. Arquivo CPDOC-FGV (Documento AVAP vpu 1946.01.02).

52. Samuel Wainer, op. cit., p. 37.

53. Carta de Getúlio Vargas a Alzira Vargas do Amaral Peixoto, 27 de agosto de 1950. Arquivo CPDOC-FGV (Documento AVAP vpu 1946.01.02).

54. *Diário da Noite*, 26 de agosto de 1950.

55. Idem.

56. Getúlio Vargas, op. cit., p. 277.

57. Lourival Coutinho, op. cit., p. 505.

58. *Diário da Noite*, 4 de setembro de 1950.

59. *Diário da Noite*, 26 de agosto de 1950.

60. Hélio Silva, op. cit., pp. 80-5.

61. *Diário da Noite*, 29 de setembro de 1950.

62. Café Filho, *Do sindicato ao Catete*, pp. 188-96.

63. Getúlio Vargas, op. cit.

64. Café Filho, op. cit., pp. 188-96.

65. Idem.

66. Idem.

67. *Diário da Noite*, 15 de setembro de 1950.

68. *Diário da Noite*, 18 de setembro de 1950.

69. Café Filho, op. cit., pp. 188-96.

70. Samuel Wainer, op. cit., p. 39.

71. Para uma avaliação do conteúdo dos discursos da campanha eleitoral, ver Maria Celina Soares D'Araújo, op. cit., pp. 801-2, e Paulo Brandi, op. cit., pp. 226-9.

72. Samuel Wainer, op. cit., p. 39.

73. Carta de Alzira Vargas do Amaral Peixoto a Getúlio Vargas, 13 de setembro de 1950. Arquivo CPDOC-FGV (Documento AVAP vpu 1946.01.02).

74. Cartas de Getúlio Vargas a Alzira Vargas do Amaral Peixoto, 17 de setembro e 4 de outubro de 1950. Arquivo CPDOC-FGV (Documento AVAP vpu 1946.01.02).

75. Para a permanência de Getúlio Vargas na Estância São Pedro, ver Glauco Carneiro, *Luzardo: O último caudilho*, pp. 356-9. As desavenças por causa da preferência eleitoral de Protásio por Cristiano Machado estão presentes em várias cartas trocadas no período entre Getúlio e Alzira.

76. *Diário da Noite*, 10 de outubro de 1950.

77. Glauco Carneiro, op. cit., pp. 356-9

78. *Diário da Noite*, 5 de outubro de 1950.

79. Carta de Alzira Vargas do Amaral Peixoto a Getúlio Vargas, 5 de outubro de 1950. Arquivo CPDOC-FGV (Documento AVAP vpu 1946.01.02).

80. Walter Costa Porto, *O voto no Brasil*, pp. 289-90.

81. Carta de Alzira Vargas do Amaral Peixoto a Getúlio Vargas, 13 de outubro de 1950. Arquivo CPDOC-FGV (Documento AVAP vpu 1946.01.02).

82. Idem.

83. Cartas de Getúlio Vargas a Alzira Vargas do Amaral Peixoto, 15 de outubro de 1950. Arquivo CPDOC-FGV (Documento AVAP vpu 1946.01.02).

11. O NOVO GOVERNO SE DEPARA COM O PRIMEIRO DESAFIO: CONVENCER OS ESTADOS UNIDOS DE QUE O OVO NASCEU ANTES DA GALINHA (1951) [pp. 200-19]

1. A reconstituição da solenidade de posse foi feita a partir do noticiário dos seguintes jornais de época: *Folha da Manhã*, *Folha da Noite*, *O Estado de S. Paulo*, *O Globo*, *O Radical*, *Jornal do Brasil*, *Diário de Notícias*, *Diário Carioca*, *O Jornal* e *Correio da Manhã*.

2. *Correio da Manhã*, 1º de fevereiro de 1951.

3. "Retrato do velho", marcha de Haroldo Lobo e Marino Pinto, em gravação de Francisco Alves e conjunto regional. Disco Odeon nº 13087-a.

4. *O Globo*, 18 de novembro de 1950.

5. Afonso Henriques, *Ascensão e queda de Getúlio Vargas*, vol. 3, pp. 23-4.

6. *Correio da Manhã*, 1º de fevereiro de 1951.

7. Ver nota 1.

8. Idem.

9. Idem.

10. Idem.

11. *O Globo*, 1º de fevereiro de 1951.

12. Idem.

13. Idem.

14. Murilo Melo Filho, *Testemunho político*, p. 121.

15. Ver nota 1.

16. Samuel Wainer, *Minha razão de viver: Memórias de um repórter*, p. 191.

17. Hélio Silva, *1954: Um tiro no coração*, pp. 103-5.

18. Conferir os respectivos verbetes no *Dicionário histórico-biográfico brasileiro*.

19. Aspásia Camargo, Lucia Hippolito, Maria Celina Soares D'Araujo e Dora Rocha Flaksman, *Arte da política: Diálogo com Amaral Peixoto*, p. 332.

20. John W. F. Dulles, *Carlos Lacerda: A vida de um lutador*, p. 138.

21. *Correio da Manhã*, 2 de fevereiro de 1951.

22. John W. F. Dulles, op. cit., p. 138.

23. *Correio da Manhã*, 1º de fevereiro de 1951.

24. Paulo Brandi, *Vargas: Da vida para a história*, pp. 236-7.

25. Afonso Henriques, op. cit., p. 59.

26. Aspásia Camargo, Lucia Hippolito, Maria Celina Soares D'Araujo e Dora Rocha Flaksman, op. cit., p. 332.

27. Luiz Vergara, *Fui secretário de Getúlio Vargas*, pp. 223-4.

28. Idem.

29. Idem.

30. Maria Celina Soares D'Araújo, op. cit., pp. 134-8.

31. Idem.

32. Citado por Renata Belzunces dos Santos, *A assessoria econômica da Presidência da República: Contribuição para a interpretação do segundo governo Getúlio Vargas (1951-1954)*, p. 20.

33. Marcos Costa Lima (org.), *Os boêmios cívicos: A assessoria econômico-política de Vargas (1951-1954)*, p. 11.

34. Renata Belzunces dos Santos, op. cit., p. 25.

35. Maria Celina Soares D'Araújo, op. cit., pp. 134-8.

36. *Correio da Manhã*, 2 de fevereiro de 1951.

37. Maria Celina Soares D'Araújo, op. cit., pp. 134-8.

38. Citado por Marly Mota, "Os 'boêmios cívicos' da Assessoria Econômica: Saber técnico e decisão política no governo Vargas (1951-54)".

39. Afonso Henriques, op. cit., p. 27.

40. *Diário da Noite*, 19 de fevereiro de 1951.

41. Idem.

42. Hélio Silva, op. cit., pp. 108-9.

43. Paulo Brandi, op. cit., pp. 238-9.

44. Hélio Silva, op. cit., pp. 108-9.

45. Carta de João Neves a Getúlio Vargas encaminhando carta de Harry Truman, 10 de abril de 1951. Arquivo CPDOC-FGV (Documento GV C 1951.04.10/4).

46. Vagner Camilo Alves, *Da Itália a Coreia: Decisões sobre ir ou não à guerra*, pp. 129-54.

47. Maria Celina Soares D'Araújo, op. cit., pp. 139-41.

48. Carta de João Neves a Getúlio Vargas encaminhando carta de Harry Truman, 10 de abril de 1951. Arquivo CPDOC-FGV (Documento GV C 1951.04.10/4).

49. Maria Celina Soares D'Araújo, op. cit., p. 144; Paulo Brandi, op. cit., pp. 242-3.

50. Idem.

51. Carta de João Neves a Getúlio Vargas, 10 de abril de 1951. Arquivo CPDOC-FGV (Documento GV C 1951.04.10/4).

52. Documentos sobre a Reunião do Conselho de Segurança Nacional convocada em 30 de junho de 1951. Arquivo CPDOC-FGV (Documento GV C 1951.06.27/2).

53. Ata da 16ª sessão do Conselho Superior de Segurança Nacional. As aspas foram parafraseadas a partir do texto original, disponível no seguinte endereço eletrônico: http://www.an.gov.br/sian/inicial.asp.

54. Idem.

55. Idem.

56. Idem.

57. Idem.

58. Idem.

59. Idem.

60. Idem.

61. Idem.

62. Idem.

63. Idem.

64. Idem.

65. Paulo Brandi, op. cit., pp. 243-4.

66. Lourival Fontes e Glauco Carneiro, *A face final de Vargas: Os bilhetes de Getúlio*, p. 27.

67. Vagner Camilo Alves, op. cit., p. 143.

68. Paulo Brandi, op. cit., pp. 245-6.

69. *Correio da Manhã*, 24 de novembro de 1951.

70. Idem.

71. Idem.

72. *A Noite*, 11 de junho de 1951.

73. Afonso Henriques, op. cit., p. 69.

74. Paulo Brandi, op. cit., pp. 246-7.

75. Hélio Silva, op. cit., p. 158.

76. Idem.

77. Paulo Brandi, op. cit., pp. 246-8.

78. Hélio Silva, op. cit., p. 159.

79. Vera Alice Cardoso e Lucília de Almeida Neves Delgado, *Tancredo Neves: A trajetória de um liberal*, p. 266.

80. Paulo Brandi, op. cit., pp. 247-50.

81. Idem.

82. *A Noite*, 3 de janeiro de 1952.

83. José Augusto Ribeiro, *A Era Vargas*, vol. 2, p. 113.

12. SURGE UM JORNAL PARA DEFENDER GETÚLIO. MAS A ECONOMIA PATINA — E A OPOSIÇÃO CORTEJA OS QUARTÉIS (1951-2) [pp. 220-38]

1. Ana Maria de Abreu Laurenza, *Lacerda x Wainer: O corvo e o bessarabiano*, pp. 51-98; Samuel Wainer, *Minha razão de viver: Memórias de um repórter*, pp. 123-56.

2. Samuel Wainer, op. cit., p. 134.

3. Ver nota 1.

4. Samuel Wainer, op. cit., p. 145.

5. *Última Hora*, 23 de julho de 1951.

6. Samuel Wainer, op. cit., p. 143.

7. Ruy Castro, *O anjo pornográfico: A vida de Nelson Rodrigues*, p. 233.

8. Samuel Wainer, op. cit., pp. 125-7.

9. Idem, p. 129.

10. Idem.

11. Idem, pp. 131-41.

12. Idem, pp. 157-61.

13. Idem.

14. Idem.

15. Idem.

16. Idem, p. 172.

17. Idem, p. 170.

18. Lourival Fontes e Glauco Carneiro, *A face final de Vargas: Os bilhetes de Getúlio*, pp. 42-7.

19. Idem, p. 51.

20. Idem, pp. 54-5.

21. Maria Celina Soares D'Araújo: *O segundo governo Vargas (1951-1954)*, pp. 166-88; Moniz Bandeira, *Presença dos Estados Unidos no Brasil*, pp. 263-71.

22. "Acordo de assistência militar entre a República dos Estados Unidos do Brasil e os Estados

Unidos da América". Texto integral disponível no seguinte endereço eletrônico: http://www.cnen.gov.br/Doc/pdf/Tratados/ACOR0021.pdf

23. Ver nota 21.

24. Idem.

25. Ver nota 22.

26. Moniz Bandeira, op. cit., p. 269.

27. Idem.

28. Idem, p. 270.

29. Idem, p. 271.

30. Ver nota 21.

31. Maria Celina Soares D'Araújo, op. cit., p. 155; Nelson Werneck Sodré, *Memórias de um soldado*, p. 389-90.

32. Hélio Silva, *1954: Um tiro no coração*, p. 126.

33. "Documentos sobre as eleições do Clube Militar". Arquivo CPDOC-FGV (Documento GV c 1952.03.15).

34. Idem.

35. Idem.

36. Nelson Werneck Sodré, op. cit., p. 393.

37. Idem, pp. 392-410.

38. Idem, p. 402.

39. Para a oposição do PTB ao acordo, ver José Augusto Ribeiro, *A Era Vargas*, vol. 2, p. 139.

40. Relatórios de José Cândido Ferraz a Getúlio Vargas. Arquivo CPDOC-FGV (Documento GV c 1952.08.02).

41. Idem.

42. Idem.

43. Idem.

44. Idem.

45. Idem.

46. Idem.

47. Idem.

48. Idem.

49. Idem.

50. Idem.

51. Verbete "Banco Nacional de Desenvolvimento Econômico" no *Dicionário histórico-biográfico brasileiro* do CPDOC-FGV.

52. *Última Hora*, 4 de junho de 1952.

53. Paulo Brandi, *Vargas: Da vida para a história*, pp. 259-61.

54. Valentina da Rocha Lima, *Getúlio: Uma história oral*, pp. 176-7.

55. Roberto Campos, *Lanterna na popa*, pp. 193-4.

56. Idem.

57. Citado por José Augusto Ribeiro, op. cit., vol. 2, pp. 117-8.

58. Paulo Brandi, op. cit., p. 257.

59. *O Globo*, 5 de julho de 1953.

60. Fernando Morais, *Chatô: O rei do Brasil*, p. 527.

61. Idem, p. 528.

62. *Manchete*, 23 de agosto de 1952.

63. Idem.

64. Fernando Morais, op. cit., pp. 529-30.

65. Idem.

66. John W. F. Dulles, *Carlos Lacerda: A vida de um lutador*, pp. 147-9.

67. Idem.

68. Anuário Estatístico do IBGE de 1953.

69. Villas-Bôas Corrêa, *Conversas com a memória*, p. 153.

70. Idem, p. 155.

71. *Manchete*, 23 de agosto de 1952.

72. Idem.

73. Idem.

74. Idem.

75. Luiz Vergara, *Fui secretário de Getúlio Vargas*, pp. 224.

76. Idem.

77. Idem.

13. O PRESIDENTE LEVA UM TOMBO NO PALÁCIO. DE PERNA E BRAÇO QUEBRADOS, CAI EM DEPRESSÃO (1953) [pp. 239-55]

1. *Última Hora*, 12 de maio de 1953. *Fatos & Fotos*, 21 de setembro de 1963; Valentina da Rocha Lima, *Getúlio: Uma história oral*, p. 174.

2. Idem.

3. Paulo Brandi, *Vargas: Da vida para a história*, p. 268; José Hamilton Ribeiro, *A Era Vargas*, vol. 2, p. 158. Para uma análise mais detalhada do movimento, José Álvaro Moisés, *A greve dos 300 mil e as comissões de empresa*.

4. Idem.

5. Idem.

6. Idem.

7. Paulo Brandi, op. cit., p. 268; Gabriel Kwak, *O trevo e a vassoura: Os destinos de Jânio Quadros e Ademar de Barros*, pp. 70-4.

8. *Diário Carioca*, 21 de abril de 1953.

9. *Última Hora*, 14 de maio de 1953.

10. Valentina da Rocha Lima, *Getúlio: Uma história oral*, p. 174.

11. Idem.

12. *Última Hora*, 18 de maio de 1953.

13. Maria Celina Soares D'Araújo, *O segundo governo Vargas (1951-1954)*, p. 26.

14. Verbete "Petrobras", no *Dicionário histórico-biográfico brasileiro*.

15. *Fatos & Fotos*, 21 de setembro de 1963.

16. Idem.

17. *Tribuna da Imprensa*, 20 de maio de 1953.

18. Idem.

19. *Última Hora*, 21 de maio de 1953.

20. Idem.

21. *Última Hora*, 23 de maio de 1953.

22. Idem.

23. "Documentos sobre o inquérito parlamentar para apurar irregularidades em financiamentos concedidos pelo Banco do Brasil ao grupo do jornal *Última Hora* e Erica S/A", Arquivo CPDOC-FGV (Documento GV c 1953.05.00/3).

24. John W. F. Dulles, *Carlos Lacerda: A vida de um lutador*, pp. 155-6.

25. *Última Hora*, 27 de maio de 1953.

26. Idem.

27. "Documentos sobre o inquérito parlamentar para apurar irregularidades em financiamentos concedidos pelo Banco do Brasil ao grupo do jornal *Última Hora* e Erica S/A", Arquivo CPDOC-FGV (Documento GV c 1953.05.00/3).

28. José Augusto Ribeiro, op. cit., p. 153.

29. *Fatos & Fotos*, 21 de setembro de 1963.

30. *Última Hora*, 9 de julho de 1953.

31. Para uma análise perspicaz da reforma ministerial, Maria Celina Soares D'Araújo, op. cit. pp. 113-22.

32. Parafraseado a partir de José Augusto Ribeiro, op. cit., p. 180.

33. Ver nota 31.

34. Idem.

35. Osvaldo Orico, *O feiticeiro de São Borja*, pp. 142-3.

36. José Augusto Ribeiro, op. cit., p. 182.

37. John W. F. Dulles, op. cit., pp. 155-7; Fernando Morais, *Chatô: O rei do Brasil*, p. 552; José Augusto Ribeiro, op. cit., p. 182. Carlos Lacerda, *Depoimento*, pp. 148-9.

38. Carlos Lacerda, op. cit., p. 149.

39. Documentos sobre dívidas contraídas por diversas empresas jornalísticas e radiofônicas. Arquivo CPDOC-FGV (Documento GV c 1953.02.26/4).

40. John W. F. Dulles, op. cit., p. 158.

41. Idem.

42. *Diário de São Paulo* e *Tribuna da Imprensa*, 12 de julho de 1953; Samuel Wainer, *Minha razão de viver: Memórias de um repórter*, pp. 181-3; John W. F. Dulles, op. cit., pp. 158-9; Fernando Morais, op. cit., pp. 553-4.

43. José Augusto Ribeiro, op. cit., pp. 150-1.

44. Paulo Brandi, op. cit., pp. 273-4; John W. F. Dulles, op. cit., pp. 158-9.

45. Samuel Wainer, op. cit., pp. 168-70.

46. Idem, p. 170.

47. *Última Hora*, 18 de julho de 1953; Samuel Wainer, op. cit., pp. 187-9.

48. John W. F. Dulles, op. cit., pp. 162-3.

49. Idem.

50. *Tribuna da Imprensa*, 29 de agosto de 1953; John W. F. Dulles, op. cit., pp. 162-3.

51. Jorge Ferreira, *João Goulart: Uma biografia*, p. 79; José Augusto Ribeiro, op. cit. p. 167. Verbete "Segadas Viana" no *Dicionário histórico-biográfico brasileiro*.

52. Jorge Ferreira, op. cit., p. 86.

53. *Última Hora*, 30 de junho de 1953.

54. Jorge Ferreira, op. cit., pp. 85-119.

55. Idem, p. 103.

56. Idem, pp. 85-119.

57. *Tribuna da Imprensa*, Rio de Janeiro, 8 de julho de 1953.

58. Idem.

59. *Correio da Manhã*, 5 de julho de 1953.

60. *Correio da Manhã*, 9 de agosto de 1935.

61. *O Globo*, 5 de agosto de 1953.

62. *O Estado de S. Paulo*, 5 de agosto de 1953.

63. *Correio da Manhã* e *O Globo*, 4 e 5 de agosto de 1953.

64. Maria Celina Soares D'Araújo, op. cit., pp. 145-6.

65. *Última Hora*, 28 de julho de 1953.

66. Idem.

67. John W. Foster Dulles, *Getúlio Vargas: Uma biografia política*, p. 330.

68. *Correio da Manhã*, 5 de agosto de 1953. As aspas foram reconstituídas pelo autor a partir do discurso livre indireto adotado pelo jornal.

69. José Augusto Ribeiro, op. cit., pp. 196-7.

70. *Correio da Manhã*, 7 de agosto de 1953.

71. José Augusto Ribeiro, op. cit., pp. 196.

72. *Última Hora*, 8 de agosto de 1953.

73. *Diário da Noite*, 8 de agosto de 1953.

74. José Augusto Ribeiro, op. cit., p. 201.

75. *Tribuna da Imprensa*, 8 de agosto de 1954; José Augusto Ribeiro, op. cit., p. 201.

14. "POR ACASO EU SOU UM LEPROSO?", INDAGOU PERÓN, APÓS GETÚLIO RECUSAR OS CONVITES PARA ENCONTRÁ-LO (1953) [pp. 256-70]

1. *O Globo*, 14 de setembro de 1953; *Diário de Notícias*, 15 de setembro de 1953.

2. *Correio do Povo* e *Diário de Notícias*, 13 de setembro de 1945.

3. *Última Hora*, 15 de setembro de 1953.

4. *Correio da Manhã*, 15 de setembro de 1953.

5. Mário Henrique Simonsen, "Oswaldo Aranha e o Ministério da Fazenda", em Aspásia Camargo, João Hermes Pereira de Araújo e Mário Henrique Simonsen, *Oswaldo Aranha: A estrela da revolução*, p. 426.

6. Antônio Sérgio Ribeiro e José Antônio Penteado Vignoli, "História do Rolls-Royce da Presidência da República". Texto disponível no seguinte endereço eletrônico: http://www.maxicar.com.br/old/reporter/rollsroyce.asp.

7. *Diário do Congresso Nacional*, 29 de julho de 1953.

8. Ver nota 6.

9. Para um histórico dos escândalos, Afonso Henriques, *Ascensão e queda de Getúlio Vargas*, pp. 267-89.

10. John W. Foster Dulles, *Lacerda: A vida de um lutador*, vol. 1, p. 163.

11. Ana Maria de Abreu Laurenza, *Lacerda x Wainer: O corvo e o bessarabiano*, p. 59.

12. *Diário da Noite*, 17 de setembro de 1953.

13. Idem.

14. Glauco Carneiro, *Lusardo: O último caudilho*, p. 373.

15. Idem, pp. 442-3.

16. Idem.

17. Idem.

18. Idem.

19. Idem.

20. Idem.

21. Idem, pp. 401-2.

22. Carta de Batista Lusardo a Getúlio Vargas, 5 de fevereiro de 1953. Arquivo CPDOC-FGV (Documento GV c 1953.02.05/3).

23. Glauco Carneiro, op. cit., p. 401.

24. *Correio da Manhã*, 19 de fevereiro de 1953.

25. Carta de João Neves a Getúlio Vargas, 18 de fevereiro de 1953. Arquivo CPDOC-FGV (Documento GV c 1953.02.18/1).

26. Idem.

27. Glauco Carneiro, op. cit., pp. 431-2.

28. Idem, p. 452.

29. Glauco Carneiro, op. cit., pp. 425-7.

30. Carta de Juan Domingo Perón a Getúlio Vargas. Transcrita por Glauco Carneiro, op. cit., p. 428.

31. Hamilton Almeida, *Sob os olhos de Perón*, p. 108.

32. Idem, p. 206.

33. Última Hora, 3 e 4 de outubro de 1953. A íntegra do texto da lei nº 2004 está disponível no seguinte endereço eletrônico: http://www.planalto.gov.br/ccivil_03/leis/L2004.htm.

34. Citado por José Augusto Ribeiro, *A Era Vargas*, vol. 2, pp. 216-9.

35. Idem.

36. *Última Hora*, 4 de outubro de 1953.

37. *Diário da Noite*, 13 de outubro de 1953.

38. *Correio da Manhã*, 9 de outubro de 1953.

39. *Diário da Noite*, 17 de agosto de 1953.

40. *Diário da Noite*, 27 de outubro de 1953.

41. *Diário da Noite*, 13 de outubro de 1953.

42. *Careta*, 14 de novembro de 1953.

43. Stanley Hilton, *Oswaldo Aranha: Uma biografia*, pp. 473-4; Mário Henrique Simonsen, op. cit., pp. 429-33; Pedro Malan, "Relações econômicas internacionais do Brasil", em Boris Fausto (org.), *História geral da civilização brasileira: O Brasil republicano — Economia e cultura*, p. 74.

44. Citado por José Augusto Ribeiro, op. cit., p. 226.

45. Pedro Malan, op. cit., p. 74.

46. Mário Henrique Simonsen, op. cit., pp. 432.

47. Citado por Stanley Hilton, op. cit., 474.

48. Idem.

49. Jorge Ferreira, *João Goulart: Uma biografia*, p. III.

50. *Imprensa Popular*, 12 de novembro de 1953.

51. *Imprensa Popular*, 24 de novembro de 1953.

52. "Relatório final da CPI da *Última Hora*". Citado por Adelina Alves Novaes e Cruz, Célia Maria Leite Costa, Maria Celina Soares D'Araújo e Suely Braga da Silva, *Impasse na democracia brasileira (1951-1955)*, pp. 242-6.

53. Idem.

54. Idem.

55. Idem.

56. Samuel Wainer, *Minha razão de viver: Memórias de um repórter*, p. 194.

57. Idem, p. 195.

58. http://www.biblioteca.presidencia.gov.br/ex-presidentes/getulio-vargas/discursos

15. CORONÉIS LANÇAM UM MANIFESTO CONTRA O GOVERNO E DEPUTADOS VOTAM O IMPEACHMENT DE GETÚLIO (1954) [pp. 271-94]

1. "Documentos relativos ao aumento do salário mínimo". Arquivo CPDOC-FGV (Documento GV c 1954.01.14/1).

2. *Imprensa Popular, Última Hora, Correio da Manhã* e *A Noite*, 29 e 30 de janeiro de 1954.

3. *Imprensa Popular*, 29 de janeiro de 1954.

4. Idem.

5. Ver nota 2.

6. *Última Hora*, 2 de fevereiro de 1954.

7. *Última Hora*, 13 de fevereiro de 1954.

8. *O Globo*, 12 de fevereiro de 1954.

9. *Correio da Manhã*, 13 de fevereiro de 1954.

10. *Correio da Manhã*, 14 de fevereiro de 1954.

11. Idem.

12. *Diário da Noite*, 15 de fevereiro, e *Imprensa Popular*, 16 de fevereiro de 1954.

13. Edgard Carone, *A quarta República*, pp. 556-64.

14. Idem.

15. Idem.

16. José Augusto Ribeiro, *A Era Vargas*, vol. 2, p. 267.

17. *Correio da Manhã*, 17 de fevereiro de 1954.

18. *Correio da Manhã*, 19 de fevereiro de 1954.

19. Thomas Skidmore, *Brasil: De Getúlio a Castello*, p. 166.

20. Idem.

21. *Correio da Manhã*, 24 de fevereiro de 1954.

22. *Correio da Manhã*, 25 de fevereiro de 1954.

23. "Nota tratando do envolvimento dos generais Cordeiro de Farias, Juarez Távora e Canrobert no "Manifesto dos Coronéis". Arquivo CPDOC-FGV (Documento GV c 1954.02.00/5).

24. Verbete "Zenóbio da Costa", *Dicionário histórico-biográfico brasileiro*.

25. Idem.

26. Nelson Werneck Sodré, *História militar do Brasil*, p. 352.

27. Jorge Ferreira, *João Goulart: Uma biografia*, p. 117.

28. *Correio da Manhã*, 25 de fevereiro de 1954.

29. Thomas Skidmore, op. cit., p. 167.

30. Jorge Ferreira, op. cit., p. 119-20.

31. Rubens Vidal de Araújo, *Os Vargas*, pp. 297-8.

32. Queiroz Júnior, *222 anedotas de Getúlio Vargas*, pp. 58-9.

33. John W. F. Dulles, *Carlos Lacerda: A vida de um lutador*, pp. 165-9.

34. Documentos relativos ao discurso de Perón na Escola Nacional de Guerra. Arquivo CPDOC-FGV (Documento GV c 1954.02.20/4). Ver também Hamilton Almeida, *Sob os olhos de Perón: O Brasil de Vargas e as relações com a Argentina*, pp. 55-66.

35. Idem.

36. *Correio da Manhã*, 11 de março de 1954.

37. *Diário da Noite*, 11 de março de 1954.

38. Documentos relativos ao discurso de Perón na Escola Nacional de Guerra. Arquivo CPDOC-FGV (Documento GV c 1954.02.20/4); Hamilton Almeida, op. cit., pp. 55-66.

39. Idem.

40. Idem. Carta de Orlando Leite Ribeiro a Getúlio Vargas, 30 de março de 1954. Arquivo CPDOC-FGV (Documento GV c 54.02.20/4).

41. Documentos relativos ao discurso de Perón na Escola Nacional de Guerra. Arquivo CPDOC-FGV (Documento GV c 1954.02.20/4); Hamilton Almeida, op. cit., pp. 55-66.

42. *O Globo*, 3 de abril de 1954.

43. Idem.

44. *O Globo*, 5 de abril de 1954.

45. Idem.

46. Joel Silveira, *A feijoada que derrubou o governo*, pp. 119-29.

47. José Augusto Ribeiro, op. cit., pp. 288-9.

48. *Correio da Manhã*, 31 de março de 1954.

49. José Augusto Ribeiro, op. cit., p. 308; Afonso Arinos de Melo Franco, *A escalada*, p. 288-9, e *O intelectual e o político*, p. 150; John W. F. Dulles, op. cit., p. 168.

50. Idem.

51. Idem.

52. Idem.

53. Idem.

54. Getúlio Vargas, *Perfis parlamentares*, pp. 757-63.

55. Idem.

56. Idem.

57. Stanley Hilton, *Oswaldo Aranha: Uma biografia*, p. 476; José Augusto Ribeiro, op. cit., p. 294.

58. *Correio da Manhã*, 4 de maio de 1954.

59. *Correio da Manhã*, 5 de maio de 1945.

60. *Correio da Manhã*, 6 de maio de 1954.

61. Adelina Alves Novaes da Cruz, Célia Maria Leite Costa, Maria Celina Soares D'Araújo e Suely Braga da Silva, *Impasse na democracia brasileira (1951-1955)*, pp. 273-98.

62. Idem.

63. *Correio da Manhã*, 4 de junho de 1954.

64. Marina Gusmão de Mendonça, *O demolidor de presidentes*, p. 147.

65. John W. F. Dulles, op. cit., p. 166.

66. Idem.

67. Idem, pp. 173-5.

68. Luiz Vergara, *Fui secretário de Getúlio Vargas*, pp. 246-8.

69. Idem.

70. Idem.

71. *A Noite*, 22 de maio de 1953. Para a história de Nestor Moreira, Roberto Sander, *O crime que abalou a República*.

72. *Correio da Manhã*, 23 de maio de 1954.

73. *A Noite, Última Hora, Correio da Manhã, Tribuna da Imprensa, Diário Carioca* e *O Globo*, 23 a 25 de maio de 1954.

74. Idem.

75. *Correio da Manhã*, 21 de maio de 1954.

76. Samuel Wainer, *Minha razão de viver: Memórias de um repórter*, pp. 180-1; John W. F. Dulles, op. cit., pp. 169-73.

77. *Última Hora*, 25 de maio de 1954.

78. *Última Hora*, 29 de maio de 1954.

79. *Última Hora*, 1 de junho de 1954.

80. John W. F. Dulles, op. cit., p. 172.

81. John W. F. Dulles, *Sobral Pinto: A consciência do Brasil*, pp. 44-5.

82. *Última Hora*, 12 de julho de 1954.

83. Adelina Alves Novaes da Cruz, Célia Maria Leite Costa, Maria Celina Soares D'Araújo e Suely Braga da Silva, op. cit., pp. 273-98.

84. Idem.

85. Idem.

86. Idem.

87. Idem.

88. *Última Hora*, 18 de junho de 1954.

89. Verbete "Amaury Kruel", no *Dicionário histórico-biográfico brasileiro*.

90. Getúlio Vargas, op. cit., pp. 763-6.

91. *Correio da Manhã*, 20 de junho de 1954.

92. *Correio da Manhã, Diário Carioca, Última Hora, Tribuna da Imprensa* e *O Globo*, 2 a 4 de agosto de 1954.

93. Idem.

94. Idem.

95. *Diário Carioca*, 3 de agosto de 1954.

16. "ESTES TIROS ME ATINGIRAM PELAS COSTAS", DIZ GETÚLIO, AO SABER DO ATENTADO A CARLOS LACERDA (1954) [pp. 295-312]

1. *Correio da Manhã, Diário Carioca* e *O Globo*, 5 de agosto de 1954.
2. Idem.
3. *Diário Carioca*, 5 de agosto de 1954.
4. Idem.
5. Idem.
6. Lourival Fontes e Glauco Carneiro, *A face final de Vargas*, p. 144.
7. O diálogo foi reconstituído por Queiroz Júnior, em *Memórias sobre Getúlio*, pp. 156-7.
8. John W. F. Dulles, *Carlos Lacerda: A vida de um lutador*, p. 179.
9. Queiroz Júnior, *Memórias sobre Getúlio*, p. 157.
10. Idem.
11. José Augusto Ribeiro, *A Era Vargas*, vol. 3, p. 25.
12. Idem.
13. *O Globo*, 5 de agosto de 1954.
14. *Última Hora* e *O Globo*, 6 de agosto de 1954.
15. *O Globo* e *Tribuna da Imprensa*, 5 de agosto de 1954.
16. Idem.
17. *Tribuna da Imprensa*, 5 de agosto de 1954.
18. *O Globo*, 5 de agosto de 1954.
19. *Diário Carioca*, 6 de agosto de 1954.
20. O nome de Climério Euribes — inicialmente citado como Climério *Eurides* — começou a aparecer em todos os jornais a partir do dia 9, com a divulgação do depoimento do motorista à polícia.
21. José Augusto Ribeiro, op. cit., p. 27.
22. Idem.
23. Idem.
24. Idem.
25. Idem.
26. Idem.
27. John W. F. Dulles, op. cit., p. 181; *Diário da Noite*, 9 de agosto de 1954.
28. *Diário da Noite*, 9 de agosto de 1954.
29. John W. F. Dulles, op. cit., p. 181; *Diário da Noite*, 9 de agosto de 1954.
30. *Diário da Noite* e *Correio da Manhã*, 10 de agosto de 1954.
31. *Diário da Noite*, 10 de agosto de 1954.
32. *Última Hora*, 14 de agosto de 1954.
33. Hugo Baldessarini, *Crônica de uma época (Getúlio Vargas e o crime de Toneleros)*, citado por José Augusto Ribeiro, op. cit., pp. 32-3.
34. José Augusto Ribeiro, op. cit., pp. 33-6.
35. O diálogo foi parafraseado a partir do relatório do coronel João Adil de Oliveira.
36. *Última Hora*, 9 de agosto de 1954.

37. "Escritos de Alzira Vargas do Amaral Peixoto sobre episódios da trajetória política e da vida familiar de Getúlio Vargas". Arquivo CPDOC-FGV (Documento AVAP vpr ea 1960/1992.00.00).

38. José Augusto Ribeiro, op. cit., p. 38.

39. Idem, pp. 39-40.

40. Idem.

41. *Correio da Manhã*, 10 de agosto de 1954.

42. Idem.

43. Idem.

44. Idem.

45. Idem.

46. Idem.

47. *Diário da Noite*, 10 de agosto de 1954.

48. Cláudio Lacerda, *Uma crise de agosto: O atentado da rua Toneleros*, pp. 186-8.

49. *Última Hora*, 10 de agosto de 1954.

50. Cláudio Lacerda, op. cit., pp. 186-8.

51. Verbete "Eduardo Gomes", no *Dicionário histórico-biográfico brasileiro*.

52. Carlos Lacerda, *Depoimento*, p. 171.

53. *Diário da Noite*, 12 de agosto de 1954.

54. Idem.

55. Nero Moura, *Um voo na história*, p. 284.

56. Idem.

57. Claudio Bojunga, *JK: O artista do impossível*, pp. 245-9.

58. Idem.

59. José Augusto Ribeiro, op. cit., p. 74.

60. Claudio Bojunga, op. cit., pp. 246-7.

61. Hélio Silva, *1954: Um tiro no coração*, pp. 251-2.

62. Claudio Bojunga, op. cit., p. 247.

63. Os incidentes no Rio foram narrados pelo *Diário da Noite*, 12 de agosto de 1954.

64. Claudio Bojunga, op. cit., p. 248.

65. *Diário da Noite*, 13 de agosto de 1954.

66. Claudio Bojunga, op. cit., p. 247.

67. Idem.

68. Idem.

69. Idem.

17. AS FORÇAS ARMADAS EXIGEM A RENÚNCIA DO PRESIDENTE. "SÓ MORTO SAIREI DO CATETE", RESPONDE GETÚLIO (1954) [pp. 313-34]

1. José Augusto Ribeiro, *A Era Vargas*, vol. 2, p. 88.

2. *Diário da Noite*, 14 de agosto de 1954.

3. Idem.

4. Idem.

5. Há divergências entre as fontes a respeito do horário de captura de Alcino João do Nasci-

mento. Adotou-se aqui a informação contida no relatório oficial do coronel Adil de Oliveira, citado por José Augusto Ribeiro, *A Era Vargas*, vol. 2, p. 84. As circunstâncias da captura estão na edição do *Diário da Noite* de 14 de agosto de 1954.

6. A versão de Alcino deu origem ao livro *Mataram o presidente!*, de Palmério Dória, Joel Rufino dos Santos e Hamilton Almeida Filho, citado na bibliografia.

7. Ronaldo Conde Aguiar, *Vitória na derrota: A morte de Getúlio Vargas*, pp. 15-28.

8. Armando Falcão, *Tudo a declarar*, p. 84.

9. Idem, p. 85. Para as balas tracejadas de verde, Carlos Lacerda, *Depoimento*, p. 158.

10. Carlos Lacerda, op. cit., p. 158.

11. José Augusto Ribeiro, op. cit., p. 86.

12. *Diário da Noite*, 14 de agosto de 1954.

13. José Augusto Ribeiro, op. cit., pp. 86-7.

14. *Diário Carioca*, 13 de agosto de 1954.

15. Idem.

16. "Escritos de Alzira Vargas do Amaral Peixoto sobre episódios da trajetória política e da vida familiar de Getúlio Vargas". Arquivo CPDOC-FGV (Documento AVAP vpr ea 1960/1992.00.00).

17. Idem.

18. José Augusto Ribeiro, op. cit., p. 88.

19. "Escritos de Alzira Vargas do Amaral Peixoto sobre episódios da trajetória política e da vida familiar de Getúlio Vargas". Arquivo CPDOC-FGV (Documento AVAP vpr ea 1960/1992.00.00).

20. Lutero Vargas, *Getúlio Vargas: A revolução inacabada*, p. 298. Embora em seu livro Lutero situe esse diálogo como ocorrido "no dia 6 ou 7 de agosto", é mais provável que a cena tenha se passado no dia 13, quando se consolidou a acusação contra ele, após a prisão e o depoimento de Alcino.

21. Idem, p. 297.

22. Ronaldo Conde Aguiar, op. cit., pp. 22-3.

23. Lutero Vargas, op. cit., pp. 372-3.

24. Cláudio Lacerda, *Uma crise de agosto: O atentado da rua Toneleros*, p. 21.

25. *Tribuna da Imprensa*, 6 de agosto de 1954; Ronaldo Conde Aguiar, op. cit., p. 21.

26. Carlos Lacerda, *Depoimento*.

27. Idem, pp. 156-7.

28. Ronaldo Conde Aguiar, op. cit., p. 23.

29. *Última Hora*, 14 de agosto de 1954; Lutero Vargas, op. cit., p. 300.

30. Lutero Vargas, op. cit., p. 300.

31. José Augusto Ribeiro, op. cit., p. 90.

32. Idem, p. 96.

33. Declaração de Lutero Vargas. Arquivo CPDOC-FGV (Documento GV 54.08.05/3).

34. *Diário da Noite*, 14 de agosto de 1954.

35. *Última Hora*, 14 de agosto de 1954.

36. Juarez Távora, *Uma vida e muitas lutas*, vol. 2, pp. 248-9.

37. José Augusto Ribeiro, op. cit., pp. 105-7 e 135.

38. Idem.

39. *Diário da Noite*, 16 de agosto de 1954.

40. Para a data da prisão de Gregório, José Augusto Ribeiro, op. cit., p. 105.

41. *Correio da Manhã, O Globo, Diário da Noite* e *Última Hora*, 17, 18 e 19 de agosto de 1954.

42. Idem.

43. Idem.

44. José Augusto Ribeiro, op. cit., p. 135.

45. *O Globo*, 20 de agosto de 1954.

46. Embora algumas fontes apontem que a mensagem de Getúlio encontrada por Fittipaldi era um "bilhete" escrito em um "pedaço de papel", é mais provável que ela seja o documento existente no arquivo de Getúlio, de cinco páginas, escritas à mão.

47. GV c 1954.08.24/2

48. "Escritos de Alzira Vargas do Amaral Peixoto sobre episódios da trajetória política e da vida familiar de Getúlio Vargas". Arquivo CPDOC-FGV (Documento AVAP vpr ea 1960/1992.00.00).

49. Idem.

50. José Augusto Ribeiro, op. cit., pp. 110-3.

51. Queiroz Júnior, *Memórias sobre Getúlio*, p. 161.

52. Afonso Henriques, *Ascensão e queda de Getúlio Vargas*, vol. 3, pp. 334-5; *O Globo* e *Diário da Noite*, 20 de agosto.

53. Idem.

54. Afonso Henriques, *Ascensão e queda de Getúlio Vargas*, vol. 3, p. 335.

55. Ver nota 52.

56. *Diário Carioca*, 22 de agosto de 1928.

57. José Augusto Ribeiro, op. cit., p. 117.

58. *Última Hora*, 25 e 28 de maio de 1954; *Diário Carioca*, 13 de julho de 1954.

59. José Augusto Ribeiro, op. cit., p. 117.

60. "Escritos de Alzira Vargas do Amaral Peixoto sobre episódios da trajetória política e da vida familiar de Getúlio Vargas". Arquivo CPDOC-FGV (Documento AVAP vpr ea 1960/1992.00.00).

61. *O Globo*, 21 de agosto de 1954.

62. José Augusto Ribeiro, op. cit., p. 118.

63. Para a frase de Tancredo, idem.

64. Nota de Manuel Antônio Sarmanho Vargas relativa ao processo de venda da Fazenda São Manuel a Gregório Fortunato. Arquivo CPDOC-FGV (Documento GV dc 1954.09.00).

65. Glauco Carneiro, *Lusardo: O último caudilho*, vol. 2, p. 484.

66. Café Filho, *Do sindicato ao Catete: Memórias políticas e confissões humanas*, pp. 318-48.

67. Idem, p. 321.

68. Idem, p. 322.

69. Idem, p. 323.

70. Idem, p. 325.

71. Idem, pp. 325-9.

72. Idem, pp. 329-31.

73. José Augusto Ribeiro, op. cit., p. 156.

74. Valentina da Rocha Lima, *Getúlio: Uma história oral*, p. 238; Nero Moura, *Um voo na história*, pp. 291-2; verbete "Nero Moura", no *Dicionário histórico-biográfico brasileiro*.

75. Idem.

76. José Augusto Ribeiro, op. cit., p. 128.

77. *O Globo*, 23 de agosto de 1954.

78. John W. F. Dulles, *Lacerda: A vida de um lutador*, pp. 182-3.

79. José Augusto Ribeiro, op. cit., p. 92.

80. Carlos Lacerda, *Depoimento*, pp. 162-3.

81. *O Globo*, 23 de agosto de 1954.

82. Mascarenhas de Moraes, *Memórias*, vol. 2, pp. 585-90.

83. Idem.

84. Café Filho, op. cit., pp. 332-3; "Escritos de Alzira Vargas do Amaral Peixoto sobre episódios da trajetória política e da vida familiar de Getúlio Vargas". Arquivo CPDOC-FGV (Documento AVAP vpr ea 1960/1992.00.00).

85. Mascarenhas de Moraes, op. cit., pp. 586-7.

86. Idem; Café Filho, op. cit., pp. 332.

87. Café Filho, op. cit., pp. 332; "Escritos de Alzira Vargas do Amaral Peixoto sobre episódios da trajetória política e da vida familiar de Getúlio Vargas". Arquivo CPDOC-FGV (Documento AVAP vpr ea 1960/1992.00.00).

88. Idem.

89. "Escritos de Alzira Vargas do Amaral Peixoto sobre episódios da trajetória política e da vida familiar de Getúlio Vargas". Arquivo CPDOC-FGV (Documento AVAP vpr ea 1960/1992.00.00).

90. Café Filho, op. cit., pp. 333.

91. Idem, pp. 333-4.

92. *Última Hora*, 23 de agosto de 1954.

93. Samuel Wainer, *Minha razão de viver*, p. 203.

94. *Última Hora*, 23 de agosto de 1954.

95. Valentina da Rocha Lima e Plínio de Abreu Ramos, *Tancredo fala de Getúlio*, pp. 80-1; José Augusto Ribeiro, op. cit., pp. 173-6.

96. Valentina da Rocha Lima e Plínio de Abreu Ramos, op. cit., pp. 40-1.

97. Idem.

98. *O Globo*, 24 de agosto de 1954.

99. Café Filho, op. cit., pp. 345-8.

100. Idem.

101. "Escritos de Alzira Vargas do Amaral Peixoto sobre episódios da trajetória política e da vida familiar de Getúlio Vargas". Arquivo CPDOC-FGV (Documento AVAP vpr ea 1960/1992.00.00); José Augusto Ribeiro, op. cit., pp. 188-9.

102. Juarez Távora, op. cit., pp. 252-3.

103. Mascarenhas de Moraes, op. cit., p. 590.

104. *O Globo*, 24 de agosto de 1954; José Augusto Ribeiro, op. cit., p. 215.

105. Mascarenhas de Moraes, op. cit., p. 590.

106. Idem.

107. José Augusto Ribeiro, op. cit., p. 202.

18. "SE ALGUM SANGUE FOR DERRAMADO, SERÁ DE UM HOMEM CANSADO E ENOJADO DE TUDO ISSO"(24 DE AGOSTO DE 1954) [pp. 335-44]

1. Mascarenhas de Moraes, *Memórias*, vol. 2, p. 591.

2. "Escritos de Alzira Vargas do Amaral Peixoto sobre episódios da trajetória política e da vida familiar de Getúlio Vargas". Arquivo CPDOC-FGV (Documento AVAP vpr ea 1960/1992.00.00); Lutero Vargas, *Getúlio Vargas: A revolução inacabada*, pp. 327-31; Hélio Silva, *1954: Um tiro no coração*, pp. 272-81 e 287-96; Mascarenhas de Moraes, *Memórias*, vol. 2, pp. 590-4; John W. F. Dulles, *Getúlio Vargas: Biografia política*, pp. 345-8; José Augusto Ribeiro, *A Era Vargas*, vol. 2, pp. 203-14; Carlos Heitor Cony, *Quem matou Vargas*, pp. 237-43; *O Globo*, *Última Hora* e *Diário da Noite*, 24 de agosto de 1954.

3. Carlos Heitor Cony, *Quem matou Vargas*, p. 238.

4. Hélio Silva, *1954: Um tiro no coração*, p. 274.

5. "Escritos de Alzira Vargas do Amaral Peixoto sobre episódios da trajetória política e da vida familiar de Getúlio Vargas". Arquivo CPDOC-FGV (Documento AVAP vpr ea 1960/1992.00.00); Lutero Vargas, *Getúlio Vargas: A revolução inacabada*, p. 327.

6. Mascarenhas de Moraes, *Memórias*, vol. 2, p. 591; Lutero Vargas, *Getúlio Vargas: A revolução inacabada*, p. 327.

7. "Escritos de Alzira Vargas do Amaral Peixoto sobre episódios da trajetória política e da vida familiar de Getúlio Vargas". Arquivo CPDOC-FGV (Documento AVAP vpr ea 1960/1992.00.00); Lutero Vargas, *Getúlio Vargas: A revolução inacabada*, p. 327.

8. O número de generais indicados por Zenóbio da Costa é controverso. José Américo afirma que ele teria dito que 35 militares haviam assinado o manifesto. Lutero Vargas diz que eram 37.

9. Carlos Heitor Cony, op. cit., p. 239; Lutero Vargas, op. cit., p. 327.

10. Idem.

11. Idem.

12. Hélio Silva, *1954: Um tiro no coração*, p. 275; Lutero Vargas, op. cit., p. 327.

13. Idem.

14. "Escritos de Alzira Vargas do Amaral Peixoto sobre episódios da trajetória política e da vida familiar de Getúlio Vargas". Arquivo CPDOC-FGV. Documento AVAP vpr ea 1960/1992.00.00.

15. Hélio Silva, op. cit., p. 275.

16. Idem.

17. "Escritos de Alzira Vargas do Amaral Peixoto sobre episódios da trajetória política e da vida familiar de Getúlio Vargas". Arquivo CPDOC-FGV (Documento AVAP vpr ea 1960/1992.00.00); Lutero Vargas, op. cit., p. 329.

18. Hélio Silva, op. cit., p. 277.

19. Idem; Lutero Vargas, op. cit., p. 330.

20. Idem.

21. Mascarenhas de Moraes, op. cit., p. 591.

22. Idem. Hélio Silva, op. cit., p. 278.

23. "Escritos de Alzira Vargas do Amaral Peixoto sobre episódios da trajetória política e da vida familiar de Getúlio Vargas". Arquivo CPDOC-FGV (Documento AVAP vpr ea 1960/1992.00.00).

24. Idem.

25. Hélio Silva, op. cit., p. 278.

26. Carlos Heitor Cony, op. cit., p. 241; John W. F. Dulles, op. cit., p. 346; Lutero Vargas, op. cit., p. 329; Hélio Silva, op. cit., p. 287; "Escritos de Alzira Vargas do Amaral Peixoto sobre episódios da trajetória política e da vida familiar de Getúlio Vargas". Arquivo CPDOC-FGV (Documento AVAP vpr ea 1960/1992.00.00).

27. Idem.

28. Idem.

29. Idem.

30. Idem.

31. Idem.

32. Hélio Silva, op. cit., p. 278.

33. Idem, p. 288.

34. Idem.

35. Carlos Heitor Cony, op. cit., p. 241; John W. F. Dulles, op. cit., p. 347.

36. Carlos Heitor Cony, op. cit., p. 242.

37. Idem.

38. Idem, p. 242. A mesma frase, com ligeira variação, foi confirmada por José Américo de Almeida: Hélio Silva, op. cit., p. 279.

39. Hélio Silva, idem.

40. Mascarenhas de Moraes, op. cit., p. 591; Lutero Vargas, op. cit., p. 331.

41. Mascarenhas de Moraes, op. cit., p. 593.

42. Lutero Vargas, op. cit., p. 331.

43. "Escritos de Alzira Vargas do Amaral Peixoto sobre episódios da trajetória política e da vida familiar de Getúlio Vargas". Arquivo CPDOC-FGV (Documento AVAP vpr ea 1960/1992.00.00).

44. Lutero Vargas, op. cit., p. 332.

45. Idem.

46. Idem.

47. Hélio Silva, op. cit., p. 289.

48. "Escritos de Alzira Vargas do Amaral Peixoto sobre episódios da trajetória política e da vida familiar de Getúlio Vargas". Arquivo CPDOC-FGV (Documento AVAP vpr ea 1960/1992.00.00); Hélio Silva, op. cit., pp. 291-2.

49. Hélio Silva, op. cit., p. 289.

50. "Escritos de Alzira Vargas do Amaral Peixoto sobre episódios da trajetória política e da vida familiar de Getúlio Vargas". Arquivo CPDOC-FGV (Documento AVAP vpr ea 1960/1992.00.00).

51. Hélio Silva, op. cit., p. 290.

52. "Escritos de Alzira Vargas do Amaral Peixoto sobre episódios da trajetória política e da vida familiar de Getúlio Vargas". Arquivo CPDOC-FGV (Documento AVAP vpr ea 1960/1992.00.00).

53. Idem.

54. Idem; Hélio Silva, op. cit., p. 290.

55. Juarez Távora, *Memórias: Uma vida e muitas lutas*, p. 254.

56. Carlos Lacerda, *Depoimento*, p. 172.

57. José Augusto Ribeiro, *A Era Vargas*, vol. 2, p. 225.

58. "Escritos de Alzira Vargas do Amaral Peixoto sobre episódios da trajetória política e da

vida familiar de Getúlio Vargas". Arquivo CPDOC-FGV (Documento AVAP vpr ea 1960/1992.00.00); Hélio Silva, op. cit., pp. 291-2; Lutero Vargas, op. cit., p. 334; Hélio Silva, op. cit., p. 290.

59. José Augusto Ribeiro, op. cit., vol. 2, pp. 231-2.

60. Idem; John W. F. Dulles, op. cit., p. 350.

61. Idem; Lutero Vargas, op. cit., pp. 333-5; Hélio Silva, op. cit., p. 290; "Escritos de Alzira Vargas do Amaral Peixoto sobre episódios da trajetória política e da vida familiar de Getúlio Vargas". Arquivo CPDOC-FGV (Documento AVAP vpr ea 1960/1992.00.00).

62. Lutero Vargas, op. cit., p. 334; John W. F. Dulles, op. cit., p. 350.

63. Idem.

64. Lira Neto, "Por que Getúlio se matou?", revista *Aventuras na História*, agosto de 2014.

65. José Augusto Ribeiro, op. cit, vol. 2, p. 237.

66. Idem.

67. Escritos de Alzira Vargas do Amaral Peixoto sobre episódios da trajetória política e da vida familiar de Getúlio Vargas". Arquivo CPDOC-FGV (Documento AVAP vpr ea 1960/1992.00.00).

EPÍLOGO "SAIO DA VIDA PARA ENTRAR NA HISTÓRIA" [pp. 345-51]

1. *O Mundo Ilustrado*, 1º de setembro de 1954; *Manchete*, edição extra, 30 de agosto de 1954; *Última Hora*, 24 de agosto de 1954; Lutero Vargas, *Getúlio Vargas: A revolução inacabada*, p. 340.

2. *Última Hora*, 24 de agosto de 1924.

3. Idem a nota 1.

4. "Sei quem penteou o esboço escrito por meu pai, sei quem lhe deu a redação final, que ele aprovou, e sei quem a datilografou. Sei também por que ele quis que a carta-testamento fosse redigida tal como foi", afirmou Alzira. "A carta foi datilografada por José Maciel Filho, jornalista, amigo pessoal de meu pai", revelou o irmão Lutero. Lutero Vargas, *Getúlio Vargas: A revolução inacabada*, pp. 340 e 336.

5. Carta-testamento de Getúlio Vargas. Arquivo CPDOC-FGV (Documento GV c 1954.08.24/2).

6. Verbete "Carlos Lacerda", no *Dicionário histórico-biográfico brasileiro*.

7. Verbete "Gregório Fortunato", no *Dicionário histórico-biográfico brasileiro*; "Agosto de 1954: No banco dos réus", texto publicado no site da Assembleia Legislativa do Estado de São Paulo, disponível em http://www.al.sp.gov.br/noticia/?id=262480.

8. Dados biográficos de Alcino João do Nascimento no site do CPDOC-FGV, disponíveis em http://cpdoc.fgv.br/producao/dossies/AEraVargas2/biografias/alcino_joao_do_nascimento. "Agosto de 1954: No banco dos réus", texto publicado no site da Assembleia Legislativa do Estado de São Paulo", disponível em http://www.al.sp.gov.br/noticia/?id=262480. Para a candidatura e o número de votos de Alcino, ver Portal das Eleições de 2012, com os dados do Tribunal Superior Eleitoral: http://www.eleicoes2012.info/alcino/.

9. "Agosto de 1954: No banco dos réus", texto publicado no site da Assembleia Legislativa do Estado de São Paulo", disponível em http://www.al.sp.gov.br/noticia/?id=262480.

10. Idem.

11. Idem.

12. Idem.

13. Verbete "Benjamin Vargas", no *Dicionário histórico-biográfico brasileiro*.

410

14. Verbete "Lutero Vargas", no *Dicionário histórico-biográfico brasileiro.*

15. Ana Arruda Callado, *Darcy: A outra face de Vargas,* pp. 263-84.

16. Verbete "Alzira Vargas', no *Dicionário histórico-biográfico brasileiro.*

17. Portal do Tribunal de Justiça do Rio Grande do Sul: http://www.tjrs.jus.br/export/poder_judiciario/historia/memorial_do_poder_judiciario/memorial_judiciario_gaucho/revista_justica_e_historia/issn_1676-5834/v5n10/doc/Entrevista_Nerio_Letti.pdf.

Crédito das imagens

Todos os esforços foram feitos para determinar a origem das imagens deste livro. Nem sempre isso foi possível. Teremos prazer em creditar as fontes, caso se manifestem.

Caderno 1

pp. 1, 2 (acima), 5, 7 (abaixo e à esquerda) e 16: Acervo do Museu Joaquim José Felizardo/ Fototeca Sioma Breitman

pp. 2 (abaixo), 3, 4, 6, 7 (abaixo e à direita), 8, 9, 12, 13, 14 e 15: Fundação Getúlio Vargas – CPDOC

p. 7 (acima): O. G. de Amorim/ Folhapress

pp. 10 (acima e ao centro) e 11 (acima): DR/ Théo/ Arquivo/ Agência O Globo

p. 10 (abaixo): Autorizado por Lúcia de Brito e Cunha, herdeira dos direitos autorais de J. Carlos (José Carlos de Brito e Cunha), 1884-1950. *O Pintor*, 12 de maio de 1945/ Revista Careta/ Fundação Biblioteca Nacional

p. 11 (ao centro e abaixo): DR/ Théo/ 11 de novembro de 1950/ Revista Careta/ Fundação Biblioteca Nacional

Caderno 2

p. 1: Time & Life Pictures/ Getty Images

pp. 2, 3, 4, 5, 8, 9 (abaixo), 10, 11 (abaixo), 12, 13 (acima), 14, 15 e 16: Fundação Getúlio Vargas – CPDOC

p. 6 (acima e à esquerda): © Appe/ Revista O Picadeiro/ Arquivo Sandro Fortunato/ Memória Viva

p. 6 (acima e à direita): DR/ Théo/ 16 de fevereiro de 1952/ Revista Careta/ Fundação Biblioteca Nacional

p. 6 (abaixo): DR/ Théo/ 09 de fevereiro de 1952/ Revista Careta/ Fundação Biblioteca Nacional

p. 7 (acima): DR/ Théo/ 14 de novembro de 1953/ Revista Careta/ Fundação Biblioteca Nacional

pp. 7 (abaixo): DR/ Théo/ Arquivo/ Agência O Globo

p. 9 (acima): José Medeiros/ Acervo Instituto Moreira Salles

p. 11 (acima e à esquerda): © Lan

p. 11 (acima e à direita): Arquivo/ Agência O Globo

p. 13 (abaixo): Acervo do Museu Joaquim José Felizardo/ Fototeca Sioma Breitman

Índice remissivo

Abreu, José Maria de, 184, 390n

Abreu, Ovídio de, 156

Academia Brasileira de Letras, 148

Accioly, José Henrique, 303-4

Acheson, Dean, 234

Acre, 198

Ademir (jogador), 209

Aeronáutica, 65, 79, 141, 205, 212, 228, 230-1, 287, 295, 300, 306-8, 313, 316, 320-1, 324, 330, 332-3, 336-8, 346

Aeroporto da Pampulha, 310

Aeroporto Santos Dumont, 25, 36, 78, 104, 256, 313, 316

Agostinho, Santo, 237, 291

Agripino, João, 232

Aguinaga, Fernando, 318

"Ai, Gegê!" (marcha carnavalesca), 184-5

AI-5, 348

Alagoas, 189

"Alá-lá-ô" (marcha carnavalesca), 222

Albuquerque, Epitácio Pessoa Cavalcanti de, 155, 193

Albuquerque, Faustino, 105

Albuquerque, José Pessoa Cavalcanti de, 20

álcool-combustível, 103

Aleixo, Pinto, 156

Alemanha, 70, 103, 262

Alencastro, Adolfo, 166

Alexander's Ragtime Band (filme), 79

Aliados, 13

Aliança Nacional Libertadora (ANL), 46

Aliança Popular contra o Roubo e o Golpe, 259

Alianza Anticomunista Argentina (Triple A), 111

Almeida, Aguinaldo de Oliveira de, 123, 380n

Almeida, Aracy de, 224

Almeida, Armando Trompowsky de, 31, 65

Almeida, Climério Euribes de, 57, 60, 301-5, 307-8, 313-6, 321,-2, 349, 403n

Almeida, José Américo de, 49-50, 141, 246, 335, 337, 339-40, 408-9n

Almeida, Rômulo de, 207-9

Almeida, Ruy de, 131

Alvarenga (cantor), 145

Amado, Jorge, 70

Amapá, 198

Amaral Neto, 259

Amaral, Gurgel, 168

Amaral, Joaquim Barrozo do, 164

Amaral, Zózimo Barrozo do, 164

Amaraldo (caseiro), 143, 174

Amazonas, 189

Amazonas, João, 70

Amazônia, 24, 191

América (time de futebol), 209, 289

América do Norte, 61

América Latina, 13, 208, 242, 253, 262, 278

Anael (entidade mística), 107-11, 150-1, 379n

Âncora, Armando de Morais, 297, 343

Andrada, José Bonifácio Lafayette de, 232

Andrade, Carlos Drummond de, 236

Andrade, Oswald de, 135

Anhangabaú, vale do, 106, 134-9, 186

Anschluss nazista, 262

Antarctica (cervejaria), 223

"Aquarela do Brasil" (samba), 113

Aranha, Euclides, 287

Aranha, Oswaldo, 156, 193, 231, 246, 266-7, 285, 287, 305, 327, 335, 338-40, 399-400n, 402n

Argentina, 18, 110, 111, 154-5, 251, 253, 260-3, 266, 278, 280, 302, 401n

Arinos, Afonso, 205, 232, 246, 283-4, 289, 292, 306, 349, 402n

Arquimedes, 107

Ásia, 210

Assembleia Constituinte, 42, 44, 48, 64, 66-7, 69-71, 76, 81-4, 87-9, 98, 101, 373-4n, 376-7n

Assessoria Econômica, 207, 209, 216-7, 232, 393n

Associação Brasileira de Imprensa, 227, 234, 306

Associação Comercial de Minas Gerais, 286

Associação Comercial do Rio de Janeiro, 74

Associação Cultural Getúlio Vargas, 349

astrologia, 29

Athayde, Austregésilo de, 38, 266

Áustria, 262

Azambuja, Herófilo, 243

Babo, Lamartine, 145

Bahia, 55, 86-7, 104-6, 116, 156, 189, 215, 217, 244, 246

balança comercial, 153, 236, 257, 266

Balbino, Antônio, 217, 246

Baleeiro, Aliomar, 87-8, 199, 215, 232, 279, 283, 306

Banco Central, 233, 368n

Banco Continental, 62

Banco Cruzeiro do Sul, 204

Banco do Brasil, 33, 55, 61-3, 81-2, 204, 210, 222-5, 243-4, 247, 249, 257, 259, 268-9, 285, 324-5, 397n

Banco do Nordeste do Brasil (BNB), 265

Banco Internacional para a Reconstrução e Desenvolvimento (Bird), 208, 218, 253

Banco Mundial, 218

Banco Nacional de Desenvolvimento Econômico (BNDE), 232-3, 265, 396n

Bandeira, Manuel, 45, 236

Bangu (fábrica de tecidos), 234-5

Bangu (time de futebol), 220

Barbedo, Alceu, 125

Barbosa, camareiro, 343

Barbosa, Francisco de Assis, 221

Barbosa, Júlio Caetano Horta, 116, 229

Barrault, Jean-Louis, 235

Barros, Ademar de, 106, 131-2, 135, 141, 143, 169-71, 173-4, 176-82, 186, 188-9, 192-5, 198-9, 203-4, 216, 230, 237, 241, 275, 348, 388-9n, 397n

Barros, Fernando de, 197

Barros, William Monteiro de, 59

Barroso, Ary, 113-4

Base Aérea de Santa Cruz, 78

Base Aérea do Galeão, 313-5, 317, 319-22, 330, 342-3, 348-9

Bastos, Vera Guimarães, 60

Batista, Dircinha, 145

Batista, Linda, 145, 224

"Bejo" *ver* Vargas, Benjamin Dornelles (irmão de Getúlio)

Beltrão, Heitor, 245

"Bem-Amada" *ver* Heeren, Aimée de

416

Benário, Olga, 70

Bernardes, Artur, 54, 69, 141

Bessarábia, 248

Bezerra, Gregório, 70, 126

Bias Fortes, José Francisco, 104

Bittencourt, família, 222

Bittencourt, Paulo, 60, 117, 303

Blanc, P., 293

"boa vizinhança", política de, 242

Bocaiúva, Baby *ver* Cunha, Luís Fernando Bocaiúva

Bolívia, 154

bomba atômica, 36-7, 45, 50, 52, 226, 370n

Bonequinha de seda (filme), 109

Bonfim, Otávio, 296, 318

Borer, Cecil de Macedo, 330

Borges, Ivo, 30

Borges, Tomás Pompeu Acióli, 208

Borghi, Hugo, 32-4, 40-2, 49, 51, 61-3, 70, 75, 81-3, 92, 106, 132-3, 249, 371n, 376n

borracha, 24, 126, 191

Botinada, Nelson *ver* Fernandes, Nelson

Braga, Fabriciano Júlio, 22

Braga, Odilon, 198, 204, 279, 291-2, 306

Braga, Pedro de Carvalho, 113

Braguinha *ver* João de Barro

Brandão, Evangelina, 60

Breton, André, 165

Brewer, Sam, 252

Brigadeiro da libertação, O (Pinheiro Chagas), 45, 371n

"Brigadeiro, O" (Manuel Bandeira), 45

Brito, Nabor Caires de, 223

Brizola, Leonel, 151, 153, 385n

Cabral, Castilho, 287

Cadillac, 258

café, 103, 123, 128, 185, 347

Café Filho, João, 188-9, 192-5, 198-9, 201, 237, 242, 245, 327-9, 331-3, 347, 390-1n, 407n

Caixa Econômica Federal, 22, 222

Caldas, Murilo, 50

Caldas, Silvio, 50, 224

Calouros em Desfile (programa de rádio), 113

Câmara dos Deputados, 84, 115, 173, 286, 291, 319

Câmara, Arruda, 137

Camargo, comandante, 339

câmbio, taxa de, 94, 266

Caminhos do Sul (filme), 197

Campos, Francisco, 83

Campos, João Nunes de, 151

Campos, Milton, 105, 156, 183

Campos, Paulo Mendes, 221

Campos, Roberto, 233, 396n

cana-de-açúcar, 103

Canárias (vapor), 249-50

candomblé, 178

Capanema, Gustavo, 70, 205, 291-2, 327-8

capital estrangeiro, 116, 121, 194, 208, 218, 265

capitalismo, 93, 350

Cardoso, Adauto Lúcio, 232, 309

Cardoso, Ciro do Espírito Santo, 212, 228-9, 273, 275, 343

Cardoso, Elizeth, 235

Cardoso, Francisco Antônio, 241

Careta (revista), 129, 381n, 400n

Carlos Muricy, Antônio, 274

Carnaval, 59, 130, 152, 158, 161, 184, 198, 200, 202, 209, 235

Carneiro, Fernando Lobo, 216

Carnicelli, Menotti, 107-12, 150, 154

Caroline de Mônaco, princesa, 61

Carrero, Tônia, 197

Carta Magna *ver* Constituição brasileira

Cartaxo, Gilvan Esmeraldo, 118-20, 122-3

Carteira de Exportação e Importação (Cexim), 257, 266, 324

Carvalho, Daniel de, 94

Casa Branca, 210, 212, 226, 241, 253

Casa do Jornalista, 306

Casa Rosada, 112, 154, 262, 264, 279

Casa-grande & senzala (Freyre), 70

Casiraghi, Andrea Albert Pierre, 61

Cassino da Urca, 59-60

Castello Branco, Humberto de Alencar, 331, 348

Castillo, Ramón, 111

Castro, Álvaro Fiúza de, 308, 330, 333

Castro, Antônio Joaquim Peixoto de, 258

Castro, Caiado de, 254, 301-2, 304, 307, 310, 331, 339-40, 343

Ceará, 105, 189, 198, 255

Centro de Estudos e Defesa do Petróleo e da Economia Nacional (CEDPEN), 116, 217, 234

Centro de Pesquisa e Documentação de História Contemporânea do Brasil (CPDOC), 350, 366n

Chagall, Marc, 165

Chagas, Paulo Pinheiro, 45, 371n

charutos, 20, 22, 92, 112, 120, 123, 130-1, 144, 148, 150, 172, 236, 283, 334, 367n

Chateaubriand, Assis, 24-6, 46, 72-3, 105, 117, 145-6, 154, 176, 222-4, 234, 247-8, 265-6, 274, 281, 368n, 379n, 384-5n, 396-7n

Chaves, Ivalda, 39

Chaves, Miguel de Oliveira, 122

Chile, 261, 263, 278

China, 210

churrasco, 19, 45, 167-8, 174, 176, 179, 257, 260

Cinelândia, 101, 104, 203

Cirilo Júnior, Carlos, 132, 134-5, 137, 142, 156, 187

Clemente, Romualdo Guilherme, 122

Clube da Aeronáutica, 30, 308, 320, 329

Clube da Lanterna, 259, 306

Clube Militar, 20, 193-4, 199, 203, 205, 229, 275, 306, 320, 395n

Coelho, Danton, 180-1, 187, 204, 216, 269, 336, 389n

Coelho, Saladino, 330

Colbert, Claudette, 235

Comissão de Desenvolvimento Industrial (CDI), 209, 215

Comissão Mista Brasil-Estados Unidos, 208, 215-6, 227, 232-4, 242, 253

Comissão Parlamentar de Inquérito (CPI), 244-5, 248-9, 257, 267-8, 279, 289, 400n

Comitê Intersindical de Greve, 240

Companhia Comercial de Motores e Veículos, 258

Companhia Jornalística Caldas Júnior, 18

Companhia Nacional de Anilinas, 62

Companhia Siderúrgica Nacional, 350

Companhia Vale do Rio Doce, 193, 265

comunismo, 29, 43, 46-7, 52, 70-2, 75, 77, 85, 102, 105-6, 113, 125-6, 134-5, 137-8, 189, 194-5, 199, 205, 210, 213, 223, 229, 234, 249, 252, 265, 271-2, 274, 276, 330, 349

Conde, Carlos da Silva, 164

Conde, Rosa Conceição, 164

Cone Sul, 262

Confederação dos Trabalhadores do Brasil (CTB), 126

Confederação Geral do Trabalho (Argentina), 251, 253

Confederação Latino-Americana, 280

Confederação Nacional das Indústrias (CNI), 74, 96, 207, 330

Conferência de Paz (Paris), 66

Confissões (Santo Agostinho), 291

Confu-Tsé, 107

Congresso Brasileiro de Previdência Social, 251, 255

Congresso Nacional, 89, 94, 101, 116, 205, 227, 231, 242, 245, 262, 380n, 399n

Conselho de Segurança Nacional (CSN), 212, 214, 393n

Conselho Federal de Comércio Exterior, 207

Conselho Nacional de Imprensa, 66

Conselho Nacional de Pesquisas (CNPq), 226-7

Conselho Nacional de Segurança, 307

Consolidação das Leis do Trabalho (CLT), 30, 33, 251, 350

Constituição brasileira (1934), 83

Constituição brasileira (1937), 41, 83

Constituição brasileira (1946), 41, 87, 89, 216, 260

contrabandos, 18, 34, 257

Cooke, Juan Isaac, 155, 264

Copa do Mundo (1950), 114

Copacabana Palace, 164, 287

Corção, Gustavo, 112

Coreia, Guerra da, 210-5, 218, 226

corporativismo, 93

Corrêa e Castro, família, 116

Corrêa, Villas-Bôas, 236, 396n

Correia, Nelson Raimundo, 298-304, 349

Correia, Trifino, 70

Correio da Manhã, 29, 39-40, 46-8, 53-4, 60, 63, 73, 82, 86, 99, 106, 115-7, 124, 128, 135, 188, 200, 203, 209, 220, 222, 225, 232, 252, 254, 262, 265, 273, 276, 278, 286, 289, 293, 295, 302, 333, 367n, 369-82n, 385n, 392-4n, 398-404n, 406n

Correio do Povo, 18-9, 27, 367-8n, 398n

Correios, 75, 291

corrupção, 106, 132, 180, 210, 241, 258-9, 266, 276, 289, 299, 320

Cortes, Aracy, 145

Costa Neto, Benedito, 95, 126

Costa, Adroaldo Mesquita da, 156, 319

Costa, Álvaro Ribeiro da, 39, 126, 201

Costa, Artur de Sousa, 63, 70, 81, 83-4, 88, 373n

Costa, Canrobert Pereira da, 98, 121-2, 153, 156, 162, 198-9, 276, 330, 333, 401n

Costa, Euclides Zenóbio da, 123, 201, 276, 305-6, 308, 327-8, 332-4, 336, 338-43, 401n, 408n

Costa, Luís, 222

Costa, Pedro Ipiranga de Paula, 120-3, 380n

Couto Filho, Miguel, 156, 246

cruzeiro (unidade monetária), 23, 44, 47, 62-3, 88, 114, 148-9, 166, 180, 185, 217-8, 222-3, 248-9, 266-7, 269, 285, 293, 321-2, 324-6, 349

Cruzeiro do Sul (Condor), 32, 36, 346

Cruzeiro, O (revista), 72-3, 79, 86, 166, 250, 374-5n

Cubatão, refinaria de, 265

Cunha, Luís Fernando Bocaiúva, 244, 269

Damonte Taborda, Raúl, 111

Dantas, Marcos de Souza, 285

Delegacia Regional do Trabalho, 240

Delmar, Iris, 218

democracia, 15, 29, 39, 46, 67, 69-70, 84, 89-90, 93, 99, 115, 124, 138, 182, 196, 200, 207, 252, 254, 259, 351, 400n, 402n

Demóstenes, 107

Denys, Odílio, 276

Departamento Administrativo do Serviço Público (Dasp), 208

Departamento de Imprensa e Propaganda (DIP), 24, 66, 69, 86, 209

Departamento Nacional de Estradas de Rodagem (DNER), 42-3, 47

Departamento Nacional de Imigração, 249-50

Descartes, René, 179

Dez dias que abalaram o mundo, Os (Reed), 167

Dezoito do Forte, episódio dos, 29, 45

Di Cavalcanti, 222

Dia da Pátria, 258

Dia do Trabalho, 73-4, 284

Diário Carioca, 33-4, 38, 41, 46-7, 52, 56, 123, 138, 147, 222, 294-7, 300, 316, 325, 369-72n, 375n, 381-4n, 392n, 397n, 402-3n, 405-6n

Diário da Noite, 26-7, 39, 58, 123, 129, 154, 166, 186, 192, 221, 259, 265, 274, 279, 302, 367-70n, 372-3n, 375n, 377n, 381n, 383n, 385n, 387n, 389-93n, 398-401n, 404-6n, 408n

Diário de Notícias, 173, 229, 236, 373n, 381-2n, 385-6n, 388-9n, 392n, 398n

Diários Associados, 24, 25, 72, 105, 145, 154, 161, 189-90, 220, 230, 247-8, 265, 303

Dias, Pedro, 218

Diretrizes (revista), 71, 223

Distrito Federal, 39, 55, 71-2, 74, 76, 84, 87, 105, 112, 114-5, 178, 188, 198, 234, 237, 245, 268, 273, 289, 291, 300, 316, 330, 349

Divisão de Polícia Política e Social (DPS), 76

Do sindicato ao Catete (Café Filho), 331, 391n, 407n

Dornelles, Dinarte, 22-4, 51, 81, 367n, 372n

Dornelles, Ernesto, 21, 70, 156

Dornelles, Serafim, 14

Douglas C-47 (avião), 256

Douglas DC-3 (avião), 32, 78, 176

Duchamp, Marcel, 165

Duran, Dolores, 224

Dutra, Eurico Gaspar, 15, 18-9, 21, 23, 28-34, 38, 40-4, 46, 48, 51-2, 54-5, 64-6, 73-7, 81, 85, 93-6, 98, 100, 103, 105-6, 112, 114, 116, 118-28, 130, 132, 135-6, 138, 141, 153-4, 156, 160-3, 165, 169-71, 173, 182-4, 191, 202, 208, 210, 218, 237, 240, 257, 369n, 372n, 377n

419

Edifício Uruguai, 79, 119, 123

Eis a astrologia (Toledo), 29

Eisenhower, Dwight D., 241-2, 252, 263

Eisenhower, Milton, 252-3

Eixo nazifascista, 13

El Aragonés (cavalo de corrida), 294

Eletrobras, 265, 283, 347, 350

Epopeia do Jazz ver *Alexander's Ragtime Band* (filme)

Era Vargas, 246, 394-6n, 399n, 401n, 403n, 405n, 408n, 410n

Ernany, Drault, 117

Ernst, Max, 165

Escola de Artilharia da Vila Militar, 118-9, 121-2

Escola Superior de Guerra (ESG), 228, 278, 308

Espetacular deposição do presidente Vargas: As doze horas que abalaram o Brasil, A (documentário), 30

espiritismo, 48, 64, 107, 112, 178

Espírito Santo, 192, 349

Esquerda Democrática (ED), 69

Esso, 96

Estado de S. Paulo, O, 55, 140, 222, 235, 252, 319, 372n, 382-3n, 389n, 392n, 398n

Estado Novo, 21, 24-5, 29-33, 43, 46, 56, 61, 63-4, 66-7, 69-70, 75, 84-6, 96, 98, 102, 106, 110, 115-6, 121, 135, 141, 146, 148, 166, 177-8, 187, 189, 193, 196, 205-6, 236, 260, 289, 294, 330

Estado-Maior das Forças Armadas, 205, 212-3, 329, 330, 338

Estados Unidos, 13, 24, 54, 61, 93-4, 103, 120, 126, 142, 153, 200, 208, 210-5, 217, 225-9, 232-3, 241-2, 252, 261-2, 264, 278, 350, 395n

Estância São Pedro, 197, 203, 260-1, 391n

Estatuto do petróleo, 116

Etchegoyen, Alcides Gonçalves, 229

Etcheverry, João, 223

Eu fui guarda-costas de Getúlio (folhetim), 166

"*Eu quero sassaricá*" (espetáculo de revista), 218

Europa, 153, 210, 249

Ewert, Arthur Ernest, 330

Exército brasileiro, 13, 15, 60, 109, 113, 120-1, 123, 153, 194, 199, 201, 205, 212-3, 215, 228-9, 231, 274, 276, 292, 306, 308, 333-4, 336, 338, 341, 380n

Export-Import Bank (Eximbank), 208-9, 253

Fábrica Nacional de Motores (FNM), 265

Faculdade de Direito do Largo São Francisco, 39, 140, 186, 259

Falcão, Armando, 244, 249-50, 255, 275, 285, 292, 315, 405n

Falcão, Valdemar, 63

Falta alguém em Nuremberg (Nasser), 86, 376n

Faria, Hugo de, 277

Farias, Cordeiro de, 156, 193, 203, 228, 276, 401n

Farquhar, Percival, 193

Fath, Jacques, 234, 235

Fazenda Itu, 131, 143-4, 148, 150, 154, 164, 171, 179, 182, 197, 256, 257

Federação das Indústrias de São Paulo (Fiesp), 96

Felícia, cozinheira, 143-4, 174

Fernandes, Hélio, 237

Fernandes, Nelson, 41, 74, 134, 142

Fernandes, Raul, 94

Ferraz, José Cândido, 161-2, 229-31, 233, 395n

Ferreira, Armando Dubois, 227

Ferreira, Ivan Carpenter, 308, 330

Figueiredo, Cândido de, 49

Figueiredo, Euclides, 70, 85, 89

Figueiredo, João Neiva de, 208

Figueiredo, Morvan Dias de, 96, 126, 378n

Fittipaldi, Hernani Hilário, 256, 322-3, 406n

Fiúza, Iedo, 42-3, 46-8, 52, 55, 371-2n

Flamengo (time de futebol), 289

Fleming, Alexander, 146

Fluminense (time de futebol), 220

Folha da Manhã, 139, 186, 382-3n, 389-90n, 392n

Folha da Noite, 135, 178, 382-3n, 389n, 392n

Folha da Tarde, 18-9, 149-50, 367-8n, 370n, 376n, 378n, 382n, 385n

Fon-Fon! (revista), 12, 144, 384n

Fonseca, Ademilde, 184, 235, 390n

Fontenelle, Henrique Dyott, 329

420

Fontes, Lourival, 209, 225, 254, 272, 280-1, 297-8, 300, 307, 329, 394-5n, 403n

Fontoura, João Neves da, 28, 30-1, 42, 66, 90, 156, 163, 173, 190-1, 204, 210-3, 219, 226-7, 262-3, 280, 367n, 369n, 371n, 393n, 399n

Força Aérea Brasileira (FAB), 16, 18, 206, 256, 287, 305, 308, 329, 331, 346

Força Expedicionária Brasileira (FEB), 300

Forças Armadas, 84-5, 125, 188, 194, 199, 201, 205, 211-3, 216, 227, 329-31, 338

Fórmula 1, 259

"Fórmula Jobim", 171, 182, 388n

Fortunato, Gregório, 57, 119, 123, 137-9, 148, 190, 197, 201-2, 298, 301-4, 307-9, 319, 321-2, 324-5, 327, 330, 348, 406n, 410n

Franco, Virgílio de Melo, 27, 155

Freire, Vitorino, 148

Freitas, Décio, 173

Freyre, Gilberto, 70

Frigidaire, geladeira, 94

Frota, Silvio Coelho, 274

"Fumando espero" (tango), 172

Fundação da Casa Popular, 73

Fundação Getúlio Vargas, 350, 366n

Fundo de Reaparelhamento Econômico, 216

Gabinete Civil da Presidência da República, 209, 272, 280-1, 297

Gabinete Militar da Presidência da República, 74, 228, 254, 302, 307, 310, 331, 339, 345

Gable, Clark, 32, 235

gado, 16, 23, 131, 166

gafanhotos, 148, 149

Galeria Cruzeiro, 30

Gama, Edith (neta de Getúlio), 165

Gama, Getúlio ("Getulinho", neto de Getúlio), 165

Gama, Rui da Costa, 61-2, 165

Gama, Saldanha da, 208

Garcez, Lucas Nogueira, 198, 237

Garcia, Frank, 149

Gardel, Carlos, 172

Gazeta de Notícias, 220, 381n

GE, geladeira, 94

geadas no Sul, 263

getulismo, 55, 86, 92, 119, 170, 223, 348, 350

Globo, O, 27, 29, 58-9, 80, 123, 149, 155, 221-2, 248, 252, 273, 280, 325-6, 345, 367-70n, 372-3n, 375-7n, 381-2n, 392n, 396n, 398n, 400-3n, 406-8n

Goddard, Paulette, 235

Goiás, 194

golfe, 17, 88

golpe militar (1964), 254, 274, 331

Gomes, Anápio, 243

Gomes, Eduardo, 14, 18, 26, 29-31, 33, 40-1, 43, 45, 47-50, 53-5, 65, 120, 161, 164, 183, 189, 197-8, 200, 204, 229-31, 233, 237, 283-4, 286-7, 300-2, 308-9, 329-30, 338, 340, 370n, 372n, 404n

Gomide, Paulo, 291

Goulart, João (Jango), 22-4, 81, 148, 152, 167-8, 246, 250-2, 254, 260, 267, 272-4, 276-8, 285, 326-7, 348, 368n, 382n, 398n, 400-1n

Goulart, Jorge, 184, 224, 390n

Goulart, Vicente, 22

Governo Provisório, 141, 205

Gráfica Erica, 223, 243-4

Grande Prêmio Brasil de turfe, 293

greves, 66, 72, 75, 110, 121, 125, 240, 250-1, 267, 271, 396n

Gudin, Eugênio, 266

Guerra Fria, 93, 116

Guerra, João Batista Cordeiro, 300-1

Guevara, Andrés, 220

Guillobel, Renato de Almeida, 206, 214, 230, 320, 327-8, 337, 339-40

Guimarães, Carlos Lopes, 60

Guimarães, Napoleão de Alencastro, 31, 34, 42, 52, 258, 369-70n, 372n

Haeff, Ingeborg ten, 61

Heeren, Aimée de, 235

Heeren, Rodman Arturo de, 235

Hegel, Friedrich, 179

Heydrich, Reinhard, 76

Himmler, Heinrich, 76

Hino Nacional Brasileiro, 76, 104

Hipódromo da Gávea, 293
Hiroshima, 36
Hitler, Adolf, 76, 99, 103, 154, 262
Honduras, 349
Horta, Oscar Pedroso, 178, 389n
Hospital dos Marítimos, 73
Hungria, Nelson, 165

Ibáñez, Carlos, 261, 278-9
Imbassahy, Augusto, 76
Imobiliária Santa Therezinha, 258
impeachment, 132, 169-70, 245, 271, 279, 283-4, 286-7, 291-2
Império Serrano (escola de samba), 209
imposto de renda, 215, 216
Imprensa Popular, 267, 272, 274, 400n
industrialização, 207-9, 232, 350
inflação, 66, 75, 87-8, 94, 122, 191, 209, 214, 236, 240, 266-7
Inglaterra, 258
Inquérito Policial-Militar (IPM), 121-3, 309, 313, 317, 319, 321, 324, 326, 329, 333, 336, 340, 348-9, 380-1n
Instituto Brasileiro de Geografia e Estatística (IBGE), 102
Instituto de Aposentadoria e Pensão dos Indus-triários (IAPI), 283
Instituto de Aposentadorias e Pensões dos Co-merciários (IAPC), 62
Instituto Nacional de Estatística (INE), 102
International Development Advisory Board, 208
Israel, 193
Itália, 287, 393n
Itamaraty, 155, 213, 219, 225-6, 262, 264, 280, 288

Jafet, Ricardo, 193, 204, 222, 224, 243, 248, 268
Jamelão, 235
Jango *ver* Goulart, João
João de Barro (Braguinha), 130, 184, 390n
João Evangelista, 107
"João Paulino" (marcha carnavalesca), 184

Jobim, Valter, 17-8, 20-1, 99, 105, 148, 156, 171, 367n
Johnson, Herschel, 219, 226
Jornal de Notícias, 224
Jornal do Brasil, 220, 369-70n, 375n, 377n, 382n, 392n
judeus, 204, 248
Junkers (avião), 16
Justiça Eleitoral, 32, 42, 198, 201

Kaye, Danny, 235
Kelly, José Eduardo Prado, 49, 173, 231
Kolynos, creme dental, 94
Kremlin, 249
Kruel, Amaury, 274, 292, 403n
Kubitschek, Juscelino, 70, 203, 223, 237, 309-11, 316, 348

Lacerda, Carlos, 46-7, 49, 73, 82, 86, 99, 112-7, 124, 188, 199, 204, 235-6, 243, 247, 249-51, 255, 258-9, 278, 287, 289-90, 295-301, 303, 306-9, 313-5, 317-9, 324-6, 330, 333, 336, 343, 348-9, 371n, 379-80n, 392n, 396-7n, 401n, 403-5n, 407n, 410n
Lacerda, Sérgio, 295, 297
Laet, Carlos de, 221
Lafer, Horácio, 203-4, 214-6, 243
Lagoa Filho, Francisco de Paula Rocha, 126
Landi, Chico, 259
Lanterna na popa (Roberto Campos), 233, 396n
Leal, Newton Estillac, 193-4, 205, 213, 225-9, 276
Lee, Rita Fernandes, 39
Legião Brasileira de Assistência (LBA), 91
Lei Constitucional nº 13, 40
Lei de Segurança Nacional, 189, 236, 240, 250
"Lei Malaia" (lei antitruste), 31
Leite, Cleanto de Paiva, 208
Leme, Sebastião, d., 291
Lessa, Lurdes, 281
liberalismo, 93, 103, 178-9
Lie, Trygve Halvdan, 212
Liga Eleitoral Católica (LEC), 189, 195
Light, 75, 105

422

Lima Sobrinho, Barbosa, 104-5, 156

Lima, Alceu Amoroso, 112

Lima, Álvaro Pereira de Sousa, 204

Lima, Francisco Negrão de, 203, 213, 236, 246

Lima, Hermes, 87-8

Lima, Onofre Muniz Gomes de, 104-5

Lima, Otacílio Negrão de, 74

Lima, Pereira, 156

Linhares, José, 14, 17, 31, 40, 55, 61, 63, 65, 210, 369n

Lins, Etelvino, 70

Lins, Sebastião Vieira, 246

Lira, José Pereira, 74, 76

Lobo, Cândido Mesquita da Cunha, 126

Lobo, Haroldo, 201, 222, 392n

Lobo, Nora, 165

Lobo, Valdomiro, 50

Lockheed Lodestar (avião presidencial), 16

Lodi, Euvaldo, 74, 96, 193, 209, 222, 248, 268, 330

Lopes, Aimée Simões, 43

López Rega, José, 111

Lorenzon, José Nelo, 50, 178

Ludovico, Pedro, 70

Lusardo, Adelaide, 197

Lusardo, Batista, 155, 197, 199, 260-3, 399n

Lutero, Martinho, 179

Luz, Carlos, 156

Macedo, Nertan, 260, 279

Machado, Cristiano, 183, 187, 193, 197-8, 204, 391n

Machado, Pinheiro, 24

Maciel Filho, José Soares, 66, 95-6, 123-5, 132-3, 233, 346, 378n, 381n, 410n

Maciel, Carlos, 119-20, 122-4

maçonaria, 107

Magalhães Pinto, 70

Magalhães, Agamenon, 70, 204

Magalhães, Eliezer, 117

Magalhães, Eliseu, 127-9

Magic, desodorante, 94

Maia, Deodato, 296-7

Malan, Alfredo Souto, 274

Malta, Octávio, 223

Maluf, família, 258

Mamede, Jurandir Bizarria, 274

Manchete (revista), 235-7, 318, 396n, 410n

Maneco (jogador), 209

Mangabeira, João, 198

Mangabeira, Otávio, 54, 70, 83-5, 104-5, 156, 259, 277

manganês, 211, 226

Manhã, A (jornal), 49, 76, 367n, 370-2n, 375n, 381n

Mannesmann, usina, 309-11

Manzon, Jean, 72

Maquiavel, Nicolau, 237

Maracanã, estádio do, 107, 114, 209, 220, 289

Maranhão, 148, 189, 191, 198

Marchant, Juan, 293

Marcondes Filho, 70

Marcos, José Joel, 120

Maria, Ângela, 224

Mariani, Clemente, 94

Marighella, Carlos, 70, 85

Marinha brasileira, 31, 65, 206, 212-4, 230, 250, 306, 320-1, 327, 332-3, 336-8

Marinho, família, 222

Marinho, Roberto, 27, 58-9, 247-8

Mário Filho, 221

Martim Cererê (Cassiano Ricardo), 67

Martins, Jorge Dodsworth, 31

Martins, Maria, 165-6, 387n

Martins, Mário, 300, 316

Matarazzo, Francisco, 224, 248, 268

Mato Grosso, 194

Medeiros Neto, Antônio Garcia de, 104

Meira, Lúcio, 91, 209

Melo, Nelson de, 229

Melo, Sousa, 81

"Memorial dos Coronéis", 274-5

Mendes, João, 85

Mendonça, Roberto Carlos Vasco Carneiro de, 31

Mércio, Camilo Teixeira, 129, 143, 152, 382n

Mercosul, 262

Mergulhão, Benedito, 113

Mesquita, família, 55, 222-3

México, 242, 306

Miller, Edward, 215, 218

Minas Gerais, 55, 69, 105, 173, 183, 189, 194, 198, 203, 217, 223, 237, 286, 310, 322

Mineração Geral do Brasil, 193, 204

Minha razão de viver: Memórias de um repórter (Wainer), 159, 386n, 390n, 392n, 394n, 397-8n, 400n, 402n, 407n

Minhas memórias (Getúlio Vargas), 149

Ministério da Aeronáutica, 31, 149, 257, 288, 301, 305, 317, 329

Ministério da Agricultura, 94, 204, 246

Ministério da Educação e Saúde Pública, 94, 203, 205, 244

Ministério da Fazenda, 62-3, 81, 83, 180, 203, 209, 214-5, 243, 267, 285, 287, 327, 399n

Ministério da Guerra, 29, 31, 46, 113, 121, 125, 153, 156, 198-9, 201, 205, 225, 227-30, 273-4, 277, 305-6, 308, 332-3, 336, 342

Ministério da Justiça, 81, 95, 126, 178, 213, 236, 253, 255, 289, 298, 300-1, 304, 310, 316, 324, 329, 337

Ministério da Viação e Obras Públicas, 31, 95, 204, 246

Ministério das Relações Exteriores, 66, 94, 204, 210, 219, 227, 231, 246, 262-3, 280; *ver também* Itamaraty

Ministério do Trabalho, 31, 34, 44, 64, 74, 96, 126, 141, 204, 240, 246, 250-2, 271, 273-4, 276-7, 285, 327

Ministério Público, 72

Mix, Tom, 174

Momsen, Leonardos & Cia. (escritório de advocacia), 248

monazita (areia), 211, 226-27

Monte, Edyala Braga Brandão do, 60

Monteiro, Euler Bentes, 274

Monteiro, Góes, 31, 65, 74, 98, 125, 150, 156, 187-8, 193, 205, 212-5, 226, 276, 381n

Monteiro, Honório Fernandes, 95

Moraes, Ângelo Mussolini de, 115

Moraes, Conchita de, 109

Moraes, Mascarenhas de, 329-31, 333, 335-6, 407-9n

Moraes, Vinicius de, 221

Morais, Ângelo Mendes de, 114-5, 188, 330

Moreira, Nestor, 288-90, 402n

Morel, Edmar, 24, 221, 368n

Moura, Décio, 264

Moura, Nero, 205-6, 228, 230-1, 301, 305, 309, 316-7, 319, 329, 404n, 407n

Movimento Cívico de Recuperação Nacional, 259

Movimento Nacional Popular Pró-Eduardo Gomes, 286

Movimento Renovador da União Democrática Nacional, 112

Movimento Unificador dos Trabalhadores (MUT), 74

Müller, Filinto, 86, 99, 128, 136

Müller, Maneco, 221

Mundo Ilustrado, O (revista), 263, 410n

Muniz, Edmundo, 112

Mussolini, Benito, 93

Mutual Defense and Assistence Act, 227

Mutual Security Act, 227

Nações Unidas, 211-3

Nadir Figueiredo (indústria), 96

Nagasaki, 36

Napoleão Bonaparte, 106

Nascimento, Abigail do, 313-4

Nascimento, Alcino João do, 308, 313-22, 348-9, 405n, 410-1n

Nássara, Antônio, 222

Nasser, David, 72, 86, 166, 250, 376n

National War College, 228

Nazaré, Rui, 39

nazismo, 13, 46, 61, 70, 76, 103, 262

Nembutal, 11-2, 15

Neves, Paulo Baeta, 23, 41, 52, 70, 96, 132, 370-2n

Neves, Tancredo, 217-8, 246, 253-4, 289, 298, 301-2, 309-10, 313, 316-7, 319-20, 324, 326, 329, 332-7, 340-1, 394n, 406-7n

New York Times, The, 149, 229, 252-3

424

Newton Carlos, 255

Night & Day, talco, 94

Nogueira, Armando, 296, 318

Nogueira, Euclides Arantes, 139

Nogueira, José Antonio, 126

Nogueira, Paulo, 70

Noite, A (jornal), 101, 128, 138-9, 288, 370*n*, 372*n*, 375*n*, 378-83*n*, 390*n*, 394*n*, 400*n*, 402*n*

Norberto, Natalício, 243

Nordeste brasileiro, 142, 191-2, 244, 263

Novelli Júnior, Luiz Gonzaga, 132-3, 135, 140-1, 169-70, 181, 369*n*

Novelli, Carmelita, 132

Novo dicionário da língua portuguesa (Cândido de Figueiredo), 49

Obino, Salvador César, 21

Occulta Universitas (sociedade espiritualista), 107, 109, 111, 151, 379*n*

Olinto, Antônio, 221

Oliveira, Adil de, 301, 303, 305, 321, 324, 405*n*

Oliveira, Dalva de, 172

Oliveira, João Adil de, 300, 404*n*

Oliveira, João Cleofas de, 204-5, 246

Oliveira, João Daudt d', 74

Oliveira, Rafael Corrêa de, 229

Oliveira, Silvio Raulino de, 95

Olympio, José, 144, 149

Organização dos Estados Americanos (OEA), 210, 212-3

Organização Internacional do Comércio, 54

Oscarito, 218

Ovomaltine, achocolatado, 94

"Pacto ABC" (Argentina, Brasil e Chile), 261, 278-9

Paiva, Manso de, 24

Palácio da Liberdade, 310

Palácio da Luz, 104

Palácio do Catete, 17, 21, 26, 74-5, 81, 93-4, 97, 100, 118, 121-3, 128, 132, 135, 141, 147-8, 150-1, 166, 174, 181, 183, 187, 199, 202-3, 206-7, 209, 212, 216-8, 222-5, 229-31, 236-7, 239, 241, 245-

6, 251, 253, 258, 261, 263-4, 268, 271-3, 276-7, 279, 281, 283-4, 287, 292, 297-305, 309, 313, 316,-7, 319, 324-8, 331-3, 337, 345, 369*n*, 378*n*

Palácio dos Campos Elíseos, 132, 141, 169-70, 178-9, 181, 198

Palácio Guanabara, 13, 16, 25-6, 43, 57, 74-5, 239

Palácio Monroe, 84, 101-2, 104, 126, 129, 143, 171, 232

Palácio Rio Negro, 272, 281, 284

Palácio Tiradentes, 69, 80, 83, 89-90, 200

Pamplona, coronel, 339

Pará, 189, 198

Paraguai, 154

Paraíba, 138, 146, 189

Paraná, 12, 55, 154, 195, 302

Partido Agrário Nacional (PAN), 55

Partido Comunista do Brasil (PCB), 42-3, 47-8, 55, 65-6, 69-72, 75-6, 106, 113, 124-6, 135, 189, 267, 371*n*

Partido de Representação Popular (PRP), 46, 189

Partido Democrata Cristão (PDC), 69, 241

Partido Libertador (PL), 69, 205

Partido Operário Nacional Socialista (partido nazista), 99

Partido Popular Progressista (PPP), 126

Partido Republicano (PR), 69, 94, 113, 141, 205, 286

Partido Republicano Progressista (PRP), 106

Partido Republicano Trabalhista (PRT), 216

Partido Social Democrático (PSD), 17-9, 23, 26, 28-30, 32, 37-8, 41-4, 51, 55-6, 63, 69-70, 74, 83, 85-6, 90, 92-3, 95-6, 99, 104-5, 127, 132, 134, 141, 148, 156, 161-3, 173, 182-4, 187, 193, 197, 203, 205, 217, 232, 244, 246, 319, 367*n*, 371*n*

Partido Social Progressista (PSP), 69, 132, 137, 174, 178-9, 181-2, 187-8, 192-3, 196-8, 204, 205, 215-6, 275, 287

Partido Socialista Brasileiro (PSB), 198, 241

Partido Trabalhista Brasileiro (PTB), 17, 23, 26, 32-4, 36-44, 51-2, 55-6, 63, 69-70, 73-5, 81, 83, 92-3, 96, 99, 104-6, 124, 131-4, 141-2, 151-2, 162-4, 168, 170, 178-9, 181-2, 187, 191, 193, 196-8,

425

204-5, 215-6, 229, 232, 242, 246, 254, 258, 277, 286, 303, 326, 349, 368-2n, 395n

Partido Trabalhista Nacional (PTN), 106, 132, 205

Pasqualini, Alberto, 40, 99, 105, 191

Passos, Wilson Leite, 286

Pastor, Jorge, 300-1

Pedro I, d., 178

Pedro Justo, Augustín, 241

Pedrosa, Mário, 112

Pedroso Júnior, José Correia, 44

Peixoto, Alzira Vargas do Amaral (filha de Getúlio), 11, 15, 28, 32, 34, 36, 51, 59, 61-8, 72-5, 77, 79-81, 89-92, 94-8, 101, 108, 110-1, 131-3, 141-5, 147-53, 155, 157, 160-6, 168-71, 173-5, 177, 180-1, 184-5, 189-91, 196-7, 230, 234, 241-3, 245, 253, 304, 309, 316-7, 323, 326, 331, 333, 336-9, 341-4, 350, 366-7n, 370n, 373-9n, 382-92n, 404-11n

Peixoto, Celina (neta de Getúlio), 28, 36, 68, 174

Peixoto, Ernani do Amaral, 11, 28, 30-2, 34, 36-8, 70, 72, 79, 89, 91-2, 97, 104, 152-3, 161-2, 166, 188, 198, 206, 237, 241-2, 309, 317, 320, 326, 336, 340, 350, 369n

Pena Júnior, Afonso, 156, 183

Pena, Afonso, 183

penicilina, 146, 147

Pentágono, 210

Pereira, Hélio Moniz Sodré, 60

Pereira, Jesus Soares, 207, 217

Pereira, Osny Duarte, 227

Pernambuco, 24, 105-6, 189, 204

Perón, Evita, 111-2

Perón, Juan Domingo, 110-2, 154-5, 251-2, 256, 260-3, 266, 278-80, 283, 399n, 401n

peronismo, 111, 278

Peru, 242

Pessoa, Epitácio, 155

Pestana, Celso, 129

Petrobras, 216-7, 231, 234, 242, 264-6, 269, 347, 350, 397n

petróleo, 103, 116, 159, 193, 209, 217-8, 229, 265-6, 272

Philips, creme dental, 94

Piauí, 189, 198, 229

Pinheiro, Israel, 156

Pinto, Bilac, 232, 279

Pinto, Edmundo Barreto, 32, 71-3, 79, 124-5, 166-7

Pinto, Marino, 201, 392n

Pinto, Sobral, 112, 236, 290-1, 402n

Pinto, Walter, 218

Piza, Toledo, 70

Plano Aranha, 266

Plano Cohen, 189

Plano de Reaparelhamento Econômico, 253

Plano do Carvão Nacional, 232

Plano Marshall, 153, 211

Plano Nacional de Eletrificação, 265, 269

Plano Nacional de Reaparelhamento Econômico (Plano Lafer), 215-7

"Pode ser que não seja" (marcha carnavalesca), 130

Poder Executivo, 104, 206, 216, 231, 237, 252, 255, 283, 286, 324

Poder Judiciário, 21, 324

Poder Legislativo, 69, 83, 85, 216

"Polaca" ver Constituição brasileira (1937)

polícia, 32-3, 56, 74, 76, 79, 81, 86-7, 115, 120, 128, 134, 139-40, 148, 165, 189, 221, 234, 240, 289, 297-300, 302, 304, 307, 309, 311, 313, 315, 330, 403n

Política trabalhista no Brasil, A (Getúlio Vargas), 149, 377n, 379n

Portinari, Candido, 190

Portugal, 28, 227

Português, Raimundo, 221

Power, Tyrone, 79

Prestes, Luís Carlos, 43, 46, 52, 70-2, 113, 125, 134-9, 252, 267

Primeira Guerra Mundial, 261

Primeira República, 33, 69, 138

Primeiro de Maio ver Dia do Trabalho

produtos nacionais, 94

Prüfer, Curt, 46

psicografia, 107, 379n

Quadros, Jânio, 178, 240, 259, 348, 388-9n, 397n

Quaker Oats, aveia, 94

426

Queirós, Eça de, 311

Queiroz Júnior, 190, 382n, 401n, 403n, 406n

queremismo, 14, 30, 32-4, 36-7, 39, 44, 62-3, 81, 85, 90, 118, 135, 152-4, 159

Quijano, Hortensio, 261

Quiproquó (cavalo de corrida), 293

Quitandinha (hotel-cassino), 57-9

Radical, O (jornal), 33, 382n, 392n

Rádio Clube, 249

Rádio Globo, 247, 255, 306

Rádio Mayrink Veiga, 115, 330

Rádio Nacional, 145, 320

Ramos, Nereu, 85, 101-4, 141, 156, 163-4, 173-5, 183, 327

Rangel, Inácio, 208

Rao, Vicente, 246, 335

Ray-Ban, óculos, 94

Rebelo, Marques, 221, 249

Reed, John, 167

Refinaria de Petróleo do Distrito Federal S/A, 117

Refinaria e Exploração de Petróleo União S/A, 116

Reis, Dilermando, 311

Reis, Ene Garcez dos, 341

República Velha ver Primeira República

Resende, Otto Lara, 221

"Retrato do velho" (marcha carnavalesca), 201

Revista da Semana, 281

Revista do Rádio, 145

Revolução Constitucionalista (1932), 13

Revolução de 1930, 38, 76, 90, 196, 264, 327, 370n

Rhodine (medicamento), 94

Ribeiro, Orlando Leite, 263, 279, 401n

Ricardo, Cassiano, 67, 374n

Ridgway, Matthew, 215

Rio Branco, barão do, 261

Rio de Janeiro, 11, 14, 16, 20, 24-6, 28, 30, 33, 36, 41, 48-50, 54-5, 60, 63, 71, 73-5, 78-80, 82, 87, 89, 91-2, 97-8, 104, 118, 125, 129-30, 138, 142, 149, 151-2, 157, 160-1, 170-1, 173, 177, 182, 184, 187, 189, 193-4, 198, 202, 208, 218, 220, 236, 240, 247, 251-3, 257, 259, 263, 267, 273, 275, 279, 286, 291, 302, 311, 326

Rio Grande do Norte, 188-9, 195

Rio Grande do Sul, 17, 22, 34, 37, 40-2, 55, 63, 66-7, 92-3, 105, 106, 129, 149, 151, 154, 159, 167-8, 195, 217, 257, 302, 326, 339

Ritter, Karl von, 103

Rocha, Brochado da, 217

Rocha, Geraldo, 263

Rockefeller, Nelson, 208

Rodrigues, Augusto, 222

Rodrigues, Joaquim Antônio de Fontoura, 118-9

Rodrigues, Nelson, 221-2, 394n

Rogers, Ginger, 235

Rolla, Joaquim, 57, 372n

Rolls-Royce, 258, 399n

Romeiro, Sálvio, 295, 348

Romualdo, Geraldo, 27

Roosevelt, Franklin Delano, 95, 103, 120, 242

Rosa, Cilon, 171, 175

Rothschild, Guy de, 293

Rousseau, Jean-Jacques, 179

Royal, gelatina, 94

Rozsanyi, Altair, 329

Ruhl, Carlos, 78

Sá Filho, Francisco, 125

Sá, Gilberto de, 40

Sacramento, Edson Alves, 307

Saldanha, Gaspar, 93

Salgado Filho, Joaquim Pedro, 105, 141-2, 152, 161, 181, 204, 383n

Salgado, Plínio, 46, 136, 189, 348

Salles, Walther Moreira, 222, 248, 268

Salzano, Erlindo, 178, 180-1, 389n

Santa Catarina, 85, 127, 154, 195

Santo Domingo Pumarejo, Julio Mario, 60

Santo Domingo, Tatiana, 61

Santos Filho, Augusto, 164

Santos Reis, estância, 11-2, 16-8, 22, 25-8, 32, 34, 36, 39, 51-2, 92, 130-1, 144, 150, 158-9, 164, 172, 175-6, 197, 367n, 389n

Santos, Adalberto Pereira dos, 274

Santos, Epaminondas Gomes dos, 329, 337

Santos, Jarbas de Lery, 33

Santos, Rodrigo Magalhães dos, 303

Santos, Rui, 86

São Paulo, 13, 39, 41, 44, 55-6, 62-3, 66-7, 73, 92, 96, 105-6, 125, 131-6, 138-43, 145, 157, 168-9, 172-3, 177-8, 180, 186-7, 192, 194-5, 198, 204, 218, 223-4, 231, 237, 240, 250, 259, 275-6, 278, 302

Sarmento, Sizeno, 274

Schmidt, Augusto Frederico, 209

seca no Nordeste, 191, 244, 263

Secretaria da Presidência, 207

Segunda Guerra Mundial, 24, 95, 146, 205, 210-1, 242, 250

Senado, 30, 43, 63, 66, 71, 84, 98, 101, 103-5, 115, 121, 126-7, 129-30, 143, 148-9, 152, 160, 171, 258, 264, 333, 349, 378-9n, 381n, 384n

Sergipe, 189

Serviço Social da Indústria (Sesi), 223

Serviço Social Rural (SSR), 232

sífilis, 23, 122, 129

Silva, Álvaro Alberto da Motta e, 226-7

Silva, Golbery do Couto e, 274

Silva, Hugo, 91

Silva, Maurício Joppert da, 31

Silva, Samuel Figueiredo, 21

Silva, Ubiratan Tamoio da, 118-20, 122-3, 380n

Silveira, Breno da, 272

Silveira, Joaquim Guilherme da, 234

Silveira, Joel, 221, 223, 281-2, 401n

Silveira, Paulo, 223, 225

Simões Filho, Ernesto, 203, 244, 246

Simonsen, Roberto, 96, 125

Soares Filho, 87

Soares Sampaio, família, 116-7

Soares, Edmundo de Macedo, 92, 95, 104, 209

Soares, José Antônio, 307, 315, 322, 349

Soares, José Eduardo de Macedo, 56, 138, 147, 222, 300, 316

Sodré, Hélio Moniz, 60, 302

Sodré, Nelson Werneck, 221, 395n, 401n

Sodré, Niomar Moniz, 60, 302

Sousa, Ferreira de, 232

Souto, Álcio, 74

Souza, Carlos Martins Pereira e, 165

Souza, João Valente de, 321, 349

Souza, Oscar Domingos de, 321

Standard Oil, 96, 234, 242, 248

Stanislaw Ponte Preta, 221

Sterogyl, 12

Strauch, Ottolmy, 208

Superintendência da Moeda e do Crédito (Sumoc), 233

Supremo Tribunal Federal (STF), 14, 32, 56, 63, 236, 248, 300

Supremo Tribunal Militar (STM), 142

Sydow, Ícaro, 44

Tarde, A (jornal), 203

Taroco, Jesus Maciel, 122-3

Tavares, Vera, 325

Távora, Juarez, 231, 276, 308, 329-30, 333, 348, 401n, 406n, 408n, 410n

Teatro Municipal do Rio de Janeiro, 49, 247

Teatro Recreio, 218

tecnologia, 116, 226

Teles, Mário Rolim, 55

televisão, 247, 248

Thormes, Jacinto de (pseudônimo de Maneco Müller), 221

Toledo, Demetrio de, 29

Torres, Paulo, 304

Tranjan, Alfredo, 290

Tribuna da Imprensa, 73, 188, 235, 243, 247-51, 255, 259, 278, 290-1, 295, 299, 314, 318, 324, 330, 345, 397-8n, 402-3n, 405n

Tribuna Popular, 48, 71, 76, 371n, 374-5n

Tribunal de Nuremberg, 48

Tribunal de Segurança Nacional, 72

Tribunal Superior Eleitoral (TSE), 32, 63-4, 66-7, 71, 106, 124-6, 135, 171, 188, 193, 199, 201, 203, 379n, 411n

Trigueiro, Osvaldo, 104

Triple A ver Alianza Anticomunista Argentina

Truman, Harry, 208, 210-2, 241, 393n

Tudo a declarar (Armando Falcão), 315, 405n

turfe, 293

TV Tupi, 247, 325

udenistas, 18, 28, 31, 33, 35, 48, 52, 64-5, 70, 81-2, 86, 94, 102, 115, 124, 162, 183, 204, 229, 231-3, 246, 248, 262, 283, 292, 300

Última Hora (jornal), 220-5, 241, 243-5, 247-50, 257, 265, 267-8, 290-1, 326, 332, 345, 394n, 396-400n, 402-4n, 406-8n, 410n

umbanda, 107

União Democrática Nacional (UDN), 18, 26, 28, 31, 39, 45, 54, 56, 63, 65, 69-70, 74, 81, 83-4, 87, 93-4, 102, 104-6, 112-5, 141, 156-7, 161-3, 173-4, 182, 183-4, 189, 198, 201, 204-5, 217-8, 229-32, 234, 237, 242, 245, 246, 259, 279, 283, 286, 300, 325, 348

União Soviética, 70-1, 93, 124, 126, 210, 226, 248-9, 261

Untisal (medicamento), 94

urânio, 211, 226-7

Uruguai, 111, 154

Uruguai, rio, 18, 260-1

v-8, suco, 94

Valadares, Benedito, 70, 173

Vargas Filho, Getúlio ("Getulinho", filho mais novo de Getúlio), 129, 325

Vargas, Alaíde, 131

Vargas, Alzira *ver* Peixoto, Alzira Vargas do Amaral (filha de Getúlio)

Vargas, Benjamin Dornelles ("Bejo", irmão de Getúlio), 33, 57-61, 67, 76, 148, 164-5, 224, 268, 302-5, 323, 330-1, 341-3, 348-9, 370n, 375n, 411n

Vargas, Cândida Darcy (neta de Getúlio), 61

Vargas, Darcy Sarmanho (esposa de Getúlio), 80, 92, 129, 148, 165, 234-5, 326, 336, 344, 349-50, 411n

Vargas, Espártaco Dornelles (irmão de Getúlio), 151

Vargas, Jandira (filha de Getúlio), 61-2, 165

Vargas, Lutero (primogênito de Getúlio), 61, 81, 198, 239, 242, 268, 290-1, 297, 303-04, 315-20, 331, 336, 341, 343-4, 349, 373n, 405-6n, 408-11n

Vargas, Manuel Antônio ("Maneco", filho de Getúlio), 17, 22-4, 26, 28, 68, 81, 151-2, 191, 325-7, 332, 336, 339, 350, 367n, 374n, 406n

Vargas, Ondina Correia, 60

Vargas, Protásio Dornelles (irmão de Getúlio), 16-23, 31, 38, 42, 44, 131, 147, 155, 158, 176, 197, 367-9n, 371n, 382n, 391n

Varig, 78, 171, 175

Vasco da Gama (time de futebol), 209

Vaselli, Lanfranco (Lan), 222, 290

Vaz, Rubens Florentino, 295-7, 299, 303, 306, 308, 310, 314-5, 317-8, 320, 324-5, 348

Vergara, Luiz, 44, 50, 68, 190, 206, 237, 264, 287-8, 371n, 374n, 393n, 396n, 402n

Vergueiro, César, 134

Viana, Fernando de Melo, 83-5, 89

Viana, José de Segadas, 23, 41, 52, 70, 75, 132, 216, 240, 250, 370-2n, 375n, 398n

Viana, Oduvaldo, 109

Villa-Lobos, Heitor, 73

Virgulino, Honorato Himalaia, 72, 124-5

Vogue (boate), 224

Volta Redonda, usina siderúrgica de, 95, 103, 121, 211, 217, 265

Voz do Brasil (programa de rádio), 218, 264, 272, 284

Wainer, Artur, 249

Wainer, Dovra, 248

Wainer, Haim, 248, 249, 250

Wainer, Samuel, 158-64, 167-8, 189-90, 195-6, 204, 220-5, 230, 241, 243-4, 247-50, 259, 267-9, 290-1, 332, 386n, 388n, 390-2n, 394n, 397-400n, 402n, 407n

Washington Luís, 26

Welles, Orson, 235

Welles, Sumner, 13

Werneck, Moacyr, 221

Western, 243

Wine Is Bitter, The (Milton Eisenhower), 253

Ximenes, Ettore, 177

Yorick (cavalo de corrida), 293

1ª EDIÇÃO [2014] 5 reimpressões

ESTA OBRA FOI COMPOSTA EM DANTE PELO ESTÚDIO O.L.M. / FLAVIO PERALTA
E IMPRESSA EM OFSETE PELA GEOGRÁFICA SOBRE PAPEL PÓLEN NATURAL DA
SUZANO S.A. PARA A EDITORA SCHWARCZ EM ABRIL DE 2023

A marca FSC® é a garantia de que a madeira utilizada na fabricação do papel deste livro provém de florestas que foram gerenciadas de maneira ambientalmente correta, socialmente justa e economicamente viável, além de outras fontes de origem controlada.